Cadeau de France et Jacques

Madeleine Locas

D1028437

COLLECTION
2 CONTINENTS

SÉRIE BEST-SELLERS

LES FILLES
DE CALEB

Tome I

LES FILLES DE CALEB

roman

Tome I

LE CHANT DU COQ
1892-1918

Arlette Cousture

4e édition

QUÉBEC/AMÉRIQUE

425, rue Saint-Jean-Baptiste
Vieux-Montréal, Qc
H2Y 2Z7
Tél.: (514) 393-1450

AVERTISSEMENT

LES FILLES DE CALEB *est principalement inspiré de la vie de deux femmes*. Toutefois, même si la toile de fond de ce roman est authentique, j'ai prêté pensées, paroles, âmes, sentiments et ressentiments à **tous** les personnages.

Arlette Cousture

À toutes les filles de Caleb...
mais plus particulièrement
à l'âme d'Émilie...
et au cœur de Blanche.

REMERCIEMENTS

Je tiens à exprimer ma plus profonde gratitude à mon conjoint, **Daniel Larouche**, pour son amour, sa patience, son support et son aide;

à **Marilou Michon**, ma fille, qui a dû mouler son enfance sur le «travail de maman»;

à mes sœurs **Lyse et Michelle**, pour avoir cru en ma folle folie;

à Oscar et Juliette Pronovost, de Saint-Tite; Émilien Pronovost, de La Sarre; Rolande Pronovost-Buteau, de Trois-Rivières; Charles Pronovost, de Saint-Tite; monsieur et madame Saül Beaudoin, de Saint-Tite; madame Janine Trépanier-Massicotte, de Saint-Stanislas; monsieur Gaétan Veillette, de Sainte-Thècle; au Comité historique de Saint-Tite, plus particulièrement à monsieur et madame Pierre Lebrun;

ainsi qu'aux personnes suivantes qui, d'une façon ou d'une autre, m'ont manifesté appui et intérêt: Claude Pronovost-Beaudet, André Bolduc, Bruno Boutot, Bernard Contant, Suzanne de Cardenas, Johanne Dufour, Marie Eykel, Manon Girouard, Yvon Leblanc, Gaston L'Heureux, Michel Richard et Nicole Sawyer.

Les morts ne dorment plus dans l'oubli méprisant
car du passé j'ai fait un éternel présent.

Ziddler

PROLOGUE

Saint-Stanislas, comté de Champlain
Printemps 1892

Caleb revint de l'étable. La vache avait mis bas, mais il avait dû passer plusieurs heures à l'aider. Une taure vêlait habituellement assez rapidement. Grazillia, elle, avait semblé décider qu'elle prendrait tout son temps au grand dam de Caleb qui, malgré la chaleur qui régnait dans le bâtiment, avait commencé à sentir l'humidité lui ronger les os.

Il referma rapidement la porte de la cuisine d'été de crainte que le vent ne s'y engouffre, enleva ses caoutchoucs et se contenta de délacer ses *mitons*. Il soupira d'aise. Il entra dans la cuisine principale sans dire un mot, se dirigea vers la pompe, fit couler l'eau dans le bassin de métal et se savonna les mains. Célina lui jeta un coup d'oeil inquiet, prête à répondre à son regard dès qu'il remarquerait sa présence. Son mari avait l'air préoccupé. Elle ressentait toujours un pincement au cœur lorsqu'il affichait cet air annonciateur d'une saute d'humeur, ou d'une déception, ou d'un grand trouble. Ce soir, elle ne voyait pas comment le vêlage de Grazillia avait pu le mettre dans un pareil état.

Caleb s'essuya méthodiquement les mains — comme il le faisait toujours avant de se mettre à table — passant la serviette entre chaque doigt, frottant deux fois chacune des paumes et chacun des dessus de main. Émilie, l'aînée des enfants, fit comprendre à ses frères et sœurs qu'ils avaient avantage à baisser le ton. Elle sentait que c'était une de ces soirées où chacun devait être le plus discret possible.

Célina commença à se tordre les doigts sur son tablier. Elle n'aimait pas l'atmosphère qui s'immisçait dans la maison par toutes les ouvertures. Instinctivement, elle se dirigea vers la porte pour s'assurer qu'elle était bien enclenchée. Elle eut à peine le temps d'amorcer son mouvement; Caleb lui lança sèchement qu'il l'avait bien fermée. Comme une enfant prise en défaut, Célina rebroussa chemin, s'efforçant de sourire à travers son soupir, simplement pour rassurer les enfants. Caleb lança son essuie-main plutôt que de le suspendre au crochet et se dirigea vers la table.

«Qu'est-ce qu'on mange?»

Célina, d'une voix mal assurée, lui décrivit le menu: soupe, lard grillé, betteraves, omelette, patates jaunes et...Caleb l'interrompit.

«Encore?»

Émilie regarda sa mère et vit qu'elle ne savait que répondre à cette fausse question. Presque une accusation, lui sembla-t-il. Du haut de ses treize ans, elle comprenait très bien qu'il y avait sur la table tout ce que l'imagination de sa mère avait pu apprêter, compte tenu qu'à la fin de mars, les provisions commençaient à diminuer sérieusement. Comme Célina mettait trop de temps à se ressaisir, Émilie décida de venir à son secours.

«Si vous voulez, pâpâ, j'aurais peut-être le temps de vous réchauffer un pâté de viande.»

Caleb grogna une réponse que ni la mère ni la fille ne comprirent. Émilie, un peu lasse de l'humeur de son père, s'enhardit et lui demanda si son grognement voulait dire «oui» ou s'il voulait dire «non». Caleb lui jeta un regard furieux et répondit qu'il avait dit «à votre goût».

Célina fit signe aux enfants de déplacer la berceuse de façon à libérer l'accès à la trappe de la cave mais Émilie, d'un air farouchement décidé, s'y assit promptement. Sidérée, Célina lui demanda ce qu'elle faisait. Émilie lui répondit que son père leur avait laissé le choix et que, quant à elle, elle préférait ne pas chauffer le pâté de viande. Puisque le souper était déjà servi, elle ne voyait pas pourquoi toute la famille aurait à attendre une demi-heure avant de manger. Célina, les yeux exorbités, ouvrit la bouche pour parler, mais pas un seul des mots qui se bousculaient dans sa pensée ne réussit à trouver de souffle. Elle avait toujours été incapable de supporter un affrontement, même une dispute normale entre enfants. Aussi est-ce sans réfléchir qu'elle se dirigea vers Émilie, la saisit brusquement par le bras et lui ordonna de se lever.

Caleb regarda la scène, mi-amusé, mi-ulcéré. Il ne lui était encore jamais arrivé de voir Célina s'emporter ni de voir un de ses enfants lui tenir tête. Aussi, se sentit-il obligé d'intervenir.

«Laisse faire, Célina, Émilie est assez grande pour se lever toute seule.»

Il dévisagea Émilie, certain qu'elle obéirait et à sa remarque et à son regard glacial, mais elle n'en fit rien. Elle commença plutôt à se bercer, doucement d'abord puis de plus en plus rapidement, au point que la chaise se mit à craquer de tous ses joints. Les jeunes, conscients que quelque chose n'allait pas, se réfugièrent près de leur mère qui, elle, brassait frénétiquement une cuiller de bois dans un chaudron vide de soupe pour se tenir occupée certes, mais surtout pour éviter d'être prise à témoin de l'orage qui se préparait.

Caleb tapota la table de ses doigts, du petit doigt au pouce, au même rythme que le balancement d'Émilie. Celle-ci, remarquant le geste, commença à faire des contretemps. Caleb en fut nettement agacé.

«Si tu continues ton jeu de *balancigne* longtemps, le souper va être pas mal froid.»

Du tac au tac, Émilie lui répondit qu'il n'y avait rien là d'exceptionnel. Caleb tiqua.

«Est-ce que tu veux dire par là que je donne pas assez à manger à ma famille?»

Émilie avala lentement avant de répondre. Elle éprouvait un sentiment de culpabilité. Il y avait longtemps qu'elle se promettait une discussion avec son père, mais elle savait le moment mal choisi. Elle aurait préféré être seule avec lui, certaine que ce qu'elle avait à lui dire n'aurait pas dû être entendu des plus jeunes. Encore une fois, son impulsivité l'avait foutue dans un beau pétrin. Par orgueil, elle décida d'aller jusqu'au bout de ce qu'elle avait amorcé. Aussi est-ce avec une assurance à peine teintée de crainte qu'elle enchaîna.

«Je veux dire que je trouve que nous autres, les filles, on est obligées d'en faire pas mal plus que nos frères.» Elle s'interrompit, s'attendant à une réplique immédiate. Caleb, au contraire, lui fit comprendre en haussant les sourcils qu'elle devait continuer.

«Le matin, on se lève en même temps que vous autres. On aide au *train*, on ramasse les œufs, on nettoie le poulailler. Après ça, on se dépêche pour faire le déjeuner, le service, passer le balai pis faire les lits. Pendant ce temps-là, mes frères, eux autres, mangent lentement, pis se lavent en prenant leur temps. Quand leur déjeuner est fini, nous autres il faut qu'on aide moman à ramasser. Après, on court pour se laver si on veut pas empester la vache à l'école. Presque tout le temps les gars ont marché la moitié du chemin quand nous autres on sort en courant pour pas être en retard. Des fois on court dehors avec encore une tranche de pain dans les mains.»

Plus elle parlait, plus elle s'emportait. Elle avait conscience que sa voix s'aiguisait. Caleb avait cessé de tapoter la table. Il regardait maintenant sa fille d'un œil injecté de colère. Émilie décida de ne pas se laisser impressionner.

«Ce que je veux dire...

— Parce que c'est pas ça que tu voulais dire!» Elle figea pendant quelques secondes puis enchaîna.

«Ce que je veux dire, c'est que je trouve que vous nous en demandez plus. Vous regardez même pas si des fois on en aurait pas trop à faire. On passe nos samedis à faire du nettoyage pis du lavage, pis nos soirs de semaine à aider moman avec l'*ordinaire* pendant que vous autres vous jouez aux dames ou aux cartes. Des fois je suis tellement fatiguée, que j'ai de la misère à faire mes devoirs pis mes leçons. Mes notes à l'école sont pas aussi bonnes que je voudrais...

— Haaa!....c'est ça que tu voulais dire depuis le commencement?»

Émilie sut qu'elle avait prononcé un mot de trop. Du regard, elle implora sa mère d'intervenir. Pour toute réponse, Célina se contenta de moucher son avant-dernier qui, depuis le début de l'hiver, traînait un interminable rhume. Émilie se sentit terriblement seule. Elle adoucit le ton.

«Ce que je voulais dire, pâpâ, c'est que je trouve qu'il y a quelque chose de pas juste là-dedans.»

Elle venait de toucher la corde sensible. Elle savait que son père se considérait comme un homme juste. Qu'il faisait comme tous les hommes. Qu'il élevait sa famille comme son père à lui avait élevé la sienne. Et voilà qu'elle venait de lui dire qu'il était injuste.

«Il y a deux places chez nous, ma fille. Celle des hommes pis celle des femmes. Les hommes travaillent à la sueur de leur front pour gagner le pain quotidien pis béni. La place des femmes, c'est de voir à ce que les hommes aient tout ce qui leur faut. Tu as rien que treize ans pis c'est pas une effrontée de ton âge qui va me dire comment mener mes affaires. »

Sur ces mots, sa colère longuement contenue éclata. Il se leva. Émilie cessa de se balancer. Avant même qu'elle n'ait eu le temps de comprendre ce qui se passait, elle se retrouva à mi-chemin de l'escalier, soutenue par son père, les pieds ballants au-dessus des marches. Elle entendit Caleb vociférer mais son cerveau n'enregistra aucun mot. À son tour, elle se mit à crier.

«Lâchez-moi...je suis capable de monter toute seule. »

Voyant que son père ne réagissait pas, elle enchaîna, la voix éteinte par la rage et les larmes.

«Moi, je veux manger en même temps que vous autres pis moi je veux aller à l'école la tête reposée.

— Si tu es fatiguée, ma fille, tu as rien qu'à arrêter d'aller à l'école. Ta mère aurait ben besoin de toi. Pis à part de ça, pour une fille, tu es assez savante. »

Menace suprême! Il venait de proférer l'ultime menace! Émilie refoula ses larmes. Il lui fallait absolument cacher qu'il avait réussi à la blesser.

«Personne est assez savant », s'entendit-elle répliquer.

Caleb ouvrit la porte de la chambre des filles et poussa Émilie vers un des lits. Elle n'offrit aucune résistance.

«Tu vas te passer de manger à soir. Tu diras un acte de contrition après avoir jonglé au quatrième commandement de Dieu.

— Il devrait y en avoir un pareil pour les enfants,» chuchota-t-elle, mais Caleb l'entendit.

«Ben ça c'est le comble! Tu veux tout changer dans la maison. Tu me dis comment élever ma famille! Pis *astheure*, tu dis au Créateur qu'Il sait pas comment écrire ses commandements! Un vrai blasphème! Tu iras te confesser. Je veux pas voir un de mes enfants faire un sacrilège!»

Ulcéré, il tourna les talons et ferma la porte en sortant de la chambre. Puis il rouvrit, le temps de dire à sa fille de descendre nettoyer après le souper. Émilie en fut insultée.

«Non! Pas de souper, pas de ménage.»

Caleb referma si violemment qu'un des gonds céda. Il poussa la porte branlante et revint vers sa fille la main levée et la gifla du revers. Émilie encaissa le coup sans broncher, regarda son père bien en face puis, calmement, tendit l'autre joue. Caleb ne la gifla pas une seconde fois. Jamais il n'avait frappé un enfant. Il fut secoué par un spasme et n'essaya même pas de comprendre s'il s'agissait d'un sanglot ou d'une nausée. Il sortit de la pièce. Émilie lui avait tourné le dos et s'était dirigée vers la fenêtre givrée.

****

Caleb redescendit l'escalier beaucoup plus lourdement qu'il ne l'avait monté. Célina le regardait, prête à toute éventualité. Jamais elle n'avait eu connaissance que son mari s'emportât de telle façon. Par le grillage du plancher, elle et ses enfants n'avaient pas perdu un mot de l'esclandre entre le père et la fille et personne n'avait osé s'asseoir.

Caleb regarda tout ce petit monde inquiet et, une ride de chagrin au front, fit signe à ses fils de s'attabler. Célina et les filles s'empressèrent de leur tendre les plats. Tout était froid. Caleb commença à manger, grimaça, mais s'abstint de critiquer. Les filles s'affairaient plus qu'à l'accoutumée, craignant qu'une légère erreur ne provoquât une nouvelle saute d'humeur.

Dès que Caleb eut avalé ce qu'il décida être sa dernière bouchée — habituellement, il vidait son assiette et effaçait toute trace de repas avec une tranche de pain — il se leva et se dirigea vers sa berceuse. Ses fils l'imitèrent. Il observa ses filles pendant qu'elles débarrassaient la table des assiettes souillées et que, timidement, elle s'assoyaient avec leur mère pour manger ce que les hommes avaient bien voulu leur laisser. Ce soir, il y avait de plus grandes quantités dans les plats. Le repas étant froid, les hommes avaient peu mangé. Caleb regardait toujours ses filles, étonné de voir que, contrairement à ses fils, elles se servaient de généreuses portions, apparemment insouciantes du fait que la nourriture fût presque immangeable, du moins à ce qu'il lui avait semblé. Elles commencèrent à parler de toutes leurs insignifiances, d'abord en chuchotant, puis osèrent quelques éclats de rire. Caleb eut le sentiment aigu qu'il venait de perdre une brindille de son autorité. Sans dire un mot, il sortit de la cuisine, enfila son *capot* de fourrure, laça ses mitons et remit ses caoutchoucs. Il n'avait qu'une envie : prendre l'air. Dès qu'il eut refermé la porte, un immense sentiment de soulagement envahit la cuisine. Seule Célina ne se détendit pas. Elle retenait encore les larmes qui lui brûlaient les paupières. Elle prit son avant-dernier par le chignon, le dévêtit et sans lui demander son avis, décida qu'il prendrait un bain même si on n'était pas le samedi. L'enfant se débattit mais quand il la vit verser l'eau chaude dans la cuve, il comprit que toute contestation serait vaine.

«Vous autres, les filles, faites la vaisselle avant qu'on vous le demande. Les garçons, vos devoirs. En silence. Je veux pas en entendre un seul crier. Je veux pas entendre un mot. Pas un! C'est clair?»

Les enfants s'émurent. Il n'était pas dans les habitudes de leur mère de lever le ton. Quelle soirée! Aussi, dès que les filles eurent passé le torchon sur la table de bois, les garçons ouvrirent leurs livres sans regimber. Célina frotta les oreilles de son enfant avec un peu trop d'énergie. Il commença à chialer. Elle lui donna une taloche derrière la tête. Prenant conscience de son geste, elle éclata en sanglots. L'enfant, saisi, ne versa pas une larme. Les aînés levèrent les yeux mais s'abstinrent de commentaires. Bouleversés de voir leur mère pleurer et conscients de leur maladresse à la consoler, ils ne bronchèrent pas. Célina s'assécha les yeux avec un coin de son tablier et pour rassurer ses enfants, leur dit sans trop de conviction qu'elle s'était mis du savon dans l'œil. Personne ne fut dupe.

****

Pour la première fois de sa vie, Émilie avait connu la peur. La peur d'elle-même, la peur de son père et surtout la peur d'être contrainte de quitter l'école. Cesser d'apprendre. L'horrible perspective de regarder partir ses frères et sœurs sans elle.

Dès que son père eut fermé la porte de sa chambre, elle s'était plantée devant la fenêtre, refusant de s'étendre sur le lit. Depuis longtemps, elle avait compris que les larmes coulent beaucoup plus facilement lorsqu'on est allongé. Elle était restée debout devant la fenêtre et avait vu son père sortir de la maison, faire les cent pas, regarder la lune et finalement s'engouffrer dans l'étable. Émilie avait la certitude que leurs chagrins battaient à l'unisson. Elle se frotta la joue, beaucoup plus pour calmer la douleur de l'humiliation que celle de la gifle. Elle n'avait pourtant dit à son père que ce qu'elle ressentait. Malgré sa défaite, elle demeurait convaincue de trouver un moyen d'améliorer la situation dans la maison sans provoquer de pénibles conflits. Elle réfléchit, s'étonnant presque de n'éprouver aucune rancœur envers son père. Elle le savait juste. Entêté, mais juste. Elle se morfondait de l'avoir pris à partie devant toute la famille. Si seulement elle avait mieux choisi son moment. Elle essaya vainement d'étouffer son remords en se disant que c'était son père qui, par sa mauvaise humeur, l'avait provoquée.

****

Caleb regardait Grazillia lécher son nouveau-né à grands coups de langue rose et lisse. Né depuis moins de deux heures, il se tenait déjà solidement debout sur ses pattes et tétait aux trayons de sa mère.

«Maudite Grazillia! Qu'est-ce que tu penses que j'vas faire avec un p'tit bœuf? C'est des génisses que j'ai besoin. Un bœuf, c'est presque un an de perdu. Le temps qu'il tète on peut pas avoir de lait pis après ça, il faut qu'on le tue si on veut pas se ruiner à l'engraisser. Maudite Grazillia!»

Le souvenir de la naissance d'Émilie lui revint à l'esprit. Quand il avait soulevé sa première-née, il n'avait pas osé avouer sa déception de ne pas avoir un fils. Il lui avait semblé tellement normal que, sur une ferme, on ait d'abord des fils. Des fils pour assurer la succession. Pour prendre la relève. Il se sourit, conscient qu'en bon fermier il avait les idées contradictoires. Quand une femme avait des enfants, on voulait qu'elle ait des mâles. Le plus de mâles possible. Par contre, quand il s'agissait d'une vache, tout ce qu'on voulait, c'était des femelles. Il eut un pincement au cœur. Émilie n'avait-elle pas essayé de lui démontrer que lui, Caleb, ne traitait pas tous ses enfants de la même façon? Il avait été convaincu qu'elle exagérait jusqu'à ce qu'il se mette à table. Le souper, froid, lui avait semblé infect. En voyant ses filles manger sans s'en formaliser, il avait compris qu'Émilie n'avait peut-être pas exagéré. Ces pensées l'agaçaient. Caleb n'aimait pas remettre en question des choses établies depuis toujours. Il aimait encore moins se remettre en question. Comment se faisait-il qu'aucune de ses sœurs à lui ne se fût jamais plainte? Émilie lisait trop. Elle était devenue trop savante. Elle prenait trop d'idées dans les livres. Malgré ses treize ans, elle était la plus grande de tous les élèves de son école. Elle ne cessait pas de pousser. Émilie lisait trop. Mais son esprit, pensa-t-il, n'était pas assez grand pour saisir toutes les nuances de la vie. Il comprit qu'il n'avait qu'une chose à faire : retirer Émilie de l'école. L'obliger à apprendre à être une bonne femme de maison. Une femme heureuse de satisfaire sa famille. Il fallait qu'elle soit comme sa mère. De toute façon, que lui donneraient toutes ses connaissances quand, dans cinq ou six ans, elle serait mariée, établie? Les livres ne lui apprendraient jamais le langage de la terre.

Caleb décida néanmoins de demander l'avis de Célina. Un rot lui rappela le goût du souper. Il le détesta autant qu'il se détestait d'avoir agi comme il l'avait fait. Mais un père était un père. Il n'avait agi qu'en père qui veut former ses enfants correctement. Il lui faudrait parler à Célina.

****

Les enfants décidèrent, sans se consulter, qu'il valait mieux aller dormir. Ils préféraient le sommeil à la tension qui de nouveau avait envahi la maison. Célina leur souhaita une bonne nuit tout en se demandant si elle ne devait pas

faire porter quelque chose à Émilie. Elle haïssait le sentiment qui la tiraillait. D'une part, elle considérait que la
punition d'Émilie était pleinement justifiée. D'autre part,
elle n'approuvait pas de priver un enfant en pleine croissance. Elle se convainquit pourtant de se ranger du côté
de son mari. Son autorité avait été mise à rude épreuve et
Célina n'avait pas l'intention de la contester. Elle donna le
sein au bébé et le caressa longuement avant de le coucher.
Dès qu'elle n'entendit plus de bruit à l'étage, ce qui ne tarda
pas, elle jeta un coup d'œil autour d'elle pour s'assurer que
tout était en ordre puis décida de tromper l'attente en trico-
tant. Ses mains étaient trop nerveuses pour faire du bon
travail. Elle échappa une maille, puis une seconde. Finalement, elle fourra le tout dans son sac à tricot et se dirigea
vers la fenêtre pour voir si elle n'apercevrait pas Caleb.
La nuit, elle le savait, était glaciale. La lune était pleine
et plus brillante qu'à l'habitude. Elle eut beau scruter la
noirceur à travers les cristaux de givre, elle ne vit rien.

****

Dès qu'elle avait entendu monter ses frères et ses
sœurs, Émilie s'était hâtée d'enfiler sa robe de nuit et de
se coucher. Elle ne voulait pas écouter les remarques et
les questions de ses sœurs. Ce soir-là, quand finalement
elle s'endormit, elle sut ce qu'elle devait faire.

Elle savait qu'elle pouvait endurer que son père lui
fasse la tête pendant quelques jours, voire quelques
semaines. Par contre, elle devait absolument éviter qu'il
ne mette à exécution sa menace de la retirer de l'école. Elle
ferait tout. Elle se lèverait plus tôt. Elle doublerait le
nombre de ses corvées. Elle étudierait le soir, à la lueur
de la lampe s'il le fallait. Mais jamais, jamais elle n'accepterait de quitter l'école. Jamais!

****

Ne sachant plus que faire pour taire son angoisse, Célina décida d'aller se coucher. Elle était certaine qu'elle ne réussirait pas à dormir sans son homme, mais elle préférait être en position de fermer les yeux plutôt que d'avoir à lui faire face.

Elle se dévêtit lentement. La maison était fraîche. Elle se rendit compte qu'elle avait omis de mettre les bûches de nuit dans le poêle à bois. Elle le fit sans attendre. De retour dans sa chambre, elle se coucha, se tourna plusieurs fois sur elle-même puis fouilla sous l'oreiller pour en sortir un chapelet. Elle pria pour deux raisons. La première, pour faire oublier au Seigneur que Caleb avait, pour la première fois de sa vie, omis le bénédicité et les grâces. La seconde pour qu'elle, Célina, réussisse à se calmer.

Caleb revint longtemps après que Célina se fut endormie. Il sut par la boursouflure de ses yeux qu'elle s'était assoupie en pleurant. Il lui enleva le chapelet des mains, le remit sous l'oreiller, se dévêtit en silence, fit une génuflexion et un signe de croix, souffla la lampe et se glissa sous les couvertures chauffées par le chagrin de sa femme.

****

Le lendemain matin, Émilie était à son poste. Elle nettoya la table avec une minutie énervante, enfila son manteau et partit pour l'école sans prendre la peine de manger. Célina lui cria de revenir à la maison et insista pour qu'elle avale au moins une tranche de pain trempée dans la mélasse. Émilie la remercia de son attention, mais lui fit comprendre qu'elle devait se hâter pour ne pas rater son examen. Célina, troublée, referma la porte en se demandant si Émilie ne s'était pas levée durant la nuit pour grignoter quelque chose. Caleb lui dit de ne pas s'inquiéter. Profitant des quelques instants de solitude qu'ils avaient, il lui parla de son idée de retirer Émilie de l'école, usant de toute l'argumentation qu'il avait mijotée durant ses heures d'insomnie. À son grand étonnement, Célina lui répondit qu'il n'en était pas question. Qu'Émilie avait besoin de l'école comme lui, Caleb, avait besoin de regarder le soleil et d'écouter la pluie. Caleb essaya de lui faire comprendre qu'il y avait toute une différence entre la terre et les livres. Célina demeura intraitable. Émilie devait continuer de fréquenter l'école. Émilie, il le savait, voulait être institutrice.

«Des rêves de p'tite fille! lança-t-il presque avec dédain.

— Non, c'est pas des rêves. Dans deux ou trois ans, elle va pouvoir faire la classe. Pour ça, il va falloir qu'elle soit prête pour l'examen du gouvernement. Moi, je pense que si elle veut être maîtresse d'école, elle doit être maîtresse d'école.»

Caleb lui rappela sa santé fragile et l'aide qu'Émilie pourrait apporter quand elle serait malade ou indisposée. Célina rétorqua qu'Émilie n'avait jamais regimbé quand il lui avait fallu s'absenter de l'école pour la seconder. À bout d'arguments, Caleb convint qu'Émilie, malgré son caractère légèrement prompt, était une fille serviable. Puis, après plusieurs vaines tentatives, il osa demander à Célina si elle avait compris quelque chose à la scène de la veille. Elle répondit en rougissant que ces sautes d'humeur annonçaient probablement qu'Émilie aurait bientôt à utiliser des guenilles. Caleb se contenta d'émettre un grognement. Il n'aimait pas parler de ces histoires de femmes. Finalement, s'armant de courage, il tâta le terrain pour savoir si sa femme le trouvait injuste dans sa façon d'élever les enfants. Célina lui répondit qu'il était un bon mari et un bon père et qu'il faisait comme tous les pères. La vie était dure et tout le monde devait mettre la main à la pâte.

«Est-ce que tu as l'impression que la pâte des filles est plus épaisse que celle des gars?» s'enquit-il faiblement, espérant une réponse négative.

«La pâte des filles, c'est la pâte des filles.»

Caleb la connaissait bien. Quand elle hésitait à dire le fond de sa pensée, elle répondait par une phrase toute faite, comme celle qu'elle venait de lui servir. Caleb se leva, mit son manteau et se chaussa.

«J'vas voir si les outils ont pas besoin d'être graissés avant que le printemps arrive.»

Célina fit mine d'approuver mais elle savait fort bien qu'ils avaient été huilés depuis belle lurette. Une fraction de seconde avant de franchir la porte, Caleb se retourna.

«Est-ce que vous mangez toujours aussi froid que ce qu'on a mangé hier?»

Célina hésita quelques instants avant de lui répondre.

«Est-ce que c'était froid?»

Caleb hocha la tête et sortit doucement.

****

Au retour de l'école, Émilie semblait de meilleure humeur. Elle avait aidé sa mère à préparer le souper et s'était fait un point d'honneur de veiller à ce que les hommes de la maison aient tout ce qu'il leur fallait au bon moment. Caleb lui sourit à plusieurs reprises, timide manifestation d'approbation au constat que la brouille était terminée. Émilie lui rendit ses sourires. Les hommes se retirèrent de table et les femmes, après avoir posé un second couvert, s'assirent à leur tour. Caleb avait discrètement essayé d'imposer à ses fils un rythme accéléré, de façon que la nourriture n'ait pas le temps de trop refroidir. Il était fier de lui. Célina avait compris son manège et lui jeta, en s'asseyant, un discret coup d'œil de reconnaissance.

«Tu viens pas t'asseoir, Émilie? demanda-t-elle.

— Non, merci. J'aime mieux manger debout.

— Comment ça, t'aimes mieux manger debout?

— Comme ça...»

Caleb avait perdu le sourire. Elle lui tenait tête. Elle lui tenait tête, la mule. La mule! Émilie mangea aussi rapidement que l'avait fait son père, puis lava seule toute la vaisselle qu'elle pouvait laver. Ses sœurs la regardaient, perplexes.

«Attends-nous.

— Ben non, ça va aller plus vite. Profitez-en, c'est pas souvent que je suis serviable de même.»

Anguille sous roche! Il y a anguille sous roche, pensa Caleb. Mais il se garda bien de dire un seul mot.

Le lendemain matin, Émilie se leva plus tôt qu'à l'accoutumée et avait déjà trait quelques vaches lorsque son père entra dans l'étable.

«Qu'est-ce que tu fais ici, toi?

— Le train. Après ça, j'vas passer le balai.

— C'est pas à ton tour de passer le balai.

— Si vous le dites. J'vas aller le passer dans la maison d'abord.»

Caleb la regarda sortir, soupçonneux.

****

Caleb ne savait plus du tout que faire. Émilie ne s'était pas assise à la table depuis un mois. Pouvait-il honnêtement la sermonner? Elle faisait toujours ce qu'elle devait faire et même plus. Son travail était toujours exécuté dans un temps record. L'institutrice, lors de la rencontre de Pâques, leur avait dit, à lui et à Célina, qu'Émilie, encore une fois, était la première de sa classe. Elle avait même ajouté que si leur fille continuait de travailler comme elle le faisait, ce serait elle qui, bientôt, lui en apprendrait. Elle avait humblement admis qu'Émilie connaissait son français mieux qu'elle-même. Caleb, même s'il n'approuvait pas qu'Émilie poursuive ses études — encore moins pour être institutrice — éprouva néanmoins un énorme sentiment de fierté. Cette fierté prenait cependant ombrage de l'entêtement quotidien de son aînée.

Célina avait adroitement évité toute discussion à ce sujet. Elle savait que le comportement d'Émilie portait sur les nerfs de son père mais elle savait aussi qu'Émilie tenait tête avec tellement de politesse et de candeur qu'il était bien difficile de comprendre où elle voulait en venir. Par contre, lorsque son mari, un soir de la fin d'avril, lui avait demandé en soupirant si elle savait ce qu'Émilie attendait de lui, Célina crut que le moment d'intervenir était venu. Apparemment, l'orgueil de Caleb avait fondu au même rythme que la neige.

«Je sais pas, Caleb, mais il me semble que ça aurait rapport avec les repas.»

D'étonnement, Caleb leva un sourcil.

«Qu'est-ce qu'ils ont les repas? Je rote tout le temps tellement que je mange vite pour pas que ça refroidisse.»

Célina avait négligé de relever cette remarque, se contentant de lui faire un sourire entendu. Elle préférait lui laisser l'illusion que, de lui-même, il trouverait une solution. Caleb pensa à sa remarque pendant quelques jours.

Le dimanche suivant, profitant de l'absence des aînés, qui étaient allés entendre un récital de piano dans la grande salle du couvent, Caleb demanda à Célina de dresser la table avec un couvert par membre de la famille. Célina pensa qu'il avait enfin compris, acquiesça sans commenter et fit ce qu'il demandait.

Les enfants rentrèrent et les filles mirent leurs tabliers pour dresser la table. Célina se contenta de leur dire que c'était fait. Alors les filles, Émilie la première, virent qu'il y avait beaucoup plus de couverts qu'à l'accoutumée. Jouant de prudence, Émilie se contenta de dire que la table avait l'air d'une table de Noël. Toute la famille s'assit en même temps. Les garçons, se sentant lésés, se plaignirent qu'ils étaient trop à l'étroit. Caleb leur offrit de manger debout. Émilie pouffa de rire. Caleb s'empêcha de l'imiter. Il se racla la gorge et parla aux enfants attentifs.

«J'avais toujours pensé que la table serait pas assez grande pour tout le monde. Aujourd'hui, votre mère pis moi on a essayé pis on s'est rendu compte que c'était faisable. On a assez de place. J'vas quand même faire une autre table, un peu plus grande... On a pensé aussi que les filles, Émilie, Année pis Éda, pourraient faire le service chacune leur tour. Nous autres, les hommes, on va faire comme dans les chantiers. On va aller porter nos assiettes pis nos ustensiles sales à côté du plat de vaisselle. De même, votre mère va moins marcher. On sait que ses jambes font mal...Astheure, si vous voulez vous lever, on va dire le bénédicité.»

Tout le monde se leva. Émilie la première. Elle fut aussi la première rassise et la première à piquer sa fourchette quand les assiettes furent servies.

«C'est donc bon des patates chaudes! Hein, moman!»

****

Chapitre premier

1895-1897

1.

«Éva, à soir, c'est à ton tour de laver l'ardoise. Prends un bon torchon, parce que je veux que ça reluise comme un sou neuf. Vous autres, les grands, vous allez fendre pis rentrer le bois. Je veux pas voir une seule bûche qui déboule. Les moyens, cette semaine, c'est à votre tour de passer le balai. Je veux pas de chicane quant à savoir qui va balayer pis qui va ramasser la poussière. Les p'tits, vous allez bien enligner les pupitres. Vous connaissez le secret pour qu'ils soient bien droits.» Émilie leur fit un clin d'œil. «Je veux des belles lignes.»

Les vingt-sept enfants se levèrent. Les grands haussèrent les épaules, ne fut-ce que pour manifester qu'ils refusaient d'obéir aussi facilement, mais se hâtèrent néanmoins d'aller chercher le bois. Émilie, assise à son pupitre, mit de l'ordre dans ses papiers. Elle rangea ses feuilles dans le grand tiroir de droite, puis revenant sur sa décision, elle les ressortit et décida de les mettre avec sa pile de choses à apporter. Elle changea encore d'idée et les replaça dans le tiroir en hochant la tête. Elle se leva, chercha la petite Charlotte des yeux et se dirigea vers elle. Elle lui tapota l'épaule.

«C'est l'heure, Charlotte.»

Charlotte comprit. Elle abandonna aussitôt son travail et se dirigea vers la planche à clous, vissée près de la porte arrière de la classe. La planche faisait office de porte-manteau. Elle chercha le sien. Il lui semblait l'avoir suspendu sur le premier clou à côté de la porte, mais elle ne le voyait pas. Elle regarda sur le deuxième puis le troisième clou. Elle s'inquiéta. Où avait-elle mis son manteau? Il lui fallait absolument trouver son manteau. Elle revint au premier clou, fouilla sous le manteau qui y était suspendu mais ne vit pas le sien. Elle se tourna vers la classe et essaya d'attirer l'attention d'Émilie mais Émilie parlait à Éva et ne pouvait la voir. Charlotte, trop timide, n'osa pas l'interpeller. Où était son manteau? Sa mère lui défendait de sortir sans son manteau. Elle décida de chercher une autre fois avant de demander de l'aide. Elle réexamina chacun des clous, n'y voyant plus très bien. Des larmes s'étaient accrochées à ses cils et le menton lui vibrait sous l'effort qu'elle faisait pour retenir ses pleurs. C'est l'heure se répétait-elle. C'est l'heure. Mais depuis combien de temps est-ce l'heure? Elle ne savait absolument plus que faire. Elle regarda à nouveau en direction de la classe et vit que le grand Crête l'observait d'une drôle de façon.

Le grand Crête donna un coup de coude à Paul qui, lui, donna un coup de talon à Lazare qui, lui, donna un coup de balai sur le pied d'Émile, qui toussota pour attirer l'attention d'Ovila. Ce dernier jeta un coup d'œil vers Émilie, fronça les sourcils, souleva les épaules puis se remit au travail. Il déposa une bûche qui, à son grand désespoir, roula sur le sol. Émilie se retourna.

«Ovila Pronovost! Veux-tu bien être plus attentif à ce que tu fais.

— Excusez-moi, mam'selle, je l'ai juste échappée. Regardez, je les ai toutes bien empilées.

— Ça va, mais fais plus attention.»

C'est à ce moment qu'Émilie se rendit compte qu'il y avait quelque chose de louche dans l'air. Quelque chose qui lui échappait. Elle balaya la classe du regard. Tout semblait se dérouler normalement. Les enfant parlaient à voix basse comme ils étaient autorisés à le faire. Ils étaient tous à l'endroit qu'elle leur avait désigné. Mais quelque chose clochait. Elle demanda à Éva ce qui se passait. Éva ne comprit pas le sens de sa question. Émilie se retourna encore une fois vers ses autres élèves mais ils avaient tous l'air occupés. C'est à ce moment qu'elle entendit une espèce de couinement. Un son qui ressemblait à la fois au sifflement du vent d'hiver et aux pleurs d'une portée de chiots.

«Qu'est-ce que c'est que ce bruit-là?» lança-t-elle à la ronde. Le grand Joachim Crête la regarda d'un air on ne peut plus innocent.

«Ça serait pas Charlotte par hasard, mam'selle?»

Émilie retroussa sa jupe et se dirigea à l'arrière de la classe. Le spectacle était désolant. Charlotte se tenait debout à côté des manteaux, les yeux rivés au plancher. L'urine lui coulait encore sur les jambes.

«Charlotte! mais qu'est-ce qui t'est arrivé?»

Charlotte éclata en sanglots. Au même moment, le grand Joachim et ses amis éclatèrent de rire.

Émilie s'agenouilla pour consoler Charlotte puis, consciente que les autres riaient, se retourna vers la classe et leur ordonna plus que sèchement de regagner leurs places.

«Charlotte a pissé à terre», cria le grand Joachim de sa voix éraillée d'adolescent.

Émilie le fusilla du regard et l'avertit qu'elle ne voulait plus l'entendre braire un seul mot après quoi elle reporta son attention vers Charlotte qui était inconsolable. Émilie essaya de comprendre la cause de l'accident mais Charlotte hoquetait maintenant beaucoup trop pour lui expliquer quoi que ce fût.

«Éva, apporte-moi le torchon pis la chaudière.»

Éva s'exécuta le plus rapidement possible. Elle tendit la guenille à Émilie et resta à regarder la scène. Émilie commença par essuyer les jambes de Charlotte, puis ses bottines, puis le plancher. Elle était furieuse, Charlotte malheureuse et Éva trop curieuse.

«Merci, Éva. Tu peux aller te rasseoir.»

Éva se sentant prise en défaut retourna à sa place mais chuchota sur son passage qu'il était vrai que Charlotte avait pissé par terre. Le grand Joachim répliqua, assez fort pour être entendu de tous, que cela se voyait et se sentait aussi.

«Ça sent la punaise à plein nez», avait-il ajouté.

Son voisin pouffa de rire, malheureusement un peu trop fort pour ne pas être entendu d'Émilie qui passait justement à côté de lui, traînant Charlotte par la main afin de la conduire dans ses quartiers. Elle donna une violente tape sur le pupitre. Le rieur sursauta, rougit et finalement blêmit.

«C'est assez!» grinça Émilie.

Elle monta au second avec Charlotte pour l'isoler du groupe. Rendue à la dernière marche de l'escalier, elle entendit clairement le grand Crête demander à la ronde s'ils n'avaient pas eux aussi l'impression qu'il commençait à pleuvoir. Émilie ne voulut plus rien entendre. Elle commanda à Charlotte de s'asseoir et de l'attendre. Elle redescendit en trombe. Les élèves se raidirent.

«Ho! vous autres! Est-ce que quelqu'un peut me dire...» elle s'interrompit. Les épaules du grand Joachim se soulevaient sous des spasmes d'hilarité. Elle se propulsa vers ce dernier, se campa directement à sa face et s'appuya les deux poings sur le pupitre sans le quitter des yeux.

«Mon grand fou toi...»

Joachim l'interrompit, apparemment très insulté.

«Hey, la p'tite, monte pas sur tes grands ch'vaux parce que tu me fais pas peur.»

Il se leva, la dépassant d'une tête, se mit les poings à la taille, se bomba le torse puis la dévisagea, lui retournant un regard identique à celui qu'elle lui servait. Émilie ne se contint plus. Elle contourna le pupitre, saisit l'oreille gauche de Joachim de sa main droite, la ceinture du pantalon de sa main gauche, lui donna un coup de genou dans l'arrière-train pour le mettre en marche et le dirigea au fond de la classe. Les enfants glacèrent. Ils n'avaient jamais vu Émilie Bordeleau perdre patience. Les filles étaient impressionnées, les garçons encore plus. Joachim ne comprit pas ce qui lui arrivait. Avant même de se rendre compte que la maîtresse le menait comme on mène un cochon à l'abattoir, il se retrouva à genoux à côté de la chaudière, la tête plongée dans l'eau souillée de poudre de craie et d'urine. Émilie la lui retira aussitôt, la main agrippée à sa chevelure, attrapa la guenille de l'autre main et la lui lança au visage.

«Tiens, prends ça pour t'essuyer. Comme ça toi aussi tu vas sentir la punaise.»

Elle l'abandonna à son hébétude et à sa rage et revint à la tribune. Elle se parlait à elle-même, s'exhortant à reprendre son calme. Voyant les yeux terrorisés des enfants, elle y parvint.

«Ça fait deux mois qu'on a commencé l'année. Je voudrais qu'une chose soit claire une fois pour toutes. La personne qui mène ici, c'est moi. Pas Joachim Crête, même si Joachim a quatorze ans pis vous savez que moi j'en ai

seize. L'important, c'est pas l'âge. C'est le respect. Charlotte, c'est Charlotte. Je sais que vous comprenez ce que
je dis. Est-ce que vous comprenez?»

En choeur les enfants répondirent «oui mam'selle
Bordeleau». Émilie enchaîna.

«J'avais dit que pour la Toussaint il y aurait congé de
devoirs pis de leçons. À cause de ce qui s'est passé aujour-
d'hui, je suis obligée de demander aux élèves de quatrième,
cinquième, sixième et septième de me faire une composition
d'au moins vingt lignes sur le respect. Ça tient aussi pour
toi, Joachim Crête. Maintenant, vous allez prendre vos
rangs en silence, enfiler vos bottes, vos manteaux, pis sortir.
On se verra mercredi prochain.»

Elle n'avait plus ajouté un seul mot, consciente du
mécontentement général mais sachant fort bien que Joachim
faisait l'objet de l'animosité. La classe se vida en un temps
record et dans le silence le plus absolu. Contrairement à
son habitude, elle n'accompagna pas les enfants à la porte.
Elle se hâta plutôt de rejoindre Charlotte qu'elle entendait
sangloter.

«C'est fini maintenant, Charlotte, tu peux arrêter de
pleurer. Enlève ton linge mouillé. J'vas le passer à l'eau
pis le suspendre au-dessus du poêle. Si c'est pas sec quand
mon père va arriver, j'vas te trouver quelque chose à mettre
pis j'vas aller te reconduire.»

Elle sortit un mouchoir de sa poche, moucha la petite,
lui indiqua le coin pour se dévêtir et, pendant que Charlotte
s'exécutait, s'efforça de ne pas regarder dans sa direction
pour lui éviter d'être humiliée davantage. Charlotte lui
apporta ses vêtements souillés et les lui tendit sans lever
les yeux.

«Sais-tu, Charlotte, commença Émilie quand elles
furent redescendues, ça me rappelle que quand j'avais dix

ans, j'ai rêvé que je me levais pour aller faire pipi. Dans mon rêve, je m'étais levée pour aller au p'tit coin. Pourrais-tu deviner ce que j'étais en train de faire quand je me suis réveillée?

— Non», dit Charlotte d'un ton mal assuré.

«Tu me promets que tu le diras jamais à personne?»

Charlotte fit oui de la tête.

«J'étais en train de faire pipi dans le tiroir de mon chiffonnier.»

Émilie éclata de rire. Charlotte hésita puis l'imita. Émilie continua de lui parler tout en lavant ses vêtements. Elle lui raconta que jamais de sa vie elle n'avait été aussi gênée. Qu'elle avait eu la conviction que personne n'oublierait cet événement. Qu'elle n'avait pas six ans mais bien dix ans, elle, quand cela lui était arrivé. Charlotte avait cessé ses sanglots. Elle écoutait. Soudain, sans prévenir, elle faussa compagnie à Émilie et se dirigea à l'arrière de la classe. Émilie la suivit. Elle vit la petite Charlotte se pencher et ramasser ce qui lui sembla être son manteau. L'enfant se remit à pleurer.

«Mon manteau est écœurant...»

Émilie s'approcha et prit le manteau. Manifestement, il avait été roulé et caché sous les couvre-chaussures. Elle comprit la plaisanterie. Du Joachim Crête tout craché.

«Pour moi, ton manteau est tombé.»

Charlotte, désolée à la vue du vêtement froissé et maculé de boue, ne répondit pas. Émilie se releva, retourna à l'avant de la classe et invita Charlotte à la suivre.

«Donne-moi cinq minutes. J'vas te le remettre beau comme neuf.»

Elle le brossa vigoureusement, mit un fer à chauffer sur le poêle, tâta au passage les vêtements suspendus, puis s'occupa de presser le manteau. Charlotte s'était assise, prenant bien soin de baisser sa robe pour cacher la nudité de ses jambes.

«J'vas me faire chicaner parce que ma mère va penser que j'ai *bretté*.

— Inquiète-toi pas, j'vas lui parler.»

Émilie avait réussi à remettre le manteau en bon état, au grand soulagement de Charlotte. Émilie lui demanda de patienter, le temps qu'elle boucle ses valises. Charlotte la suivit comme un chien de poche. Émilie s'en amusa. La petite était timide. On le serait à moins, pensa-t-elle. Charlotte n'avait plus ouvert la bouche mais Émilie vit qu'elle jetait souvent un regard inquiet en direction de la fenêtre. Elle en devina la raison.

«Je pense que mon père va être ici dans à peu près quinze minutes.

— Est-ce que mes *caneçons* vont être *chessés* dans quinze minutes?»

Émilie les tâta. Elle promit à Charlotte qu'ils le seraient. Charlotte lui sourit.

2.

Caleb soupira à la fois de fatigue et de satisfaction. Il venait d'engager sa voiture sur le nouveau pont de bois qui enjambait la rivière Des Envies. Il aimait bien le chant des ponts de bois. Les sabots de sa jument résonnaient comme si dans chacun il y avait eu un vallon permettant un écho. Caleb hocha la tête en pensant à tous ces ponts de métal que les ingénieurs contruisaient. Depuis qu'ils avaient commencé la construction de ce pont noir à Montréal, depuis surtout qu'ils avaient vu les plans de cette horrible tour qu'ils érigeraient dans les vieux pays, ils ne juraient que par le métal, lequel, disaient-ils, surclasserait le bois. Caleb essayait de se convaincre qu'ils avaient tort, mais au fond, il savait qu'ils disaient probablement vrai. Il quitta le pont, tourna à droite et encouragea sa jument à franchir les deux derniers milles qui les séparaient de l'école d'Émilie. Ils s'engagèrent dans le rang du Bourdais. Caleb ne força pas sa bête, se contentant de la faire trotter légèrement, pendant qu'il regardait onduler les terres à sa gauche et à sa droite. Les cultivateurs de Saint-Tite travaillaient aussi fort que ceux de son village. Partout, la terre était exigeante.

Caleb pensa à Émilie qu'il n'avait pas vue depuis la rentrée scolaire. Sa grande tête de mule faisait enfin la classe. Caleb lui en voulait un peu. Il ne s'était pas gêné pour le lui faire comprendre. Depuis son départ de la maison, Émilie leur avait écrit presque toutes les semaines. Célina lisait les lettres à haute voix et tous, grands et petits, écoutaient religieusement. La maison avait perdu un peu de sa gaîté quand Émilie l'avait quittée. Caleb trouvait sa fille bien jeune pour aller vivre dans un village éloigné. Et seule en plus. Quand il l'avait finalement autorisée à accepter l'offre qui lui était faite d'aller à Saint-Tite, Caleb avait eu l'impression qu'elle enseignerait dans une école double. Aussi, eut-il du mal à croire en l'innocence d'Émilie quand elle lui annonça qu'elle serait dans une école simple. Qu'elle serait seule avec son groupe d'élèves le jour, et seule avec elle-même la nuit.

Jusqu'à ce que Caleb reçoive la première lettre, il s'était inquiété. Et si Émilie avait des problèmes? Et si elle trouvait les soirées trop longues? Et si quelque malveillant essayait de lui faire des ennuis? Oui, Caleb s'était inquiété. Une école double aurait été préférable. Sa fille aurait eu une compagne pour partager travail et corvées. Elle aurait eu quelqu'un à qui parler. Mais Émilie n'avait jamais semblé nourrir d'appréhension face à ce qui l'attendait. Caleb s'en était même étonné. Elle s'était préparée à changer de vie du jour au lendemain. Quitter sa famille. Quitter son village. Devenir une grande personne ayant la responsabilité de vingt-sept enfants — elle avait écrit qu'elle avait vingt-sept élèves.

Caleb regarda les fermes qui dentelaient le haut du coteau nord. Il pensa que dans chacune de ces maisons il devait y avoir un ou plusieurs élèves d'Émilie. Devant lui, il vit l'école, nichée entre deux collines. C'était une belle petite école, même s'il n'était pas convaincu qu'elle fût suffisamment calfeutrée pour repousser les grands *nordais*. Encore un quart de mille et il serait arrivé. Inconsciemment, il demanda à la jument d'accélérer le trot. La pauvre bête, soumise, le fit. Il tira sa montre d'une poche intérieure. Il avait dit à sa fille qu'il arriverait vers quatre heures le dernier vendredi d'octobre. Il était quatre heures dix quand il immobilisa la voiture. Il sauta à terre et couvrit la jument d'une couverture de laine.

Émilie l'avait vu venir et avait aidé Charlotte à remettre ses vêtements. La petite n'était que trop heureuse de voir qu'ils étaient à peu près secs. Émilie sortit pour accueillir son père. Caleb la salua de la tête pendant qu'il déchargeait les briques.

«Ton poêle est encore chaud, j'espère.»

Émilie le rassura, puis lui demanda si elle pouvait emprunter la voiture le temps de conduire une de ses élèves qui avait eu un petit accident. Caleb lui demanda si l'enfant était blessée. Émilie lui dit que non. Caleb regarda sa jument en sueurs et fit promettre à Émilie que la trotte ne prendrait pas plus de quinze minutes. Émilie promit. Caleb enleva la couverture qu'il remit au fond de la voiture.

«J'vas en profiter pour mettre les briques à chauffer» dit-il.

Émilie s'empressa d'aller chercher Charlotte. Elle lui présenta son père. Charlotte fit une petite révérence. Caleb la hissa sur le siège puis se pencha pour prendre les dernières briques.

«Pousse pas trop la jument, Émilie. Elle a déjà un gros quinze milles dans le corps», dit-il quand elle eut mis l'attelage en marche.

Émilie lui cria de ne pas s'inquiéter et l'invita à faire comme chez lui pendant son absence.

«J'ai mis de l'eau à bouillir. Faites-vous un bon thé. Ça va vous remettre d'aplomb.»

Caleb la remercia de la main et entra dans l'école. Ce qu'il vit le surprit. Émilie n'avait pas perdu de temps. Elle avait complètement réaménagé l'intérieur, plaçant la tribune à un endroit différent. Les pupitres étaient alignés comme des zouaves en parade. Il baissa les yeux et vit qu'elle avait tracé sur le plancher des petites marques au crayon. Ç'était bien Émilie. Elle inventait toujours quelque truc pour faciliter l'ordre. Elle avait dessiné des fleurs sur l'ardoise et écrit toutes les lettres de l'alphabet. Sur la ligne du haut, les minuscules. Sur celle du bas, les majuscules. Il n'y avait pas un grain de poussière sur les appuis des fenêtres et les vitres étaient aussi claires que possible. Il se dirigea vers le poêle pour y déposer sa première charge de briques. Émilie avait dû passer des heures interminables à le récurer puis à le frôtter à la mine de plomb. Le poêle était comme neuf. Caleb y déposa les briques, retourna chercher celles qu'il avait laissées près de la porte et les rangea à côté des premières. Il vit la tasse qu'Émilie lui avait descendue. Elle y avait déjà mis les feuilles de thé. Il versa de l'eau et attendit que le thé soit infusé. Il chercha un endroit pour s'asseoir et opta pour la chaise d'Émilie. Dès qu'il fut installé, il regarda la classe et essaya d'imaginer ce que ressentait sa fille quand, à chacun des pupitres devant elle, il y avait une paire d'yeux qui la regardaient. Caleb fut pris de l'envie de jouer au maître d'école.

«Sortez donc vos livres de lecture s'il vous plaît.»

Au son de sa voix, il se sentit ridicule. Il se leva et décida de monter à l'étage. L'escalier était à pic, presque une échelle. Il eut quelque difficulté à se tenir en équilibre, soucieux de ne pas renverser le *thébord*.

Il arriva dans la pièce d'Émilie. S'il avait été surpris par les transformations de la classe, ici il fut littéralement renversé de voir combien, avec presque rien, elle avait réussi à aménager une pièce agréable. Elle s'était confectionné des rideaux qu'elle avait suspendus aux fenêtres sur une broche bien tendue. Les rideaux étaient de coton blanc, brodé de fil blanc également. Sur le petit lit de métal, elle avait jeté un couvre-pieds orné de motifs identiques à ceux des rideaux. Une vieille boîte à beurre, nappée de tissu, faisait office de table de chevet. Une lampe à huile y côtoyait un dictionnaire. Caleb sourit. Émilie n'avait pas perdu l'habitude de lire le dictionnaire avant de s'endormir. Près de la glacière, il y avait une table et des étagères sur lesquelles elle avait rangé ses provisions, sa vaisselle et ses *vaisseaux*. Elle n'avait que deux chaises dans la pièce. La première, à laquelle il manquait un barreau au dossier, avait été recouverte d'un coussin. C'était celle qu'elle utilisait pour manger. La seconde, berçante, était placée près d'une des fenêtres. C'était là qu'elle devait coudre et lire, pensa-t-il. Dans un vase ébréché, elle avait disposé des fleurs séchées. Caleb trouva cela de mauvais goût. Il avait toujours pensé que les fleurs séchées dégageaient une odeur de mort. Enfin, elle s'était confectionné une sorte de paravent qui dissimulait le coin des ablutions. Les murs n'étaient pas peints, mais Caleb fut soulagé de voir qu'il y avait deux rangs de planches partout. Le nordais ne pourrait pas pénétrer sans forte résistance.

Caleb déposa sa tasse vide, puis décida de descendre la valise d'Émilie. Ils ne pourraient partir tout de suite, la jument n'ayant pas pris de repos. Il traversa la classe et déposa la valise à côté de la porte. Émilie rentrait.

«J'ai remis la *couverte* sur la jument. Est-ce que vous voulez que je lui donne son avoine tout de suite?

— Non, laisse-la se refroidir. Après ça, elle pourra avoir son avoine. Pis j'aimerais mieux lui laisser le temps de digérer un peu avant de repartir.»

Ils s'assirent tous les deux, les fesses sur la galerie, les pieds sur la terre battue. La journée était fraîche, quoique égayée par un soleil qui jouait à saute-mouton derrière les nuages. Une journée d'automne comme les aimait Émilie. Le père et la fille se turent, se contentant de regarder la jument. Soudain, ils entendirent un hennissement. Le cri venait de derrière l'école et n'avait pas échappé à la jument. Elle releva la tête et frémit des naseaux. Le hennissement doubla d'intensité. Caleb et Émilie se levèrent et contournèrent l'école pour voir la bête qui sérénadait ainsi la jument. Ils aperçurent un bel étalon brun qui portait fièrement une crinière hors du commun. Fournie et dorée. D'autant plus dorée que le soleil qui commençait à décliner l'illuminait d'un de ses *pieds de vent*. Caleb siffla. Il ne lui avait jamais été donné de voir un si bel étalon.

«Si on avait un étalon comme ça par chez nous, ça fait longtemps que j'aurais demandé à son propriétaire de l'avoir pour servir ma jument. C'est à qui cette bête-là?»

Émilie lui avoua qu'elle apercevait l'animal pour la première fois. Qu'il était tellement magnifique qu'elle l'aurait remarqué et n'aurait pas manqué d'en parler dans ses lettres. Caleb lui faussa compagnie et suspendit un sac d'avoine au mors de la bête. Cette dernière souffla dans le sac à deux reprises, cligna des yeux parce qu'elle s'y était envoyé de la poussière de céréale, puis finalement se mit à laper.

Émilie invita son père à manger une soupe. Elle savait qu'il avait horreur de prendre la route l'estomac vide. Il sapa sa satisfaction et la suivit. Ils mangèrent en tête à tête. Caleb sur la chaise droite, Émilie sur la chaise berçante qu'elle avait approchée de la table et immobilisée en installant deux blocs de bois sous les balanciers. Son père trouva le manège astucieux. Ils parlèrent peu durant le repas, se contentant de sourire quand l'étalon poussait un hennissement encore plus désespéré que le précédent.

«Pour moi, il se ferait pas prier pour la servir. C'est bien de valeur qu'elle soit déjà pleine parce que, je te mens pas, je lui aurais fait sauter la clôture. Peut-être bien que l'année prochaine on pourrait organiser ça. En tout cas, il doit savoir ce qu'il dit, parce que même pleine, la jument a pas l'air rétive.»

Émilie sourit. Elle connaissait l'engouement de son père pour les chevaux. Elle lava et rangea la vaisselle sur une des étagères. Caleb se leva à son tour, regarda l'heure et décida qu'il était temps de partir s'ils voulaient atteindre le chemin principal avant la complète tombée de la nuit. Émilie acquiesça. Ils descendirent et Émilie ferma soigneusement la trappe qui menait à ses quartiers.

Les flammes du poêle agonisaient. Aussi — simple précaution — elle ferma complètement la clé, puis la tourna d'un quart de tour. De cette façon, elle était assurée qu'il n'y aurait pas de fumée si la flamme se ranimait. Elle jeta un coup d'œil autour de la pièce. Tout lui sembla en ordre. Son père était déjà dehors. Il avait replacé les briques chauffées sur le plancher de la voiture. Il savait qu'elles n'étaient pas encore vraiment essentielles à leur confort, mais il aimait se garder les pieds chauds quand il avait un long trajet à faire. Il s'assit et cria à Émilie de se dépêcher. Elle sortit en courant, ferma la porte, puis demanda à son père d'attendre, rentra, se dirigea vers son pupitre et en sortit les papiers qu'elle y avait rangés. Encore une fois, elle changeait d'idée car elle avait compris que ces papiers étaient les seuls liens, les seuls témoins de sa nouvelle existence. Elle avait besoin de les emporter pour être convaincue de son retour. Elle sortit aussi rapidement que la première fois, ferma vigoureusement la porte, lui donna un coup de hanche pour s'assurer que le loquet était bien enclenché avant de la verrouiller. Caleb approcha la voiture et elle monta.

L'étalon poussa un véritable cri d'agonie quand il les vit s'éloigner. La jument se cambra, mais Caleb vint à bout de sa courte hésitation.

«Elle est peut-être pas bien belle, mais au moins est docile.»

Émilie sourit. Elle se couvrit les cuisses avec les couvertures que Caleb avait pensé apporter. La jument adopta un trot confortable. Le père et la fille se taisaient, regardant le soleil qui commençait à s'étirer sur l'horizon. Émilie inspira bruyamment. Elle aimait l'odeur de l'automne. Elle aimait le soleil de l'automne qui lui faisait des clins d'œil à travers les branches maintenant dénudées. Elle se tourna pour regarder une dernière fois sa petite école qui miroitait de toutes ses fenêtres, bien calée à la rencontre de deux collines. Il sembla à Émilie que l'école s'appuyait sur leurs pentes pour se protéger des grands vents. Caleb jeta un coup d'œil vers sa fille au moment où, discrètement, presque sensuellement, elle envoyait un baiser au décor qu'elle quittait. Elle se retourna et fixa la route.

Caleb avait secrètement espéré qu'Émilie revienne sur sa décision. Il avait entretenu l'espoir qu'elle lui annonce son retour à la maison. Qu'elle lui dise qu'elle s'ennuyait. Mais le ton de ses lettres, mais ce regard de velours qu'elle venait de lancer à une toute petite école lui fit comprendre que sa fille était à jamais partie. Comment avait-il pu penser qu'elle s'ennuierait? Elle n'avait jamais trouvé le temps de faire tout ce qu'elle voulait faire.

Caleb se rappela que son grand-père lui avait raconté que leur ancêtre, Antoine Bordeleau, un soldat du régiment de Carignan, avait épousé une fille du Roy. Après qu'elle lui eut donné deux enfants, elle s'était embarquée pour retourner en France. L'ancêtre, racontait-on, l'avait attendue pendant trente-six ans. Elle n'avait jamais donné de nouvelles. Elle n'avait jamais, non plus, demandé de nouvelles de ses enfants. Caleb pensa qu'Émilie n'était pas comme son aïeule, Pérette Hallier. Il avait la certitude que, contrairement à la fille du Roy, Émilie ne reviendrait jamais sur le *vieux bien*. Pour la première fois depuis les deux mois qu'Émilie les avait quittés, il éprouva un piquant sentiment de dépossession. Le premier départ d'un enfant était un secret que la vie vous chuchotait à l'oreille, disant que votre jeunesse était révolue. Le temps ravissait votre jeunesse quand celle que vous aviez enfantée vous quittait. Caleb renifla. S'il avait eu souvenir de la sensation, il aurait su qu'il pleurait. Des pleurs secs. Sans larmes.

«Allume donc un fanal, Émilie. Ça sera pas long que la nuit va tomber.»

Elle s'exécuta puis se rassit, mais cette fois, elle monta la couverture jusqu'à ses épaules et s'y châla. Elle regarda les trois paliers de nuages que les rayons retardataires illuminaient de différentes couleurs, allant du rouge foncé au bleu pâle en passant par toutes les gammes de rose.

«La nuit va être claire pis froide », dit-elle.

«Ouais, on va avoir de la gelée. On en a déjà eu une la semaine passée. J'aime pas ça quand la terre gèle trop avant que la neige tombe. On dirait que le froid la fait souffrir. Elle vient ridée comme une vieille. J'ai toujours peur qu'elle meure avant le printemps, pis qu'on nous dise que la terre est morte pendant son sommeil.»

Émilie le regarda, un peu surprise. Il ne lui avait pas souvent été donné d'entendre son père s'exprimer de cette façon. Il s'animait toujours quand il parlait de la terre, mais ce soir, il en parlait avec beaucoup plus d'émotion.

La nuit noire avait forcé les dernières lueurs du soleil à passer sous la ligne d'horizon. Émilie avait allumé le second fanal. Le silence ne se laissait distraire que par le clip-clop des sabots de la jument et le grincement de la roue droite avant. Toutefois, ni le père ni la fille ne se laissèrent agacer par ce son saugrenu.

Ils avaient quitté l'école depuis plus d'une heure lorsqu'ils distinguèrent le scintillement des lumières de Saint-Séverin. Ils y seraient dans une quinzaine de minutes. Caleb dit à Émilie qu'ils feraient une halte chez sa nièce, Lucie, la cousine d'Émilie.

«Je lui ai dit, en montant, qu'on arrêterait pour prendre une bouchée. Elle doit nous attendre.»

La maison de Lucie se trouvait à la limite exacte de Saint-Séverin paroisse et de Saint-Séverin campagne. Caleb arrêta la voiture, couvrit sa jument et commença à porter les briques près de la porte pendant que Lucie et Émilie entraient dans la maison en parlant. Phonse, le mari de Lucie, alla chercher les dernières briques et vint les poser sur le poêle.

«Tes jeunes sont pas couchés?» demanda Émilie à sa cousine.

«Oh! non. J'ai habitude de les coucher à sept heures et dem-mie. Comme ça, Phonse pis m-moi on a du temps pour p-placoter. Ils sont dehors en arrière. J'vas aller les chercher.»

Lucie revint presque aussitôt, flanquée de ses deux enfants. L'aîné, un beau noiraud, n'avait pas encore trois ans. Le second, un autre garçon, gambadait joyeusement du haut de ses dix-huit mois.

«Tu reconnais-tu la cousine Ém-Émilie, Jos?»

Le noiraud fit «oui» de la tête. Il s'approcha d'Émilie et le plus jeune l'imita.

«Ils sont pas sauvages *pantoute.*

— Non, certain. Parle-moi p-pas d'enfants sauvages. M-moi, j'ai assez de les avoir eu en dessous de la p-peau pendant neuf m-mois. J'ai pas envie de les avoir en dessous de m-mes jupes pendant neuf ans.»

Phonse et Caleb, après avoir déposé toutes les briques dans la cuisine, sortirent voir les bêtes. Les cousines se hâtèrent de nourrir, laver, langer et bercer les enfants. Lucie décida de coucher le plus jeune «au cas où il voudrait dormir» et installa l'aîné dans un coin de la cuisine avec un jeu de cartes.

«Je sais pas ce que Jos leur trouve, m-mais il passe des heures à les regarder. Le jeu qu'il joue, c'est m-mon jeu de cartes p-préféré. Je l'appelle *le jeu de la grosse p-paix pour la reine du foyer.*»

En moins de temps qu'il ne fallut pour le dire, les deux cousines avaient dressé le couvert et garni les assiettes. Lucie avait appelé les hommes et ils s'étaient tous attablés. Le bébé, au grand soulagement de sa mère, avait accepté de dormir.

«P-pis, mon oncle, qu'est-ce que vous chantez de bon p-par les temps qui courent? Vous êtes passé tellement vite tantôt, que j'ai juste eu le temps de ramasser la p-poussière qui tombait quand vous êtes p-parti.»

Caleb sourit et lui répondit qu'il n'y avait rien de neuf. Que c'était toujours la même chose. Que Célina était encore mal remise de sa pneumonie de la mi-septembre.

«P-pauvre ma tante. On p-peut pas dire qu'elle a une ben bonne santé.

— On peut pas dire, non», acquiesça Caleb en hochant la tête. Il se concentra sur la bouchée qu'il venait de prendre.

— Mais on peut dire que ma femme fait bien à manger», renchérit Phonse. «Vous avez rien qu'à me regarder pour voir que depuis quatre ans qu'on est mariés, j'ai pas crevé de faim.»

Phonse, en effet, était maigre comme un clou quand il avait marié Lucie. Au cours de la première année, il était devenu bien portant. Durant la seconde, on disait de lui qu'il *faisait du lard*. Pendant la troisième, on le trouva gras comme un voleur. Maintenant, il n'y avait que le mot «gros» qui pouvait le décrire. Lucie le regarda, inclina la tête, un sourire moqueur au coin des lèvres.

«Imaginez-vous qu'il y en a qui disent que je dois faire à m-manger comme que je parle. Ils disent que je dois m-mettre trois pis quatre fois la même affaire dans m-mes recettes.»

Ils s'esclaffèrent, Phonse le premier. L'enfant leva les yeux pour voir ce qui avait provoqué l'hilarité générale. Ne remarquant rien, il se remit à ses cartes.

«*Coudon*, enchaîna Lucie, est-ce qu'on vous a raconté qu'on avait eu des vols dans le rang?

— Des vols? répéta Caleb, les sourcils levés d'étonnement.

— Oui, monsieur. P-pis pas des vols d'oies. Non, monsieur. Des vrais vols avec un voleur qui se promène la nuit, avec une grande poche sur le dos p-pis qui ramasse ce qui lui tente. Surtout des p-poules. Mais comme notre voleur est fin comme un renard, il en p-prend juste une par poulailler. De même, il a l'impression que ça paraît m-moins. Sauf qu'on dirait qu'il a le don de toujours choisir la meilleure p-pondeuse.

— C'est comme rien, constata Émilie, il connaît le coin.

— Comme le fond de sa p-poche. Le pire, c'est que tout le monde sait c'est qui.

— Pourquoi que vous lui faites pas savoir? demanda Caleb.

— Ben, p-parce qu'on l'a jamais vu faire. Je vous l'ai dit, il est fin comme un renard. Mais m-moi je me suis pas gênée pour lui dire ma façon de penser.

— Tu m'as pas dit ça, s'étonna Phonse.

— Qu'est-ce que tu veux, ça me prend tellement de temps p-pour parler que j'ai p-pas toujours le temps de tout te dire.

— Qu'est-ce que tu lui as dit au vieux? demanda-t-il.

— B-ben, j'étais allée porter des galettes chez la vieille Rocheleau. Comme le p'tit dormait, j'avais amené Jos avec m-moi. En revenant, je me dépêchais parce que je voulais p-pas que le p'tit se réveille avant que j'arrive. Le vieux b-bêchait dans son jardin. Il m'a saluée ben poliment p-pis il m'a dit que je marchais trop vite pour Jos. Ça fait que m-moi, je l'ai regardé bien en face pis j'ai dit:«M-mon jeune, lui, marche vite le jour, p-pas la nuit».»

Phonse éclata de rire. Lucie ne cesserait jamais de l'étonner. Il lui demanda ce que le vieux renard avait répondu.

«Il a pas répond. Il a juste *égrandi* les yeux p-pis il a dit «euhhhhhh...» C'est tout.»

Émilie sut qu'ils approchaient de l'eau. L'air s'était parfumé d'odeur de terre mouillée. Plus qu'une colline. Puis elle l'entendit. La Batiscan. Sa rivière. Le lit de ses longues heures de rêveries. Un discret clapotis qui promettait silence sur les secrets de ses confidents. Émilie oublia la piquante tristesse qui lui parlait au cœur et que seule Lucie avait réussi momentanément à faire taire.

«On a bien fait d'apporter des couvertes. La nuit est fraîche.»

Émilie eut conscience que son père avait parlé mais, absorbée qu'elle était par ses pensées, elle n'avait pas compris le sens de ses paroles.

«Qu'est-ce que vous disiez, pâpâ?»

Il lui répéta ses propos. Elle acquiesça.

«Je te trouve bien silencieuse. D'habitude, tu racontes toujours plein d'histoires.» Il se tut quelques instants puis reprit la parole, le ton aussi doux que s'il avait parlé à un bébé.

«Tu penses à ton école hein?

— Oui...»

Émilie raconta à son père le tour que le grand Joachim Crête avait joué à Charlotte. Elle parla de sa colère et du fait qu'elle avait complètement perdu patience. Caleb l'écouta attentivement. Il avait compris qu'elle cherchait à avoir son approbation sur la correction qu'elle avait infligée au grand Crête. Le récit terminé, il demeura coi durant quelques minutes puis il dit à sa fille qu'à sa place, il aurait sûrement fait pire.

«Ton grand Crête m'a l'air de ressembler à Hervé Caouette?

— Hervé Caouette, c'est un ange comparé à Joachim.

— Ouain!... À mon sens, tu as peut-être réussi à le dompter. Avec du monde de même, c'est pas nécessaire de mettre des gants blancs.

— J'ai juste peur qu'il me fasse encore plus de trouble. Je vous jure, pâpâ, que si c'était pas de lui, j'aurais pas eu un seul p'tit problème depuis le début de l'année.

— Tu l'as peut-être réglé ton problème.»

Il se tut encore avant d'oser poser la question qui lui brûlait les lèvres depuis leur départ de Saint-Tite.

«Pis, Émilie, être maîtresse d'école, c'est-y la vie que tu rêvais d'avoir?»

Émilie réfléchit longuement avant de lui dire que c'était bien près du rêve, hormis Joachim Crête, bien entendu.

«Savez-vous ce que j'aime le plus, pâpâ», demanda-t-elle sans vraiment attendre de réponse. « C'est qu'à tous les vendredis, je suis sûre que les enfants en savent plus qu'au début de la semaine. Vous rendez-vous compte, pâpâ? Moi, toute seule, Émilie Bordeleau, je leur apprends des choses nouvelles. Pensez-vous qu'il y en a plus tard qui vont se rappeler de moi?»

3.

Le mois de décembre avait relégué l'automne au grenier des souvenirs. La froidure avait pris possession des terres, des arbres, des corps et des esprits. Émilie avait regardé tomber la neige, soudainement consciente de son isolement. Quoique l'école fût située à proximité de maisons, la blancheur et l'uniformité de la neige, entraînant la disparition soudaine des clôtures et des chemins, avaient effacé le décor familier auquel Émilie s'était attachée. Elle en vint à appréhender sa solitude des congés. Elle eût volontiers accepté la présence de ses élèves sept jours par semaine.

Elle enfilait ses couvre-chaussures quand elle entendit le tintement distinct des grelots d'un traîneau. Elle se pencha à la fenêtre et vit que c'était Ovila Pronovost. Elle pensa qu'il avait dû oublier quelque chose dans son pupitre. Elle le vit attacher les guides à la galerie de l'école. Elle s'empressa de lui ouvrir. Ovila se découvrit avant de parler. Elle refréna un sourire. C'était une marque de politesse qu'elle avait tenté d'inculquer à ses élèves. Ovila, semblait-il, avait bien appris sa leçon.

«Bonjour, mam'selle. Je vous avais pas encore vue passer, ça fait que j'ai pensé que vous aimeriez peut-être vous rendre à l'église en traîneau. On peut pas dire que c'est bien bien chaud pour marcher quatre milles.

— C'est gentil, Ovila. Je partais justement.

— Si ça vous fait rien, on va ramasser ma famille en chemin.

— Ça me fait plaisir, voyons.

— Ha! bon...»

Elle tiqua. Il y avait quelque chose dans le «Ha! bon» d'Ovila qui clochait. Elle pencha la tête et plissa les yeux pour regarder son élève avant de franchir la porte qu'il lui avait ouverte avec empressement.

Elle monta dans le traîneau et, à son grand étonnement, Ovila lui posa sur les genoux une généreuse peau d'ours. Ce qui la surprit, ce ne fut pas tant le fait qu'il ait pensé apporter une fourrure, mais bien le geste délicat, trop peut-être, avec lequel il l'avait déposée. Elle le remercia. Il murmura un timide *bienvenu*. Le traîneau glissa doucement. Il n'y avait qu'une maison qui séparait l'école de celle des Pronovost. Aussi, à peine l'attelage avait-il eu le temps de grimper la colline qu'Ovila le força d'arrêter. Monsieur Pronovost salua Émilie.

«C'est trop froid pour marcher aujourd'hui, mam'selle. C'est pour ça que *j'm'ai* dit que le grand avait eu une bonne idée d'aller vous quérir.

— C'est bien aimable à vous. Je me mettais justement en marche.»

Elle se leva pour céder sa place à madame Pronovost qui tenait son plus jeune enfant dans les bras, mais le père l'enjoignit de n'en rien faire. Il aida plutôt sa femme à monter aux côtés d'Émilie et fit signe aux enfants de grimper à l'arrière. Quand ils furent tous montés, il les imita. Émilie fut un peu surprise. Elle avait cru que ce serait lui qui prendrait les guides. Mais il n'en fit rien. Ovila demeura à son poste, étouffant de fierté sous la confiance qu'il venait d'obtenir. Ses frères aînés étaient à l'arrière avec leur père.

Émilie avait déjà rencontré tous les membres de la famille. En fait, Lazare, Ovila, Rosée, Émile et Éva étaient ses élèves. Elle n'avait toutefois qu'entrevu Ovide et Edmond, les aînés, et savait que l'année suivante, elle accueillerait Oscar à l'école. Quant au petit Télesphore qui venait de s'endormir sur les genoux de sa mère, elle ne le verrait que dans deux ou trois ans. Émilie était intimidée. Jamais, depuis le début de l'année, elle n'avait voyagé avec les Pronovost. Elle évita de regarder derrière elle, se contentant de féliciter Ovila sur sa façon de diriger les bêtes et parla un peu avec madame Pronovost de ses enfants, surtout du benjamin qu'elle trouvait magnifique. Madame Pronovost, même si elle n'était qu'un tout petit bout de femme, lui en imposait. Elle était très différente de sa mère. Elle parlait, riait de bon cœur et se permettait même de blaguer au sujet de son mari. Elle confia à Émilie qu'à son avis, Dosithée s'amusait beaucoup plus à l'arrière du traîneau qu'il ne le faisait quand il devait mener l'attelage.

«C'est encore un vrai p'tit gars, même s'il a quarante-cinq ans faits. Pis vous, mam'selle Bordeleau, quel âge que vous avez?»

Émilie se racla la gorge avant de répondre qu'elle avait seize ans, gênée à l'idée qu'elle n'était pas tellement plus âgée que la plupart des enfants présents dans le traîneau. Aussi, s'empressa-t-elle de préciser qu'elle allait bientôt avoir ses dix-sept ans. Madame Pronovost se contenta de hocher la tête et de dire que c'était un bien bel âge. C'était presque l'âge de son aîné d'Ovide. Émilie sourit. Ovila le remarqua et se demanda si elle avait souri parce que sa mère parlait d'Ovide ou parce qu'elle était heureuse à la pensée que dix-sept ans était un bel âge. Il jeta un coup d'œil discret en direction de son frère. Ce dernier était installé directement derrière Émilie. Il avait saisi le regard furtif de son jeune frère et le taquinait en feignant de flatter le dos d'Émilie. Ovila se retourna rapidement, furieux. Son frère Ovide avait une de ces façons de tout tourner au ridicule. Parce qu'Ovila avait proposé d'aller chercher son institutrice, Ovide s'était mis en frais de le taquiner au sujet de la belle demoiselle Bordeleau. Plus Ovila avait essayé de se défendre, plus son frère avait fait remarquer à tous combien il rougissait chaque fois qu'on prononçait le nom d'Émilie. Du haut de ses quatorze ans, Ovila lui avait demandé de se taire. Le père avait fait un clin d'œil à la mère. Personne n'était dupe. Dosithée souriait intérieurement. Au moins son fils avait eu le goût de choisir un beau brin de fille comme objet de rêve. La nouvelle institutrice avait fait jaser. Personne n'avait osé douter de ses compétences, à preuve, l'histoire du grand Joachim qui n'avait jamais voulu remettre les pieds à l'école. Par contre, tous les gens pensaient qu'avec son allure et sa fierté, elle ne resterait pas longtemps dans sa petite école de rang. Déjà, quelques jeunes à marier se promettaient de lui faire la cour, selon les usages, bien entendu. Mais Émilie semblait décourager tout soupirant avant qu'il n'ait fait un seul pas. Malgré son jeune âge, il y avait quelque chose en elle qui imposait le respect. Elle semblait garder les jeunes à distance, ce qui était heureux dans sa position — on avait entendu parler d'institutrices qui avaient accepté de recevoir des jeunes hommes dans leur école! Même son Ovide, qui avait le regard tombeur, n'avait pas essayé d'inviter la belle Bordeleau à une quelconque fête.

Dosithée avait perdu le fil de ses pensées au moment où Ovila avait quitté la maison en claquant la porte. Ovide chantonnait «Émilie, ma jolie, avec ton p'tit habit gris, quand je pense à toi, je rougis».

«Tais-toi donc, Ovide. Tu vois bien qu'Ovila est parti choqué.»

Mais Ovide avait continué de chantonner tout en battant la mesure du pied. Les élèves d'Émilie n'appréciaient pas l'attitude de leur frère aîné. Ils aimaient leur institutrice et trouvaient malvenu qu'elle fasse l'objet d'un *reel* de mauvais goût.

«Es-tu jaloux? lui lança Rosée.

— Jaloux de quoi? répondit Ovide.

— Ben, que nous autres on la voie à tous les jours pis que toi tu la voies quasiment jamais.

— Veux-tu rire de moi, toi? *Qu'ossé* que tu veux que je fasse avec une maîtresse d'école?

— La même chose que tu veux faire avec les autres filles!

— Ça suffit, vous deux!» avait lancé Félicité. Elle détestait ce genre de phrases pleines de sous-entendus.

«Dépêchez-vous de vous *gréer* à place. Ovila va arriver avec mam'selle Bordeleau.»

Les enfants avaient obéi. Félicité regarda son Ovide. Oui, il était fort beau. Et il plaisait aux filles. Ha! ça oui! Il y en avait plusieurs qui auraient aimé l'avoir pour mari. Fort et grand, et presque en âge de se marier. Déjà...

Ovila ralentit la cadence du cheval. Il laissa passer les autres traîneaux qui se dirigeaient vers l'église. Les gens étaient de belle humeur. Le matin bleu et blanc annonçait un beau Noël. Ovila pensa au spectacle que lui et les autres élèves préparaient avec fébrilité. Et mademoiselle Émilie — c'est ainsi qu'il l'appelait quand il pensait à elle — y mettait tant de temps et d'énergie. Il lui faudrait l'aider davantage. Il demanderait à son père la permission de venir à l'école le soir, avec Rosée évidemment, pour aider Émilie à terminer tout ce qu'elle avait à faire pour la représentation du vingt et un décembre, dans trois semaines. Jamais, de souvenance, on avait vu de spectacle de Noël dans une école de rang. Au couvent, oui, mais jamais dans un rang. Ovila avait hâte, même si le rôle qu'il devait jouer lui répugnait. Mais mademoiselle Émilie le lui avait proposé tellement gentiment, qu'il n'avait pu refuser. Il serait le roi-mage nègre. Il aurait à se noircir la figure avec du bois brûlé. C'est en vain qu'il avait essayé de la dissuader de l'obliger à se noircir. Elle avait insisté. On ne pouvait changer l'Histoire. Si les Saintes Écritures disaient qu'un des mages était noir, alors il fallait un mage noir. Il n'y avait pas de discussion possible sur ce point.

Émilie avait été discrète. Elle n'avait pas voulu s'asseoir dans le banc de la famille Pronovost, préférant être seule et les rejoindre à la fin de la messe. Selon son habitude, elle s'était rangée à peu près au début de la seconde moitié de la nef. C'était là qu'elle se sentait à l'aise. Ni trop à l'avant, ni trop à l'arrière. Trop à l'avant, les gens auraient pu penser qu'elle cherchait à se montrer. Trop à l'arrière, on aurait pu croire qu'elle n'était pas très dévote. Au centre, elle était à sa place. Elle aimait bien le curé Grenier. Ses sermons étaient intéressants. Heureusement, car Émilie avait dû s'avouer qu'elle ne ressentait pas toujours le besoin d'assister à la messe du dimanche. Toutefois, jamais elle n'aurait osé s'en absenter sans raison majeure.

Pendant l'offertoire, elle se prit à rêver en regardant les garçons Pronovost. À la consécration, elle oublia d'incliner la tête. Au retour de la communion, elle se trompa de banc. Enfin, elle se mit à genoux à l'*Ite missa est* au lieu de se lever.

Les parents Pronovost lui offrirent de partager leur repas du midi. Elle accepta avec joie, trop heureuse de prendre un bon repas en famille — son dernier remontait au congé de la Toussaint — et enchantée à l'idée de manger un repas qu'elle n'avait pas apprêté. On l'avait servie comme une invitée de marque. Ses élèves étaient tous plus empressés les uns que les autres. Seuls Ovide et Edmond semblaient assez indifférents à sa présence. Ovide parlait à son père de récolte et d'argent. Émilie eut la désagréable impression qu'il l'évitait volontairement. Elle ne savait trop qu'en penser, se demandant ce qu'elle avait bien pu faire à ce beau garçon pour qu'il la méprise presque ouvertement. Il sembla enfin la remarquer et lui sourit de toutes ses dents.

«Est-ce que c'est vrai ce que les jeunes ont raconté? Que vous avez pas mal *bardassé* le grand Crête?»

Elle resta bouche bée. Depuis la fin octobre, il ne se passait pas une seule semaine sans que quelqu'un ne lui parle du grand Joachim. Elle regarda Ovide, sans répondre à sa question.

«Il paraît que vous l'avez tiré par la crigne ...

— Par la ceinture...

— Pis que vous lui avez trempé la tête dans les ordures...

— Dans la chaudière d'eau...

— Pis que vous l'avez essuyé avec un torchon...

— Pour le torchon, c'est vrai. Mais je l'ai pas essuyé. Joachim a fait ça tout seul, comme un grand.»

Ovide ne s'était pas laissé démonter par les mises au point d'Émilie. En fait, depuis qu'il avait appris les raisons de l'altercation entre Émilie et Joachim, il avait secrètement voué une admiration sans bornes à la petite institutrice qui, semblait-il, n'avait peur de rien. Il s'était toutefois gardé de passer des commentaires qui auraient pu laisser deviner son sentiment, se contentant, comme tous ses amis, de se moquer de Joachim et d'Émilie aussi.

«Vous devez avoir des frères, mam'selle, parce que sans ça je serais surpris que vous auriez osé vous en prendre à une armoire à glace comme Joachim.

— Mes frères sont plus p'tits que moi.»

Dosithée, qui avait suivi le cours des pensées de son fils, s'était mis à rire.

«Voyons donc, Ovide! As-tu l'impression qu'une maîtresse d'école comme mam'selle Bordeleau, ça sait pas se défendre?

— C'est pas ça que j'ai voulu dire, son père.

— C'est ça que tu as dit.»

Dosithée sourit à Émilie puis changea le sujet de conversation. Ovide ne trouva rien de mieux à faire que d'aller se réfugier dans un coin de la cuisine, furieux contre son père de l'avoir ainsi rabroué. Il commença à taper du pied au rythme que tous les membres de sa famille connaissaient bien. Il chantonnait son petit *reel* à l'intention d'Ovila. Les enfants le regardèrent, retenant leur souffle. Ils craignaient qu'Ovide pousse l'effronterie jusqu'à prononcer les paroles. Il n'en fit rien. Il avait réussi à passer son humiliation en faisant rougir son jeune frère.

4.

Émilie s'attendait à ne voir que les parents des élèves à la représentation de Noël. Elle fut très surprise de constater que plusieurs familles du village s'étaient déplacées. Le curé Grenier lui-même était présent. Les enfants étaient très nerveux. Même le grand Ovila montrait quelques signes d'agacement. Depuis qu'Émilie était allée dans sa famille pour dîner, lui et sa sœur Rosée étaient venus le soir l'aider à mettre au point tout ce que réclamait le spectacle. Émilie et Rosée avaient cousu les costumes pour chacun des élèves, utilisant tous les vêtements que les mères avaient bien voulu sacrifier à la *catalogne*. Émilie avait fait de magnifiques robes d'anges. Elle dessinait les patrons et cousait le gros du travail, alors que Rosée s'occupait principalement d'harmoniser les couleurs et de faire la finition. Quant à Ovila, il avait pris la direction de la construction des décors. Dans le coin gauche avant de la classe, il y avait maintenant une crèche, presque grandeur nature. Ovila avait impressionné Émilie par le talent fou qu'il avait déployé pour imaginer et construire les décors. Il lui avait confié qu'il aimait travailler le bois.

Ils avaient consacré au moins une heure par soir à travailler. Deux heures de la journée étaient employées à la préparation du spectacle et ce, depuis le début de l'Avent. Les élèves avaient été enthousiasmés à l'idée de faire une représentation pour leurs parents. Ils avaient mémorisé leurs rôles, répété chants et déclamations. Tous les matins, ils étaient arrivés avec des poches de jute bourrées de paille, évitant à Émilie de demander aux parents de l'apporter eux-mêmes.

Le grand soir était donc arrivé. Les parents avaient été convoqués pour sept heures, ce qui leur laissait ample-ment le temps de souper et de finir la traite des vaches. L'école fut vite remplie de visages souriants et d'éclats de rire. Émilie s'affairait avec trois de ses élèves, ses placiers, à installer tout le monde aussi confortablement que possi-ble. Mais devant l'affluence, elle dut se résigner à faire asseoir les plus jeunes par terre. Ses élèves étaient tous cachés. Un groupe derrière les draps qui faisaient office de rideau de scène, un autre groupe dans ses quartiers au second. La consigne était qu'ils devaient garder le silence mais Émilie entendait leurs chuchotements incessants.

«Hey! Monsieur le curé est là!

— C'est même pas vrai, espèce de menteuse!

— Oui, c'est vrai! Regarde toi-même si tu me crois pas!»

De temps en temps, Émilie passait derrière le rideau ou se montrait la tête à l'étage pour leur demander de bais-ser le ton. Lors d'une de ses exhortations au calme, Émilie entendit un silence parcourir la classe de l'arrière à l'avant. Elle fronça les sourcils et entrouvrit discrètement le rideau. Elle ne mit que quelques secondes pour comprendre. Le grand Joachim venait de faire son entrée, flanqué de ses parents. Émilie se précipita au devant du rideau, priant le ciel que Joachim ne semât pas la pagaille. Elle retint son souffle, retrouva sa contenance et le gratifia d'un aimable sourire. Elle avait sauvé la face. Pour se distraire, elle s'amusa à compter l'assistance. Il y avait soixante-dix-sept personnes. Elle alla jeter un coup d'œil aux fenêtres pour s'assurer qu'il n'y avait pas d'autres traîneaux ou carrioles en vue. N'en voyant plus, elle prit toutes les lampes de la classe et les approcha du rideau de scène. Encore une fois, le silence se fit. Elle monta à l'étage pour rappeler aux enfants d'être bien tranquilles jusqu'à ce que vienne leur tour. La petite Charlotte tremblait de la tête aux pieds. Elle chuchota à l'oreille d'Émilie qu'elle avait bien fait son pipi mais qu'elle croyait qu'il lui fallait en faire un autre. Émilie la rassura en lui disant que ce n'était que la nervosité. Elle souhaita bonne chance à tous et redescendit ouvrir le rideau. Un grand *Ho!* suivi d'une salve d'applaudissements salua le décor. En entendant cet accueil, les enfants se donnèrent des coups de coude. Au signe d'Émilie, ceux qui faisaient partie du chœur de chant, habillés en bergers, vinrent se placer à la droite de la crèche. Il entamèrent un *Venez divin Messie* avec tellement d'enthousiasme qu'ils forcèrent leurs voix. Émilie les arrêta immédiatement, leur donna la note et ils reprirent le cantique sans se tromper. Émilie leur sourit sa satisfaction. Le chant terminé, les enfants se retirèrent comme de vrais bergers, s'appuyant sur leurs cannes et suivant un invisible troupeau de moutons. Le public applaudit mais cessa dès qu'il vit Joseph et Marie faire leur entrée.

«Haaaaaa! Je n'en peux plus, Joseph. Je crois que mon enfant va naître. Il nous faudra vite trouver r-un n-abri car le froid tombe ra-pi-de-ment et la nuit z-aussi.

— Re-po-se-toi ici, Marie, pendant que je vais z-à l'auberge demander r-asile.»

Joseph installa Marie sur un tas de foin et disparut de la scène. On pouvait entendre battre les paupières tant le silence était complet. Émilie fit signe à Joseph qu'il pouvait revenir.

«Hélas!...Hélas! Il n'y a plus z-une seule chambre de libre. Nous devrons z-aller dans la vallée.»

Le curé Grenier feignit de tousser pour étouffer ses rires, sortit un mouchoir et s'essuya les yeux.

«Ô mon pauvre enfant qui naîtra sans z-un toit.

— Ne t'inquiète pas, Marie, nous...euh...nous...»

Joseph désespéré se tourna vers Émilie.

«Nous quoi? demanda-t-il

— Nous avons Dieu...répondit Émilie assez fort pour qu'il l'entende.

— Ah! oui!...Nous z-avons Dieu dans nos cœurs et notre foi nous guidera vers le lieu qu'il a choisi pour la naissance de son fils.»

Joseph aida Marie à se relever et ensemble ils marchèrent jusqu'au centre de la crèche.

«Je crois qu'il nous faudra dormir r-ici, mon mari, car l'enfant veut naître.»

Marie fit dos aux spectateurs, retira le coussin qui la grossissait, le fourra sous la paille et découvrit la poupée emmitouflée qu'on lui avait cachée dans la mangeoire. Elle la prit dans ses bras et se tourna vers le public.

«C'est un garçon, Joseph. Nous l'appellerons Emmanuel.»

Le curé Grenier se moucha à nouveau. Marie se plaça derrière la mangeoire et y déposa son enfant pendant que Joseph s'agenouillait.

«Qu'il est petit, Marie.

— Oui, mais z-un jour, il sera grand.»

Les bergers revinrent devant la crèche en chantant *Il est né le Divin Enfant*. Cette fois, ils eurent la bonne note. Pendant le cantique, une étoile, fixée par un anneau à une corde tendue du fond de la classe au coin de la toiture de la crèche, glissa lentement. Les mages — qui n'étaient nuls autres que les placiers — arrivèrent de l'arrière de la classe et se dirigèrent tant bien que mal jusqu'à la crèche. Ils ne quittèrent jamais l'étoile des yeux mais s'excusèrent chaque fois qu'ils devaient déplacer une personne, écrasaient une main ou un pied. Le curé Grenier s'essuya encore une fois les yeux. Les bergers reculèrent et les mages tombèrent à genoux devant la mangeoire.

«Ô mon Roi, dit le premier, je vous z-ai apporté de l'encens.»

Le second mage le regarda, étonné. C'était lui qui devait offrir l'encens!

«Ô mon Roi, enchaîna-t-il néanmoins, je vous z-ai apporté de l'or.» Il insista sur le mot *or* et fusilla le premier mage du regard, essayant de lui faire comprendre qu'il l'avait sorti du pétrin.

«Ô mon Roi, termina le troisième, je vous z-apporte de la myrrhe.»

Les spectateurs, déjà impressionnés par l'arrivée des mages et l'apparition de l'étoile, le furent encore plus quand ils virent les anges descendre du second étage en chantant *O nuit de paix*, alto et soprano! Du chant presque aussi beau que celui de la chorale de la paroisse! Spontanément, les parents unirent leurs voix à celles des enfants. Même le curé Grenier avait serré son mouchoir et chantait allègrement. Les dernières notes moururent sous les applaudissements et les sifflements. Les enfants saluèrent, le rouge aux joues et le sourire aux lèvres. Les applaudissements redoublèrent. Les élèves saluèrent plus bas. Émilie

ferma le rideau et dut calmer ceux qui auraient voulu continuer les saluts. Elle leur rappela qu'ils devaient se hâter
pour les déclamations. Les enfants, grisés par le succès,
avaient complètement oublié cette seconde moitié du spectacle. Ils s'affolèrent, convaincus de ne plus savoir un seul
mot. Émilie leur demanda de faire de leur mieux. Elle tira
le rideau et présenta le premier élève. Celui-ci s'avança et
commença sa déclamation qui parlait de Saint-Nicholas et
d'étrennes. Le second enchaîna, sans accrochage. Il parla
des pauvres qui avaient faim et froid mais qui se réjouis-
saient dans leur foi.

Les déclamations terminées, Émilie, gorgée de fierté,
invita tous ses élèves à revenir saluer. Ils ne se firent pas
prier, se bousculant même un peu pour être à l'avant. Le
curé Grenier se leva. Il félicita tous les enfants puis les
bénit — sauf Charlotte qui venait de sortir en douceur —
les remerciant au nom de l'Enfant-Dieu pour le magnifique
travail qu'ils avaient accompli. Dès qu'il se fut rassis, un
des commissaires se leva à son tour, se dirigea à l'avant de
la classe — ce que n'avait pas fait le curé — et invita Émilie
à le rejoindre, ce qu'elle fit.

«Quand on est un commissaire, il y a des choses qu'on
sait. Ça fait que j'ai dit ce que je savais à mon gars pour
que lui le dise aux élèves. Vous me permettrez, astheure,
mam'selle Bordeleau, de leur laisser la parole.»

Émilie s'étonna de voir les enfants se regrouper devant
Éva. Ils déclamèrent à l'unisson des vœux de *Joyeux anniversaire*. Charlotte s'approcha et lui offrit un bouquet de
fleurs artificielles que les enfants avaient confectionnées
avec du papier, de la broche et des grains séchés. Émilie
les accepta, embrassa ses élèves du regard puis se retourna
vers les parents. Manifestement, elle était la seule à ne pas
avoir été dans le secret. Les adultes riaient aux éclats. Les
enfants aussi. Émilie les remercia tous puis éclata en

sanglots. Elle sécha ses larmes, furieuse contre elle-même, s'excusa en accusant la fatigue et l'émotion pour son manque de retenue et invita tout le monde à déguster les gâteries que les enfants avaient cuisinées eux-mêmes sur le poêle de l'école.

La soirée se termina dans l'euphorie. Émilie n'eut qu'un regret: personne de sa famille ne s'était déplacé.

Émilie eut énormément de difficultés à trouver le sommeil. Elle se remémorait les événements de la soirée, corrigeant mentalement chacun des petits accrochages. Elle souriait, chantonnait, bourrelait son oreiller de coups de poings tant elle était heureuse, essayait de se trouver une position plus confortable, lissant à vingt reprises tous les petits plis de son drap. Elle jubilait. Ce qui, toutefois, la satisfaisait le plus, c'était le sentiment que son intégration à la communauté de Saint-Tite se faisait assez facilement. Même à l'arrivée de Joachim, ce sont ses réactions à elle que les gens avaient scrutées et non celles de Joachim.

Le sommeil vint enfin régulariser son souffle et effacer la fébrilité de son visage. Sans résistance, elle se laissa emporter vers l'enchanteur univers des rêves où elle se vit saluer et sourire devant une foule en délire; où elle discutait longuement avec un des mages sur la coloration de sa peau; où Charlotte rayonnait de joie en lui disant qu'elle n'avait pas passé l'heure des fleurs. Puis Émilie fut happée par un cauchemar. La paille de la crèche s'enflammait et l'Enfant-Dieu frappait de toutes ses forces sur les côtés de la mangeoire pour qu'on vienne le délivrer. Il frappait...frappait...frappait toujours quand Émilie, voyant son impuissance à le sauver, toutes paralysées qu'étaient ses jambes et muette sa voix, s'éveilla en sursaut. L'éclatement d'un clou gelé la confondit quelques secondes. Elle crut qu'il s'agissait d'un pétillement du feu. L'illusion s'évanouit dès qu'elle prit conscience qu'on frappait à la porte de l'école.

Elle regarda l'heure. Il n'était que six heures. Dans son énervement, elle enfila une robe de chambre qu'elle boutonna de travers et omit de se chausser. Elle descendit l'escalier plus inquiète qu'angoissée, constata en posant le pied sur le plancher de la classe qu'il était glacé et courut jusqu'à la porte en sautillant tant elle craignait de se geler les pieds.

«Oui?

— C'est Fred Gélinas, mam'selle. J'ai un message pour vous.»

Elle ouvrit la porte, laissa à peine à monsieur Gélinas le temps d'entrer et s'empressa de refermer car le vent s'engouffrait sous sa chemise de nuit.

«Qu'est-ce qui se passe?

— C'est que mon beau-frère vient d'arriver de Saint-Séverin. Votre père a eu un petit accident hier soir, pis il est resté toute la nuit collé sur sa jument. Mon beau-frère l'a trouvé à matin à la sortie du village pis l'a conduit chez votre cousine pour qu'elle lui recolore le nez pis les joues. Votre père est correct mais il a demandé qu'on vous avise qu'un des patins de sa carriole était brisé pis qu'il viendrait vous chercher aussitôt que possible.

— Qu'est-ce que mon père faisait à Saint-Séverin hier soir?

— Bien, ça a tout l'air qu'il voulait vous faire la surprise de venir à votre spectacle.» Gélinas fit un pas en direction de la porte et remit sa tuque. «Bon, je vous dérangerai pas plus longtemps.»

Émilie le remercia et remonta lentement sous les combles. Triste. Et dire que la veille elle avait regretté que personne de sa famille n'ait pensé venir à son spectacle.

Elle s'inquiéta pour la santé de son père, espérant que la morsure du froid n'avait été que superficielle.

Elle ne put se rendormir. Elle décida de se faire une bonne tasse de thé. Avant de redescendre, elle enfila une grosse paire de chaussons de laine brute. En voyant l'état de la classe, elle eut un instant de découragement. Du foin piétiné qui adhérait à ses chaussettes. Une crèche à démonter. Des assiettes souillées. Des pupitres à replacer. Bref, une journée d'astiquage en perspective. Normalement, elle aurait dû quitter Saint-Tite vers les deux heures. Maintenant qu'elle ne savait plus quand elle partirait, elle éprouva, pour la première fois depuis septembre, un aigu sentiment d'impuissance. Si seulement elle avait eu une *sleigh* et un cheval, elle n'aurait pas été à la merci de qui que ce fût. Elle regarda les quatre murs de son local et eut la désagréable impression qu'ils se rapprochaient. Elle chassa cette sensation de sa pensée.

Elle grignota un croûton de pain, s'habilla, mit un tablier, se couvrit la tête d'un mouchoir pour éviter que la poussière ne collât à ses cheveux, regarda tout le travail qu'elle avait à faire, soupira puis se mit résolument à la tâche.

Elle travaillait ainsi depuis cinq heures lorsqu'elle prit conscience qu'elle n'aurait pas suffisamment de provisions pour subsister pendant deux jours. Elle avait bien des confitures et des marinades mais plus un grain de farine et de sucre. Pas de quoi faire une miche de pain. Elle abandonna son travail, ôta son tablier et son mouchoir, revêtit ses vêtements les plus chauds et décida de se rendre au village acheter quelques victuailles. Quatre milles à faire dans un air glacial à brûler les poumons.

Elle marcha d'un pas décidé. Elle avait sous-estimé le vent qui, malgré les efforts qu'elle déployait pour se protéger le cou, s'immisçait dans son collet et lui faisait descendre un torturant frisson de la nuque aux fesses. Elle vit enfin le pont mais elle ne se sentit pas l'énergie de faire un pas de plus. Prenant son courage à deux mains, elle frappa à la porte des Rouleau. Les femmes de la maison s'empressèrent de lui chauffer un *bouillon à la reine*. Le feu du poêle et la chaleur de l'accueil la réchauffèrent en peu de temps. Les Rouleau lui offrirent les provisions dont elle avait besoin pour lui éviter de se rendre au village et, surcroît de gentillesse, attelèrent leur cheval pour la reconduire à l'école. Elle ne sut comment les remercier pour tant d'amabilité.

«Remerciez-nous pas. C'est nous qu'on vous remercie pour votre sainte crèche d'hier. On n'a pas le temps de chauffer les briques, mais rien que pour deux milles, une bonne fourrure, ça devrait faire.»

Le cheval, dirigé vers le rang du haut du coteau, grimpa la colline sans trop regimber. Ils étaient presque rendus à l'école lorsque, venu de nulle part, un des chiens des Pronovost attaqua les pattes arrière de la bête et ne se gêna nullement pour prendre une bonne mordée dans un jarret. Le cheval rua pour éloigner le cabot. Dieudonné Rouleau ne parvint pas à le calmer et la bête, affolée, fit une embardée, faisant basculer la carriole dans un fossé. Émilie fut coincée sous un des patins. Elle hésita entre les rires et les pleurs mais, pensant à son père, opta pour le rire. Un fou rire comme elle n'en avait pas eu depuis des semaines.

«Ça me console de voir que vous avez mal nulle part», lui dit monsieur Rouleau en se relevant. «J'vas aller demander du secours chez Dosithée. Prenez patience, on va vous déprendre dans une minute.»

Couchée sur le ventre, nez bien enfoncé dans la neige, elle ne les vit pas venir. Elle riait encore de son infortune quand elle entendit monsieur Pronovost demander à Ovide d'atteler un cheval pour dégager la carriole. Il se dirigea ensuite vers elle et elle lui répéta qu'elle n'était pas blessée mais qu'elle avait hâte d'être arrachée de sa position précaire, ne fût-ce que pour essuyer l'eau glacée qui lui coulait dans le dos. En quelques minutes elle fut dégagée grâce au bel étalon qu'elle n'avait plus revu depuis ce vendredi d'octobre, lorsqu'il avait sérénadé la jument de son père.

«C'est à vous, monsieur Pronovost, cette belle bête-là?

— Oui pis non. Disons que je l'ai acheté pour Ovide pis Edmond.

— Ha...en tout cas, j'ai jamais vu un bel animal de même.

— Qui ça? Ovide ou Edmond?»

Prise de court, elle ne sut que répondre. Dosithée ricana intérieurement. Tout en parlant du cheval, il la conduisit à la maison. Émilie était confuse. Encore une fois, elle raconta toutes les mésaventures de sa journée. Monsieur Rouleau, lui, insista sur le fait que s'il avait su qu'elle était née sous une mauvaise étoile, il n'aurait jamais offert de la conduire. Émilie hésita avant de rire de cette boutade, incapable de discerner si monsieur Rouleau était sérieux ou non.

Elle eut droit à un bon thé chaud. Elle les remercia et les pria tous de l'excuser car elle devait se hâter d'aller terminer le travail qui l'attendait à l'école. Le père Pronovost demanda aux élèves d'Émilie s'ils auraient objection à l'accompagner un jour de congé. Ils ne se firent pas prier et, tous ensemble, ils achevèrent le grand ménage qu'elle avait entrepris.

La classe fut nettoyée en un temps record. Émilie retrouva sa bonne humeur. Elle regardait les enfants, tous à quatre pattes, acharnés à gagner le «concours des morceaux de paille». En fait, même après que le balai eut été passé à trois reprises, des brindilles de paille demeuraient coincées entre les joints du plancher. Les enfants, armés d'épingles à chapeaux qu'Émilie était allée chercher dans sa «boîte à coquetterie», les délogeaient une à une, jubilant chaque fois qu'ils réussissaient, heureux comme s'ils venaient de pêcher une belle barbotte au printemps.

«Mam'selle, ricana Rosée, vous trouvez pas qu'on fait le monde à l'envers?

— Qu'est-ce que tu veux dire par ça?

— Ben... nous autres on cherche du foin avec une épingle au lieu de chercher une épingle dans le foin...»

Émilie éclata de rire. Elle adorait les mots d'esprit et celui-là lui plut. Elle en souriait encore quand le père Pronovost arriva à l'école. Prenant conscience de l'heure, Émilie se confondit en excuses dès qu'il eut franchi la porte.

«On s'amusait tellement que j'ai complètement oublié que c'était l'heure du train.

— Il y a pas d'offense, ma belle mam'selle», les enfants rougirent de la familiarité de leur père, «mais c'est pas pour ça que je suis ici.»

Sans attendre d'être invité à le faire, il se découvrit, déboutonna son manteau et s'assit à un des pupitres. Émilie lui offrit une tasse de thé qu'il refusa poliment.

«Est-ce que vous pensez que votre père va réparer sa *sleigh* à temps pour venir vous chercher?

— Oh! oui! C'est pas une petite affaire de même qui va l'arrêter. Pour moi, il devrait être ici à l'heure du souper. On va être à la maison avant minuit, certain. Mais pourquoi est-ce que vous me demandez ça?

74

— C'est que moi pis ma femme on a pensé que vous pourriez venir chez nous en attendant.

— Je vous remercie, mais j'aime mieux rester ici.»

Les enfants intervinrent aussitôt pour tenter de convaincre Émilie d'accepter l'offre de leur père. Elle demeura inflexible. Quand la discussion fut enfin terminée, Dosithée demanda aux siens de se préparer à partir. Ils obéirent, même si, secrètement, ils auraient préféré demeurer à l'école encore quelque temps. Émilie les accompagna jusqu'à la porte, les remercia de leur gentillesse, leur souhaita à tous un joyeux Noël et leur recommanda de bien se reposer avant d'entreprendre la seconde moitié de l'année. Ils la quittèrent. Elle monta, la larme à l'œil, se dirigea à la fenêtre d'où, malgré la noirceur, elle pouvait distinguer leurs silhouettes, ouvrit discrètement le rideau et les vit qui batifolaient dans la neige. Elle avait maintenant les joues inondées. Qu'est-ce qu'elle aurait donné pour folâtrer avec eux...

Émilie comprit que depuis le mois de septembre elle avait revêtu des frocs d'adultes et sur son corps et sur son âme. Ces frocs lui pesaient lourd en ce moment. Sa jeunesse et son besoin d'insouciance lui frappaient à la porte du cœur. Mais, ici à Saint-Tite, son cœur ne pouvait ouvrir. Ici à Saint-Tite, elle se devait d'être sérieuse, grande, demoiselle. Elle s'essuya les yeux et le nez du revers de la main. Comme une enfant.

Émilie ne put avaler une seule bouchée, trop préoccupée par l'arrivée imminente de son père. À sept heures, elle ne voyait toujours rien sur la route. À huit heures, elle décida de tromper son attente en lisant une page du dictionnaire. Elle tomba par hasard sur le mot *désolation*. Elle sanglota, inconsolable. À neuf heures, elle se résigna à ouvrir sa valise pour en sortir sa robe de nuit. Elle la renifla et grimaça, car elle avait négligé de la séparer du linge sale. Elle se refusa à l'enfiler et résolut de dormir en sous-vêtements. Elle se coucha non sans avoir préalablement enfoui trois mouchoirs sous son oreiller.

Le vingt-trois décembre s'immisça dans la vie d'Émilie en chantant l'hiver par chacune des fenêtres de la classe et des combles. Elle ouvrit les yeux et, quoiqu'ils fussent encore brouillés de sommeil et de chagrin, elle vit que la journée serait poudreuse. Elle soupira, se leva et commença sa toilette, furieuse contre elle-même. Dans son envahissant trouble de la veille, elle avait négligé d'alimenter le poêle. Elle grelotta en se débarbouillant, s'empressa d'enfiler jupon et robe et se couvrit les épaules d'un lourd châle de laine qu'elle avait crocheté. Elle s'assit devant un miroir pour coiffer sa longue chevelure rebelle et couleur d'acajou. Elle commença à façonner un chignon, coiffure qu'elle avait adoptée depuis qu'elle enseignait, puis, ses pensées de la veille faisant surface, elle le dénoua presque rageusement et entreprit de se faire des tresses. De simples tresses de «sauvageonne» comme aurait dit son père. Elle s'en amusa. Pour colorer la jeunesse dont elle s'affublait, elle noua deux énormes rubans blancs aux extrémités de chacune des nattes. Elle se sentit ragaillardie, descendit dans la classe et gava le poêle gourmand, regrettant aussitôt son geste irréfléchi. Si son père arrivait, ils ne pourraient partir avant que les bûches ne soient réduites en braise, ce qui, avec la quantité qu'elle venait d'utiliser, prendrait plusieurs heures. Son père ne lui pardonnerait jamais une telle imprévoyance. Le poêle gronda. Elle ouvrit la clé de façon à accélérer le processus de combustion. Le poêle ragea et le tuyau laissa paraître quelques signes de suffocation. Émilie prit peur. Elle referma la clé. Le poêle s'assagit puis ronronna. Émilie mit l'eau du thé à bouillir, le cœur encore agité par sa soudaine frousse. Elle remonta dans ses locaux pour manger le peu qu'elle avait pu trouver — elle n'avait pas, la veille, fait de pain comme elle se l'était promis —

et maugréa contre le fait qu'elle n'avait pas encore de poêle au second étage. Elle ne trouvait pas normal d'être sans cesse obligée de faire la navette dans les escaliers chaque fois qu'elle devait manger. De plus, installée de cette façon, elle consommait beaucoup plus de bois. Il lui fallait chauffer et la classe et ses locaux. Avec un second poêle, elle aurait pu se contenter de chasser l'humidité de la classe, chauffer sa chambre et y cuisiner. Elle se promit d'écrire encore une fois aux commissaires afin de leur demander quand ils prévoyaient compléter l'installation. Ils en avaient convenu. Ce genre de démarche lui déplaisait souverainement. Elle craignait de donner l'impression d'être plaignarde ou diffi-cile.

Le soleil avait depuis longtemps terminé son ascension vers son sommet hivernal. Il s'arrêta, l'instant de reprendre son souffle, avant d'entreprendre sa descente. Émilie était clouée à sa berceuse, le nez presque collé à la fenêtre. Toutes les cinq minutes, elle se levait, grattait le givre fraîchement cristallisé et regardait la route du village. Rien à l'horizon brouillé par la poudrerie. Elle se rassoyait en soupirant. De temps en temps, elle se résignait à aller mettre une nouvelle bûche dans le poêle, se disant chaque fois que c'était la dernière.

À deux heures de l'après-midi, on frappa à la porte. Elle savait que ce n'était pas son père. Elle ouvrit. C'était Edmond Pronovost. Elle s'étonna de le voir et lui en fit la remarque.

«C'est moi qui vas venir chauffer pendant vos vacances. Sauf que nous autres on était sur l'impression que vous étiez partie à matin. Votre père est pas encore venu ?»

Elle invita Edmond à entrer. Il préféra n'en rien faire, la salua et lui promit de revenir chauffer le poêle matin et soir.

Émilie referma la porte et retourna à son point d'observation. Les traces de pas qu'Edmond creusait dans la neige lui donnaient l'impression de courir derrière lui sans parvenir à le rejoindre. Elle devina qu'il était maintenant entré chez lui.

«Cré Bon Dieu, Edmond, dit Dosithée, tu as fait ça vite.

— Mam'selle Émilie était là. Son père est pas encore arrivé», répondit Edmond.

Dosithée fronça les sourcils, étonné d'apprendre qu'Émilie était toujours à l'école. Il lui avait semblé la voir partir avec son père tôt le matin. La poudrerie l'avait empêché de bien distinguer les passagers du traîneau qu'il avait cru appartenir à monsieur Bordeleau. Il regarda l'heure et claqua de la langue. S'il avait été monsieur Bordeleau, il aurait sûrement été inquiet de savoir sa fille seule dans une petite école perdue sur un rang balayé par le vent. Il regarda Félicité et souleva les sourcils en pinçant les lèvres. Voyant qu'elle avait accroché son regard, il haussa les épaules en pointant l'école de sa tête. Félicité, occupée à peler des pommes de terre, fit un signe de main, signifiant qu'elle ne savait que faire. Dosithée regarda ensuite Ovide qui était affairé à réparer un mors de cheval, sourit d'un sourire dont il croyait être le seul à comprendre la signification et se leva.

«Ovide, mets donc des briques à chauffer. Ta mère aimerait qu'on aille à Saint-Stanislas pour voir son cousin.»

Félicité sourit au prétexte idiot que venait d'inventer son mari. Quant à Ovide, il continua de travailler et sans même lever les yeux, demanda pourquoi tout à coup son père voulait aller à Saint-Stanislas. Ovila, qui avait compris, offrit à son père de l'accompagner si Ovide se désistait. Dosithée lui répondit qu'il fallait être deux hommes pour faire le voyage. Ovila en fut mortifié et s'isola dans son mutisme sous l'air moqueur d'Ovide. Ce dernier lui dit d'attendre encore quelques années et d'avoir, comme lui, une belle moustache avant de prétendre être un homme.

«Moustache miteuse, oui», bougonna Ovila.

Dosithée décida de mettre fin à la discussion qui s'amorçait entre ses fils.

«Grouille-toi, Ovide. Tu viens, ou j'y vas avec Edmond.»

Ovide soupira, se leva, accepta de très mauvais gré d'accompagner son père et lui reprocha devant toute la famille de toujours être à plat ventre devant la maîtresse d'école, lui demandant même ironiquement s'il faisait tout cela pour que ses enfants aient de meilleures notes. Dosithée leva le ton.

«Si tu as rien que des platitudes à dire, j'aime autant pas faire le voyage avec toi.»

Ovide, sentant la menace sérieuse, enfila son manteau et partit atteler l'étalon à la petite carriole. Il pensait qu'il était préférable de ne pas prendre le traîneau, beaucoup trop lourd à diriger par temps poudreux. Ovila mit les briques à chauffer et Félicité demanda aux filles de préparer un «en cas». Il ne fallut pas plus d'une demi-heure pour que père et fils soient prêts à partir. Félicité prit son mari à part, l'instant de lui rappeler d'être prudent. Elle ne commenta pas sa décision d'aller reconduire à Saint-Stanislas la petite maîtresse d'école par un temps si agité. Dosithée devina la remarque qu'elle n'osait faire.

«Si c'était notre Rosée qui était *pognée* de même, tu aimerais pas ça que quelqu'un vienne la reconduire?»

Félicité lui sourit. Oui, elle comprenait. Sa seule crainte, celle qu'elle n'aurait jamais osé avouer, était le *jasage*. Les gens allaient sûrement remarquer l'empressement avec lequel les Pronovost venaient en aide à Émilie. Elle n'aimait pas ça. Elle craignait que des mauvaises langues ne commencent à raconter que Dosithée cherchait à marier son fils aîné. Parce que c'était ce qu'il essayait de faire, elle en était certaine. En cela, elle ne le désapprouvait pas. Elle aimait bien la jeune institutrice. Elle aimait son caractère agréable et joyeux. Elle aimait sa façon de faire la classe. Elle aimait ses doigts de fée qui changeaient la moindre guenille en robe d'ange. Elle aimait son allure: elle était grande, plus grande que la majorité des filles de Saint-Tite et portait fièrement sa tête encadrée de cheveux longs et épais.

Ovila sortit de la maison en courant au moment où son père et son frère demandaient à l'étalon d'avancer. Il portait une pile de couvertures. Sa mère, dit-il, craignait que la tombée de la nuit ne rende le froid encore plus mordant. Dosithée prit les couvertures et le remercia tout en le grondant d'être sorti sans manteau. Ovila rentra à la course. Ovide, lèvre supérieure retroussée et nez plissé, regarda son père d'un air sceptique. Dosithée éclata de rire.

«Qu'est-ce que tu voulais qu'Ovila dise? Il était quand même pas pour dire qu'il avait peur pour la santé de sa petite maîtresse d'école adorée.»

Émilie détestait ce qu'elle vivait. Elle était assise entre le père et le fils, gênée d'être encore une fois sous l'impression désagréable qu'on lui faisait la charité, mais heureuse de se rapprocher enfin de chez elle. Le ciel s'était couvert de nuages et le vent était tombé au moment du coucher du soleil, comme il le faisait si souvent. Le temps s'était adouci au point qu'ils avaient laissé tomber une des trois couvertures qui les protégeaient. Le père et le fils parlaient entre eux de tout ce qui touchait aux contrats de coupe de bois qu'ils espéraient obtenir après les Fêtes.

Émilie, par politesse, se sentit obligée de suivre la conversation. Ils avaient fait une halte à Saint-Séverin et s'étaient informés pour savoir si monsieur Bordeleau n'était pas passé. On leur répondit qu'il était retourné chez lui changer d'attelage et que personne ne l'avait revu depuis.

Ils avaient quitté le village depuis peu lorsqu'ils aperçurent les fanaux d'un traîneau. Émilie s'avança sur le siège, le dos bien droit, et essaya de voir qui dirigeait l'attelage.

«C'est mon père! C'est mon père avec mon oncle!»

Dosithée immobilisa sa carriole et Ovide se leva pour laisser descendre Émilie. Elle sauta à terre, soudain très animée. Elle se plaça au centre de la route, agita les bras tout en criant qu'elle était là. Caleb stoppa.

«Veux-tu bien me dire, Émilie, ce que tu fais ici en plein milieu du chemin à gigoter comme un chien attaché?» lui cria-t-il à son tour.

Elle n'eut pas le temps de répondre qu'Ovide était derrière elle portant son bagage, suivi de Dosithée. Émilie s'empressa de faire les présentations. Les deux pères se serrèrent une main que ni l'un ni l'autre ne sentit tant elles étaient emmitouflées sous d'épaisses mitaines. Caleb ne cessa de les remercier. Il se disait soulagé de savoir que sa fille avait de si bons voisins. Il lui demanda si elle avait reçu son message, puis invita les Pronovost à venir prendre une bonne nuit de sommeil à Saint-Stanislas. Dosithée refusa, disant qu'il préférait retourner tout de suite à Saint-Tite. Il ne voulait pas inquiéter inutilement sa femme. Caleb approuva. Ovide, par contre, manifesta le désir d'accepter l'invitation, mais il savait son père inflexible. Toute la conversation ne dura que quelques minutes et bientôt Dosithée fit demi-tour, suivant les indications de Caleb. Dès que la carriole eut terminé son changement de direction, Caleb dirigea les manœuvres de son frère. La route était étroite et il craignait que le traîneau ne verse dans le fossé. Par mesure de prudence, Dosithée attendit que le traîneau soit bien en place avant de les saluer et de leur souhaiter de joyeuses Fêtes.

Émilie ne se retourna qu'une fois pour les saluer de la main. Elle se concentra ensuite sur la route devant elle. Si elle avait été particulièrement silencieuse depuis Saint-Tite, elle reprit rapidement le temps perdu, s'informant d'abord de l'accident, puis racontant à son père et à son oncle tout ce qui s'était passé depuis le début novembre. Caleb, qui ne tenait pas l'attelage, s'amusait de ce qu'elle racontait et il se réjouit de constater qu'elle avait réglé le problème du grand Crête. Émilie lui répondit qu'elle avait peut-être réglé ce problème-là, mais qu'elle avait encore beaucoup de peine à accepter sa conduite à elle. Elle insista sur la chose en ajoutant que jamais elle ne se pardonnerait d'avoir agi aussi violemment. Caleb lui répondit lentement que la vie réservait souvent des surprises. Agréables ou non. Que parmi les plus désagréables il y avait toujours la surprise de découvrir qu'on ne se connaissait pas toujours bien soi-même. Il lui demanda si elle se rappelait la scène qu'ils avaient eue à propos du service des filles à table. Elle lui répondit qu'elle ne s'en rappelait que trop bien. Alors, sur un ton de confidence que même son frère ne parvint pas à entendre, Caleb raconta à Émilie que ce soir-là, il s'était vu d'une nouvelle façon et qu'il n'avait pas aimé l'image. Elle lui prit le bras et serra très fort. Il conclut sa confidence en lui disant que maintenant qu'elle avait dix-sept ans, elle pouvait comprendre. Émilie l'embrassa, en riant. Elle avoua qu'elle pensait qu'il avait oublié son anniversaire. Il lui tapota la joue en la rassurant.

«Penses-tu vraiment qu'un père peut oublier la fête de son premier enfant?

— Non...mais des fois, vous êtes tellement distrait...

— Tu as peut-être raison. En tout cas, ta mère va penser ça quand elle va voir le traîneau. Elle va penser que j'ai oublié d'aller te chercher.»

Ils rirent tous les deux de cette boutade. Caleb était occasionnellement très distrait. Sa grande distraction, celle qui faisait encore les frais des fêtes de famille, était celle où il avait oublié Célina au village. Il l'avait déposée au magasin général puis, pendant qu'elle faisait ses achats, il était allé au presbytère payer une messe *in memoriam* pour sa mère. Après avoir parlé avec le curé, il s'en était retourné chez lui, oubliant complètement Célina. Il avait dételé la jument, rangé la voiture dans le bâtiment, puis était entré dans la maison. Ne voyant pas Célina, il avait demandé où elle était. Les enfants l'avaient regardé, incrédules, puis lui avaient rappelé qu'elle était partie avec lui. Caleb avait sursauté, avait couru harnacher la jument et était revenu à vive allure en direction du village. Le marchand général avait soupiré d'aise en voyant Caleb entrer dans le magasin.

«Où c'est que vous étiez? Ça fait plus qu'une heure que votre femme vous attend! On a eu l'impression de vous voir passer devant le magasin tantôt. On aurait dit que vous vous en alliez à la Côte.»

Caleb avait rejoint sa femme. Célina, assise dans l'arrière-boutique, tenait ses provisions sur ses genoux et fulminait. Elle l'avait fusillé du regard, s'était levée d'un bond, était sortie la tête haute du magasin, avait grimpé dans la voiture et s'était assise sans déposer ses provisions. Tant bien que mal, Caleb avait essayé de lui venir en aide, mais elle avait sèchement refusé toutes ses tentatives. Ils s'étaient mis en route.

«Caleb Bordeleau, mon bougrin, avait-elle enfin dit, veux-tu me dire ce qui t'a retenu longtemps de même? Je suppose que tu es allé jaser! As-tu l'impression que ça me prend deux heures pour acheter de la farine, du sucre, pis du savon?»

Caleb avait retenu le fou rire qu'il refoulait derrière ses lèvres closes. Mais les omoplates lui chatouillaient les épaules.

«Ha! pis tu trouves ça drôle de me faire attendre comme une dinde! Tu as pas de respect, mon enfant de carême!»

Elle n'avait plus ouvert la bouche jusqu'à ce qu'ils arrivent à la maison et que les enfants les accueillent en riant.

«Ma foi du Bon Dieu, Caleb, on dirait que les enfants rient de moi!»

Caleb avait enfin laissé exploser son hilarité. Les enfants s'étaient empressés de raconter à leur mère ce qui s'était passé. Célina ne les avait d'abord pas crus. Mais voyant qu'ils ne pouvaient mentir, elle avait décoléré et ri à son tour.

«C'est le bout' du bout'! Oublier sa femme parce qu'on jongle trop fort! Caleb Bordeleau, j'vas m'en rappeler de celle-là. Pis, fais-moi confiance, tu as pas fini d'en entendre parler!»

Ce soir-là, ils s'étaient couchés en riant encore. Caleb, de sa magistrale distraction; Célina, de le voir rire de si bon cœur.

5.

Le mois de janvier n'avait donné aucun répit à Émilie, les froids l'obligeant à se lever la nuit pour chauffer son école sans cesse secouée par le vent. Elle aurait assez bien enduré la chose si elle n'avait été affligée d'une grippe insupportable qui la rendait fiévreuse et impatiente. Les enfants, peu habitués à la voir si irascible, devinrent nerveux. Émilie les accabla donc davantage. Finalement, au début de février, elle put repasser et ranger ses mouchoirs. Elle retrouva sa forme en même temps que l'hiver proposa une trève.

Février achevait. Il avait été enrobé de soleil. La terre, croyant le printemps venu, s'était laissé dépouiller d'une bonne couche de neige. Les cultivateurs s'inquiétaient de ce printemps, redoutant une mauvaise année pour les sucres. Mais dans leur optimisme, ils avaient prédit que le mois de mars ramènerait sûrement des temps plus froids.

Mars était attendu pour le lendemain. Émilie expliquait aux enfants que l'année 96 était une année bissextile. Qu'exceptionnellement, il y avait un 29 février. Les enfants demandèrent si, à cause de cette journée supplémentaire, Noël serait le 24 décembre. Émilie allait commencer à leur conter l'histoire du calendrier lorsque Lazare Pronovost poussa un grand cri, s'agrippa à son pupitre, se raidit comme une barre de fer et tomba à la renverse, la chaise sous lui et le pupitre par-dessus. Émilie crut à une blague, mais elle vit les autres enfants Pronovost se lever à toute vitesse. Ovila et Éva retirèrent le pupitre, Émile la chaise. Rosée prit un livre et essaya de l'introduire dans la bouche de Lazare. Ce dernier, arqué comme un pont, avait la moitié du visage tiré vers l'arrière et émettait des grognements qu'Émilie trouva franchement apeurants. Elle s'approcha. Certains enfants criaient, surtout les petits de première qui se réfugiaient près d'elle. Elle dut les forcer à lâcher prise. Elle s'approcha encore plus. Lazare se mit à bondir sur place, mû par une force comme elle n'en avait jamais vu. Sa bouche se contorsionna, puis Lazare commença à écumer. La bave lui coulait tout le long du menton. Rosée prit un mouchoir et essaya tant bien que mal d'essuyer la salive. Émilie eut un haut-le-cœur. Ovila ordonna aux enfants de s'éloigner, ce qu'ils firent sans se faire prier. Les petits commencèrent à pleurer. Charlotte se précipita à l'arrière de la classe, enfila son manteau en toute hâte et sortit de l'école. Un des élèves du groupe de septième année crut bon d'inviter les enfants à prier pour éloigner le diable qui venait de s'emparer de Lazare. Émilie n'intervint pas. Elle entendit vaguement des «Je vous salue, Marie» et des «Retire-toi, Satan». Elle était hypnotisée par le spectacle. Elle ne savait absolument pas quoi faire. Émile, le plus jeune des Pronovost, se mit à crier à la tête des élèves de la classe que son frère n'était pas un diable. Il les menaça du poing puis alla donner un violent coup de pied à la grosse Marie qui appelait tous les saints du ciel à son secours.

Émilie parvint enfin à se ressaisir. Elle se retourna et vit le geste du petit Émile. Elle alla le chercher et demanda aux enfants de se taire. Son ton était à la fois nerveux et extrêmement autoritaire. Elle les pria tous de monter à l'étage. Ils obéirent. Lorsque le dernier enfant eut gravi les escaliers, elle s'en revint vers les Pronovost. À sa grande surprise, Lazare était assis. Il était livide et semblait épuisé.

Émilie eut peur de l'approcher, craignant que toute la scène ne recommence. Ovila frottait le cou de son frère et Rosée lui essuyait le visage. Émilie était incapable de parler. À l'exception de Lazare, tous les enfants Pronovost la regardaient. Ils attendaient qu'elle leur dise quelque chose. Elle le sentit. Aussi, elle demanda à Ovila de monter son frère à l'étage. Dès qu'elle eut prononcé cette phrase, l'absurdité du geste lui apparut: tous les enfants étaient en haut. Elle revint au pied de l'escalier et leur demanda de descendre, sans se bousculer. Cependant Lazare, accroché au cou d'Ovila, tenta de se lever. Il y réussit et se laissa diriger vers l'escalier.

Deux petits de première n'avaient pas eu le temps de descendre quand Lazare commença à monter. Les petits le virent, poussèrent des cris de mort et remontèrent se cacher. Émilie alla chercher les deux terrorisés. La scène était ridicule. Elle les exhortait à descendre et pour toute réponse, ils criaient à s'époumonner. Lazare pâlissait à vue d'œil. Elle empoigna les deux enfants et les descendit, un sous chaque bras. Elle réussit enfin à les déposer sur le plancher de la classe. Les Pronovost avaient recòmmencé leur ascension, non sans être blessés des regards dédaigneux, terrorisés et dégoûtés que leur lançaient leurs compagnons de classe. Tout en se frottant le tibia droit, la grosse Marie gardait les yeux fermés et demandait encore aux saints de venir la délivrer du mal.

Émilie remarqua le fouillis qui régnait dans la classe. Éva et Rosée avaient commencé à remettre de l'ordre. Toutes les deux pleuraient en silence. Émilie regarda l'heure et préféra laisser partir les enfants qui le voulaient. Ils le voulurent tous, sauf les Pronovost et la petite Charlotte. Celle-ci, son manteau sur le dos, resta assise au pied de l'escalier, sans quitter l'étage des yeux. Émilie s'approcha d'elle. Charlotte lui demanda si Lazare allait mourir. Émilie répondit que non, mais elle n'en était pas tellement convaincue elle-même. Elle demanda à Charlotte pourquoi elle était restée au lieu de profiter du petit congé. Charlotte répondit qu'elle voulait voir Lazare afin de s'assurer qu'il était bien vivant. Émilie lui prit la main et monta à l'étage. Elle ne sentit aucune crainte chez l'enfant. Lazare était étendu sur le lit, toujours aussi livide. Ovila leur fit signe qu'il dormait. Émilie fit *Ha!* de la tête et redescendit avec Charlotte. Charlotte lui demanda si elle était bien certaine qu'il dormait. Émilie lui donna sa parole. Charlotte décida alors de partir, mais elle revint quelques minutes plus tard, la mine réjouie. Elle appela Émilie et lui dit que Lazare était sûrement mort mais que, comme le vrai Lazare, il était ressuscité. Émilie fut étonnée de sa remarque mais dit à Charlotte qu'elle avait probablement raison. Charlotte repartit le cœur léger.

Les enfants Pronovost avaient remis de l'ordre dans la classe. Rosée monta à l'étage et demanda à ses frères et à Éva d'aller chercher de l'aide. Ils obéirent et quittèrent l'école, secoués et l'âme chavirée. Émilie inspira profondément avant de remonter. Rosée lui sourit.

«Je sais que ça fait peur, mam'selle, mais c'est pas grave. C'est le grand mal.

— C'est ce que j'ai pensé mais comme j'avais jamais vu ça, j'étais pas certaine. Je savais pas que Lazare souffrait du grand mal.

— Mes parents vous l'avaient pas dit?»

Émilie fit non de la tête.

«Ça doit être parce que ça fait trois ans que Lazare a pas eu de crise. On espérait qu'il soit guéri.»

Elles s'assirent toutes les deux à côté du lit. Émilie trouva qu'elles avaient l'air de veiller au corps. Elle s'assura que Lazare respirait bien puis elle chevaucha ses pensées, revoyant l'horrible scène dont elle venait d'être témoin. Elle eut un nouveau haut-le-cœur qu'elle tenta vainement de maîtriser. Elle se leva rapidement, accrocha son bol à main au passage et descendit l'escalier à la course. Elle eut à peine le temps de toucher la dernière marche que déjà elle vomissait toute la peur qui lui avait collé à l'estomac.

Elle rinçait son bol lorsqu'Ovila revint avec son père et son frère Ovide pour ramener Lazare à la maison. Dosithée comprit le malaise d'Émilie à la coloration de ses joues et à l'odeur qui lui parvint aux narines. Émilie tenta de dissimuler sa gêne. Elle escorta le père et ses deux fils au chevet de Lazare. Rosée était toujours assise près de son frère qui venait de s'éveiller. Elle lui expliquait qu'il était encore à l'école et que tout allait bien. Lazare, leur dit-elle, s'était inquiété de s'être éveillé dans un décor étranger.

«Hé! bien, mon garçon! Paraît que tu as fait une belle frousse à tout le monde.»

Le père Pronovost parlait un peu trop fort pour convaincre qui que ce soit que lui-même en avait été épargné. Lazare essaya de sourire mais son sourire se déforma et il se mit à pleurer.

«Voyons, mon jeune, faut pas pleurer. Tu allais bien depuis trois ans. Astheure, tu devrais avoir la paix pour un autre bon trois ans. Calme-toi là. Ovide pis moi, on va te porter jusqu'à la maison en faisant la chaise avec nos bras.

— Je veux marcher tout seul!

— C'est que moi je pense que c'est mieux que tu te laisses porter comme un roi. Demain, tu marcheras pis tu courras tant que tu voudras. Aujourd'hui, nous autres on est à ton service.»

Il appuya ces paroles de gestes discrets à l'intention de Rosée et d'Ovide, la première devant lever l'enfant, le second, le couvrir d'une des couvertures qu'ils avaient apportées. Lazare les laissa faire. Dosithée et Ovide lui firent descendre l'escalier. Prudemment. Ovila prit les bottes et le manteau de son frère. Émilie les escorta sans trouver à faire une seule chose qui aurait pu leur être utile. Elle ne pensa même pas à ouvrir la porte. Elle voulut dire une bonne parole à Lazare, l'encourager ou lui sourire, mais elle en fut incapable. Lazare la salua et elle ne réagit pas. Ovide s'abstint de la regarder. Dosithée murmura quelques paroles de remerciement. Émilie referma la porte derrière eux et courut vomir une seconde fois. Elle se rinça la bouche, trempa son mouchoir dans de l'eau glacée et monta pour s'étendre. Dès qu'elle aperçut le lit, elle refusa de s'en approcher et s'écrasa dans sa berceuse. Elle posa un coussin sous sa tête, mit le mouchoir sur son front et ferma les yeux. Elle respira très fort, essayant de réprimer une nouvelle nausée.

Le soleil avait fini d'éclabousser ses fenêtres quand elle reprit un peu de vie. Elle décida de boire un bouillon chaud mais son estomac refusa cette agression. Dès qu'elle l'eut soulagé, elle alluma une lampe et tenta vainement de se changer les idées en lisant son éternel dictionnaire. Elle chercha une explication au problème de Lazare sous *mal* puis sous *grand* mais ne trouva rien. Elle se leva et regarda par la fenêtre. Chez les Pronovost, elle vit de la lumière dans l'étable. Elle redescendit dans sa classe, rangea quelques papiers, ouvrit et referma ses tiroirs sans rien y chercher de particulier et retourna à la fenêtre. L'étable était maintenant noire. Émilie regarda l'heure. Six heures et demie. Les Pronovost devaient tous être à table. Elle se convainquit qu'elle devait avoir faim et grignota un croûton de pain. Son estomac l'accepta. Elle marcha de long en large, se demandant comment elle pourrait bien occuper cette soirée naissante. Elle n'avait plus envie de lire. Elle n'avait plus envie de penser. Elle n'avait plus envie d'être seule. Elle se dirigea vers la planche à clous, enfila ses couvre-chaussures, prit son manteau et son châle, s'emmitoufla et sortit. Le froid s'était calmé lui sembla-t-il. Elle regarda la route à sa gauche puis à sa droite et opta pour une promenade vers la gauche. Elle voulait éviter de marcher en direction de la maison des Pronovost. Elle commença à faire chanter la neige sous ses pas. Au son qui lui parvint aux oreilles, elle comprit qu'elle marchait lentement en se traînant les pieds. Elle accéléra le pas. Elle marchait ainsi sans but depuis un bon quart d'heure quand elle prit conscience que c'était la première fois depuis septembre qu'elle sortait ainsi, sans raison. Sans emplettes à faire. Sans messe à laquelle assister. Elle regarda autour d'elle, huma l'air frais et rebroussa chemin. Elle passa devant l'école, s'assura qu'il y avait de la lumière chez les Pronovost et s'y dirigea sans réfléchir. Ovide lui ouvrit la porte. Elle avait frappé discrètement, espérant qu'on n'entendrait pas. Mais on avait entendu.

«Bonsoir, mam'selle. Entrez donc.

— Bonsoir, Ovide. Je voulais juste prendre des nouvelles de Lazare.

— Entrez donc quand même. On n'est pas pour rester la porte ouverte.»

Elle entra mais refusa d'enlever son manteau. Rosée la salua et lui sourit. Émile était affairé à ses devoirs. Ovila sculptait un bout de bois. Tout avait l'air normal et pourtant Émilie sentit dans le regard des parents une tristesse qu'elle n'avait jamais vue. Félicité prit la parole.

«J'ai pas l'impression que Lazare va être à l'école demain.

— Je suis pas venue pour ça. Je voulais juste vous dire de pas vous gêner si vous avez besoin d'aide.»

Elle se trouva un peu ridicule, sachant qu'elle ne pouvait offrir grand-chose et qu'elle n'avait même pas été capable de leur ouvrir la porte quand ils étaient sortis de l'école.

«Bon bien, j'vas y aller si je veux être en forme demain.

— On vous remercie, mam'selle» dit Dosithée sans se lever pour l'accompagner.

Émilie s'en sentit blessée. Ovila abandonna son bout de bois et s'empressa de remplir la politesse que son père avait omise. Émilie le remercia, salua encore une fois à la ronde et sortit. Sitôt dehors, elle éclata en sanglots. Pourquoi lui en voulaient-ils?

Elle revint à l'école, se moucha à plusieurs reprises puis décida de dormir même si elle savait que sa fatigue ne s'était pas encore manifestée et qu'elle en aurait pour des heures à se tourner et à se retourner dans son lit.

Émilie se releva d'un bond, arracha les draps du lit. Elle avait vainement tenté d'y dormir mais elle n'y respirait que l'odeur de Lazare. L'odeur de la maladie. Elle s'enroula dans sa douillette et recommença pour la centième fois à revivre les événements de la journée. Lasse, elle appela désespérément le sommeil mais chaque fois qu'elle semblait tomber dans ses abîmes, elle sursautait et combattait l'engourdissement de sa lucidité. Elle se releva à plusieurs reprises, mettant chaque fois une bûche bien inutile dans le poêle. La maison des Pronovost avait rejoint les ombres de la nuit.

À son grand désespoir, elle vit poindre les rayons du soleil. Déjà! Une nuit blanche. Toute une nuit blanche. Sa première vraie nuit blanche pleine de pensées et non de réjouissances comme celles du temps des Fêtes. Elle se sentit faible. Comment pourrait-elle enseigner ce jour-là? Elle commença à se débarbouiller, essayant tant bien que mal d'effacer les traces d'insomnie et de trouble. Elle mangea heureusement de bon appétit, ce qui lui rendit quelques forces. Elle fit le tour de la classe pour s'assurer qu'il n'y restait aucun vestige des événements de la veille pouvant ranimer la peur chez les enfants. Tout était impeccable quand elle entendit les rires et les cris annonçant la nouvelle journée, le nouveau mois.

Elle fit la prière du matin et demanda aux enfants d'avoir une intention spéciale pour Lazare afin qu'il revienne rapidement en classe. Charlotte ferma les yeux. La grosse Marie fit le décompte de ceux qui avaient fermé les yeux. À la récréation, Émilie l'entendit dire qu'elle avait refusé de prier pour le retour de Lazare, ayant trop peur que les démons ne reviennent avec lui. Émilie la disputa et la pria de rentrer dans l'école pour réfléchir à ce qu'elle venait de dire. La grosse Marie lui répondit qu'elle savait qu'elle n'était pas la seule à avoir gardé les yeux ouverts. Émilie insista pour qu'elle aille réfléchir et la grosse Marie refusa, menaçant de dire à ses parents qu'elle invoquait le diable… Émilie perdit patience et lui tira une oreille. Marie cria comme une poule qu'on égorge et, au lieu d'entrer dans l'école, s'enfuit chez elle. Émilie se refusa à la suivre et à la supplier de revenir.

Pour dissiper le brouillard qui avait assombri sa classe, Émilie annonça que l'après-midi entier serait consacré au dessin. Les enfants quittèrent l'école en se chamaillant.

Émilie fut soulagée. Il n'y avait que quatre enfants qui mangeaient à l'école. Elle s'était vite rendu compte qu'ils jouaient dans les champs au lieu d'aller prendre leur repas chez eux. Elle en avait parlé au curé. Celui-ci lui avait dit que s'ils n'allaient pas à la maison, c'était parce qu'il n'y avait généralement rien à manger. Émilie, sans demander la permission des commissaires, avait donc commencé à faire des soupes bien épaisses, pleines de gros morceaux de moelle et de légumes et elle leur en avait offert. Les enfants avaient promis le silence sur cette nouvelle coutume. Il lui semblait bien qu'ils avaient tenu parole, car elle n'avait jamais eu de plaintes.

En ce premier jour de mars, elle leur servait leur habituelle portion de soupe lorsque la grosse Marie revint en classe avec ses parents.

«Madame Lebrun, monsieur Lebrun, est-ce que je peux faire quelque chose pour vous?

— Vous, ma p'tite démonne, s'écria madame Lebrun, de quel droit avez-vous mis ma fille en pénitence...»

Émilie fit signe aux quatre enfants de sortir de l'école. Ils s'exécutèrent sans attendre.

«J'ai demandé à Marie de réfléchir à la charité, c'est tout.

— C'est pas vrai, répondit Marie en pleurant. Vous avez rien dit pour empêcher le diable de venir dans la classe. Vous m'avez donné une claque en pleine face parce que je vous ai dit que je voulais pas que le diable revienne...

— Marie, j'ai prié pour que Lazare guérisse. Je vous ai demandé de faire la même chose.

— Le grand mal, ma p'tite, jeta madame Lebrun d'un ton méprisant, c'est le mal du diable!

— Vous êtes une bien drôle de maîtresse, renchérit monsieur Lebrun. Vous claquez ma fille pour lui faire penser à la charité...

— C'est pas tout à fait ce qui s'est passé...» disait Émilie, quand monsieur Lebrun la gifla.

Elle demeura estomaquée. Elle n'avait jamais été giflée depuis sa mémorable prise de bec avec son père. Elle sentit la colère l'envahir, mais s'abstint de réagir.

94

«Pis? Est-ce que vous pensez à la charité?» Le cynisme et le regard de glace de monsieur Lebrun la firent frémir. Elle essaya de se dominer quand elle vit Marie sourire à travers ses larmes. Elle se frotta la joue, essayant de trouver réplique à une phrase si platement envoyée.

«Marie a manqué de charité envers Lazare. Lazare est pas responsable. Marie faisait peur à tout le monde avec ses histoires de diable.

— C'est pas des histoires! cria madame Lebrun. C'est pas la première fois qu'on a du monde comme Lazare Pronovost dans la paroisse. D'habitude, quand on voit une crise de grand mal, on envoie de l'eau bénite, pis on brasse la personne, pis je vous jure que ses esprits reviennent vite.

— C'est surprenant en baptême qu'une maîtresse d'école ait pas d'eau bénite dans sa classe, surtout quand elle sait qu'un de ses élèves a des visites du diable de temps en temps, renchérit monsieur Lebrun.

— C'est que...je l'ai jamais su avant hier», plaida Émilie, tout de suite furieuse contre elle-même d'être tombée dans un piège aussi gros.

Madame Lebrun tendit un mouchoir à Marie qui pleurait encore plus, criant qu'elle ne voulait plus revenir dans cette école remplie de démons. Monsieur Lebrun tapota la joue de sa fille en lui disant qu'il arrangerait cela.

«Vous, la p'tite, vous êtes mieux de commencer à penser à une autre école, parce que moi, j'vas voir à ça. Des maîtresses de dix-sept ans qui pètent plus haut que le trou, qui se battent avec des grands gars comme Joachim Crête, qui affrontent le bedeau pis les sœurs du couvent en faisant une crèche de Noël quasiment plus grosse que celle de la paroisse, qui donnent à manger à des enfants pendant qu'ils sont supposés être chez eux — on vous a vue faire — qui se promènent toutes seules le soir — on vous a vue hier —

pour rencontrer on sait pas qui, des maîtresses d'école de même, on est capable de s'en passer. J'vas dans l'instant même voir les commissaires pis on va discuter de votre cas. Bonne journée.»

Il mit son chapeau et poussa sa femme et sa fille vers la porte. Marie pleurait maintenant franchement, consciente tout à coup qu'Émilie ne méritait pas toutes les accusations que son père avait portées. Elle avait toujours aimé Émilie... jusqu'à la crise de Lazare, jusqu'à ce qu'elle lui tire une oreille.

Monsieur Lebrun fit claquer la porte. Émilie en ressentit les vibrations jusque dans son estomac fragile. Les quatre enfants revinrent pour finir leur soupe, mais elle les retourna dehors, leur disant qu'elle préférait être seule, prétextant un soudain et violent mal de tête. Les enfants s'éloignèrent. Ils s'assirent tous les quatre sur la galerie de l'école, les fesses gelées sur les planches dures.

«Mam'selle Bordeleau pleurait, dit le premier.

— Si monsieur Lebrun l'a chicanée, je le croirais. Moi je le sais qu'il chicane fort parce qu'il reste à côté de chez nous, ajouta le second.

— C'est la faute à la grosse Marie. Ma mère m'a dit que les enfants comme elle, qui ont pas de frères pis de sœurs, ça donne toujours du trouble à tout le monde.»

Ils parlèrent ainsi jusqu'à ce que les autres enfants fussent revenus. La discussion prit de nouvelles proportions. Tout le monde, semblait-il, savait ce qui s'était passé. Personne, toutefois, ne voulut croire qu'Émilie avait pleuré. Ils disaient qu'il était inconcevable qu'une grande personne pleure pour si peu.

Émilie sonna la cloche. Les enfants entrèrent en silence, conscients de la fragilité de l'humeur de leur institutrice.

Ils s'assirent et préparèrent leurs feuilles pour dessiner. Ils s'attaquèrent à leurs chefs-d'œuvre.

Émilie avait l'impression d'avoir repris sa ruche en mains. Elle fronça les sourcils à quelques reprises, lorsqu'elle vit des enfants tenter d'illustrer la crise de Lazare, ou dessiner d'horribles démons rouges à la fourche enflammée.

Absorbée par les couleurs et les formes, elle ne vit pas arriver les commissaires. La porte s'ouvrit et ils entrèrent dans la classe. Les enfants se turent. Monsieur Trudel prit la parole.

«Mam'selle Bordeleau, on est venus voir travailler les enfants.

— Faites comme chez vous», répondit Émilie. Elle savait que cette soudaine curiosité n'avait rien à voir avec le travail des enfants. Elle remarqua que monsieur Pronovost était absent. Monsieur Lebrun, par contre, était du groupe. Elle sentit ses mains trembler. Ses jambes aussi. Même si elle avait la conscience en paix, leur simple présence la rendait coupable de quelque chose qu'elle ignorait. Intérieurement, elle jetait tous les mauvais sorts possibles à monsieur Lebrun. Il ne la quittait pas des yeux, visiblement satisfait de tout le remue-ménage qu'il avait provoqué.

Les enfants avaient complètement cessé leurs travaux. Ovila Pronovost leva la main. Émilie lui donna la parole.

«Comment ça se fait que mon père est pas là?» demanda-t-il.

Monsieur Trudel se tourna vers monsieur Lebrun.

«Tu m'avais dit que tous les commissaires seraient ici...

— C'est que...j'ai pas eu le temps d'arrêter chez Dosithée, mentit monsieur Lebrun.

— Va donc chercher ton père, mon garçon, dit monsieur Trudel. On va l'attendre.»

Ovila ne se le fit pas répéter. Au passage, il tenta de rassurer Émilie en lui souriant, puis cassa volontairement son sourire en fixant monsieur Lebrun. Celui-ci se balançait sur ses jambes en tournant sa tuque dans ses mains.

Émilie pria les enfants de ranger leurs effets. Puis elle demanda aux commissaires s'ils avaient objection à ce que les enfants quittent l'école. Les commissaires se consultèrent des yeux et monsieur Trudel fit comprendre à Émilie que ce serait préférable. Émilie fit faire une prière aux enfants, leur donna congé de devoirs et de leçons «en l'honneur de la visite des commissaires» et les accompagna à la porte. Un des quatre dîneurs lui demanda à voix basse s'ils allaient la gronder. Émilie tenta de le rassurer en lui disant qu'ils venaient probablement pour lui dire qu'elle aurait enfin un poêle au second. Le jeune essuya la larme qui lui coulait sur la joue.

Les commissaires avaient pris place aux plus grands pupitres. Sans réfléchir, Émilie était allée s'asseoir au sien. Elle se trouva ridicule. Elle comprit néanmoins que monsieur Lebrun n'avait pas réussi à les convaincre tous qu'elle avait mal agi. Monsieur Pronovost, arrivé à la hâte, se demanda ce qu'ils faisaient là.

Monsieur Trudel prit la parole, expliquant à tous qu'Émilie avait giflé Marie Lebrun. Émilie eut le droit de s'expliquer, s'empressant de préciser qu'elle n'avait pas giflé Marie mais qu'elle lui avait tiré une oreille. Monsieur Lebrun l'interrompait sans arrêt, tentant de faire admettre les faits tels que rapportés par sa fille. Monsieur Pronovost n'avait mis que quelques minutes pour comprendre que la crise de Lazare avait été à l'origine de toute la querelle. Partagé entre l'humiliation d'avoir un fils atteint du grand mal et son sens de la justice, il prit la défense d'Émilie.

Pendant vingt minutes, Lebrun essaya de noircir l'image d'Émilie, l'accusant tantôt de nourrir quatre enfants, tantôt de demander aux élèves de fendre le bois, activités impardonnables pour une institutrice respectueuse des règlements. Le poids de la parole de Dosithée fit toutefois pencher la balance du côté d'Émilie. Furieux, monsieur Lebrun mit sa tuque et sortit de l'école. Monsieur Trudel lui demanda de revenir, mais Lebrun répondit qu'il n'avait pas de temps à perdre.

«À vous entendre parler, on dirait que vous êtes des enfants d'école qui essaient de faire plaisir à la maîtresse, simplement parce que c'est une belle créature. Pis ma fille à moi là-dedans?»

Les commissaires baissèrent les yeux. Dosithée, lui, refusa de le faire. Il sortit derrière Lebrun. Leurs paroles parvinrent aux oreilles d'Émilie et des commissaires restés dans l'école.

«Ta maudite fille peut bien aller péter dans les fleurs. Continue de la traiter comme si c'était une sainte, pis tu vas en faire un vrai p'tit diable à crigne brune.

— Toi, Dosithée Pronovost, c'est bien toi qui as un diable sous ton toit. Tu fais comme si ton Lazare était normal, même quand tu sais que c'est quasiment péché de l'amener à l'église le dimanche. Pis c'est quasiment péché de le laisser dans une classe. Des histoires à faire peur à tout le monde! Ma Marie a passé la nuit à faire des cauchemars.

— Pis mon Lazare, as-tu l'impression qu'il a dormi? Pis moi pis Félicité, as-tu l'impression qu'on a dormi? Pis la p'tite mam'selle Bordeleau, as-tu l'impression qu'elle a dormi elle avec? Le grand mal, c'est le grand mal! Ça fait pas mal rien qu'à la personne qui l'a. Ça fait mal à tout le monde autour. Surtout à ses parents. Ça fait que toi, mon escogriffe, tu es mieux de dire à ta fille de fermer sa grand'boîte...»

Lebrun lui assena un coup de poing sur la mâchoire. Dosithée, ébranlé, reprit ses esprits en quelques secondes et frappa Lebrun à son tour. Émilie et les commissaires se précipitèrent à l'extérieur de l'école, tentant vainement de les séparer. Monsieur Trudel, s'interposant entre les deux pères furieux, en fut quitte pour recevoir lui aussi un coup de poing.

«*Torhieu!* Vous allez vous calmer mes deux *batêches!*»

Il sauta sur le dos de Lebrun et lui tira les cheveux. Lebrun, enragé, tourna sur lui-même, forçant Trudel à lâcher prise. Les autres commissaires commençaient à s'agiter et à crier de plus en plus fort. Certains les encourageaient, d'autres essayaient de les dissuader. Émilie était sidérée. En quelques minutes, tous les hommes étaient dans la mêlée. Émilie entra en courant dans l'école et ressortit aussitôt avec la cloche. Elle sonna, sonna jusqu'à ce que tout le monde se calme. Les commissaires se regardèrent, hébétés. Puis Pronovost, Trudel et Gélinas éclatèrent de rire.

«Ça fait longtemps qu'on s'en est pas payée une de même, dit Trudel en tapant le dos de Gélinas.

— Mets-nous dans une école, pis on est comme des enfants, répondit Gélinas.»

Lebrun et les autres commissaires hésitèrent, puis se joignirent à l'hilarité des trois compères. Ils rentrèrent tous dans l'école, Lebrun soutenant Pronovost, les deux se remémorant des souvenirs d'enfance.

Émilie remplit son bol à main d'eau glacée et s'affaira à distribuer des guenilles bien mouillées à tous les éclopés pour qu'ils s'essuient nez ou jointures. Elle leur servit du thé, puis Trudel prit la parole afin de régler le litige de façon à permettre à tous de sauver la face. Il fut donc décidé qu'Émilie, parce qu'elle nourrissait des enfants et qu'elle demandait à ses élèves de fendre le bois, n'aurait pas de poêle dans ses locaux avant le début de la prochaine année scolaire. Tous savaient qu'il avait été décidé qu'elle n'aurait pas de poêle à l'étage avant septembre et ce, depuis que les commissaires avaient voté un montant d'argent lui permettant d'avoir du bois supplémentaire pour la saison. Émilie sourit à monsieur Trudel et chuchota un merci à l'oreille de monsieur Pronovost.

Ils rentrèrent chez eux en riant comme de vrais lurons au retour de la fête. Émilie soupira. Elle avait vraiment craint que monsieur Lebrun ne réussisse à mettre sa menace à exécution. Elle se donna pourtant un coup de poing sur la hanche pour se rappeler qu'elle devait apprendre à être plus patiente et surtout, éviter de tirer les oreilles de la grosse Marie.

6.

Lazare fit des crises à répétition. Dosithée et sa femme décidèrent qu'il resterait à la maison au moins jusqu'à Pâques. Lazare ne s'en plaignit pas. Il ne voulait plus retourner en classe par crainte des railleries des enfants. Il n'avait jamais su que des parents s'étaient querellés à cause de son mal. Tous les soirs, ses frères et sœurs lui apportaient leçons et devoirs et tentaient de lui expliquer, à leur façon, toute la matière vue en classe. Rosée et Ovila firent de leur mieux, mais Lazare passait de longues heures à bûcher sur des problèmes pour lesquels il n'avait pas reçu toute la préparation nécessaire.

Ovila proposa à ses parents d'inviter Émilie à la maison une ou deux fois par semaine pour qu'elle aide Lazare. Dosithée et Félicité refusèrent.

Émilie offrit ses services pour rester avec Lazare pendant que la famille assistait à la messe du dimanche. Elle convainquit les parents Pronovost après avoir longuement discuté de l'aide qu'elle pourrait ainsi apporter à Lazare dans ses travaux, sans oublier le nombre d'indulgences qu'elle pourrait ainsi gagner. Émilie n'assista donc à aucune messe durant le Carême. Elle ne s'en plaignit pas. Elle prit l'habitude de partager leur repas du dimanche midi. Ovide, qui avait cessé de taquiner Ovila, raccompagnait Émilie à l'école après chacun de ces repas.

Contrairement aux prévisions, le mois de mars n'avait apporté que deux tempêtes de neige. Les cultivateurs avaient saigné des érables avares de sève. Ils disaient que le Bon Dieu les punissait ainsi, à peu près une fois tous les dix ans, d'avoir enfreint les règlements du Carême en se sucrant le bec à la cabane.

Ovide avait invité Émilie à venir passer le dernier dimanche avant Pâques dans l'érablière familiale. Le repas dominical terminé, toute la famille, même Lazare, était montée dans le traîneau pour aller jusqu'au coteau. La neige avait fondu à un rythme tel qu'ils durent descendre à plusieurs reprises pour permettre aux chevaux de tirer le traîneau dans la boue. Dosithée décida de fermer la cabane. Émilie eut pour tâche de laver et d'entasser toutes les chaudières dans la remise. Ovila passait son temps à lui demander si elle avait besoin d'aide. Elle lui répondait toujours qu'elle «se débrouillait, merci». Ovide vint la trouver à son tour et commença à empiler les chaudières fraîchement lavées. Émilie ne l'éloigna pas. Ovila en prit ombrage. Émilie comprit qu'elle l'avait blessé et lui tapota la joue. Ovila mit sa main sur celle d'Émilie, l'y laissa quelques secondes, puis l'arracha en lui disant qu'il détestait être traité comme un enfant. Émilie rougit et s'essuya la main sur une guenille mouillée. Ovide, témoin de la scène, pria Ovila de s'excuser. Émilie s'interposa, alléguant qu'Ovila avait raison et qu'elle avait eu tort. Elle pria les deux frères de la laisser seule, car ils retardaient son travail... Les frères sortirent en se jetant des regards furieux. Émilie soupira, sourit, haussa les épaules et se remit à la tâche. Une mèche de cheveux lui tombait sur le front dès qu'elle se penchait au-dessus des cuves. Elle la repoussait avec de plus en plus d'impatience.

À la nuit tombante, tous redescendirent en direction du Bourdais. Seuls Lazare et ses parents utilisèrent le traîneau, les autres préférant marcher. Émilie, flanquée d'Ovide et d'Ovila, s'obstinait à parler avec Rosée qui marchait devant eux. Le petit Émile la regardait et Émilie comprit qu'il faisait des efforts pour ne pas rire.

«Pourquoi est-ce que tu me regardes en riant, Ti-Ton?

— C'est à cause de votre *couette*, répondit-il en éclatant. Est toute raide!»

Émilie porta la main à son front et comprit que la mèche rebelle tenait droit dans les airs, bien raidie par l'eau d'érable dans laquelle elle s'était trempé les mains toute la journée. Gênée, elle essaya de la replacer, mais n'y réussit pas. Ti-Ton riait de plus en plus. Les autres enfants, qui avaient feint de ne rien voir, ne purent contenir leur hilarité facilitée par la fatigue. Même Ovide et Ovila cessèrent de se mordre les lèvres. Il n'y eut qu'Émilie qui ne desserra pas les dents. Elle accéléra le pas. Bientôt, seuls Ovila et Ovide purent la suivre. Elle ne leur adressa pas la parole. Elle les remercia quand ils l'invitèrent à la maison, disant qu'elle préférait rentrer immédiatement à l'école et leur refusa le privilège de la raccompagner.

Elle claqua la porte, se précipita à l'étage, prit son miroir et ragea.

«J'ai l'air d'une vraie folle. Je suis sûre qu'il doit encore rire de moi. Astheure il va falloir que je me lave la tête.»

Elle s'exécuta et dut attendre, avant d'aller dormir, que ses cheveux fussent à peu près secs. Elle détestait se laver la tête le soir, son épaisse chevelure mettant des heures à sécher.

Émilie termina ses classes le mercredi. Son père vint la chercher afin qu'elle puisse être dans sa famille pour les jours saints et Pâques. Elle lui parla des événements importants, raconta toute l'histoire de Lazare, même si elle l'avait déjà décrite dans une lettre. Elle évita cependant de parler de l'histoire des commissaires et de la «couette sucrée».

Le congé de Pâques lui sembla interminable. Émilie avait hâte de rentrer «chez elle». Hâte de retrouver ses livres et ses cahiers. Hâte de mettre du bois dans son poêle pour la nuit. L'hiver avait maintenant évacué les lieux pour laisser entrer le printemps à pleines portes. Émilie demanda à son père de la conduire à Saint-Tite deux jours plus tôt que prévu.

«Est-ce que tu t'ennuierais dans ta propre maison, ma fille? lui demanda-t-il, l'air quelque peu assombri.

— C'est pas ça, pâpâ. C'est que j'ai hâte d'arriver, de laver mes fenêtres, de faire aérer l'école, de nettoyer mon chiffonnier, de préparer mes classes pour le mois de mai, de voir ce que j'vas faire pour que les enfants soient prêts quand l'inspecteur va venir...»

Plus elle parlait, plus elle décrivait tout le travail qui l'attendait, plus l'impatience la gagnait.

«Bon, bon, pas besoin de me faire un dessin. Si ça fait ton bonheur pis si le temps se remet au beau demain, on va atteler. Une chance pour toi que les chemins sont carrossables. Faudrait pas que la pluie se remette à tomber cette nuit.»

Émilie embrassa son père et monta boucler ses valises qu'elle avait discrètement commencé à remplir de vêtements plus saisonniers. Caleb regardait au plafond, l'oreille attentive, essayant, au son, d'imaginer ce qu'elle faisait.

«Est bien changée Émilie, lui dit Célina.

— Tu trouves? lui demanda Caleb sans conviction.

— D'abord est grande sans bon sens. Elle doit bien mesurer cinq pieds cinq, cinq pieds six astheure. On dirait qu'elle pousse encore. Ensuite, elle parle pus de la même manière. Elle trouve toujours un mot compliqué pour dire une affaire simple. Non, Émilie est bien changée. Je l'ai jamais vue mettre autant de temps pour se pomponner le matin.

— Ça doit être une habitude d'école. Après tout, il faut qu'elle donne le bon exemple sur la propreté.»

Célina réfléchit quelque temps à la remarque de son mari. Elle enchaîna enfin.

«Moi, je trouve que notre fille a l'air d'avoir un soupirant.

— Quossé que tu vas chercher là?...D'où c'est que tu veux que ça soupire?

— Voyons donc, Caleb, tu sais que les Pronovost ont plusieurs garçons.

— C'est des élèves à Émilie, sa mère.

— Sauf Ovide pis Edmond...

— C'est vrai qu'eux autres... Mais tu sais comme moi que notre fille sort pas le soir. Pis personne vient à l'école le soir non plus.

— Non, mais Émilie va chez les Pronovost... voir Lazare, bien entendu.»

Ils discutèrent ainsi à bâtons rompus sur l'éventualité d'une amourette entre leur fille et l'aîné des Pronovost. Célina n'appréciait pas l'hypothèse. Une institutrice ne devait pas entretenir de relations suivies avec un jeune homme. Elle ne voulait pas qu'Émilie soit la proie des ragots. Elle voulait encore moins qu'elle perde son emploi. Caleb essaya de la calmer, mais en son for intérieur, il nourrissait les mêmes craintes que sa femme.

Émilie vint leur tenir compagnie et s'étonna du silence qu'ils alimentaient de leurs regards et de leurs soupirs. Elle sentait vaguement qu'elle devait être au cœur de leurs préoccupations. Elle leur demanda enfin ce qui les tracassait et Caleb lui rapporta, en termes quelque peu retouchés, la conversation que lui et sa femme avaient eue. Émilie éclata de rire.

«Ovide Pronovost? Vous voulez rire! C'est un grand indépendant qui pense que toutes les filles veulent lui mettre la corde au cou. Non, Ovide Pronovost, c'est pas un gars à mon goût.»

Caleb et Célina trouvèrent qu'elle avait mis beaucoup trop d'empressement à se défendre.

7.

La classe était en émoi. Les commissaires avaient avisé Émilie que l'inspecteur ferait sa visite le trois juin. La journée fatidique était arrivée. Émilie avait écrit une note aux parents leur demandant d'endimancher leurs enfants. L'inspecteur ne faisait qu'une visite annuelle et Émilie, qui terminait sa première année d'enseignement, se devait de démontrer ses talents d'enseignante si elle voulait être réembauchée l'année suivante. La concurrence était forte et elle savait que quelques jeunes filles de Saint-Tite n'auraient pas dédaigné d'enseigner à l'école du Bourdais.

Les enfants avaient passé toute la veille à astiquer les locaux. Pour ne pas perdre de temps, Émilie leur avait posé en même temps questions de catéchisme, de grammaire, d'Histoire sainte, de calcul. Une grande révision entre l'époussetage et le balayage.

L'inspecteur arriva deux heures avant la fin de la journée. Les vêtements étaient un peu défraîchis, les visages moins propres, les mains plus graisseuses. Il demanda à Émilie son cahier d'appel. Puis, sans même s'occuper des enfants, il prit connaissance de toutes les notes et remarques qu'elle avait inscrites de sa main la plus appliquée.

Les enfants se tenaient droit. Émilie s'excusa auprès de l'inspecteur, descendit de sa tribune et alla rappeler à

Charlotte que c'était l'heure. Quand Charlotte revint en classe, l'inspecteur n'avait pas encore terminé sa lecture. Les enfants commençaient à s'agiter sur leurs chaises. Émilie essayait de les calmer en souriant d'un sourire un tantinet crispé.

La visite de l'inspecteur faisait habituellement trembler les enfants, surtout les premiers de classe qui étaient interrogés plus souvent qu'à leur tour, histoire de montrer le grand talent de l'institutrice — histoire aussi, sans doute, de ne pas humilier inutilement les autres. L'inspecteur referma le grand cahier et leva enfin les yeux. C'était la première fois que cet inspecteur venait à Saint-Tite, l'ancien ayant pris une retraite précoce pour des raisons de santé. Dès qu'il regarda les élèves, ceux-ci comprirent qu'il y avait des problèmes à l'horizon. L'inspecteur souffrait d'un fort strabisme. Il rappela aux enfants que sa tâche consistait à vérifier si les programmes scolaires avaient été bien respectés. Il les rassura en leur disant qu'il ne ferait écrire que sur l'ardoise, n'ayant pas le temps de faire les corrections. Les enfants s'efforcèrent de sourire quand ils comprirent que l'inspecteur trouvait sa dernière remarque drôle. Il demanda à Émilie de lui ouvrir le petit catéchisme.

«Qui peut me réciter les commandements de Dieu?» demanda-t-il.

Tous les élèves levèrent la main, prêts à répondre à une question aussi facile. L'inspecteur jeta un regard sur la classe et pointa en disant: «Toi!»

Trois élèves se levèrent en même temps. Émilie rougit. Les trois élèves, confondus, se rassirent aussitôt. L'inspecteur fronça les sourcils, prit un air sévère. «Toi», répéta-t-il. Cinq élèves avaient maintenant l'impression d'être visés. Ne voulant pas renouveler la bourde qu'ils venaient de faire — se lever et se rasseoir — ils dirent, à l'unisson: «moi?» L'inspecteur ferma les yeux, soupira, tourna la tête

vers Émilie et la pria de nommer un élève. Émilie demanda
à la grosse Marie de répondre. Celle-ci se leva et répondit
correctement à la question. L'inspecteur émit un grognement de satisfaction. Les minutes s'écoulaient lentement,
toutes plus lourdes les unes que les autres. La confusion
devenait incroyable. L'inspecteur demanda enfin à Émilie
de nommer les élèves au fur et à mesure, lui rappelant
qu'une bonne institutrice faisait toujours un plan de classe
indiquant le nom de chacun des élèves. Émilie se mordit
les lèvres. Elle avait oublié ce détail. Après le catéchisme,
l'inspecteur passa à l'Histoire sainte. Les enfants répondirent encore correctement. Émilie leur sourit. Elle évitait
de nommer Lazare, celui-ci ayant été absent pendant plus
de deux mois. Les questions de calcul étaient faciles. La
grammaire ne posa pas de problème non plus. Vint enfin
l'épellation. Émilie commençait à respirer, sachant que ses
élèves étaient forts en épellation. L'inspecteur rejeta les
livres et sortit de sa serviette une liste de mots qu'il avait
lui-même préparée. Émilie se raidit à nouveau.

«Imbécillité. Qui peut épeler le mot: imbécillité?»

Trois élèves levèrent la main. Émilie nomma le premier.

«I-m-b-e (accent aigu)-c-i-l-i-t-e (accent aigu).

— Non! rétorqua l'inspecteur. Imbécillité?»

L'élève pris en faute se rassit, sans savoir où il s'était
trompé. L'inspecteur redemanda à la ronde la réponse à sa
question. Personne n'osa lever la main.

Émilie se passa une main sur le front.

«Mademoiselle Bordeleau, quel est votre meilleur élève
en épellation?

— Rosée Pronovost, répondit Émilie.

— Rosée Pronovost, pouvez-vous m'épeler imbécillité?» dit-il en regardant à droite.

Rosée se leva. Elle était à gauche. L'inspecteur mit quelques secondes avant de la repérer.

«Monsieur l'inspecteur, j'épellerais le mot comme on vient de l'épeler.

— Et vous êtes la meilleure? Et vous êtes incapable d'épeler imbécillité! Je vais vous dire comment on épelle ce mot-là... à moins que mademoiselle Bordeleau veuille le faire à ma place», enchaîna-t-il mielleusement. Émilie avala sa salive . Elle aurait dit «i-m-b-é-c-i-l-i-t-é» elle aussi, mais elle se devait de trouver la réponse. À tout hasard, elle dit à l'inspecteur qu'il y avait deux «l». L'inspecteur sourit. Elle soupira.

«Maintenant, je veux que quelqu'un épelle le mot «août», comme dans le mois d'août.»

Rosée leva la main. L'inspecteur l'ignora. Il précisa qu'il voulait qu'un petit réponde à cette question. Il leur demanda de se lever tous. Les petits obéirent. Aucun ne réussit à épeler correctement le mot. Ils oubliaient tous l'accent circonflexe.

Émilie commençait à désespérer. Les enfants s'énervaient, d'autant plus que la chaleur était intense pour un trois juin. Ils voulaient faire honneur à leur école et à leur institutrice, mais semblaient incapables d'épeler un seul mot correctement. L'inspecteur, lui, semblait s'amuser follement. Enfin, constatant que l'heure de la fin de la classe approchait, il proposa un dernier mot.

«Je veux le singulier du mot: épousailles.

— E (accent aigu) p-o-u-s-a-i-l-l-e, répondit Rosée, soulagée d'avoir enfin été à la hauteur de sa réputation.

— Non! rugit l'inspecteur.» Rosée blêmit. «Épousailles n'a pas de singulier! poursuivit-il. Allez-vous vous en souvenir? Épousailles n'a pas de singulier! Pensez-y. Je vous donne un truc pour que vous vous en souveniez. Il y a toujours deux personnes qui s'épousent. Répétez ça: Épousailles n'a pas de singulier.»

Les élèves répétèrent la phrase en y mettant tout le cœur qui leur restait. L'inspecteur se calma. Il leur sourit et les invita à quitter l'école après leur avoir donné congé de leçons. Les élèves ne se firent pas prier. Ils rangèrent leurs effets et sortirent presque en silence. Émilie les accompagna à la porte et les félicita. Rosée était en larmes. Émilie la consola en disant que finalement il n'y avait eu que cette partie de l'examen qui avait posé quelques problèmes.

Elle revint vers l'inspecteur. Celui-ci la regardait fixement. Émilie, mal à l'aise, se demandait lequel de ses yeux était le bon. Elle se racla la gorge avant de lui offrir une tasse de thé qu'il refusa avec exaspération, à cause de la chaleur. Elle lui apporta un verre d'eau.

«J'ai entendu parler de vous, dit-il en avalant sa dernière gorgée. Il paraît que vous n'avez pas froid aux yeux. Que vous êtes savante. Il faudrait passer un peu de votre savoir à vos élèves...»

Il la regarda, un sourcil levé, l'autre baissé, ce qui accentuait son strabisme.

«On ne peut pas dire qu'ils soient bien bien forts en épellation.»

Elle ne sut que répondre, partagée entre sa furie et sa déception.

«J'vas essayer de faire mieux l'année prochaine», osa-t-elle enfin.

L'inspecteur éclata de rire. Émilie se demandait ce qu'elle avait dit de drôle. Il lui demanda un autre verre d'eau et s'étouffa, tant il riait.

«Il faut rire, mademoiselle. Voyez-vous, je suis un vieux farceur. Quand des élèves ont toutes les bonnes réponses, je m'ennuie terriblement. Pour rompre cette monotonie, j'ai fait une liste de questions difficiles, simplement pour les fouetter un peu. Eux, et l'institutrice», ajouta-t-il en la regardant d'un air moqueur.

«Ma liste de mots, je ne la sors pas fréquemment. Uniquement quand l'institutrice fait bien son travail... On s'amuse comme on peut, voyez-vous.»

Émilie commençait à voir. Mais elle ne s'amusait pas vraiment.

«Est-ce que ça veut dire que vous allez me garder l'année prochaine?

— Évidemment! Vous êtes sans pareille! Saint-Tite peut se vanter d'avoir une bonne petite école de rang. Parlant de Saint-Tite, cela me fait penser qu'hier j'étais à Saint-Stanislas. Il y aura une école de libre l'année prochaine. Voulez-vous que je vous recommande?»

Émilie n'avait jamais pensé enseigner à Saint-Stanislas. La question la prit au dépourvu.

«J'vas y penser. Si je décidais d'y aller l'année prochaine, je vous le ferai savoir. J'apprécierais un bon mot.

— Songez-y. Votre famille serait contente de vous savoir à la maison...

— J'vas en parler avec eux autres.

— Faites cela. Bon! moi je dois vous quitter. Demain, on m'attend dans une école de Sainte-Thècle. Je préfère m'y rendre ce soir. Mes hommages, mademoiselle. Vous avez vraiment une belle vocation.»

L'inspecteur quitta l'école en ricanant, apparemment très fier de son après-midi. Émilie s'obligea à demeurer sur la galerie à lui envoyer la main jusqu'à ce qu'elle perde la calèche de vue. Dès que le nuage de poussière disparut, elle entra dans l'école, épuisée.

8.

Émilie ne reçut pas de prime d'enseignement cette année-là, même si, l'apprit-elle, l'inspecteur l'avait chaudement recommandée. À la Saint-Jean-Baptiste, elle avait fini de remplir ses malles. Le grand ménage de l'école avait été fait par les enfants qui pouvaient se permettre de laisser la ferme. Émilie avait donc eu l'aide des petits, surtout les filles, les garçons devant *érocher* et désherber les rangs de semis. Tous les pupitres avaient été entassés dans un coin de la classe après avoir été bien lavés et cirés à la cire d'abeille. Le plancher avait été récuré à la brosse de crin et bien ciré lui aussi, même si l'acharnement qu'Émilie y avait mis n'avait pas donné les résultats souhaités. Elle avait encore une fois passé son poêle à la mine de plomb, tout en sachant que ce travail serait à refaire à la rentrée. Les fenêtres luisaient sous le chaud soleil de la fin juin. Émilie avait remercié ses élèves, les avait tous embrassés sur la joue et leur avait promis d'être à son poste au mois de septembre. Elle avait décidé qu'elle reviendrait.

Caleb devait venir la chercher «entre la Saint-Jean-Baptiste et le 30 juin, selon l'avancement des travaux de la ferme». Le 25 juin, elle entreprit le grand nettoyage de sa chambre, sortant même son matelas, seule, pour le faire aérer. Elle suspendit toutes les couvertures sur sa corde à linge et les battit énergiquement. Elle se promit de les laver dès qu'elle serait arrivée à Saint-Stanislas, évitant de le faire à Saint-Tite. Une pluie malvenue aurait pu les empêcher de sécher avant l'arrivée de son père. Elle avait déplacé tous les meubles de sa chambre afin de libérer l'espace nécessaire à l'installation de son poêle à bois.

Son attente dura quatre jours, au cours desquels elle fut souventes fois invitée à prendre un repas chez les Pronovost, mais aussi chez les parents de Charlotte.

La veille de son départ, Lazare Pronovost vint la trouver pour lui faire part de sa décision de mettre un terme à ses études. Émilie en fut chagrinée mais elle savait que Lazare ne pouvait faire d'études poussées et qu'il serait plus heureux en travaillant à la ferme avec son père et ses frères. Elle sourit lorsqu'il lui dit que le nombre d'élèves Pronovost serait le même, puisqu'Oscar commencerait ses classes à la rentrée.

Ovide vint rejoindre son frère à l'école, inquiet du qu'en dira-t-on, dit-il... Émilie leur offrit à tous les deux une bonne tasse de thé et accepta volontiers de jouer une ou deux parties de cartes. Une «veillée» à l'école étant interdite, ils se déplacèrent donc tous les trois et trouvèrent de nouveaux partenaires de jeu chez les Pronovost.

Monsieur Pronovost confirma à Émilie que Lazare quittait l'école. Il lui dit aussi qu'Ovila avait préféré faire une autre année.

«Celui-là, il aime pas mal moins ça que ses frères, le travail de la ferme.»

Fidèle à ses habitudes, Ovila était assis dans un coin de la cuisine à sculpter un bout de bois. Émilie lui sourit. Elle avoua aux parents qu'elle-même ne raffolait pas des travaux de la ferme, ce qui l'avait aidée à opter pour l'enseignement. Les parents Pronovost lui firent remarquer qu'elle aurait de la difficulté, dans un village comme le leur, à trouver un bon parti si elle ne voulait pas être femme de cultivateur. Émilie leur répondit en riant qu'elle n'était pas pressée de se marier; qu'elle aimait trop l'enseignement et qu'avec un peu de chance elle pourrait marier un instituteur...ou encore un inspecteur. À cette phrase, les enfants éclatèrent de rire. Émilie fit de même. Personne n'avait oublié la visite du nouvel inspecteur. Ce dernier s'était même fait un point d'honneur d'arrêter à l'école saluer Émilie lorsqu'il était repassé à Saint-Tite. Émilie s'en était quelque peu amusée, mais avait profité de l'occasion pour lui dire qu'elle préférait demeurer à Saint-Tite. L'inspecteur avait opiné sans raison et avait roucoulé quelques phrases. Cet homme de trente ans, à la redingote poussiéreuse, les cheveux déjà rares et saupoudrés de blanc avait essayé bien maladroitement de lui faire la cour. La seule promesse qu'il avait réussi à lui arracher était qu'elle lirait tous les livres qu'il lui avait prêtés. Il l'avait quittée en se retournant à trois reprises et chaque fois, Émilie s'était hâtée d'**accrocher** un sourire à ses lèvres et de lui faire un petit signe de la main auquel elle s'efforçait de donner une pimpante coquetterie.

Émilie quitta les Pronovost à huit heures. Elle savait qu'ils ne veillaient qu'exceptionnellement. Dosithée demanda à Ovide de la raccompagner. Celui-ci fut escorté d'Edmond et d'Ovila qui avait laissé tomber son couteau et son bout de bois, s'était passé à la hâte une main dans sa chevelure en bataille et avait boutonné son col.

Émilie regarda chacun des membres de la famille, dit un bon mot à ses élèves et, prise d'une émotion qu'elle tentait de cacher, avait osé embrasser les parents en les remerciant d'avoir été si avenants à son endroit. Hormis les trois fils, toute la famille s'était agglutinée sur les marches de la galerie pour la saluer, comme si tous avaient eu l'intuition qu'elle quitterait le rang le lendemain.

Son père était arrivé à l'heure où s'éteignaient les lampes dans les étables pour laisser place à l'aube. Il avait attelé durant la nuit afin de ne pas perdre une journée complète en voyagement. Il aurait voulu venir chercher sa fille avec son élégant *piano box*, comme il l'avait fait à l'automne, mais il savait qu'il n'y aurait pas assez de place pour y loger les dix derniers mois qu'elle venait de vivre. Caleb la connaissait assez bien pour savoir que si elle était arrivée à Saint-Tite avec le strict nécessaire, elle en reviendrait avec des boîtes et des boîtes de souvenirs «absolument essentiels», ce en quoi il n'avait pas eu tort.

Il avait dû frapper à la porte de l'école pendant un bon cinq minutes avant qu'Émilie ne vienne lui ouvrir. Au premier coup d'œil, il devina qu'elle rapportait probablement dans son sac à main plusieurs mouchoirs souillés. Émilie était heureuse de le voir et lui sauta au cou. Caleb, quelque peu étonné par tant d'enthousiasme, retrouva rapidement sa contenance, lui tapota une fesse pour lui donner un air d'aller et la supplia de se hâter. Émilie tenta bien de se presser, mais elle brûla sa tranche de pain, renversa son pot de crème, cassa une assiette, défit l'ourlet de sa robe en descendant une boîte de l'étage, en échappa une seconde dont le contenu se répandit sur son plancher fraîchement ciré, s'assit finalement à son pupitre et éclata en sanglots. Caleb, que les larmes rendaient toujours aphone, lui offrit un mouchoir sec et sortit de l'école pour abreuver et nourrir sa jument. Il passa beaucoup plus de temps qu'il n'aurait voulu à placer et replacer les effets de sa fille dans la voiture.

Émilie s'était mouchée et remouchée, était remontée à l'étage s'assurer que tout était en ordre, avait marché de long en large dans sa classe et s'était finalement résignée à rejoindre son père maintenant assis sur le marchepied de la voiture, son chapeau bien enfoncé sur la tête.

«J'arrive, pâpâ. Deux p'tites secondes.»

Elle avait verrouillé la porte, fait le tour de son «domaine» une dernière fois et puis était montée aux côtés de son père. Il leur avait fallu arrêter chez les Pronovost porter la clé de l'école. Caleb, craignant que de longues effusions ne les retardent davantage, avait lui-même porté la clé de sa fille. Émilie en avait été soulagée, restant assise à regarder droit devant elle. Son père revint presque aussitôt et ordonna à la jument de se mettre en marche. C'est à ce moment qu'Émilie se retourna. Le temps d'un éclair, elle avait vu bouger un rideau que quelqu'un s'était hâté de replacer.

Caleb s'empressa de lui apprendre qu'il s'était permis d'accepter qu'elle enseigne durant l'été à des enfants de Saint-Stanislas connaissant des difficultés. Émilie s'en était réjouie. Caleb lui avait dit qu'il n'avait cédé qu'à la condition qu'elle soit libérée pour les moissons et les récoltes. Émilie avait tiqué — elle détestait moissons et récoltes — mais s'était pliée d'assez bon gré à cette exigence.

En apparence, l'été 1896 ressembla à tous les étés qu'elle avait connus. Une semaine après son retour, elle avait retrouvé les sons, les habitudes, les odeurs et la routine de la maison familiale. Elle avait repris son coin dans la chambre des filles, mais eut de la difficulté à dormir pendant les premières nuits, déshabituée d'entendre d'autres souffles faire écho au sien.

Elle avait aussi retrouvé ses amies auxquelles elle avait raconté l'année écoulée, en n'omettant que quelques détails. Seule Berthe, sa meilleure amie, eut droit à plus de confidences. Émilie apprit, la première, que Berthe songeait à entrer au couvent. D'abord surprise, elle crut comprendre que Berthe qui, à dix-sept ans, était l'aînée de treize frères et sœurs, cherchait peut-être au couvent un repos qu'elle ne semblait jamais pouvoir trouver à la maison, sa mère étant toujours alitée et dépassée par sa progéniture.

L'été avait étiré puis raccourci ses journées sur des champs dont les couleurs s'apparentaient de plus en plus au jaune. Émilie reprenait vie à mesure que la terre semblait montrer quelques signes d'agonie. Vint enfin le temps où elle put reboucler ses malles biens bourrées de nouveaux vêtements qu'elle avait créés durant ses heures de liberté.

9.

L'école n'avait pas bougé, toujours enfouie à l'intersection du Bourdais et de la montée des Pointes. Émilie l'avait dépoussiérée de ses deux mois de répit avant de commencer sa seconde année d'enseignement, marquée par l'arrivée de plusieurs nouveaux élèves. Elle avait dû repenser l'organisation de son temps, les petits l'emportant maintenant en nombre sur les grands. Elle voisina un peu moins les Pronovost que l'année précédente, consciente que certaines personnes voyaient d'un œil à la limite d'être mauvais le fait qu'un commissaire, père de nombreux fils dont au moins un était en âge de se marier, s'attachât à une institutrice. Elle se permit toutefois d'accompagner Ovide à la noce d'un de ses amis. Elle refusa cependant de faire partie de la chorale de la paroisse, préférant au chant le calme et la solitude dont elle devenait particulièrement friande après ses harassantes journées. Elle avait assisté à l'ouverture d'une école commerciale à Saint-Tite, heureuse d'apprendre que quelques-uns de ses finissants avaient l'intention de la fréquenter dans l'espoir de se trouver une bonne situation.

Elle était retournée à Saint-Stanislas aux mêmes dates que l'année précédente, mais avait écourté son séjour des Fêtes afin d'assister à la fête des Rois chez les Pronovost. Son père n'avait pas prisé cette décision, mais Émilie avait

tenu bon. Plusieurs familles du rang et du village avaient
été conviées. Pour la seconde fois depuis son arrivée à Saint-
Tite, Émilie avait dansé et veillé une bonne partie de la
nuit. Les invités avaient bien ri de la voir couronnée reine.
Les hommes durent se servir une seconde portion de gâteau
avant qu'Ovila ne croquât le pois. On le couronna, mais il
renonça à son titre. Ovide monta donc sur le trône et
embrassa la reine sur ses deux joues fort rougies par la
chaleur, le plaisir et la timidité.

L'hiver avait été moins rigoureux que celui de l'année
précédente. Émilie, dont la chambre était maintenant munie
d'un poêle, le trouva très supportable, s'habituant à fendre
elle-même son bois. Elle avait écrit aux commissaires pour
les remercier — même si le poêle promis pour septembre
n'était arrivé qu'à la mi-décembre — et avait profité de
l'occasion pour leur demander s'ils ne pouvaient pas organiser une corvée pour construire une rallonge à l'école afin
d'y installer un «petit coin». L'état de santé de Charlotte
lui avait donné le courage de faire cette requête. Cette
dernière, en effet, avait dû s'absenter de l'école, ses malaises
l'obligeant à s'aliter à de nombreuses reprises. La fréquence
de ses visites au «petit coin» s'était accrue. Charlotte, âgée
de sept ans, avait maintenant la responsabilité de ses reins.
Ses parents lui avaient donné une *léontine* qu'elle mettait
bien en vue sur son pupitre. L'appel lancé aux commissaires
fut entendu. On lui promit que la corvée aurait lieu dès que
le printemps gonflerait la terre de vie.

Le mois de mars avait été clément. Aussi est-ce sur
une terre à nu qu'avril prit possession de sa miette de temps.
Mais avril avait cédé, malgré quelques journées ensoleillées, à des attaques de froidure et de neige. La corvée fut
reportée au mois de mai.

Les hommes arrivèrent le premier samedi de mai.
Émilie s'empressa de les rejoindre. Il fut décidé qu'une

partie de la galerie avant serait sacrifiée pour permettre l'érection d'un nouveau mur. Les travaux durèrent toute la journée. L'école vibra sous les attaques incessantes des marteaux. Émilie s'étonna de la rapidité avec laquelle les mains et les pieds s'étaient organisés pour ne pas se nuire. Chacun était à sa tâche. Elle fut surprise que les hommes installent une fenêtre. Elle trouva l'idée charmante et commença à choisir, parmi ses retailles-de tissu, celles qu'elle transformerait en rideau. Les hommes revinrent le lendemain, même si c'était un dimanche, pour poser la porte et les gonds et chauler le tout. Émilie les remercia chaleureusement et consacra le reste de sa journée à coudre un rideau blanc sur lequel elle broda toutes les lettres de l'alphabet.

Le lendemain matin, elle ne put surprendre Charlotte, qui était encore une fois absente. Elle le demeura pendant deux semaines. Elle revint finalement, pâle, tirée et inquiète d'avoir accumulé un retard presque impossible à rattraper. Émilie l'invita à rester après la classe. Les parents de Charlotte vinrent la trouver pour discuter d'un dédommagement financier. Émilie ne voulut rien accepter. Charlotte passa donc une heure par jour à essayer d'apprendre ce qu'elle devait savoir pour les examens de fin d'année. Émilie et elle développèrent une relation peu commune, Émilie retrouvant son rôle de grande sœur, Charlotte découvrant celui de protégée. Les sept ans de Charlotte étaient imprégnés d'une maturité particulière. Depuis la crise d'épilepsie de Lazare, elle s'était transformée en bon ange, celui qui veille constamment sur tous ceux qui ont un petit malaise. Elle avait confié à Émilie qu'elle trouvait Lazare de son goût et que si celui-ci la trouvait aussi à son goût, elle le marierait quand elle serait grande. Malgré tout son sérieux, Charlotte était une ricaneuse qu'Émilie aimait entendre rire. Entre les minutes de travail intense, elles prenaient le temps de se détendre en se racontant des peti-tes farces qu'elles trouvaient toujours très drôles.

Le mois de juin ramena la fièvre de la visite de l'ins-pecteur pour la classe et celle de l'approche du départ pour Émilie. Charlotte réussit aux examens et n'attendit plus que la rentrée.

Émilie se sépara de ses élèves, aux prises avec son chagrin et la joie qu'elle éprouvait de pouvoir se reposer un peu. Sa mère lui avait écrit qu'elle aurait encore des «élèves d'été» à Saint-Stanislas. Émilie ne s'en plaignit pas, ce travail lui donnant l'impression d'être utile douze mois par année.

Son père vint la chercher le soir même de la première journée des vacances. Encore une fois, elle quittait son école en sachant qu'elle y reviendrait. Pour une troisième année. Mais elle quittait maintenant plus que son école. Elle quit-tait un village auquel elle commençait à appartenir vrai-ment.

Saint-Stanislas lui parut s'éloigner d'elle à chaque tour de roue qui pourtant l'en approchait.

****

Chapitre deuxième

1897-1901

10.

Ovide conduisait son attelage avec prudence. Il rentrait du village et le vent frisquet de mars l'étouffait sans arrêt. Bien couvert, il n'en continuait pas moins à grelotter. Il décida de poursuivre sur le rang d'été jusqu'à la montée des Pointes. Avec un peu de chance, les enfants seraient dehors pour la récréation et il pourrait voir Émilie. Dès qu'il fut en mesure de bien distinguer l'école qu'une accalmie de vent fit apparaître, il constata qu'Émilie n'avait pas laissé sortir les enfants cet après-midi-là. Il soupira, toussota, cracha et prit la direction de la maison. Il demanda à Edmond de dételer le cheval, ce qu'Edmond fit sans se faire prier. Ovide rentra à la maison, se dévêtit lentement, trop épuisé pour le faire avec hâte. Sa mère vint l'aider. Ovide ne dit pas un mot. Il monta à sa chambre et s'échoua sur son lit, secoué par une tempête de toussaillements. Félicité le suivit, s'essuyant les mains sur un tablier légèrement gonflé par l'approche d'une nouvelle naissance. Elle regarda son fils, lui ordonna de s'asseoir et lui versa un verre d'eau. Il but comme il le put, s'étouffa à deux reprises avant de recracher sa dernière gorgée. Félicité lui épongea le front d'un coin de serviette.

«J'aime pas ça, Ovide. Tu craches trop. C'est malin de cracher comme ça. J'vas demander à Edmond d'aller chercher le docteur.»

Ovide secoua une main comme s'il chassait une mouche. Ses poumons s'emplirent en émettant un sifflement.

«C'est pas nécessaire de faire venir le docteur. Je viens de le voir.

— Pis?» demanda la mère, un pli d'inquiétude imprimé sur le front.

Ovide toussa à s'époumonner avant de pouvoir répondre.

«Pis, ça a bien l'air d'être ce que je pensais.»

Félicité regarda son grand et beau fils. Son aîné. Il s'était retourné pour qu'elle ne puisse pas voir les larmes qu'il refoulait depuis son arrivée. S'il avait réussi à cacher les pleurs, il était incapable de dissimuler les hoquets qui secouaient son pauvre corps, assiégé tantôt par des accès de toux, tantôt par des sanglots.

«Sortez de la chambre, moman. J'aime mieux être tout seul.»

Félicité obtempéra. À contrecœur, elle laissa son fils à son chagrin. Impuissante.

Elle revint dans la cuisine et se contenta de hocher la tête quand Edmond lui demanda si Ovide allait mieux. Edmond se leva, marcha de long en large, puis donna un violent coup de poing sur le mur. Félicité sursauta, mais en même temps elle enviait son fils de pouvoir manifester ainsi la rage qu'il avait au cœur.

«Est-ce que c'est grave? lui demanda-t-il.

— J'sais pas. Ovide m'a pas donné de détails.»

Edmond enfila son manteau.

«Je m'en vas chercher le docteur.

— C'est de là qu'Ovide arrive, dit sa mère.

— J'y vas pareil. Si Ovide veut rien nous dire, on va en avoir le cœur net.»

Edmond sortit de la maison, réattela l'étalon et partit pour le village. Félicité remonta voir si Ovide avait réussi à se calmer. Il était couché sur le dos, un bras replié sur les yeux.

«Ovide, veux-tu quelque chose?»

Il se contenta de secouer la tête et de se retourner à nouveau. Félicité lui dit qu'elle allait immédiatement lui faire une *mouche de moutarde* et sortit précipitamment de la chambre avant qu'il essaie de l'en empêcher. Elle remonta quelques minutes plus tard pour lui mettre le cataplasme sur la poitrine. Ovide la remercia d'un signe de tête.

Les enfants rentrèrent de l'école. Télesphore, le petit dernier, était avec eux. Exceptionnellement, Rosée s'était absentée pour la journée. D'habitude, elle demeurait à la maison, n'étant plus retournée en classe depuis octobre. La grossesse tardive de sa mère avait nécessité sa présence quotidienne.

Edmond revint. Félicité se protégea d'un gros châle et alla le rejoindre au bâtiment. Elle le trouva affairé à ranger le mors et les guides.

«Pis?»

Edmond se retourna. Il regarda sa mère. Elle lui parut tellement fragile dans sa maternité qu'il lui demanda de s'asseoir. Félicité obéit.

«Pis...c'est...c'est la tuberculose.»

Félicité sentit un frisson la secouer des pieds à la tête, en faisant une longue pause au cœur. Elle garda la tête baissée. Edmond vint s'asseoir à côté d'elle, lui posa une main maladroite sur l'épaule, puis tenta gauchement de la rassurer et de la consoler en lui disant que durant la maladie de l'aîné, elle pourrait se fier à lui, le second, et qu'il ferait tout en son pouvoir pour aider la famille.

Dosithée était au lac Pierre-Paul avec ses frères Joseph-Denis et Claïre. Ils avaient enfin réussi à obtenir le contrat de coupe pour des dormants de chemins de fer, qu'ils attendaient depuis deux ans. Ils étaient affairés dans le bois lorsque Dosithée vit arriver Edmond.

«Edmond? Qu'ossé que tu fais ici? C'est pas ta mère, j'espère!» lui cria-t-il en déposant sa hache.

Edmond s'approchait à pas lents, comme s'il tentait de repousser l'instant où il aurait à parler à son père. Dosithée vint à sa rencontre, accélérant à chaque pas qu'il faisait.

«Parle *Bonyeu!* C'est-y ta mère?»

Claïre et Joseph-Denis arrêtèrent aussi de travailler et firent signe aux autres hommes du chantier d'en faire autant. L'écho cessa de résonner dans le bois.

«C'est pas moman. C'est Ovide.

— Ovide? Qu'ossé qu'il a Ovide?

— Ben, vous savez...son rhume qui traîne depuis le commencement de l'hiver... Ben...le docteur dit que c'est pas un rhume ordinaire...Ça a l'air que... Ben nous autres on pensait que c'était peut-être une pneumonie... Mais le docteur dit que ça a l'air d'être plus grave...»

Dosithée était suspendu aux lèvres de son fils. À chacune des phrases qu'Edmond bégayait, Dosithée donnait un coup de tête, comme s'il cherchait à deviner les paroles qui suivraient. Edmond s'était tu. Il n'avait pas pensé qu'il lui serait si difficile d'annoncer la nouvelle à son père. Il se racla la gorge pour donner place aux mots qu'il se devait de prononcer.

«Le docteur...le docteur dit que c'est...de la tuberculose.»

Il leva les yeux et regarda son père. Dosithée répéta silencieusement le diagnostic à deux ou trois reprises. Il se retourna enfin pour dire à ses frères qu'il allait chercher son bagage et qu'il rentrait à Saint-Tite. Ses frères l'accompagnèrent jusqu'au campement. Dosithée lança tout en vrac dans le sac de farine qui lui servait de valise.

«Claïre, je te confie ma hache. Veille à ce qu'elle rouille pas, pis rapporte-moi-la au printemps. Salue bien tout le monde. Moi, je file.»

Dosithée et Edmond firent le trajet en silence. Si le trajet n'était pas long, il n'en était pas moins épuisant, les chemins étant à peine existants. N'eussent été les traces qu'Edmond avait creusées à son arrivée, ils auraient mis encore plus de temps à sortir du bois touffu et étouffant. Dosithée regardait devant lui un point qui semblait toujours s'appuyer sur un horizon inaccessible.

Ils arrivèrent au Bourdais à la nuit tombée. Dosithée sauta du traîneau, laissant à son fils le soin de la bête et de l'attelage. Il se précipita dans la maison et se dirigea vers sa femme. Cette dernière lui tendit une joue qu'il s'empressa de caresser.

«Ovide est où?

— Dans la chambre des filles. Il empire depuis à matin. Le docteur est venu pis il nous a dit qu'Ovide faisait en plus une p'tite bronchite. On sait pas ce qui va arriver.»

Félicité se voulait rassurante, mais elle-même n'était pas tranquillisée. Elle savait que la nuit serait longue. Dosithée enleva manteau, bottes et tuque, puis monta l'escalier sur la pointe des pieds. Il s'assit au chevet de son fils qui se débattait contre une fièvre de plus en plus accablante.

«Salut mon gars… Comment ça va?»

Ovide ouvrit les yeux et commença à trembler. Il parvint à dire à son père de s'éloigner de lui. Dosithée recula. Puis Ovide, que la fièvre réussissait presque à vaincre, recommença à s'agiter. Dosithée lui posa un linge humide et frais sur le front. Ovide l'arracha. Désemparé, Dosithée sortit de la chambre à reculons. Il revint dans la cuisine.

«As-tu l'impression qu'il faudrait faire venir le curé? demanda-t-il à sa femme en essayant de camoufler les vacillements de sa voix.

— Pas d'après le docteur. Si la fièvre peut tomber, il va être correct.»

Dosithée alla à sa chambre. Il décrocha le crucifix qui était suspendu à la tête du lit, le serra contre sa poitrine et le raccrocha au mur. Il revint dans la cuisine. Ce n'est qu'à ce moment-là qu'il se rendit compte que tous les enfants étaient assis autour de la table. Il les regarda, un peu étonné de ne pas avoir remarqué leur présence. Tous leurs regards étaient inquiets. Il leur sourit, puis leur demanda s'ils voulaient faire une prière. Télesphore répondit qu'ils venaient de terminer un chapelet. Rosée fusilla ce dernier du regard et proposa à son père de réciter un rosaire. Dosithée, conscient tout à coup de l'heure tardive, lui répondit qu'ils seraient probablement mieux de tous aller dormir. Tous les enfants montèrent, à l'exception de Rosée, Edmond et Ovila. Éva se dirigea vers le salon. C'est là que Félicité avait installé ses filles afin de libérer leur chambre pour Ovide.

«Comment est-ce qu'il est, Lazare, depuis les Fêtes? demanda Dosithée.

— Seulement deux crises», répondit Rosée.

Dosithée se retourna vers Ovila.

«Ovila, ton frère Ovide est trop malade pour qu'on puisse compter sur lui. Lazare, tu le sais, est pas capable de travailler régulièrement. Ça fait que c'est à ton tour de laisser l'école pis de prendre la relève.»

Ovila ne dit pas un mot. Il enfila son manteau et sortit prendre l'air. Quelque chose en lui venait de se rompre. Il ne voulait pas vraiment de la vie de la ferme. Dans quelques jours, il aurait dix-sept ans. Les études l'intéressaient plus ou moins mais elles lui évitaient de se fondre dans la routine des saisons.

Il marcha jusqu'à l'école. Une lumière luisait au second étage. Il se demanda s'il devait lui-même aviser Émilie qu'il ne viendrait plus ou s'il devait attendre que son père le fasse. Alors même qu'il débattait la question, il frappa à la porte. Émilie vint lui ouvrir. Elle était en robe de nuit, ses cheveux dénoués. Ovila, intimidé, lui demanda s'il la dérangeait. Elle lui dit qu'il la dérangeait en effet mais qu'il pouvait bien entrer quelques minutes. Il le fit et se dirigea automatiquement vers son pupitre. Émilie le suivit et s'assit au pupitre voisin.

«Mon frère Ovide est malade.

— Oui, j'ai su. Je me demandais pourquoi tu m'en avais pas parlé depuis une semaine.»

Ovila haussa les épaules. Il n'aurait jamais pu lui avouer ce qu'il avait pensé avant de connaître l'ampleur du mal de son frère. Son cœur était déchiré. Il s'était réjoui qu'Ovide fût malade, d'autant plus qu'Émilie n'était pas venue lui rendre visite. L'attitude de cette dernière lui avait confirmé ce que ses parents avaient maintenant accepté. Ovide n'intéressait pas vraiment Émilie. Elle ne voyait en lui qu'un bon voisin, rien de plus. Il la regarda et lui sourit tristement. Si seulement il avait eu l'âge d'Edmond ou même de Lazare, peut-être aurait-elle remarqué qu'il existait. Peut-être aurait-elle deviné que son «amourette» née trois ans plus tôt ne s'était jamais éteinte. Depuis trois ans, il s'obstinait aussi à poursuivre ses études, un peu pour avoir le loisir de la côtoyer quotidiennement. Il était le plus âgé de la classe. Il enviait Rosée d'avoir développé une relation amicale avec Émilie. Depuis qu'elle avait quitté l'école, Rosée pouvait, sans gêne, la visiter à n'importe quel moment.

«Ovila, es-tu venu pour me parler d'Ovide?»

Le son de la voix d'Émilie le força à redescendre de sa lune. Il lui donna les dernières nouvelles. La tuberculose... Elle grimaça.

«J'imagine que vous devez deviner le reste?»

Émilie abandonna le cours de ses pensées.

«Le reste...?

— C'est moi astheure qui vas rester à la maison pour remplacer les bras d'Ovide. On peut pas se fier à Lazare.»

Émilie n'avait absolument pas pensé au sort inéluctable qui attendait Ovila. Elle s'était tellement habituée à le voir dans la classe qu'elle n'avait pas vraiment voulu remarquer qu'il avait vieilli. Elle avait bien vu que son corps s'était allongé jusqu'à toucher la marque des six pieds, faisant de lui un garçon...un homme exceptionnellement grand. Elle avait bien entendu la transformation de sa voix d'enfant. Elle avait bien vu, au premier jour de chaque nouvelle année, que sa musculature s'était arrondie. Et elle s'en était réjouie. Il la regardait le regarder...

«Ça va faire un vide», parvint-elle à dire.

— Vous allez vous habituer. J'vas pas être loin. J'vas continuer de venir vous visiter, pis de venir vous chercher pour la messe. Pis j'vas bûcher le bois en cachette. Même si vous êtes...»

Il s'était interrompu. Il ne pouvait lui dire qu'elle n'avait en somme que quelques années de plus que lui. Qu'elle venait tout juste d'avoir dix-neuf ans et que, fin mars, lui même en aurait dix-sept.

«Même si...?» reprit Émilie.

— Même si vous êtes encore la maîtresse d'école...je veux dire que moi, finalement, euh...pas finalement comme...en tout cas, ce que je veux dire c'est que je suis pus votre élève. Il y a pus un seul commissaire qui va pouvoir chiâler parce que je fends votre bois. Ça sera pus contre les règlements.»

Émilie s'efforçait de masquer l'attendrissement qui l'avait envahie.

«Si tu veux, Ovila, quand on sera tout seuls, tu pourras m'appeler Émilie. Rosée le fait. Pis...si ma mémoire est bonne, il y a moins de différence d'âge entre nous deux qu'entre elle pis moi.»

Ovila la regardait, fasciné par ses yeux colorés au même pigment que sa chevelure. Elle avait dit *nous deux*. Le silence qui soudait leurs regards dura plusieurs minutes. Elle avait dit *nous deux*. Pour se donner une contenance, il commença à sortir ses effets et à les empiler sur le plancher. Elle avait dit *nous deux*.

«J'vas faire comme avec les bûches. J'vas faire des piles bien droites.»

Il leva les yeux pour voir sa réaction. Elle n'avait pas saisi qu'il se moquait d'elle. Elle le regardait, perdue dans ses pensées. Songeait-elle à *nous deux*? Il se releva et lui dit qu'il était temps qu'il parte et pensa l'aviser que son père était rentré du chantier. Il se pencha à nouveau pour ramasser ses effets. Émilie l'aida, à genoux à côté de lui, essayant désespérément de ne pas le regarder.

«Si tu me donnes deux minutes, j'vas m'habiller pour t'aider à transporter ça jusque chez vous.»

Ovila décida de tenter le tout pour le tout.

«Je pense que j'aimerais revenir chercher la *balance* demain.» Il se trouva effrontément présomptueux, aussi s'empressa-t-il d'ajouter qu'ainsi il aurait des nouvelles fraîches au sujet de son frère.

Émilie n'insista pas, se contentant de soulever les épaules pour bien lui faire comprendre qu'elle n'avait plus autorité sur lui. Elle l'accompagna jusqu'à la porte qu'elle entrouvrit.

«Ça va vraiment faire un grand vide...

— Juste de six pieds», essaya-t-il de blaguer.

Émilie émit un petit ricanement un peu rauque.

«Eh! bien, Ovila, tu me forces à faire ce que je fais toujours quand j'ai un élève qui part.»

Elle s'étira le cou et lui déposa un baiser sur la bouche. Habituellement, elle se contentait d'une joue. Ovila la laissa faire quelques secondes, puis recula, déposa ses effets, s'approcha d'elle sans dire un mot, ferma la porte d'un coup de pied, lui encadra le visage de ses deux mains et l'embrassa doucement. Il se rendit à peine compte qu'elle avait enlacé ses épaules de ses bras tant son âme l'avait quitté pour rejoindre la voie lactée.

11.

Émilie, confuse, avait tenté d'ignorer la présence d'Ovila. Il n'avait cessé d'essayer d'emprisonner son regard mais elle avait toujours fui. Elle avait terminé sa quatrième année d'enseignement avec un entrain mitigé. Le départ d'Ovila avait quelque peu assombri son printemps. Maintenant qu'elle avait fait l'erreur de lui montrer qu'elle nourrissait à son égard un sentiment privilégié, elle s'était empressée de réhabiter son personnage de «maîtresse d'école», laissant dormir bien profondément la femme qui avait réussi à s'échapper un soir d'hiver. Elle avait refoulé toute l'euphorie qui s'était emparée d'elle après son manque de retenue. Si elle avait d'abord réussi à se convaincre qu'elle n'avait rien fait de mal, un grand malaise l'avait rapidement poursuivie pour finalement céder la place à l'invincible culpabilité. Elle n'avait même pas su faire confiance à Ovila, redoutant au point d'en faire des cauchemars, qu'il ne racontât à tous qu'elle s'était littéralement jetée dans ses bras. Elle avait donc décidé de ne jamais plus faire allusion à la chose. Elle avait aussi décidé de ne lui adresser la parole que lorsqu'elle ne pouvait l'éviter. Malgré son attitude, Ovila avait tenu ses promesses. Il l'avait conduite à la messe et avait entré la dernière corde de bois dans la classe et dans sa chambre. Mais c'est en vain qu'il avait tenté d'engager la conversation. Elle lui opposait un mur de mutisme et d'incompréhension.

Elle avait vu arriver juin avec un soulagement à peine dissimulé. Encore quelques semaines et elle serait de retour dans son cocon familial. Encore quelques semaines et elle pourrait oublier cette fin d'année si peu digne d'éloges.

Elle était allée saluer les Pronovost, les remerciant encore de leur fidèle attention. Depuis Pâques, ils avaient repris leur allant, Ovide étant hors de danger. Elle était rentrée à l'école au moment où son frère arrivait. Elle s'était étonnée de ne pas voir son père. Son frère lui avait répondu qu'il était maintenant en âge de prendre la relève. Émilie lui avait souri, soudainement consciente que lui aussi avait vieilli. Ils avaient donc fait le trajet ensemble, faisant une halte chez Lucie. Émilie avait ensuite pris les commandes de l'attelage qu'elle avait mené furieusement jusqu'à la maison.

«Ma foi, on dirait que tu as le feu quelque part.

— J'ai le feu nulle part, avait-elle répondu avec acidité. J'ai juste hâte d'arriver.»

Rentrée à la maison, Émilie avait défait son bagage avec empressement pendant que sa mère lui racontait toutes ses misères des mois passés. Émilie l'avait écoutée avec compassion. Émilie attendit quelques minutes et annonça à sa mère qu'elle irait chez Berthe immédiatement la vaisselle du souper lavée, trop impatiente pour attendre un lendemain encore lointain. Célina soupira devant ce qu'elle interpréta comme de l'indifférence de la part de sa fille et ne passa aucun commentaire.

Émilie marcha rapidement le mille qui séparait sa maison de celle de Berthe. Berthe avait la chance d'habiter près des berges de la Batiscan. Émilie, depuis son départ de Saint-Stanislas, avait toujours entretenu une correspondance régulière avec sa meilleure amie, mais elle s'en était toujours tenue à ne raconter que des anecdotes. Elle avait nourri un certain scrupule à relater ses états d'âme, incertaine s'ils trouveraient un écho dans l'âme sensible de Berthe.

Berthe fut étonnée de la voir mais n'en éprouva pas moins un vif plaisir. Les politesses échangées avec la famille de Berthe, les deux amies s'esquivèrent pour trouver un peu de solitude et leur intimité.

«Qu'est-ce que tu as, Émilie? Tu as l'air tout à l'envers.»

Émilie réfléchit quelques instants avant de décider d'étaler sa honte à son amie. Berthe l'écouta attentivement. Elles étaient assises sur un tronc d'arbre mort depuis des années dont les branches baignaient dans la Batiscan.

«Ton bel Ovila, est-ce qu'il t'a dit quelque chose après le soir où tu l'as embrassé?» demanda Berthe les yeux curieusement illuminés.

«Il a bien essayé, mais moi je l'ai toujours empêché de me parler.»

Berthe, à force de subtiles questions, réussit à comprendre le trouble d'Émilie. Que son amie fût amoureuse, elle n'en doutait pas. Que son amie ait quelque peu dépassé les bornes, elle le comprenait. Mais que son amie s'empêchât de s'avouer qu'elle avait droit à ses sentiments, elle le refusait. Berthe émit enfin une opinion. Elle ne blâmait pas Émilie. Elle la félicita même, en se moquant, d'avoir réussi à attendre si longtemps. Émilie demeura perplexe. Elle demanda à son amie si elle devait accepter de le revoir. Berthe lui répondit qu'elle n'avait qu'à écouter son cœur.

«Mais Berthe, tu y penses pas! C'est mon élève pis il est deux ans plus jeune que moi!

— C'est effrayant! Quand tu vas avoir quatre-vingts, lui va juste avoir soixante-dix-huit. Tu te rends compte,

Émilie? Tu vas passer pour une vieille folle qui court après les jeunesses.»

Elles éclatèrent de rire.

«Tu vas faire une drôle de sœur, Berthe. Tu encourages les maîtresses d'école à sortir avec leurs élèves...

— Je fais rien de ça! Je te ferai remarquer qu'Ovila, c'est pus ton élève. Si tu avais fait montre de quelque chose avant, là j'aurais pas pu faire autrement que de dire que c'était un bien mauvais exemple. Pire même. Mais astheure, moi je trouve que la voie est libre. C'est sûr que les gens vont jaser, ça fait que moi...»

Elle s'était interrompue pour essayer d'imaginer ce qu'elle aurait fait à la place d'Émilie. Elle savait les commissaires très exigeants quant au comportement des institutrices. Dans certains cantons, les institutrices ne pouvaient même pas patiner en hiver au risque de perdre leur emploi. Elle savait aussi qu'il était presque impossible à Émilie de faire accepter le fait qu'elle fréquenterait le frère de certains de ses élèves. Aurait-on cru à son impartialité? Elle savait qu'Émilie ne pouvait pas recevoir dans son école...Son expression dut changer car Émilie put suivre le cours de ses pensées et enchaîner à sa place.

«Ça fait que toi, tu ferais comme moi. Tu dirais pas un mot à Ovila, tu lui donnerais l'impression qu'il s'est jamais rien passé, tu éviterais de le regarder, pis à chaque fois que tu le verrais se morfondre, tu aurais le cœur bien à l'étroit.»

Les deux amies demeurèrent silencieuses pendant un long moment. La noirceur avait envahi les rives de la Batiscan. Ni l'une ni l'autre n'avait trouvé de solution au dilemme d'Émilie. Elle reprirent lentement la direction de la maison de Berthe. Elle écoutèrent le chant des grillons et la respiration des animaux qui dormaient juste derrière les clôtures de perche. Quelque part, un coq se mit à chanter.

«En voilà un autre de mêlé», lança Berthe.

Émilie se mit à rire, puis à rire de plus belle, entraînant Berthe qui lui bourrela les côtes de coups de coude, l'exhortant à se calmer, ce que ni l'une ni l'autre ne purent faire. Elles en vinrent finalement à se rouler dans le foin, se tordant comme deux poissons fraîchement pêchés, empêtrées dans leurs jupes, les cheveux mèchés de paille. Leur rigolade tourna vraiment au délire quand le coq chanta une deuxième fois.

«Si le coq chante une troisième fois, hoqueta Émilie, on va savoir que mon calvaire est commencé.

— Tu es complètement dinde, Émilie Bordeleau» hurla Berthe.

Le coq chanta une troisième fois. Les deux amies se calmèrent immédiatement. Émilie s'assit et enleva la paille qui lui coiffait la tête. Elle se leva brusquement. Berthe l'imita.

«Je voudrais pas être superstitieuse, Berthe, mais c'est pas un peu de mauvais augure?

— Voyons donc», répondit Berthe qui secouait énergiquement sa jupe. «Tu vas pas commencer à te faire du mauvais sang à cause d'une farce.» Mais Berthe elle-même ne semblait pas tellement rassurée.

Elles se quittèrent quelques minutes plus tard, après avoir convenu d'occuper leurs soirées d'été à faire une courtepointe.

«Tu la garderas pour toi, Émilie. Moi, je saurais pas quoi en faire. Vois-tu...j'vas rentrer au noviciat à la fin du mois d'août.» Berthe s'en voulait un peu d'annoncer une si grande nouvelle à un moment soudainement nuageux.

Émilie ne sut que répondre. Elle se contenta de donner une accolade à son amie, lui tapotant le dos comme si elle avait voulu la convaincre que tout irait bien.

Elle rentra chez elle marchant tantôt de front, tantôt à reculons. Sans en prendre conscience, elle avait greffé sa démarche sur ses pensées. Berthe entrait au couvent. C'était maintenant quelque chose de vrai. Comme Berthe serait heureuse. Puis à reculons. Mais qui va remplacer Berthe? Lorsqu'elle sera religieuse, nous ne pourrons plus jamais faire comme ce soir. Nous ébattre dans l'herbe comme de jeunes chiots. Puis de front. Ovila, c'est dans mon imagination. Il n'y a pas une seule femme qui peut dire qu'elle est devenue amoureuse de son mari quand il avait quatorze ans. Ovila est encore trop jeune pour connaître ce que je connais. Puis à reculons. Pourquoi n'a-t-il rien dit? Pourquoi s'est-il tenu à l'écart comme il l'a fait? Pourquoi n'a-t-il pas insisté? Puis de front. Je vais lui dire ce que je ressens. Ovila ne rira pas de moi. Ovila m'aime, j'en suis certaine. Puis à reculons. Est-ce qu'il m'aime? Je veux qu'il m'aime. Pourquoi le coq a-t-il chanté trois fois?

12.

Berthe et Émilie travaillaient chez les Bordeleau. Elles avaient décidé qu'il serait trop compliqué de transporter leur matériel à tout bout de champ. Berthe préférait s'exiler du toit paternel. La maison de son amie était presque aussi remplie d'enfance que la sienne mais elle la trouvait plus calme. Et, avait-elle ajouté, la promenade qu'elle faisait lui permettait de se recueillir.

Leurs soirées étaient agréables. Émilie n'avait jamais osé aborder une discussion sur les raisons de la vocation de Berthe. Elle s'était tue, craignant de teinter son jugement d'une parcelle d'égoïsme. Berthe lui manquerait terriblement. Elle s'était tue aussi, incapable de dire qu'elle trouvait que le couvent ressemblait à une fuite. Berthe était extraordinaire avec sa mère, ses frères et ses sœurs. Émilie n'avait jamais réussi à vraiment comprendre pourquoi Berthe avait toujours semblé vouloir s'éloigner de la nichée dont la responsabilité lui avait incombé. Elles parlaient donc de tout et de rien en piquant chacune une aiguille dans la courtepointe kaléidoscopique. Le mois de juillet avait lui aussi filé à travers le chas du temps. Août s'était pointé sous un soleil éclatant. Leur travail avançait très rapidement, les amies ayant toutes deux une patience monastique doublée d'une célérité d'exécution remarquable.

Elles travaillaient dehors quand le temps était clément. La noirceur les assaillait maintenant plus tôt, mais elles avaient installé des lampes pour travailler encore quelques heures, sous les étoiles.

Caleb, ce soir-là, s'était assis avec elles, s'émerveillant autant de ce qu'elles accomplissaient que de la beauté de la voûte étoilée, espérant voir apparaître des aurores boréales.

«Qui c'est à votre avis qui monte la côte?»

Berthe et Émilie quittèrent leur ouvrage des yeux. Elles regardèrent en direction du chemin et virent la lueur d'un fanal. Puis elles entendirent des bruits de sabots.

«Mon Dieu, fit Berthe d'une voix étranglée, j'espère que c'est pas mon père qui vient me chercher parce que ma mère est malade.»

Toutes deux, elles piquèrent leurs aiguilles, déchaussèrent leurs majeurs du dé à coudre et déposèrent leur ouvrage. L'attelage s'arrêta devant la maison de Caleb. Ce dernier demanda aux filles de demeurer là où elles étaient et s'empara d'un fanal. Il se dirigea vers le chemin. Berthe et Émilie n'entendirent pas la conversation qui suivit.

«Ça doit pas être pour moi, parce que ton père m'aurait déjà appelée.»

Émilie ne répondit pas. Elle croyait plutôt le contraire. Caleb mettait peut-être le temps nécessaire à trouver les mots pour annoncer une mauvaise nouvelle.

«Émilie! Approche donc, cria Caleb, j'ai besoin de toi.»

Émilie regarda Berthe. Berthe ne broncha pas. Émilie s'éloigna. Berthe s'assit sur le bord de la chaise, prête à bondir dès qu'on la réclamerait. Elle déglutit péniblement. Un malheur. Une malédiction. La fin de son rêve d'entrer au couvent.

«Berthe! Viens ici, Berthe!»

Le cri d'Émilie lui résonna aux oreilles comme un écho de brume. Elle franchit en un éclair la distance qui la séparait du chemin et s'immobilisa subitement. Émilie riait aux éclats et Caleb faisait les frais d'une conversation enjouée.

«Berthe, je te présente Ovila Pronovost!»

Berthe demeura bouche bée. Ovila Pronovost. Elle avait passé tellement d'heures à l'entendre décrire par Émilie qu'elle eut l'impression que son visage lui était familier. Elle s'illumina.

«Ha! ben! Ha! ben! » parvint-elle à dire. «De la grande visite de Saint-Tite.» Discrètement, elle écrasa le pied droit d'Émilie.

Caleb invita Ovila à faire reposer sa bête. Il l'invita avec d'autant plus d'empressement que l'attelage était tiré par le bel étalon à la crinière blonde. Il poussa même la politesse jusqu'à lui offrir de conduire lui-même l'attelage à l'abreuvoir. Il s'éloigna.

Ovila, empêtré mais heureux de l'accueil qui lui avait été réservé, suivit les filles. Berthe ne cessait de faire des clins d'œil et des grimaces à Émilie, que l'arrivée d'Ovila avait surprise. Émilie n'avait pu retrouver le comportement qu'elle avait adopté depuis ce fameux soir de mars. Ovila épousseta ses vêtements avant de s'asseoir. Caleb revint vers eux avec Célina qu'il était allé chercher. Les présentations faites, Caleb les invita tous dans la maison pour boire quelque chose. À l'intérieur, la haute taille d'Ovila devint rapidement un objet de curiosité.

Ils parlèrent à bâtons rompus pendant une bonne demi-heure. Ovila précisa qu'il se dirigeait vers Shawinigan et Trois-Rivières, pour essayer d'y trouver du travail. Émilie avait feint un vif intérêt même si, intérieurement, un effroi de perdre Ovila de vue lui avait glacé le cœur. N'ayant rien remarqué, Ovila avait enchaîné en disant qu'il voulait travailler dans les chantiers durant l'hiver.

«Des chantiers de bûcherons ou des chantiers de construction, j'ai pas de préférence.»

Émilie décida de changer de sujet et lui demanda s'il avait de la parenté à Saint-Stanislas. En fait, elle connaissait la réponse, mais elle savait que ses parents se passionnaient pour toutes les souches familiales de la Mauricie. Ils avaient donc été fascinés d'apprendre que, par sa mère, Ovila était un parent d'Isidore Bédard.

«Isidore doit vous attendre pour la nuit?» demanda Célina.

Ovila rougit un peu avant d'avouer qu'il n'était en fait pas attendu mais que sa mère l'avait assuré d'un bon accueil. Caleb jeta un furtif coup d'œil vers Émilie. Sa fille avait l'air absolument subjuguée par Ovila. Il décida donc de brusquer un tantinet les événements.

«Je vois pas pourquoi qu'à une heure de même, vous arriveriez chez Isidore comme un *quêteux*. Ici, on a de la place pour la visite.»

Célina le regarda, étonnée. Émilie ne dit pas un mot. Elle évita même de regarder Berthe qui s'était levée pour remplir le pot d'eau.

«Bon, astheure que c'est réglé, enchaîna Caleb, j'vas aller dételer votre bel animal.»

Il allait sortir, l'air guilleret, lorsqu'Émilie l'informa qu'elle et Ovila iraient conduire Berthe. Émilie connaissait bien son père. Elle savait qu'elle venait de lui imposer une attente torturante.

«Tu as le don, Émilie, de toujours fatiguer les bêtes après une trotte, répondit Caleb déçu. Mais amusez-vous, on va attendre.»

Sans comprendre comment elle avait pu faire une telle erreur, Berthe se retrouva assise entre Émilie et Ovila. Elle passa tout le temps de la trotte à tourner la tête à gauche, à tourner la tête à droite, faisant mine de s'intéresser au plus haut point à leur discours farci de sous-entendus. Elle ne prit la parole qu'à une seule occasion, pour confirmer les dires d'Émilie quant à leur «passionnant été». Elle s'abstint de commentaires quand Émilie raconta toutes les fêtes auxquelles elles avaient assisté, sachant qu'Émilie n'avait assisté qu'à une fête: celle organisée par sa famille pour souligner le départ de François-Xavier Bordeleau pour le Klondike.

Ils arrivèrent chez Berthe. Ovila descendit et tendit la main à chacune des filles. Émilie raccompagna Berthe. Elles chuchotaient, Émilie étant visiblement au paroxysme de l'émoi.

«Tu me l'avais décrit, mais c'est quelque chose.

— Oui hein?» répondit Émilie fière comme elle ne l'avait jamais été.

Berthe parla rapidement de toutes les qualités d'Ovila. Émilie acquiesçait à chacune d'elles. Émilie lui demanda si elle viendrait le lendemain. Berthe promit de faire tout en son possible pour s'absenter de la maison.

Émilie remonta dans la calèche. Ovila, qui était assis, se contenta de lui tendre la main. Elle s'y agrippa joyeusement.

Ils remontèrent la côte Saint-Paul au pas. L'étalon apprécia ce répit. Ovila était muet. Maintenant qu'il était seul avec Émilie, il ne savait plus comment expliquer sa présence. Émilie vint à son secours en lui demandant s'il voulait vraiment travailler dans les chantiers. Il répondit par l'affirmative et lui expliqua que plusieurs compagnies de Trois-Rivières et de Shawinigan embauchaient des hommes. Prenant ensuite son courage à deux mains, il dit à Émilie qu'il préférait quitter Saint-Tite. Il trouvait insupportable de la voir et de ne pouvoir l'approcher.

«Ris de moi si tu veux, mais fallait que je vienne pour te dire que je t'aime.»

Émilie ne rit pas. Elle ne parla pas non plus. Ovila désespéra. S'enhardissant, il lui demanda si elle accepterait de correspondre avec lui durant son absence. Elle promit de le faire. Il demanda enfin s'il pouvait espérer qu'elle nourrisse à son égard un sentiment semblable au sien. Elle tarda à répondre. Il immobilisa la calèche. Émilie se taisait toujours. Ovila se tourna pour la regarder. Elle avait les yeux luisants. Il comprit qu'elle pleurait. De drôles de larmes de plaisir. Il s'empressa de l'enlacer pour la consoler. Elle éclata de rire et le laissa faire. Elle accepta d'être celle qui l'attendrait. Ovila se leva et se tapa la cuisse en poussant un cri de joie, puis il se rassit, remit la bête en marche, tenant les guides de sa main gauche et la main d'Émilie de sa main droite.

Caleb les attendait sur la galerie et ne passa aucun commentaire sur le fait qu'ils avaient mis près d'une demi-heure à franchir une distance qui habituellement demandait une dizaine de minutes. Il détela le cheval et commença à lui brosser la crinière. Émilie et Ovila demeurèrent assis avec Célina qui avait profité de leur absence pour faire monter tous les enfants, ranger les effets de couture d'Émilie et préparer une couche pour Ovila dans le salon.

«C'est un peu mieux que le lit du quêteux. Au moins on te fait pas coucher en arrière du poêle», dit Émilie pour justifier l'installation précaire.

Ovila les remercia de leur hospitalité, s'excusant encore une fois d'être arrivé sans prévenir. Émilie savait bien qu'il n'aurait jamais osé s'annoncer de crainte qu'elle ne lui dise qu'elle préférait ne pas le voir. Elle bâilla. Ovila se leva et les pria d'aller dormir, disant qu'il irait à l'étable voir si sa bête était installée.

Ovila entra dans l'étable et se frappa la tête sur une poutre. Il crispa les lèvres et aspira le juron qui y pendait. Caleb le remarqua et éclata de rire.

«C'est fait pour du monde un peu plus p'tit.

— Tout est fait pour du p'tit monde», répondit Ovila en se frottant le front.

Caleb brossait encore la crinière du cheval.

«Il doit bien avoir huit ans astheure. La première fois que je l'ai vu, c'était à l'automne 96. Maudit! que c'est une belle bête!»

Ovila opina. La bête avait neuf ans mais était fringante comme au premier jour de son arrivée. Caleb lui raconta combien il avait été impressionné par la finesse de ses pattes et la blondeur de sa crinière. Il parla encore et encore des mérites de l'étalon et en vint finalement au point qui l'intéressait. Une connaissance lui avait offert une pouliche «bien prête à se faire servir», mais il avait refusé de l'acheter ne trouvant pas nécessaire d'avoir un autre cheval. Sa vieille jument, bien que moins ardente, dépannait encore. Il avait trois chevaux pour les labours. Trois gros et forts chevaux, avait-il précisé. Mais si Ovila voulait bien lui accorder quelques heures, il pourrait, le lendemain, acquérir la pouliche et la mettre au pâturage avec son étalon. Ovila ne réfléchit qu'un instant, le temps de feindre qu'il était attendu à Shawinigan, puis accepta de prolonger son séjour à Saint-Stanislas. Caleb jubila.

Caleb partit immédiatement après avoir trait ses vaches. Il se rendit chez Elzéar Veillette. Il détestait Elzéar Veillette, d'abord parce que Veillette s'entêtait à toujours avoir raison, ce qui, selon Célina, était impensable, puisque c'était Caleb qui n'avait jamais tort, et ensuite parce que Veillette faisait l'élevage de chevaux. Un petit élevage, certes, mais avec quand même quelques belles bêtes. Caleb savait que l'étalon des Pronovost aurait fait blêmir Veillette.

Veillette fut surpris de le voir arriver. Caleb fonça droit au but. Il avait entendu dire qu'il avait une pouliche à vendre. Veillette répondit qu'il l'avait vendue la veille et que c'était certainement la plus belle pouliche qu'il ait jamais eue. Caleb lui demanda qui l'avait achetée. Quelqu'un de la parenté du curé qui, justement, devait atteler pour s'en retourner à Grand-Mère. Caleb demanda si «ces bonnes gens» habitaient au presbytère. Veillette confirma. Caleb le salua en le remerciant et partit à la hâte.

«Coudon, Bordeleau, me semblait que tu voulais pus en avoir des ch'vaux.

— C'est pas toi, Zéar, qui m'as dit qu'il y a rien que les fous qui changent pas d'idée?»

Sur ce, Caleb reprit le chemin du village. Il arriva au presbytère au moment où le curé saluait ses visiteurs. Caleb interrompit, aussi poliment que possible, le rituel du départ. Il demanda au curé s'il pouvait «parler affaires» avec sa charmante visite. Il avait été étonné de constater que les «visiteurs» étaient trois des nièces du curé. Caleb leur expliqua, mentant légèrement, qu'il y avait eu erreur. Qu'il avait promis à monsieur Veillette d'acheter la pouliche qu'elles venaient d'atteler. Les femmes, surprises, lui répondirent que le gentil monsieur Veillette n'avait jamais parlé d'un autre acheteur. Caleb prit le curé à témoin sur la légendaire distraction de Veillette. Le curé n'osa pas le contredire, mais il savait fort bien que Caleb, et non Veillette, était reconnu pour sa distraction. Caleb offrit aux dames de racheter la jument. Les femmes refusèrent catégoriquement. Caleb sourit d'un sourire crispé et mit un prix sur son offre. Les femmes ne bougèrent pas d'un iota. Il augmenta la somme. Les femmes ramollirent. Il ajouta encore quelques dollars. Elles acceptèrent mais à la condition qu'il les accompagne chez Veillette. Si ce dernier n'avait pas une autre bonne bête à leur vendre, elles ne feraient pas la transaction. Caleb accepta. Il attira le curé à l'écart et lui demanda s'il pouvait lui avancer les fonds. Il n'avait pas en poche la somme nécessaire. Le curé s'empourpra. Caleb essaya de l'apaiser en lui promettant un prompt remboursement et...une part généreuse à la quête du dimanche pour le mois à venir. Le curé, toujours en colère, accepta néanmoins de lui avancer la somme. Caleb le remercia plus que chaleureusement. Le curé, intrigué par toutes les tractations, lui demanda s'il pouvait l'accompagner chez Veillette. Caleb n'osa pas refuser.

Veillette ne fut pas surpris de voir revenir Caleb. Il fut plus étonné d'apprendre que les demoiselles voulaient une autre bête. Il n'avait plus de jument à leur offrir. Seulement des étalons. Les femmes hésitèrent puis acceptèrent une des bêtes à la robe presque noire que Caleb leur recommanda chaudement. Pendant que les demoiselles faisaient leurs adieux à leur oncle, Veillette s'approcha de Caleb qui attachait la pouliche derrière sa calèche.

«Qu'est-ce que tu lui veux à ma jument? demanda-t-il l'air méfiant.

— Rien pantoute. Je veux juste une belle pouliche pour le plaisir de mes yeux qui commencent à voir moins clair.

— Fais pas l'innocent, Bordeleau. Tu sais comme moi que c'est la plus belle pouliche du canton.

— Du canton...du canton, répéta Caleb feignant un scepticisme de bon aloi. Elle est belle... mais qu'ossé que tu penses que ça donne une belle pouliche de même quand on n'a pas d'étalon pour la servir.

— J'en ai des étalons moi! Pis des maudits beaux à part de ça.

— Tu as pas un étalon aussi beau que cette jument-là.»

Tous les deux, ils firent une pause pour saluer les nièces du curé qui quittaient le chemin de Veillette.

«Mes étalons sont beaux, Caleb Bordeleau! Tu sais ça aussi bien que moi!

— Prends pas le mors aux dents, Zéar! Tes étalons sont beaux.

— Je te connais, Caleb Bordeleau. Tu mijoterais quelque chose que je serais pas surpris pour deux miettes.

— Voyons donc, Zéar! Tu sais bien que j'ai juste trois vieux ch'vaux.» Il lorgna du côté du curé.

«Tu vas m'excuser, Zéar, parce que je voudrais pas faire patienter monsieur le curé.»

Caleb tourna des talons et monta dans sa calèche. Le curé s'installa à ses côtés. Ils revinrent au village et Caleb ponctua le trajet de remerciements qu'il voulait tous plus sincères les uns que les autres. Si le curé avait d'abord été sceptique face à l'attitude de Caleb, tout lui semblait maintenant parfaitement normal jusqu'à ce que Caleb lui demande de garder secrets la transaction et le prix payé pour la pouliche. Le curé le regarda l'œil méfiant, mais promit.

Caleb revint chez lui et fut accueilli par Ovila et Émilie qui sortaient du poulailler, avec deux paniers remplis de gros œufs bruns.

«Vous en avez mis du temps! lui lança Émilie.

— Pas tant que ça. Juste le temps d'aller chercher ma pouliche chez Veillette.»

Émilie regarda son père avec étonnement. Quand il mentait, la sueur lui perlait toujours au nez. Elle remarqua qu'il avait le nez lustré bien qu'il s'efforçât de l'essuyer discrètement.

«Pis, mon garçon, lança-t-il à Ovila, est-ce qu'on envoie ces deux belles bêtes-là dans le clos?»

Caleb flatta sa pouliche, incapable de contenir sa joie à l'idée qu'elle était prête à l'accouplement. Ovila entra dans l'étable, faisant bien attention de ne pas se frapper la tête encore une fois, et en ressortit en tenant l'étalon par la bride. L'étalon aperçut la jument et frémit. Ovila le débrida.

Émilie se tint à l'écart. Elle préférait observer à distance. Elle avait à maintes reprises été témoin de l'accouplement entre un étalon et une jument, mais aujourd'hui elle y voyait un sens tout autre. L'étalon Pronovost et la pouliche Bordeleau... Célina sortit de la maison et se dirigea vers sa fille.

«C'est à qui cette pouliche-là?»

Émilie lui répondit que c'était la dernière acquisition de son père. Célina fit une moue mais ne put s'empêcher de commenter la fière allure de la bête.

«Est-ce que ça vient de chez Zéar Veillette?»

Émilie lui dit que oui. Célina éclata de rire. À sa connaissance, dit-elle, Caleb et Elzéar ne s'étaient pas adressé la parole depuis le dimanche de Pâques.

«Comme d'habitude, ça aura pris une femelle pour que ces deux-là se parlent.»

Célina avait en effet fréquenté Veillette jusquà ce que son cœur se tourne vers Caleb. Veillette en avait toujours voulu à Caleb, même après qu'il fut lui-même marié à une femme en santé qui lui avait donné dix-huit enfants, tous vivants. Célina, elle, avait traîné sa vie, sautillant d'une maladie à l'autre.

Les deux animaux se flairaient. Caleb s'était assis sur la clôture, décidé à ne rien manquer du spectacle. Célina l'avait finalement rejoint. Ovila s'était planté à côté d'Émilie. Ils étaient aussi intimidés l'un que l'autre.

«Tu peux pas savoir, Ovila, comment mon père a attendu toute sa vie d'avoir des beaux animaux. Un vrai p'tit gars qui a enfin son jouet préféré.»

Ovila se contenta de sourire, puis dit, pour combler le silence, qu'il n'avait jamais vu un cultivateur prendre le temps de regarder un accouplement.

Berthe arriva et rejoignit Émilie et Ovila au moment où la pouliche partait au galop, l'étalon à ses trousses. Les enfants Bordeleau étaient maintenant tous sortis de la maison.

«C'est à nous autres cette pouliche-là, Émilie?» demanda Napoléon.

Émilie acquiesça. Les enfants se groupèrent autour de leurs parents. La pouliche freina sa course et changea brusquement de direction. L'étalon en fit autant. Leur galop était impressionnant.

«Avez-vous vu ça? cria Caleb. On dirait des ch'vaux sauvages.»

La pouliche se retourna et se leva sur ses pattes postérieures. Elle commença à marteler l'étalon de ses sabots. L'étalon se défendit. Elle se calma enfin et l'étalon, renâclant, se plaça derrière elle. La pouliche trépignait. Enfin, l'étalon lui monta ses pattes sur le dos et la mordit au cou. Émilie frémit quand elle sentit la main d'Ovila exercer une toute petite pression sur sa nuque. Elle tourna la tête, le temps de se rendre compte qu'il la regardait intensément.

Elle concentra ensuite son attention sur les bêtes. Ovila en fit autant. Émilie sentit le regard de Berthe.

L'accouplement dura une heure. Caleb resta assis tout ce temps, sans bouger. Les animaux, fatigués, avaient choisi un coin ombragé pour refaire leurs forces. L'impressionnante érection de l'étalon s'était résorbée.

Ils se retirèrent tous. Ovila pénétra dans le clos pour tenter de récupérer son cheval. C'était sous-estimer la bête. Il n'y parvint pas, malgré le secours de Caleb. Ovila dut se résigner à prendre le repas du midi. Émilie feignit une grande déception à l'idée qu'il serait en retard à Shawinigan, mais elle avait depuis longtemps deviné qu'il n'avait aucun rendez-vous et qu'il espérait probablement arriver à Shawinigan dans la journée du lundi, ce qui lui laissait encore une journée et demie de jeu.

Les ébats amoureux reprirent de plus belle après le repas. Ovila n'osa pas essayer de séparer les bêtes. Caleb lui en aurait voulu, il en était certain. Berthe, qui n'était restée que quelques minutes durant l'avant-midi, revint au milieu de l'après-midi, sa mère lui ayant «donné congé». Émilie et Ovila s'en réjouirent. Ils préféraient le chaperonnage de Berthe à celui des parents ou des jeunes frères et sœurs. Tous les trois, ils décidèrent de marcher en direction de nulle part. Ils partirent donc, apportant des biscuits pour collationner. Ils se dirigèrent finalement vers le bois de Caleb. Ils avaient atteint la distance désirée, celle qui les cachait de la maison, lorsque Berthe se foula malencontreusement une cheville. Ovila la souleva et l'assit sur une grosse roche. Émilie demanda à voir la cheville blessée mais Berthe refusa.

«Continuez vous autres, dit-elle en grimaçant. Moi, j'vas rester ici. Vous me reprendrez en passant.»

Émilie et Ovila s'enfoncèrent dans le bois, elle derrière lui qui prenait un soin méticuleux à empêcher les branches de la fouetter au visage. Émilie souriait de la facilité avec laquelle il se frayait un passage à travers les sentiers encombrés de branches et de feuillages. Ovila est vraiment un homme des bois, pensa-t-elle. Elle avait l'impression qu'il était un arbre mobile tant il s'amalgamait avec cette nature échevelée. Elle trouva irrésistible cet homme aux épaules droites comme des piquets de clôtures, aux mains puissantes, aux pommettes saillantes et au nez aquilin qui, malgré le bleu des yeux, trahissait un mystérieux apport de sang indien.

Ils marchèrent ainsi pendant une heure, presque en silence. Émilie se taisait, savourant chacun des instants de ce plaisir que, la veille encore, elle avait décidé de s'interdire. Ovila, lui, était absorbé dans ses pensées. Il entendait l'essoufflement d'Émilie et ralentissait le pas, imperceptiblement. Il ne voulait surtout pas accroître la distance qui les séparait. Il voulait continuer de l'entendre respirer, sachant qu'il rêvait une douce folie. Sachant que son émoi était certainement impossible. Il feignit de se gratter un mollet et se pinça violemment. Non, il ne rêvait pas. Émilie, la belle Émilie, l'Émilie de ses rêves, était bien derrière lui. Seuls, sous la voûte du feuillage.

Ils revinrent sur leurs pas et trouvèrent Berthe, endormie comme une couleuvre sur la pierre chaude. Émilie lui secoua une épaule. Berthe bondit sur ses pieds.

«Ta cheville a l'air guérie», constata Émilie l'air moqueur.

Berthe, feignant d'être prise en flagrant délit, s'étonna rieusement des miracles qu'une prière bien enrobée de soleil pouvait faire. Ils reprirent le chemin de la maison après avoir grignoté leur collation.

L'étalon et la jument étaient toujours dans le clos. Caleb ne semblait pas avoir mis d'efforts trop soutenus pour les ramener au bâtiment. Berthe salua ses amis et demanda à Émilie si elle avait l'intention de travailler à la courte-pointe. Émilie répondit affirmativement. Berthe promit alors de revenir dès qu'elle en aurait fini avec le bain des enfants.

Ovila avait rejoint Caleb qui trayait ses vaches.

«J'ai décidé de faire ça un peu plus à bonne heure. J'espère que les vaches seront pas choquées ou mêlées. Je me suis dit que tant qu'à avoir de la visite, j'avais beau jeu de presser un peu les affaires pour qu'on prenne le temps de se payer une bonne partie de dames. Aimes-tu ça jouer aux dames?»

Caleb venait de lancer une question bien déguisée quant à la présence d'Ovila auprès d'Émilie et aussi, Ovila crut le comprendre, quant à ses intentions.

«Ma fille t'a-tu mordu la langue?»

Deuxième perche. Décidément, ce Caleb n'abandon-nait pas facilement. Ovila inspira profondément. Il avait avantage, il le comprit, à jouer franc. Il répondit que depuis l'âge de quatorze ans, il avait toujours aimé Émilie. Il avoua que le but de sa visite était de connaître ses sentiments à elle. Il raconta combien elle avait toujours été indépen-dante, «à sa place». Il insista enfin sur le fait qu'il avait toujours espéré qu'Émilie devienne sa «blonde», mais que jamais il n'avait su ce qu'elle pensait de lui.

Caleb avait écouté religieusement. Ce jeune avait du cœur au ventre, décida-t-il. Le père avait compris à quel point sa fille, son indépendante de mule, avait su garder son élève à distance. Mais il avait deviné que cette distance avait fondu, la veille.

«C'est pas nécessaire de m'en dire plus. Je connais ma fille. À partir d'astheure, j'vas te faire confiance. Elle, j'y fais déjà confiance. Rien qu'une affaire, mon jeune. Sa réputation. J'imagine que tu as à cœur sa réputation. Que tu viennes ici en soupirant, c'est correct. Mais que tu commences à soupirer près des fenêtres de son école, ça se fait pas. Ça fait que j'espère que tu vas te trouver une jobbe à Shawinigan ou aux Trois-Rivières. Ça serait le mieux.»

Ovila sourit et ne put s'empêcher de se pencher pour arracher la main de Caleb aux trayons de la vache. Il la serra énergiquement.

«Je te connais pas, mon gars. Mais j'ai pour mon dire que ma fille a du flair. Émilie sent le monde. J'espère juste que tu me feras jamais regretter ma confiance.»

Le soleil se languissait tranquillement pendant que quelques-uns de ses rayons s'accrochaient aux perches des clôtures. Les Bordeleau avaient insisté pour qu'Ovila reporte son départ au lendemain. Ovila avait sincèrement hésité avant d'accepter. Émilie s'était abstenue d'intervenir dans la discussion, ses jeunes frères ayant fait le travail à sa place. Ils avaient attaqué les épaules d'Ovila comme si elles avaient été de fortes branches qui ne demandaient qu'à être grimpées. Berthe arriva sur le coup des sept heures. La présence d'Ovila ne la surprit pas.

Caleb et Ovila attaquèrent vaillamment une partie de dames pendant que les deux filles dépliaient leur ouvrage. Berthe chuchota qu'elles faisaient probablement le premier morceau du trousseau d'Émilie. Émilie haussa les épaules et feignit de trouver la remarque déplacée. Berthe lui fit un sourire moqueur. Célina s'excusa et dit qu'elle allait se mettre au lit immédiatement, ce qu'elle fit dès qu'elle eut installé la couche d'Ovila.

La pluie chantonnait sur le toit. Émilie ouvrit les yeux et tira la langue en réponse aux grimaces du temps. Elle entendait Caleb presser la famille. Elle regarda l'heure.

Six heures et demie! Elle sauta du lit. Ils auraient à se dépêcher s'ils voulaient terminer la traite et se préparer pour la messe de neuf heures. Elle descendit dans la cuisine et chercha Ovila des yeux. Son père lui dit qu'il était à l'étable. Émilie comprit qu'il devait déjà avoir attelé son étalon, que la pluie avait ramené au bercail. Elle remonta à sa chambre, se vêtit à la hâte et sortit à la pluie battante. Elle ouvrit la porte du bâtiment. L'étalon était encore dans sa stalle.

«Ovila?

— Ici!»

Ovila trayait les vaches. Émilie éclata de rire. Elle qui avait eu la certitude qu'il était sur son départ, le trouva occupé dans des fonctions quotidiennes. Il lui expliqua que levé tôt et voyant que le mauvais temps retarderait son départ, il avait pensé donner un coup de main. Émilie le remercia et lui demanda s'il assisterait à la messe avec eux. Ovila répondit qu'il le ferait si le temps ne se dégageait pas.

Deux voitures venant de chez Caleb arrivèrent à l'église. La première, conduite par Caleb, transportait la famille habituelle. La seconde, dirigée par Ovila, Émilie et Berthe. Il n'y avait pas de paroissiens attardés devant l'église, la pluie ayant quelque peu précipité leurs dévotions. Caleb dirigea sa famille à leurs deux bancs. Ovila fermait la marche derrière Berthe et Émilie. Ils ne purent ignorer les quelques murmures qui naissaient à leur passage. Les deux filles retenaient un fou rire. Caleb passa à côté d'Elzéar Veillette et le salua de la tête. Veillette se tourna pour regarder Ovila. Émilie n'avait pas besoin de comprendre les chuchotements pour savoir ce qu'ils disaient. On s'interrogeait sur la présence d'Ovila; on se demandait qui il était. Les filles devaient le trouver beau et grand. Mais ce qu'Émilie souhaitait entendre, c'est qu'elle et Ovila formaient un beau couple.

La grand'messe fut chantée avec beaucoup de cœur à défaut de voix. Émilie chuchota à l'oreille d'Ovila que c'était Isidore Bédard, le cousin de sa mère, qui était le maître chantre. Ovila s'enfonça la tête dans les épaules, faisant un air qui voulait dire à Émilie qu'il s'en excusait. Émilie sourit. Depuis les trois ans qu'elle allait à la messe du dimanche avec Ovila, elle ne s'était jamais assise dans le même banc que lui.

Un rayon de soleil illumina le seul vitrail de l'église situé au-dessus de l'autel. Émilie et Ovila furent incapables de s'en réjouir. Ils sortirent de l'église parmi les premiers. Ovila attendit sur le perron que le cousin de sa mère descende du jubé. Il demanda à Émilie de l'identifier, certain de ne pas le reconnaître. Émilie le lui pointa discrètement. Ovila se dirigea vers lui, lui tapota l'épaule, se présenta et Isidore Bédard lui serra chaleureusement la main. Il le présenta à la ronde, ce que Caleb n'apprécia pas, ayant préféré le faire lui-même. Mais il avait d'autres préoccupations. Il tenait Elzéar Veillette à l'œil, n'attendant que le moment où ce dernier apercevrait l'étalon d'Ovila. À cause de la pluie, tous les chevaux avaient été conduits aux abris. Caleb qui, habituellement, s'attardait inconsidérément sur le perron à parler avec ses concitoyens, semblait pressé de partir. En fait, il fut le premier à aller quérir son attelage et invita Ovila à le suivre «pour pas que tu perdes de temps astheure que le soleil est revenu». Ovila lui emboîta le pas sans se douter qu'il allait être au centre d'une jolie commotion. Il suivit Caleb qui dirigea sa jument — la vieille — juste au pied des marches du balcon. Elzéar Veillette avait le dos tourné. Caleb immobilisa la voiture et invita sa famille à monter. Ovila descendit de la sienne et assista Berthe et Émilie. C'est à ce moment qu'Elzéar Veillette se tourna. Il vit l'étalon, ouvrit la bouche et la pipe lui tomba du bec, se brisant net sur le perron.

«Ha ben, *baptême!*» chuchota-t-il de façon à ne pas être entendu du curé qui venait de les rejoindre. Il descendit les marches et s'approcha de la bête. Il en fit le tour. Ovila et Émilie le regardaient faire sans s'en formaliser. Ce cheval faisait toujours son petit effet. Caleb, par contre, ne quittait pas Veillette des yeux, riant sous cape. Veillette, son inspection terminée, se dirigea vers lui d'un pas décidé. Il fulminait.

«C'est ça, Bordeleau, ton ch'val de labours?

— Non...c'est le ch'val de la visite. Pis laisse-moi te dire, Zéar, qu'il s'est pas fait prier pour servir la belle pouliche que tu m'as vendue. Si ça t'intéresse, Zéar, dans quelques années tu viendras me voir. On discutera d'un bon prix pour que l'étalon que la pouliche va me donner serve tes juments.

— Elle va te donner une jument, Caleb. Elle vient d'une lignée de juments.» Il regarda encore une fois l'étalon et se retourna vers Caleb. «Caleb Bordeleau, tu es un maudit *ratoureux!*»

Veillette, enragé, *rapailla* sa marmaille et disparut en un éclair.

Ovila prit une bouchée, accepta une collation puis quitta la maison de ses hôtes. Émilie l'accompagna. Ils marchèrent lentement, lui, tenant la bride du cheval, elle, se dandinant à ses côtés. Il lui promit qu'il l'attendrait à l'école, mais elle le pria de n'en rien faire. Elle le verrait lorsqu'elle ferait sa visite de politesse. Ils convinrent de ne parler à personne de leur relation, espérant que la rumeur mettrait quelque temps à franchir les quinze milles qui séparaient leurs villages respectifs. Ils se quittèrent le cœur bourrelé de contradictions. Émilie resta sur le bord de la route à le regarder tant qu'elle put le voir.

13.

Émilie et Berthe pleuraient à chaudes larmes. Elles se regardaient, se serraient l'une contre l'autre et éclataient en de nouveaux sanglots nés des profondeurs de leur enfance. Les parents de Berthe se tenaient à l'écart, respectant leur besoin d'intimité. Le curé, venu lui aussi à la gare assister au départ de Berthe, leur tenait compagnie. Émilie s'accrochait à Berthe. Elle lui répétait qu'elle avait compris sa vocation, mais qu'elle acceptait mal que Berthe lui ait caché que c'était le cloître qui l'intéressait. Émilie avait toujours imaginé Berthe dans l'enseignement. Elle avait toujours tenu pour acquis que la vocation de Berthe serait une espèce de prolongement de ce qu'elle quittait. Elle s'en voulait de ne pas avoir demandé à son amie le nom de la communauté qu'elle avait l'intention de joindre. Berthe, carmélite! Berthe, voilée! Berthe qu'elle ne pourrait plus jamais voir. Berthe qui, aujourd'hui, se désincarnait.

Berthe tentait vainement de la consoler. La rupture lui apparut plus que cruelle. Ses parents, elle le savait, étaient fiers d'elle mais elle savait aussi qu'ils la regardaient partir avec rien d'autre que du renoncement. Elle aurait dû consacrer deux journées entières à ses adieux, mais la peur des émotions qu'ils engendraient l'avait fait repousser ce moment jusqu'à la dernière minute.

Un long sifflement suivi d'un tintement de cloche les fit tous sursauter. Émilie s'enfouit le visage dans le creux de l'épaule de Berthe. Berthe l'étreignit une dernière fois puis la repoussa pour s'élancer dans les bras des siens. Les larmes longuement contenues étaient maintenant toutes au rendez-vous. Même le curé en écrasa une qui venait de s'échapper de son œil gauche. Toute la famille de Berthe s'agenouilla et il les bénit. Émilie resta debout mais se signa. Berthe monta sur la première marche d'un des wagons, tenant une seule petite valise. Émilie se rapprocha, lui souffla un baiser, tourna le dos et s'éloigna avant que le train ne se mette en branle. Elle l'entendit siffler à deux reprises. Elle entendit aussi la locomotive cracher sa vapeur. Elle entendit le crissement des roues sur les rails clairsemés d'herbe. Puis les sons s'éloignèrent. Elle devina l'effort des roues motrices. Elle devina aussi à quelle distance le train devait être rendu. Elle courut jusqu'à la voiture que son père lui avait prêtée, y grimpa résolument et conduisit à l'aveuglette jusqu'à l'endroit de la rive où elle et Berthe avaient passé tant d'heures de leur enfance et de leur adolescence. Son irremplaçable Berthe. Elle l'avait certes un peu négligée depuis qu'elle habitait Saint-Tite, mais Berthe n'avait jamais douté de son amitié.

Émilie se coucha sur le tronc pourri, regardant le ciel que les nuages avaient épargné pour la journée. Elle prit conscience qu'elle ne connaissait de Berthe que ce que Berthe lui avait permis de connaître. Berthe, carmélite! Émilie sanglota à nouveau. Berthe à plat ventre devant toute la communauté si elle faisait quelque chose de répréhensible. Berthe qui avait choisi de ne pas avoir d'amoureux mais qui avait offert toute sa complicité aux amours récentes d'Émilie. Berthe, carmélite! Incapable de sortir de ses quatre murs. Incapable même de visiter Montréal qu'elle allait habiter. Une sœur cachée. Une femme qui ne sédui-

rait plus avec son sourire à fossettes. Une ourse qui a décidé
d'hiberner pour le restant de ses jours.

Émilie eut mal à son âme d'enfance pendant trois
longues heures. Elle reprit finalement la direction de sa
maison. Caleb et Célina devinèrent son chagrin. Émilie se
priva de souper et s'isola. Son besoin fut respecté. Elle
bourra énergiquement ses valises, y mettant d'abord la
courtepointe qu'elles n'avaient terminée que deux jours plus
tôt. Elle s'y fourra le nez et chercha une goutte de sang
que Berthe avait laissée en se piquant au pouce. Elle ne la
trouva pas.

14.

La rentrée scolaire s'était faite sans heurts. Émilie avait retrouvé sa petite école et se l'était enfilée sur l'âme comme elle enfilait une robe confortable. Elle avait essayé de reporter au lendemain de son retour sa classique visite chez les Pronovost mais elle en avait été incapable, l'impatience lui rongeant les os jusqu'à la moelle. Ovila et elle avaient joué de discrétion. Elle s'était même étonnée de la facilité avec laquelle ils avaient tous les deux mis en veilleuse le langage de leurs yeux. Félicité était gonflée par sa maternité au-delà de toute attente. Jamais elle n'avait porté un enfant si lourd et si encombrant. Elle accusait son âge de rendre la chose si difficile.

Émilie, comme à chaque année, avait accueilli ses nouveaux élèves avec empressement, convaincue que la première journée d'école était déterminante. Charlotte était revenue. Émilie lui trouva les traits tirés.

Le mois de septembre venait à peine de prendre son élan. Les élèves avaient quitté l'école un peu plus tôt, permission accordée en raison du temps magnifique. Émilie s'affairait à corriger les travaux rédigés en classe quand Ovila arriva, à bout de souffle. Il entra dans l'école en coup de vent, fit des yeux le tour de la classe pour s'assurer qu'Émilie était seule. Il s'avança alors vers elle sans dire un mot, lui prit la main et l'obligea à monter dans sa chambre. Émilie fronça les sourcils. Elle n'aimait pas cela. Si une personne, une seule personne, choisissait ce moment pour venir la visiter, elle en serait quitte pour refaire ses valises. Prenant les devants, elle monta à la hâte, se retourna uniquement quand elle fut rendue en haut, prête à faire des reproches à Ovila quand elle remarqua son visage défait.

«Qu'est-ce qui se passe?» parvint-elle à chuchoter devant le chagrin évident d'Ovila.

«C'est ma mère, Émilie. Mon père a demandé à Edmond d'aller chercher le docteur parce que la sage-femme vient pas à bout de sortir le bébé. Ma mère est tellement faible qu'on a peur que le cœur flanche.» Il n'en dit pas davantage, craignant de noyer ses paroles.

Émilie figea puis, se ressaisissant, se dirigea vers chacune des fenêtres afin de s'assurer qu'il n'y avait personne en vue. Elle revint vers Ovila, l'invita à s'asseoir sur le lit, lui prit doucement la tête qu'elle déposa sur sa poitrine.

Ovila ne resta à l'école que le temps d'étouffer une peine qui lui pesait au cœur. Émilie avait réussi à le calmer, le rassurant comme elle le put. Sa mère donnait naissance à son treizième enfant. Son corps y était habitué. Il ne devait pas s'inquiéter. Ovila s'en retourna le cœur allégé. Émilie, il le comprit, lui faisait le même effet que la potion que le médecin donnait à son frère Ovide pour calmer ses accès de toux. Émilie, elle, calmait ses accès de peur et de chagrin.

15.

Dosithée avait appris la grossesse de sa femme pendant qu'il était au lac Pierre-Paul. Il s'était promis de lui faire la surprise de mettre en chantier une maison plus grande. L'annonce de l'arrivée inopinée de ce nouvel enfant et la maladie d'Ovide qui s'était déclarée moins de deux mois plus tard l'avaient raffermi dans cette décision. Lorsqu'il était rentré du chantier et qu'il avait vu ses filles contraintes de dormir dans le salon, il s'était empressé, à l'insu de sa femme, d'aller discuter avec le père Mercure de l'achat d'une partie de sa terre. Le père Mercure avait durement négocié cette vente, sachant qu'il vendait afin de pouvoir vivre ses vieux jours au village, chez une de ses filles. Sa femme ne lui ayant pas donné de fils, il s'était retrouvé seul à la mort de cette dernière. Il avait déjà vendu quelques arpents à Dosithée, mais il avait nourri l'espoir, bien utopique, que ses petits-fils vieilliraient plus rapidement que lui-même. Il avait atteint l'âge où un homme cédait ses biens à ses héritiers alors que l'aîné de ses petits-fils n'avait que dix ans. Résigné, il avait cédé à Dosithée. Il l'avait fait sans remords, sachant que sa terre serait bien entretenue par les fils Pronovost.

L'acte de vente avait été dûment notarié. Le père Mercure avait cédé ses terres «d'en haut» à Dosithée et celles «d'en bas» à un autre acheteur qui voulait sa maison et les bâtiments. Dosithée avait amené Edmond avec lui, comme témoin, en lui faisant jurer de ne pas parler de la transaction à sa mère. En cachette, il avait fait porter les matériaux là où il avait l'intention de construire la maison. Ses fils, maintenant tous au courant de l'affaire, venaient, mine de rien, l'aider à monter la charpente quand le temps n'était pas assez clément pour travailler aux champs. Félicité, à qui il était habituellement impossible de cacher quoi que ce soit, n'avait rien vu. Sa grossesse difficile, la maladie d'Ovide et quatre arpents dont deux semi-boisés, lui avaient ménagé la surprise. Ne sortant plus de la maison, pas même pour assister à la messe, elle n'avait jamais vu le chantier. Dosithée, convaincu que cet enfant serait leur dernier — comme il l'avait d'ailleurs été à la naissance de Télesphore — avait décidé d'offrir à sa femme la maison qu'elle avait toujours souhaitée mais qu'elle n'avait jamais osé demander. Une maison avec une grande cuisine, un salon et deux chambres à coucher au rez-de-chaussée et quatre chambres à l'étage, sans parler d'un immense placard de cèdre. Dans leur présente maison, c'est ce placard que Félicité avait sacrifié pour y installer Ovide et permettre aux filles de retourner dans leur chambre. Maintenant, Dosithée en convenait, la famille était trop à l'étroit. La nouvelle maison, il le savait, ne serait pas prête avant l'été suivant, ce qui donnerait à Félicité le temps de préparer le déménagement.

Félicité n'avait encore rien appris lorsqu'elle ressentit, en pleine nuit, les premières douleurs de l'accouchement. Elle attendit le matin avant d'avertir la sage-femme. Cette dernière était arrivée aussitôt prévenue. Félicité était dans sa chambre et s'étonnait du mal qu'elle ressentait. Ce mal était le plus aigu qu'elle eut enduré depuis ses trois premiers accouchements. Elle avait perdu trois enfants avant la naissance d'Ovide. Ces enfants morts-nés l'avaient inquiétée sérieusement quant à son avenir de mère. Dosithée l'avait encouragée, blâmant sa petite taille pour tous les problèmes. L'arrivée d'Ovide avait réconcilié sa mère avec la vie, à tel point qu'elle avait par la suite donné naissance à un enfant chaque année ou presque.

La sage-femme venait de l'examiner. Félicité avait remarqué son froncement de sourcils.

«J'aime autant être bien franche avec vous, madame Pronovost, mais à moins que je me trompe, il y a quelque chose de pas correct. Le bébé m'a l'air trop haut pis le passage m'a l'air prêt. On va attendre un peu pour voir.»

Félicité prit son mal en patience. La sage-femme l'examina à nouveau et fronça encore les sourcils. Dosithée la demanda, trouvant anormal le temps que sa femme mettait à accoucher. La sage-femme lui expliqua que le bébé arrivait par les pieds. Qu'elle n'aimait pas du tout l'allure que prenait l'accouchement. Dosithée lui demanda de faire tout ce qu'elle pouvait.

De retour au chevet de Félicité, la sage-femme lui demanda de se coucher sur le ventre, épaules bien calées dans l'oreiller, tête tournée sur le côté, et de se tenir sur les genoux pliés, fesses en l'air. Connaissant toute l'expérience de la sage-femme, Félicité avait obéi, tenant quand même à préciser qu'elle n'avait jamais accouché dans cette position. La sage-femme lui expliqua qu'on lui avait déjà dit que si le bébé ne voulait pas se tourner, il fallait tourner la mère. Félicité, aux limites de l'endurance, était demeurée dans son inconfortable position jusqu'à ce qu'elle sente glisser le bébé et en avise la sage-femme. Cette dernière avait soupiré et avait aidé Félicité à se recoucher sur le dos.

«Je dirais qu'astheure le p'tit va se montrer le pignon de la tête.»

Mais il n'en fut rien. Félicité demanda de l'eau tant elle transpirait. La sage-femme lui en donna. Dosithée

frappa encore à la porte. Il s'inquiétait. Il demanda discrètement s'il devait aller chercher le médecin. La sage-femme
lui répondit que oui. Dosithée demanda à Edmond d'aller
le chercher. Ovila sortit pour aller voir Émilie et chercher
réconfort. Il avait les oreilles emplies des halètements et
des gémissements que la porte bien close ne réussissait pas
à assourdir.

Le médecin était venu aussitôt que possible. Il assistait
une autre femme quand Edmond l'avait rejoint. Dès qu'il
avait pu se libérer, il était arrivé chez Dosithée et était
entré à la hâte. Il avait discrètement interrogé la sage-
femme, avec laquelle il était habitué de travailler.

«Le cordon, docteur. Au moins trois tours. Moi, j'ai
réussi à en défaire juste un.»

Le médecin demanda à Félicité de patienter un peu,
le temps qu'il l'examine. Félicité avait répondu faiblement
qu'elle n'avait plus grand choix. Elle demanda l'heure. Le
médecin sortit sa montre et lui dit qu'il était huit heures.
Elle compta mentalement que le travail était commencé
depuis vingt et une heures. Elle savait qu'un bébé n'avait
pas autant de patience. Le médecin avait enlevé son veston
et retroussé encore une fois ses manches de chemise blanche tachée du sang de sa dernière patiente. Il regarda la
sage-femme en hochant la tête. Cette dernière lui indiqua
la porte du menton. Il fit un signe d'assentiment. Il se leva,
tapota la joue de Félicité pour l'encourager et lui dit qu'il
la quittait pour quelques instants, le temps de prendre un
bon verre d'eau. Il sortit de la chambre et se dirigea vers
Dosithée.

«Monsieur Pronovost, est-ce que je pourrais vous
parler?»

Ce dernier, agenouillé, la tête baissée, en prière, avait sursauté, s'était levé et avait invité le médecin à le suivre au salon. Le médecin expliqua au père déjà grisonnant que le mère souffrait terriblement, que son pouls était très bas et qu'il entendait à peine le battement du cœur du bébé. Il lui faudrait des forceps. Dosithée ne savait pas ce qu'étaient des forceps. Le médecin le lui expliqua, précisa qu'il ne les avait encore jamais utilisés, mais qu'aujourd'hui, il ne croyait plus avoir de choix. Se raclant la gorge, il demanda à Dosithée s'il devait essayer de sauver la mère ou l'enfant. Dosithée blêmit. Il avait déjà entendu raconter de ces histoires où un homme devait devenir Dieu et décider de la mort d'une personne. Il savait que l'Église demandait de sauver l'enfant. Il pleura, dos tourné.

«Sauvez ma femme, docteur.»

Le médecin n'avait pas réagi. Il s'était attendu à une autre réponse mais il comprenait Dosithée. Trop d'enfants, dans cette famille, avaient encore besoin de leur mère. Il mit la main sur l'épaule de Dosithée. Dosithée s'était affaissé dans une des chaises du salon, et avait prié Edmond d'aller chercher le curé. Edmond était parti à vive allure.

Le médecin était à nouveau au chevet de sa patiente. Il demanda à la sage-femme de tenir la tête de Félicité et de lui donner un peu d'alcool. Il espérait, ainsi, l'empêcher de voir les forceps qu'il s'apprêtait à sortit de sa trousse. Félicité eut vaguement conscience qu'elle buvait. Elle voulait en finir. Le médecin demanda ensuite à la sage-femme de l'aider à installer Félicité au pied du lit. Félicité n'offrit aucune résistance. Elle ne sentit même pas qu'elle avait deux oreillers sous les reins et que ses jambes ballottaient au pied du lit. Le médecin avait approché une chaise et une lampe. Il s'était signé avant d'introduire les forceps. La sage-femme avait aussi fait le signe de croix, impressionnée par ces «pinces à glaces» médicales. Félicité poussa un hurlement, ranimée par le feu que le médecin venait de lui entrer dans le ventre. Dosithée décida qu'il était temps qu'il soit aux côtés de sa femme et entra dans la chambre. Les enfants pleuraient, impressionnés par le cri qu'ils venaient d'entendre.

Dosithée s'agenouilla à côté du lit et prit la frêle main de Félicité dans les siennes. Le médecin, nerveux, avait retiré les forceps et décidé de donner une injection de morphine à la mère maintenant presque inanimée. Il n'aimait pas cette drogue, convaincu qu'une femme devait enfanter dans la douleur comme le disaient les Écritures, mais il venait d'atteindre les limites de ses croyances. Il attendit que le médicament fasse effet puis réintroduisit les forceps, regardant leur lente progression à l'intérieur d'une chair blanchie d'avoir été étirée. Il avait repéré la tête du bébé et la tenait doucement mais fermement. Il priait tant il craignait de lui crever un œil ou de perforer la fontanelle. Il eut l'impression d'avoir suffisamment de prise et commença prudemment à tirer l'enfant . Il demanda à la sage-femme d'appuyer sur le ventre à toutes les trente secondes de façon à aider le bébé. Félicité n'avait plus de contractions. Dès que la sage-femme exerçait une pression, le médecin tirait l'enfant à lui. L'enfant mit vingt minutes à sortir de sa prison. Le médecin tenta, aussitôt qu'il le put, de dégager le cordon. À son grand étonnement, le bébé bougea et émit presque un son. Félicité ouvrit un œil puis le referma.

Dosithée observait maintenant le médecin de très près, étonné lui aussi que l'enfant fût vivant après s'être fait tirer avec des pinces. Le médecin dégagea complètement l'enfant, coupa le cordon à toute vitesse et frappa le nouveau-né sans hésitation. L'enfant, visiblement, ne pouvait respirer. Le médecin lui pinça les talons, lui tapa les fesses et le dos. L'enfant ne respirait toujours pas. Félicité, heureusement, n'avait plus conscience de ce qui se passait.

Le curé venait d'arriver. Il frappa à la porte de la chambre et entra sans attendre de réponse. Il comprit la scène d'un coup d'œil, enfila son étole sans prendre le temps de la baiser et se dirigea vers le lit. Pendant que le médecin s'acharnait encore à faire respirer le bébé, le curé aspergea la petite chose violacée et inerte. Dans son énervement, il utilisa beaucoup trop d'eau. Le bébé réagit à cette douche froide et s'agita. Le médecin s'empressa de le poser sur une commode. Le bébé gémit doucement puis poussa un cri. Le médecin crut que le cœur allait lui sortir de la poitrine tant il était excité à l'idée d'avoir sauvé et la mère et l'enfant. Après son cri, le bébé retomba dans un état de totale inanition. Le médecin recommença à lui pincer les talons. Le bébé murmura mais ne cria plus.

Cependant, le curé administrait les derniers sacrements à la mère dont le teint cireux lui faisait craindre le pire. Le médecin n'avait pas encore eu le temps de s'occuper d'elle tant il était affairé avec le nouveau-né. Il le confia à la sage-femme et revint vers Félicité. Le curé s'éloigna pour lui dégager les abords du lit. Dosithée priait en silence, les yeux grands ouverts, craignant que la mort ne figeât les traits de sa femme. Il entendit de vagues gargouillis mais ne tourna pas la tête pour voir l'enfant. Il aurait bien le temps de le regarder.

Félicité n'avait pas repris conscience et n'avait pas expulsé le placenta. Le médecin fit un rapide examen et comprit qu'il était collé. Le curé avait quitté la chambre pour prier avec les enfants. Le médecin regarda Dosithée et soupira. Il tenterait l'impossible pour la sauver mais il avait rarement vu des mères survivre à tant de problèmes. Dosithée l'encouragea. Le médecin tenta une première fois d'extraire le placenta. Rien ne vint. Il prit le pouls de la mère et décida de la laisser reposer quelques minutes et de voir comment était le bébé. D'un signe de tête, la sage-femme lui fit comprendre qu'il n'y avait plus de bébé. Il revint vers Félicité, suivi de la sage-femme qui avait couvert le petit corps sans vie.

«Vous allez pousser comme tantôt. Avec de la chance, ça va sortir.»

À eux deux, ils réussirent. Ils tremblèrent d'épuisement et de tension. Dosithée, plus mort que vif, n'avait pas eu l'énergie d'avoir peur.

16.

Émilie s'était assise à la fenêtre, curieuse et inquiète. Elle vit accourir le médecin. Puis elle fut témoin du départ d'Edmond. Sa poitrine se serra quand elle l'aperçut revenir avec le curé.

La nuit cacha à Émilie les détails du drame qui se jouait chez les Pronovost. Elle distingua des silhouettes qui sortaient de la maison. Elle crut reconnaître la sage-femme. Puis le curé, en compagnie de Dosithée. Depuis combien de temps était-elle là à essayer de comprendre une histoire que personne ne pouvait lui raconter? Elle regarda l'heure. Minuit. Elle demeura rivée à sa fenêtre pendant encore quelques heures. Tant pis pour la fatigue du lendemain, les enfants n'auraient qu'à rester calmes. Après tout, le vendredi n'était pas une journée trop longue.

À trois heures, elle décida d'abandonner son poste d'observation et de dormir un peu. Elle n'avait pas encore vu sortir le médecin mais c'était probablement parce qu'il avait décidé de passer la nuit au chevet de la mère. C'était peut-être aussi qu'il voulait veiller sur l'enfant. Émilie eut peur. La visite du curé l'avait terrorisée. Qu'est-ce qui n'allait pas? Qui est-ce qui n'allait pas? La mère? L'enfant? Les deux? Elle se refusa à penser que quelque chose aurait pu tourner au malheur. Non! Madame Pronovost, quoique petite, était une femme solide. Une femme en santé. Rien de malheureux ne pouvait arriver à madame Pronovost. Si une femme comme madame Pronovost ne pouvait accoucher sans problèmes, alors aucune femme ne pouvait accoucher.

Émilie se dévêtit en pleurant, se glissa sous ses couvertures comme une somnambule et se frotta les pieds l'un contre l'autre comme elle le faisait toujours lorsqu'elle avait mal. Ce soir, elle avait mal à son corps qui lui criait qu'elle aussi était une femme qui aurait des nuits à vivre dans le déchirement de ses entrailles. Elle avait mal à son cœur d'aimante qui battait au rythme de l'angoisse qu'elle soupçonnait dans le cœur d'Ovila. Elle avait mal à son âme de petite fille apeurée de ce qu'elle pourrait apprendre au matin. Berthe...j'ai encore mal...Ses pieds s'agitèrent frénétiquement pendant quelque temps puis se calmèrent. Ses sanglots se muèrent lentement en un souffle saccadé qui caractérisa les quelques heures de sommeil qu'elle put s'accorder.

À l'aube, elle s'éveilla en sursaut. Elle courut à la fenêtre. La voiture du médecin était partie. La maison semblait calme. Trop calme, pensa-t-elle. Un calme de mort, qu'elle refusa d'envisager. Elle retourna s'étendre, prit le temps de prier comme elle ne l'avait pas fait depuis longtemps, appelant Berthe à son secours. Elle pria dans une espèce de demi-sommeil, mêlant les mots de sa prière à ceux de ses rêves. Elle s'éveilla enfin, les yeux bouffis de larmes et de veille. Elle s'aspergea le visage d'eau glacée, se vêtit rapidement et descendit chauffer l'eau de son thé. Elle décida de corriger les dernières copies de devoirs qu'elle avait mises de côté la veille à l'arrivée d'Ovila.

Elle n'avait pas réussi à corriger une seule copie, le nez trop souvent rivé à la fenêtre, lorsqu'elle vit Ovila se diriger vers l'école. Elle comprit, à sa démarche, qu'il avait les épaules lourdes d'affliction. Elle sortit de l'école et marcha lentement à sa rencontre. Il la vit mais n'accéléra pas le pas. Ils marchèrent suivant tous deux une même cadence, soulevant les épaules ensemble, avançant un pied, puis l'autre, mus par une même mécanique. Émilie eut l'impression qu'ils n'arriveraient jamais à se rejoindre tant ils marchaient lentement. Elle aurait voulu courir mais les yeux et le dodelinement de la tête d'Ovila semblaient l'exhorter au calme. Ils se rencontrèrent enfin à mi-chemin de l'école et de la maison des Pronovost. Ils s'immobilisèrent, tous les deux prisonniers d'un long et insupportable face à face. Les yeux d'Émilie questionnaient ceux d'Ovila. Les yeux d'Ovila taisaient ce qu'Émilie y cherchait. Elle trouva enfin la force de parler.

«Veux-tu prendre un thé à l'école?

— Non, j'aimerais mieux qu'on marche dans la Montée.»

Émilie hésita, puis se rappela qu'elle s'était levée assez tôt. Elle disposait de quelques minutes. Ils marchèrent côte à côte jusqu'au haut de la colline, là où le chemin faisait un virage et leur cachait enfin la vue de l'école et des maisons voisines. Ovila s'arrêta net, prit Émilie par le bras, l'obligeant à s'immobiliser. Il l'attira vers lui puis, l'enserrant dans des bras soudainement faibles, il éclata en sanglots. Émilie frémit. Elle s'abstint de l'interroger, trop craintive à la perspective des réponses qu'elle pouvait obtenir. Le malheur d'Ovila la toucherait bien assez vite. Il resta accroché à ses épaules pendant un interminable moment, puis après s'être dégagé, il se moucha violemment avant de dire à Émilie que sa mère avait reçu les derniers sacrements et que le curé avait baptisé le bébé de justesse avant qu'il n'expire.

«Marie-Anne, Émilie. Une grosse fille qui a vécu un peu moins de dix minutes. Toute une vie hein...»

Il se tut, ayant l'impression d'avoir tout dit. Émilie osa enfin demander comment se portait la mère.

«Le docteur est parti de bonne heure à matin. Si moman passe la journée, elle sera probablement correcte.»

Il interrompit sa phrase et sa pensée. Émilie avait compris. Une longue journée en perspective. Elle lui serra la main, s'excusa de devoir le bousculer mais lui expliqua qu'il était temps qu'elle retourne à l'école. Ovila se retourna, furieux.

«Ma mère agonise pis tu trouves rien de mieux à me dire que tu dois aller travailler? Bonyeu, t'as-tu une roche à place du cœur? Tu pourrais pas rester avec moi quand j'ai besoin que tu restes?»

Déchirée, Émilie tourna les talons et s'enfuit à la course. Ovila n'eut même pas le temps de l'arrêter. Elle l'entendit lui demander de l'attendre mais elle n'en fit rien.

«Tu es pas une femme, Émilie, tu es un cerveau sans cœur!»

La journée fut longue et triste. Aucun des enfants Pronovost ne s'était présenté en classe. Elle permit à ses élèves de quitter tôt. Elle ne tenait plus debout, drainée par son manque de sommeil et par sa peine. Elle rangea la classe méticuleusement, préférant nettement occuper ses mains plutôt que de permettre à son esprit de divaguer. Elle attendait Ovila, certaine qu'il avait vu les enfants quitter l'école. Il ne vint pas. Son absence lui fit craindre le pire.

Émilie trompa son attente jusqu'au coucher du soleil. N'y tenant plus, elle décida d'aller s'informer. Elle sortit de l'école et marcha résolument en direction de la maison des Pronovost. Mais elle s'arrêta. Et si elle arrivait pendant que la mère rendait son dernier souffle? Elle décida de frapper à la porte des Joseph-Denis. Ils devaient sûrement être au courant.

La mère Joseph-Denis, madame Virginie, lui ouvrit, un tablier bleu épinglé sur son tablier blanc. En d'autres circonstances, Émilie aurait souri à cette manie qu'elle avait de protéger son tablier propre par un tablier sale. La mère Virginie l'invita à entrer et à s'asseoir. Émilie accepta en jetant un coup d'œil circulaire dans la cuisine. Elle n'était jamais entrée dans cette maison, mais elle avait entendu dire qu'elle était tenue de façon impeccable. Elle fut impressionnée par les lieux, et oublia même pour quelques instants l'objet de sa visite. Pas un grain de poussière. Pas une petite motte de boue à l'entrée de la porte arrière. Un plancher ciré comme un plancher de salon. Une table recouverte d'une nappe repassée et empesée. Elle coupa court à ses réflexions quand madame Pronovost lui demanda si elle avait eu les dernières nouvelles. Émilie lui avoua qu'elle n'en avait eu aucune depuis le matin. Elle s'arrêta quelques secondes, le temps de voir si elle avait sonné une alerte en disant qu'elle avait eu des nouvelles le matin. Ne discernant aucune réaction, elle demanda s'il y avait eu des développements. La mère Virginie lui sourit et lui annonça que sa belle-sœur se portait bien, compte tenu des circonstances évidemment, qu'elle avait mangé le midi et le soir et qu'il semblait bien que l'extrême-onction avait, encore une fois, fait des miracles. Émilie ferma les paupières et soupira. Un long soupir de soulagement. Elle se leva enfin, légère, ranimée, les remercia tous, les complimenta sur la maison et reprit le chemin de l'école.

Elle s'assit longtemps dans sa berceuse et attendit l'arrivée d'Ovila. Il devait probalement être retenu par ses corvées. Elle commença à s'inquiéter quand le soleil fut couché depuis assez longtemps pour avoir endormi les animaux. Elle alluma ses lampes et attendit encore. Elle attendit jusqu'à ce qu'elle vît s'éteindre toutes les lumières chez les Pronovost, sauf celles d'un bâtiment.

Les nuages voilèrent le soleil, jetant une ombre sur les visages déjà gris de Dosithée et de ses enfants. Plusieurs personnes avaient assisté à la cérémonie des Anges. On mettait en terre le petit cercueil blanc qu'Ovila avait fabriqué pendant la journée du vendredi et la nuit qui avait suivi. Félicité étant alitée, le curé avait proposé que le bébé ne soit exposé que le matin du samedi et enterré l'après-midi même. Émilie n'avait pas été avisée. Elle n'assista donc pas à l'enterrement, pensant qu'il aurait lieu le lundi.

Elle était au village à faire ses courses quand elle vit le corbillard revenir du cimetière. Elle vit ensuite la famille Pronovost retourner au Bourdais. Elle demeura figée à la fenêtre de la vitrine du magasin général, d'abord étonnée en comprenant la situation, puis chagrinée qu'Ovila n'ait pas eu besoin de sa présence, aussi discrète fût-elle.

17.

Un mois de novembre rempli de froidure avait succédé
à un trompeur octobre qui avait fait croire que l'été pouvait
ne pas avoir de fin. Madame Pronovost s'était remise de
ses pénibles couches à la surprise non avouée du médecin
et de la sage-femme. Elle avait accompagné son mari au
cimetière visiter cet enfant qu'elle n'avait jamais vu. Marie-
Anne dormait paisiblement à côté de ses trois frères. Félicité avait serré le bras de son mari en lui disant combien
elle regrettait qu'ils aient eu à enterrer les trois premiers
et le dernier de leurs enfants. Dosithée avait répondu qu'il
n'avait jamais compris les intentions du Créateur, mais qu'il
Lui était reconnaissant de lui avoir permis, à elle, de
demeurer parmi eux. Il n'avait jamais raconté à Félicité
tous les détails de l'accouchement, se contentant de lui
expliquer que le médecin avait utilisé des pinces pour aller
chercher le bébé et que le bébé, s'il avait pu, aurait survécu
sans problèmes. Le médecin lui avait certifié que le bébé
était mort de ne jamais avoir su respirer seul. Ce n'étaient
pas les forceps qui l'avaient tué.

Dosithée avait voulu effacer de sa mémoire le dilemme
posé par le médecin. Il ne l'avait jamais avoué à sa femme.
Il avait tenté de chasser, à grands coups de pipées et de
réflexions, le son des gargouillis de l'enfant cherchant son
souffle. Il avait essayé d'oublier qu'il ne s'était pas levé pour

aller le voir, croyant l'enfant en vie et en forme. Lui non plus n'avait jamais vu l'enfant de son vivant. Il le regrettait amèrement, troublé à l'idée qu'il aurait peut-être pu faire quelque chose, ne fût-ce que lui donner la bénédiction paternelle comme il l'avait fait pour ses trois premiers fils.

Félicité et lui avaient quitté le cimetière, chacun s'appuyant sur le bras de l'autre, jetant un dernier coup d'œil au minuscule renflement de terre qui protégeait Marie-Anne du froid et de la vie. En revenant à la maison, Dosithée s'était enfin décidé à parler de l'achat de la terre du père Mercure. Depuis l'accouchement, il n'avait pas voulu ajouter un seul clou à la structure de la nouvelle maison. Il avait conduit sa femme devant l'ossature décharnée et elle était demeurée impassible. Dosithée lui dit qu'il la terminerait dès qu'il le pourrait. Félicité s'était contentée de hocher la tête. Elle n'en croyait pas un mot. Dosithée non plus. Il avait fait son deuil de cette maison. La charpente tenait, solidement arrimée à la terre. Les murs du premier étage étaient complètement montés. Félicité pouvait deviner la porte principale, la porte latérale et les fenêtres. Tout s'était arrêté au plancher de l'étage, que le vent et la pluie avaient à plusieurs reprises balayé et nettoyé de toute sciure. Félicité, suivie de Dosithée, avait quand même fait le tour de la maison. Elle lui avait finalement souri et l'avait remercié d'avoir pensé à elle. Dosithée s'était contenté d'émettre un grognement.

Félicité n'avait plus reparlé de la maison, si ce n'est pour taquiner ses fils d'avoir si bien gardé le secret. Ces derniers, encore ébranlés par la peur qu'ils avaient eue de perdre leur mère et l'émoi qu'ils avaient ressenti d'enterrer une sœur, n'avaient pas commenté.

Le mois de décembre, malgré les réjouissances promises, n'avait pas réussi à faire pénétrer de rires dans les maisons du Bourdais. Émilie, assise dans sa chambre, surveillait la cuisson de cretons qu'elle s'était presque obligée à faire mijoter. Elle n'avait envie de rien. Depuis la journée de l'enterrement, elle n'avait plus revu Ovila. Elle avait su, au hasard des conversations de ses frères, qu'il avait quitté le village pour aller travailler à Shawinigan ou «quelque part dans ce bout-là». Elle avait attendu quelques semaines avant de visiter madame Pronovost et s'était réjouie de voir qu'elle se portait bien. Félicité lui avait confirmé le départ d'Ovila.

Émilie allait souvent à la poste, espérant toujours recevoir des nouvelles d'Ovila. Son espoir fut vain. Elle comprit qu'il ne lui avait probablement pas pardonné le fait qu'elle l'ait laissé à sa solitude ce fameux matin... Elle regrettait son entêtement à rentrer à l'école, mais elle savait aussi qu'elle n'avait pas eu de véritable choix. Depuis, elle avait passé de nombreuses soirées à s'essuyer les yeux, secouée par une peine qu'elle voulait sans fondements réels. Il aurait été si simple qu'elle et Ovila puissent reparler de cette journée. Ovila n'avait pas semblé du même avis. Elle écrivit à Berthe et lui raconta tous les malheurs qui avaient frappé la famille Pronovost. Elle avait terminé sa lettre en disant «qu'un de leurs fils, Ovila, avait tellement été ébranlé qu'il avait quitté le village sans en aviser personne». Elle était certaine que Berthe comprendrait. Elle n'avait pu relater dans les détails la scène qu'ils avaient eue, se contentant de dire que ce même fils, son ancien élève, était venu la voir pour chercher «réconfort et bonne parole» et lui demander de prier. Ne sachant trop comment décrire son attitude à elle, elle s'était contentée d'écrire qu'elle «n'avait pu lui accorder toute l'attention désirée, étant donné qu'elle devait être en classe pour l'arrivée des enfants».

Berthe avait compris le message d'Émilie et lui avait écrit une longue lettre pour la consoler. Elle avait fait allusion à l'«enfant prodigue» en termes tellement discrets qu'Émilie dut relire la lettre à plusieurs reprises pour

comprendre que Berthe lui disait qu'il reviendrait sûrement et qu'ils pourraient tous les deux s'expliquer. Berthe,
dans son silence, avait entendu les cris du cœur d'Émilie.

Émilie était allée dans sa famille pour le temps des
Fêtes. Exceptionnellement, elle n'avait montré aucune
envie de rentrer à Saint-Tite. Elle avait commencé l'année
1899 sans prendre conscience qu'elle était témoin de la fin
d'un siècle. L'hiver avait encore une fois cédé le pas au
printemps et Émilie avait espéré qu'Ovila revienne du
chantier. Il ne revint pas. Elle avait centré toutes ses énergies sur son enseignement, préparant ses élèves à une fin
d'année sans heurts pour la visite de l'inspecteur. Fidèle à
ses habitudes, ce dernier était venu, poussiéreux, par une
journée chaude et humide de juin. Il s'était efforcé d'arriver
plus tôt de façon à pouvoir passer l'après-midi entier dans
la classe d'Émilie. Elle avait compris qu'il en serait toujours
ainsi et n'avait pas abandonné sa coquette gentillesse.

Le soleil tapait aussi dru que possible quand il était
arrivé. Henri Douville avait commencé sa visite comme il
le faisait toujours, soit en lisant tous les cahiers qu'Émilie
mettait à sa disposition. Elle n'avait plus oublié de préparer
un plan de la classe. Elle s'était même permis d'indiquer
lesquels de ses élèves excellaient dans les différentes
matières. Elle avait compris que l'inspecteur Douville ne
tenait pas particulièrement à interroger les élèves qui
connaissaient des difficultés. Henri Douville faisait son
travail honnêtement. Il détestait ses pairs qui jugeaient
trop sévèrement une institutrice en interrogeant les élèves
au hasard. Henri Douville, lui, avait un jour décidé que
l'école était faite pour apprendre et il connaissait les difficultés éprouvées par les enfants qui voulaient y être de
façon assidue. Les parents, selon lui, ne les encourageaient
pas suffisamment, n'ayant pas compris ce que lui, Douville,
avait compris. L'instruction deviendrait une nécessité. À

preuve, les frères Saint-Gabriel avaient entrepris depuis quelques mois la construction d'un collège à Saint-Tite même. Henri Douville avait eu le privilège d'étudier dans un collège et il espérait que quelques-uns des élèves assis devant lui voudraient en faire autant. Aussi se gardait-il de décourager la moindre ambition.

Comme à chaque année, les élèves d'Émilie avait fort bien passé l'examen. Cette institutrice méritait vraiment beaucoup d'éloges et il ne se gênait pas pour la complimenter. Il aurait trouvé déplacé de lui dire qu'il aimait toujours la rencontrer. En revanche, il trouvait correct de le lui faire savoir par des attentions toutes particulières. Il l'avait chaudement recommandée à chaque année pour qu'elle obtienne la prime d'enseignement, mais sa candidature n'avait jamais été retenue.

Les enfants avaient quitté l'école depuis une quinzaine de minutes lorsqu'un orage éclata. Douville fut forcé d'attendre que le tonnerre se taise et que la pluie se calme. Émilie avait souri au «malheur» du pauvre inspecteur, l'avait candidement invité à partager son repas, ce qu'il avait accepté avec empressement. Émilie avait donc préparé une salade qu'elle avait servie avec des tranches de rôti de bœuf froid. Ils s'étaient installés dans ses locaux et Émilie s'apprêtait à afficher son air intéressé lorsque Douville lui demanda si elle avait déjà voyagé.

«De quel genre de voyage parlez-vous?»

Douville lui dit qu'il parlait de voyages importants, aux États-Unis ou même en Europe. Émilie durcit son regard. Douville la connaissait depuis près de cinq ans et il savait bien qu'elle n'avait franchi que la route reliant Saint-Tite à Saint-Stanislas avec, il était vrai, une courte excursion à Trois-Rivières pour ses examens du gouvernement.

«Vous savez ben, monsieur l'inspecteur, que j'ai jamais voyagé.»

Douville mastiqua lentement. Il avait demandé une serviette de table à Émilie et l'utilisait après chacune de ses bouchées. Émilie le regardait faire, consciente tout à coup qu'il avait de belles manières. Elle l'imita. Douville la complimenta sur le repas. Il lui dit ensuite qu'il avait plutôt voulu lui demander si les voyages l'intéressaient. Émilie s'illumina. Les voyages l'attiraient énormément. Elle aimerait bien voir du pays, en commençant par Montréal et Québec. Ensuite, elle parla du cousin de son père qui était parti pour le Klondike et d'un autre qui habitait à Keene, au New Hampshire, où, depuis 1892, il travaillait dans une usine de textile. L'inspecteur l'écoutait attentivement. Elle ajouta que si elle ne se mariait pas, elle mettrait de côté tout l'argent qu'elle pourrait afin de prendre un jour un grand bateau à New York et traverser l'Atlantique jusqu'en Europe. L'inspecteur était encore plus attentif.

«Pourquoi est-ce que vous me demandez ça?» dit-elle enfin.

Douville s'était levé de table et était allé à la fenêtre regarder la pluie qui tombait encore, tout en se curant les dents discrètement. Émilie avait ramassé les assiettes et commencé à les laver. Elle ne savait plus trop comment occuper ce visiteur dont la présence l'intimidait. Malgré de grands efforts, elle ne cessait d'entrechoquer les assiettes dans le plat à vaisselle.

Douville se rassit, non sans avoir jeté son cure-dents aux ordures. Émilie lui jeta un rapide coup d'œil et pensa que, sans son strabisme, il aurait été un fort bel homme. De profil, ses yeux ne se remarquaient pas. Elle l'examina une seconde fois. Ses cheveux étaient gris, certes, mais il avait les épaules solides quoiqu'un peu voûtées. Douville la laissa terminer la vaisselle seule, Émilie ayant refusé son aide.

La pluie tombait toujours à pleines fenêtres. La noirceur avait envahi l'école non pas tant à cause de l'heure —
on approchait du solstice — mais à cause de la densité de
l'écran d'eau et de nuages. Émilie enleva son tablier et
revint s'asseoir à la table. Douville la regarda attentivement. Le silence se glissa entre eux. Émilie offrit de faire
du thé. Douville la remercia en lui rappelant qu'il n'aimait
pas boire de thé en été. Elle avait oublié ce détail.

Émilie se leva, le pria de l'excuser et descendit dans
la classe. Elle marcha jusqu'à la salle de toilette. Elle y
avait installé un miroir et une étagère sur laquelle elle
rangeait un peu de poudre de riz, du khôl qu'elle avait fait
venir de Montréal et qu'elle pouvait utiliser sans avoir l'air
d'être maquillée, une brosse à cheveux, un peigne et une
petite bouteille d'eau de toilette. Elle avait évidemment
caché toutes ces choses de la vue de ses élèves en les
rangeant dans une boîte bien fermée. Elle se regarda dans
le miroir et décida de «se rafraîchir» un peu. Elle y mit une
bonne dizaine de minutes puis rejoignit Douville à l'étage.
Il semblait bien endormi dans la berceuse. Elle en fut déçue.
Mais aussitôt qu'il entendit le froissement de ses jupes, il
ouvrit les yeux.

«Je me détendais, dit-il. Vous savez que ces journées
sont extrêmement éreintantes.

— J'en doute pas.»

Douville l'avait regardée attentivement, voyant bien
que son regard était différent sans qu'il puisse en donner
la raison. Il le lui fit remarquer.

«J'ai les yeux brillants? dit-elle feignant la surprise.
Ça doit être la fatigue.»

Douville se leva d'un bond.

«Je m'excuse. Je vais partir. Vous auriez dû me faire
savoir que vous étiez fatiguée.

— Voyons donc! Restez donc encore un peu. La pluie a pas cessé

— N'a pas... dit Douville.

— Quoi?

— Vous avez dit «a pas».

— J'ai dit ça moi?

— Oui. Vous devriez faire un peu plus attention. Vous avez un vocabulaire excellent mais vous mangez toutes vos syllabes.»

Émilie était estomaquée. Personne ne lui avait jamais dit quoi que ce fût en rapport avec son langage. Elle se demanda si elle devait le remercier ou lui dire carrément de se mêler de ce qui le regardait. Elle le remercia sèchement, ajoutant qu'elle essaierait de faire plus attention. Douville, comprenant qu'il l'avait piquée, s'excusa. Il avait, disait-il, été déformé au collège et vouait un culte «presque païen» à la langue de Molière. Émilie l'avait rassuré en disant qu'il avait bien fait de la reprendre — ce qu'elle n'était pas certaine de vraiment apprécier — et parla plus lentement, faisant attention à tous ses mots.

La pluie commença à faiblir. Douville se leva et retourna à la fenêtre.

«Bon, je crois que je vais pouvoir partir.»

Émilie acquiesça. Elle était à court de sujets de conversation. Douville descendit dans la classe ramasser ses papiers. Il la remercia une autre fois, en ajoutant qu'il ne lui était jamais arrivé de manger en aussi agréable compagnie. Émilie sourit à cette remarque et enchaîna qu'elle avait rarement mangé avec une personne qui avait d'aussi bonnes manières. Douville balaya cette remarque du revers de la main.

«Que voulez-vous, dit-il, j'ai passé ma vie en institution. J'ai été élevé par les religieuses puis par les Jésuites, à Montréal.

— Ah! fit Émilie, surprise de la soudaine confidence. Je pensais que vous étiez de la région.

— J'y suis depuis dix ans, à cause de mon travail, mais j'ai été élevé à Montréal.

— À Montréal! Vous êtes chanceux. J'ai justement une amie qui vit maintenant à Montréal...

— Vous croyez que j'ai de la chance d'avoir passé toute mon enfance dans un orphelinat?»

Émilie se mordit les lèvres. Elle avait cru qu'il avait pu recevoir une instruction privilégiée parce qu'il venait d'une famille aisée.

«Je suis désolée...

— Il n'y a pas de quoi. Je croyais que vous aviez compris...Vous savez, quand les bonnes gens vont à l'orphelinat pour adopter un enfant ou le prendre en *élève*, ils préfèrent quand même un enfant «parfait». Avec ma tête, je suis resté à l'orphelinat.»

Émilie le laissa parler. Elle ne savait trop comment soigner cette apparente blessure. Douville mit son chapeau et se dirigea vers la porte. Il se retourna vers elle.

«Je vous ai demandé si vous aimiez les voyages. Vous m'avez dit que oui. Voici. Je ne vous demande pas une réponse tout de suite. Mais si vous le voulez bien, je vous demanderais d'être ma femme. L'été prochain, nous pourrions aller en France, à Paris où il y aura une grande exposition internationale.

— Oui, je sais...s'entendit-elle répondre.

— Je sais que vous savez. Là n'est pas la question, ajouta-t-il sèchement. Je voudrais simplement que vous pensiez un peu à ma proposition. Si vous n'avez pas d'objections et si vos parents sont d'accord, j'irais vous visiter occasionnellement cet été. Nous pourrions faire meilleure connaissance. Je sais que je suis plus âgé que vous, mais nos goûts communs — la littérature, la langue française, les enfants — sont probablement suffisants pour nous aider à fonder une union durable.»

Émilie ne répondit rien. Elle préférait réfléchir. Douville était sorti de l'école sans ajouter un mot. Elle courut à la porte.

«Monsieur Douville! Si vous passez à Saint-Stanislas, vous savez où me trouver.»

18.

Émilie était rentrée pour la saison estivale. Elle avait encore une fois confié la clé de l'école aux Pronovost. Profitant de sa visite, elle leur avait demandé des nouvelles d'Ovila. Ils lui avaient dit qu'il était toujours à Shawinigan. Dosithée avait cru comprendre qu'il avait été dans un camp de bûcherons durant l'hiver, puis qu'il avait travaillé comme aide-cuisinier dans un camp de draveurs. Finalement, il avait été embauché sur le chantier de construction d'une centrale électrique.

«Vous savez, Ovila est pas *écriveux*, pis ce qu'il dit, c'est pas détaillé.»

Émilie les avait remerciés. Il était clair qu'ils n'approuvaient pas le départ de leur fils, encore moins maintenant qu'ils avaient besoin de lui sur la ferme. Ovila lui avait d'abord terriblement manqué, puis, peu à peu, sa peine s'était faite moins aiguë. Une amourette. Elle avait eu une amourette. Elle aurait bien souhaité autre chose, mais elle comprenait maintenant qu'Ovila n'avait pas eu pour elle des sentiments aussi profonds que les siens.

À Saint-Stanislas, elle avait rarement fait allusion à Ovila. Caleb lui avait demandé de ses nouvelles et Émilie l'avait vaguement renseigné. Caleb jugea qu'il n'avait pas intérêt à tourner le fer dans la plaie. Par contre, Émilie parla d'Henri Douville à maintes reprises. Caleb et Célina comprirent qu'il y avait un gendre à l'horizon. Caleb l'avait déjà rencontré à une réunion dont il avait oublié l'objet. Douville lui était apparu comme un homme cultivé. C'était peut-être ce genre d'homme qui plaisait à Émilie. Après tout, elle avait besoin d'un homme savant à ses côtés. Un cultivateur n'aurait probablement pas réussi à la satisfaire pleinement.

Douville, comme promis, était venu voir Émilie. Elle l'avait présenté à sa famille. Personne n'avait passé de commentaire sur son strabisme. Émilie, elle, ne le remarquait même plus. Ils firent de longues promenades dans le bois. Émilie ne put s'interdire de comparer son empêtrement à l'aisance d'Ovila.

Douville lui apportait toujours une petite surprise. Des mouchoirs brodés à ses initiales. Une boîte de fruits confits. Une bouteille de vrai parfum. Émilie trouvait qu'il lui faisait la cour avec beaucoup de dignité. Elle commença à se plaire en sa présence. Il lui apprenait tant de nouvelles choses. Elle châtia de plus en plus son langage. Ils passèrent de nombreuses soirées à veiller à la lueur d'un fanal, parlant de l'Europe et de Paris, que Douville avait hâte de visiter. Paris et son métropolitain. Paris et ses musées. Paris et son Histoire. Émilie s'imaginait à ses côtés, d'abord sur un pont de bateau, puis dans une cabine — petit détail auquel elle songeait comme à une fatalité — puis à Paris, dans des cathédrales et des musées. Elle ne réussissait pas très bien à imaginer le métropolitain. Un train sous terre...

L'été tirait à sa fin. Émilie regardait la nouvelle pouliche qui tétait sa mère. Elle avait, comme l'étalon, une belle crinière blonde. Caleb l'avait baptisée «La-Tite» en souvenir de ses origines. Émilie revivait la journée qu'elle et Ovila avaient eue, il y avait tout au plus un an de cela. Et Berthe était là. Qu'est-ce que Berthe penserait de son prochain mariage avec Henri? Ah! si seulement elle avait pu parler à Berthe. Lui dire combien elle appréciait la compagnie d'Henri, même s'il ne faisait rien naître en elle comme l'avait fait Ovila. Lui dire combien il était érudit, qu'il avait de bonnes manières. Lui dire qu'il n'avait jamais connu l'atmosphère d'une maison et qu'elle s'acharnerait à lui faire rattraper le temps perdu. Lui dire qu'il voulait beaucoup d'enfants même s'il commençait sa famille un peu tard. Lui décrire comment il parlait avec aisance d'une foule de sujets. Si seulement elle avait pu parler à Berthe. Berthe aurait compris.

L'arrivée de Douville interrompit ses pensées. Elle lui sourit et vint à sa rencontre. Il lui apportait un pot à fleurs en cristal taillé. Émilie n'avait jamais rien vu d'aussi beau. Douville mangea le repas du soir avec toute la famille, puis demanda à Caleb s'il pouvait lui parler. Émilie comprit. Caleb aussi. Les deux hommes allèrent dehors et revinrent quelques minutes plus tard. Caleb demanda à Émilie et à Célina de se joindre à eux, au salon. Il les informa que monsieur Douville avait mis ses gants blancs et lui avait demandé la main d'Émilie. Caleb lui avait répondu qu'il acceptait à la condition qu'Émilie fût d'accord. Caleb lui demanda son avis. Émilie rougit, regarda Douville et répondit qu'elle l'était, mais qu'elle préférait prendre l'an- née pour y penser. Elle rassura Douville en lui disant qu'elle aurait vingt ans en décembre et qu'elle avait l'intention de terminer son année à Saint-Tite. Elle ajouta que rien ne pressait, qu'ils pourraient fort bien se marier à la fin juin 1900. Elle se mit à rire nerveusement en ajoutant que cela simplifierait les calculs. En se mariant en 1900, ils sauraient toujours à quel anniversaire ils en seraient rendus. Douville soupira. Il fut convenu qu'ils se fianceraient à Noël.

Caleb avait connu Émilie et Ovila. Maintenant il voyait sa fille avec Douville et n'osait avouer qu'il avait un petit faible pour le premier de ses soupirants. Douville était un homme très bien, certes, mais sa fille n'était pas la même. Douville lui assurerait un bel avenir, mais Caleb n'était pas certain qu'Émilie avait ce qu'il fallait pour vivre avec un homme aussi raisonnable et aussi sage. Il entrevoyait déjà quelques flammèches. Henri ne connaissait pas la fougue de sa fille. Caleb s'inquiéta de savoir s'il y avait encore de cette fougue chez Émilie. Elle était devenue tellement posée, tellement «demoiselle». Elle parlait presque une autre langue que sa langue maternelle quand Douville était là. Lui, c'était certain, parlait «dans les termes», mais chez Émilie, cela faisait drôle à entendre. Caleb parla du mariage à Célina. Celle-ci ne semblait pas nourrir les mêmes appréhensions que son mari. Elle admirait Douville et rappela à Caleb qu'une femme devait admirer son mari si elle voulait être heureuse. Elle parla vaguement d'Ovila en disant qu'il semblait être un aventurier et qu'Émilie avait besoin d'un mari stable comme Henri. Caleb n'en était pas si certain. Il trouvait bien mystérieux ce départ précipité.

Émilie et Douville avaient convenu qu'il était préférable qu'il s'abstienne de la visiter à Saint-Tite. Ils se reverraient aux Fêtes. Par contre, il pouvait lui écrire autant qu'il le voulait, sur du papier officiel, bien entendu. À la suggestion d'Émilie, ils ne parleraient de leurs fiançailles à personne. Douville avait compris cette restriction. Une telle nouvelle aurait pu compromettre ses chances de se mériter une prime.

Henri et Émilie se quittèrent la veille du retour de celle-ci à Saint-Tite. Elle lui avait permis de l'embrasser, ce qu'il avait fait avec une pudeur tout à son honneur. Il aurait pu profiter de l'absence de chaperon pour mordre plus goulûment à ses lèvres. Il s'en était abstenu. Émilie lui en fut reconnaissante. Elle l'avait regardé partir. Dès qu'il lui avait tourné le dos, elle s'était essuyé la bouche et s'était mordu les lèvres à plusieurs reprises comme si elle voulait en vérifier la sensibilité. Elle n'avait rien senti. Rien ressenti. Mais il était tellement bon...tellement généreux. Et Paris...

19.

Émilie revint à l'école sans grand enthousiasme. Cette année d'enseignement s'annonçait un peu comme un purgatoire. Elle avait pris des nouvelles d'Ovila dont le départ remontait à presque un an. Madame Pronovost lui avait dit qu'il avait fait une courte visite durant l'été, le temps de guérir complètement une blessure qu'il s'était infligée au chantier. Émilie l'avait pressée de lui donner quelques détails, essayant de demeurer impassible lorsqu'elle apprit qu'il s'était entaillé le pied avec une pioche. Félicité avait précisé qu'il n'était resté que quelques jours, mais qu'il en avait profité pour aller faire un petit tour à l'école, en utilisant la clé qu'elle leur avait confiée. Émilie s'était excusée, puis les avait quittés pour aller ranger tous ses effets.

En mettant les pieds dans l'école, elle déposa ses valises, fit le tour de la classe des yeux pour voir si Ovila ne lui avait pas laissé quelque chose. Rien. Elle monta l'escalier, repoussa la trappe et pénétra de peine et de misère dans ses appartements, traînant ses lourdes valises. Ici non plus, il n'y avait pas de traces d'Ovila.

Elle consacra la soirée entière à laver la vaisselle, ranger ses vêtements et préparer son lit. Cela fait, elle descendit et s'assit à son pupitre. Elle regarda la classe. Elle savait que cette année, elle aurait trente et un élèves. Jamais encore elle n'avait dépassé les trente. Cela l'inquiétait un peu. Elle avait dû demander des pupitres supplémentaires aux commissaires qui lui avaient promis qu'elle les aurait pour la rentrée. Elle verrait monsieur Pronovost pour s'assurer qu'on viendrait bien les lui porter le lendemain, la rentrée étant fixée au surlendemain. Elle demeura à sa place, son regard fixant tout et rien dans sa classe. Tantôt elle regardait une des fenêtres qui était fêlée depuis le mois de mai. Tantôt elle fixait la planche à clous qui avait l'air abandonnée. Prenant conscience de l'heure, elle monta à sa chambre et s'assoupit rapidement. Elle rêva d'Henri. Ils étaient tous les deux dans une chaloupe sur une mer déchaînée.

Le matin la trouva presque en forme. Elle s'était vêtue et coiffée avant de se rendre chez les Pronovost s'assurer de la livraison des pupitres supplémentaires. Monsieur Pronovost se tapa le front. Il avait complètement oublié. Il demanda à Émilie si elle voulait l'accompagner jusqu'au village. Il y avait sûrement des pupitres qui étaient disponibles dans l'école du rang Sud. Émilie serra les dents. Elle aurait eu bien d'autres choses à faire. Néanmoins, elle accepta. Ils convinrent de partir aussitôt que Dosithée pourrait se libérer.

Il vint la chercher à la porte de l'école. Elle l'en remercia, lui assurant qu'elle aurait facilement pu marcher la courte distance entre l'école et sa maison. Ils avaient à peine roulé depuis cinq minutes qu'il virent la maison commencée un an plus tôt. Dosithée soupira.

«Je pense que ça aurait été une belle maison. Astheure, j'ai pus le cœur de la finir. Je voudrais pas me plaindre, mais depuis que j'ai commencé à acheter la terre du père Mercure, Lazare a recommencé ses crises, Ovide est attaqué aux poumons, j'ai failli perdre ma femme, j'ai enterré un quatrième enfant, pis Ovila est parti comme un coup de vent sans rien nous dire. Vous, sauriez-vous pourquoi Ovila est parti?»

Émilie fut giflée par cette question. Elle n'avait pas compris le ressentiment des Pronovost face à leur fils. Maintenant, tout s'éclairait. À eux non plus, il n'avait rien dit.

«Comment voulez-vous que je le sache? Ovila...Ovila est un...euh...bien drôle de garçon. J'aurais quand même aimé avoir de ses nouvelles.

— On pensait qu'il vous écrirait.

— Ah oui? Pourquoi?» Elle n'était pas aussi étonnée de cette remarque qu'elle aurait voulu le faire croire.

«Ben, mam'selle, c'est un secret pour personne qu'O-vila vous a toujours trouvée de son goût. En tout cas, c'est pas un secret pour moi.»

Il garda le silence pendant quelques minutes. Émilie ne voulait surtout pas lui dire qu'il avait eu raison. Il enchaîna.

«Aussi bien vous l'avouer. Moi, j'avais espéré que vous...qu'un jour vous...en tout cas. J'avais pensé à Ovide, mais...Pis j'avais pensé qu'Edmond, mais...Lazare, lui, j'y avais pas pensé. Ovila, même si je savais qu'il était un peu plus jeune, je me disais que peut-être que...En tout cas... On peut pas dire que mes gars, c'est des *marieux*...»

Émilie n'avait pas parlé. Elle revivait les avances discrètes d'Ovide, les attentions particulières d'Edmond et enfin les déclarations d'Ovila. Elle ne sentit même pas qu'une larme sans fin lui baignait la joue. Dosithée ne le remarqua pas non plus.

«Ovila vous a rien dit cet été? demanda-t-elle finalement.

— Non, pas un mot. Il a passé ses soirées à l'hôtel Brunelle, pis ses journées à *gosser* son éternel p'tit bout de bois. J'avais espéré qu'il était revenu pour de bon, mais c'était pas ça. La terre, ça l'intéresse pas. Ça laisse pus grand relève pour le père. Il reste Émile, pis Oscar pis Télesphore, pis Edmond. Mais Edmond aime pas mal plus l'élevage des ch'vaux que la culture. On peut pas vivre rien que de ça sur la ferme.»

Émilie se demandait pourquoi elle avait droit à toutes ces confidences. Elle ne voulait pas commenter ce qu'il venait de dire. Elle le sentait terriblement triste. Sensible à sa tristesse à lui, elle n'avait pas senti la sienne reprendre sa place dans sa poitrine et ses poumons, lui coupant le souffle et empêchant son cœur de battre doucement.

Ils avaient réussi à trouver les pupitres manquants, les avaient montés dans la voiture et étaient de retour à l'école. Émilie se demandait encore pourquoi Ovila était venu s'y asseoir durant l'été. Dosithée la précéda, transportant le premier pupitre. Émilie le suivit avec une chaise. Ils firent les autres voyages en silence. Ils déposèrent le tout à l'arrière de la classe. Dosithée offrit à Émilie de l'aider à les placer. Elle le remercia, lui disant qu'elle préférait faire cela seule. Elle disposait de tout l'après-midi pour organiser la classe et écrire son mot de bienvenue sur l'ardoise. Dosithée la quitta après lui avoir gentiment pincé la joue. Elle lui sourit, se demandant s'il n'avait pas voulu lui faire comprendre qu'il n'était pas dupe et avait compris qu'il y avait eu quelque chose entre elle et Ovila. Elle monta à l'étage pour changer de vêtements. Elle descendit deux marches, puis s'assit dans l'escalier. Était-il venu s'y asseoir lui aussi? Elle regarda sa classe, de haut. Elle fixa le pupitre d'Ovila. Elle l'imaginait en train d'écrire. Elle le revoyait le bras levé pour répondre à une question. Elle revivait ses moindres petits gestes, allant de la main qu'il se passait dans les cheveux pour les mettre en place quand il arrivait le matin, à son empressement à ouvrir ou à fermer une fenêtre.

Le cœur d'Émilie fut frappé par l'éclair. Elle se leva précipitamment, descendit les escaliers à la course, se dirigea vers le pupitre d'Ovila et l'ouvrit. Elle était là! Une lettre! Une lettre d'Ovila! Enfin! Troublée, elle se laissa choir sur la chaise. Elle tourna et retourna la lettre dans ses mains. Elle la sentit. Son cœur battait la chamade. Elle froissa la lettre et la défroissa. Elle défaillait. Elle respira enfin profondément et déchira l'enveloppe, adressée à ÉMILIE, avec un dessin d'oiseau.

Les grillons s'étaient donné le mot pour mettre en musique les pensées d'Émilie. Elle s'était couchée tôt, contrairement à ce qu'elle avait prévu. Elle s'était d'abord hâtée de placer sa classe puis elle s'était dévêtue lentement, valsant quelques pas en tenant la lettre près de son cœur. Elle avait voulu se coucher pour laisser voguer son imagination. Ovila était là tout près d'elle. Ovila lui parlait. Ovila lui racontait sa honte et son désespoir. Ovila lui demandait s'il lui avait manqué. Il implorait son pardon de l'avoir si lâchement laissée tomber. Puis il racontait le chantier de bûcherons. Et la drave. Et le chantier de cette centrale dont elle ne connaissait pas encore le nom mais qui, disait-il, produirait assez d'électricité pour éclairer une grande ville. Ovila lui avouait ensuite qu'il regrettait de lui avoir dit tant de bêtises. Il lui demandait si elle avait toujours les cheveux longs et si elle se faisait encore des tresses quand elle était fatiguée, comme elle le faisait avant. Il la suppliait de l'attendre encore un peu. Pas longtemps. Le temps qu'il puisse mettre de côté l'argent dont «ils» auraient besoin. Ovila...

Elle s'était tournée en boule, bien repliée sur elle-même pour sentir son corps qui venait d'avoir une attaque de sève. Elle se tenait l'échine courbée, le menton appuyé sur ses genoux, la lettre collée à la peau sous sa robe de nuit. Pas une seconde elle n'avait pensé à Henri. À la promesse presque formelle qu'elle lui avait faite. Elle rêvait d'Ovila.

De sa démarche nonchalante. De son regard bleu et clair. Elle se retourna, ouvrit les yeux et essaya d'imaginer les traits d'Ovila. Elle en fut presque incapable. Cela l'angoissa. Avait-elle pu l'oublier si rapidement? Et lui, se souvenait-il d'elle, l'imaginait-il comme elle le faisait en ce moment? Vivement son retour! Elle se leva, but un verre d'eau et se recoucha. Elle chercha le petit coin qu'elle avait réchauffé, se faisant croire qu'Ovila s'y était glissé.

Le matin la surprit alors qu'elle était endormie sur le dos, la robe de nuit levée jusqu'au menton. Pudeur instinctive: elle l'abaissa aussitôt. Elle se leva, langoureuse comme si elle avait vraiment passé la nuit avec son grand fou. Elle chantonna en faisant ses ablutions. Elle descendit dans sa classe et remercia le ciel de l'avoir emplie de soleil. Le parquet brillait, comme il le faisait toujours le matin de la rentrée. Son purgatoire était fini. Ovila arriverait dans quelques semaines. Elle accueillit ses élèves avec joie et commença en riant cette cinquième année d'enseignement.

20.

Émilie avait chanté sa bonne fortune jusqu'à la mi-octobre. Tous les matins, elle s'était dit qu'Ovila la surprendrait. Tous les soirs, elle s'était convaincue que la surprise serait pour le lendemain. Certaine de son arrivée imminente, elle écrivit à ses parents pour leur dire qu'elle passerait le congé de la Toussaint à Saint-Tite. À la fin octobre, elle avait commencé à désespérer. Aucune nouvelle d'Ovila et quatre lettres d'Henri. Elle avait toujours répondu à ce dernier, n'ayant pas à lui reprocher son assiduité. Henri lui écrivait des lettres tendres, remplies de poésie. Il la décrivait en termes flatteurs, se pâmant sur sa chevelure d'automne et ses yeux de printemps. Il lui parlait d'oiseaux et de nids, de brindilles de paille et de nichées. Il lui racontait des histoires comme si elle avait été une petite fille, décrivant, entre autres, la longue traversée de l'Atlantique faite par une bouteille scellée autour d'un message d'amour. Si Émilie avait d'abord été agacée de recevoir ses lettres, l'absence d'Ovila et sa désespérance lui avaient finalement fait apprécier la lecture des lettres d'Henri et même, elle dut en convenir, attendre leur venue. Le visage, l'allure et même l'odeur d'Ovila lui devinrent de plus en plus confus.

Le deux novembre, Fête des morts, elle accompagna les parents Pronovost au cimetière afin de se recueillir sur les tombes de leurs quatre enfants. Elle avait tenu à le faire pour se pardonner de n'avoir pas assisté à l'enterrement de Marie-Anne. Ils étaient tous les trois agenouillés lorsqu'ils entendirent des cris suivis presque immédiatement du son angoissant de la sonnerie des pompiers et du tocsin de l'église. Ils se levèrent, se signèrent rapidement et se précipitèrent vers le couvent. Ce dernier était en flammes. Dosithée pria sa femme de s'éloigner et demanda à Émilie de la raccompagner au Bourdais. Félicité lui répondit qu'elle préférait demeurer sur les lieux, quitte à s'écarter s'il y avait danger, afin d'être disponible pour porter secours aux religieuses et aux pensionnaires le cas échéant. Dosithée, qui avait déjà enlevé son veston et retroussé ses manches de chemise, cria à Émilie d'aller chercher ses fils pour qu'ils viennent aider à combattre l'incendie. Elle obéit et mena la monture à folle allure jusqu'à ce qu'elle arrivât chez les Pronovost. Ovide et Edmond étaient dehors. Elle les pressa d'aller chercher Lazare, Émile et Oscar. Les frères réagirent sans poser de questions, sachant d'emblée que l'arrivée d'Émilie annonçait quelque chose de sérieux. Ils montèrent dans la voiture, aucun des garçons ne songeant à prendre la place d'Émilie qui remit l'attelage en marche en direction du village. Elle n'eut pas besoin de fournir d'explications sur cette chevauchée car déjà une épaisse fumée indiquait la nature et l'urgence de leur déplacement. Ils arrivèrent sur les lieux du sinistre en même temps que des dizaines d'autres villageois. Le travail s'organisa rapidement. Les pompiers donnaient les ordres et plaçaient les hommes aux points stratégiques. Les charretiers s'affairaient autour de leur tout nouveau véhicule à incendie, les uns déroulant les boyaux, les autres faisant la navette entre le couvent et la rivière Des Envies pour remplir leur baril de cent gallons. Le dernier pompier arrivé sur les lieux, toutefois, dut consacrer la majeure partie de son temps à calmer les chevaux. S'ils étaient d'une fiabilité sans conteste pour conduire le camion sur les lieux d'un incendie, ils s'agitaient dangereusement dès qu'ils devaient s'approcher du brasier.

Les volontaires, Dosithée en tête, formaient deux longues chaînes. Les hommes de la première chaîne faisaient parvenir le plus rapidement possible des sceaux d'eau vers le feu, ceux de la seconde retournaient les contenants vides à la source d'approvisionnement. Ovide et ses frères prirent place dans ces lignes, l'aîné évitant, à cause de ses poumons, de se tenir à proximité des tonneaux de fumée.

Le travail des femmes s'organisa différemment. Elles convertirent la sacristie de l'église en une vaste salle d'urgence. Elles y accueillaient les religieuses et les quelques pensionnaires qui n'avaient pu retourner dans leurs familles pour le congé de la Toussaint. Au grand soulagement de tous, personne n'avait été blessé lors de l'incendie. Les choses auraient pu être fort différentes si le sinistre avait éclaté en pleine nuit. Plusieurs des victimes, quoique saines et sauves, étaient dans un état de choc. Certaines pleuraient doucement, d'autres sanglotaient bruyamment, d'autres enfin riaient aux éclats pour convertir leurs tremblements de peur en soubresauts d'hilarité.

Émilie et Félicité avaient allumé le poêle de la sacristie et avaient fait bouillir de l'eau pour faire de la tisane à la menthe. Elles en servaient à tous ceux et celles qui en réclamaient, victimes ou volontaires. D'autres femmes de la paroisse avaient apporté ce qu'elles avaient pu trouver pour ravitailler tout ce monde. Certaines avaient des chaudronnées de soupe, d'autres de fèves au lard, d'autres encore de bouilli de légumes.

En moins de trois heures, on avait accumulé vêtements et victuailles pour toute la population couventine. En moins de trois heures aussi, le couvent avait complètement disparu des rues de Saint-Tite. L'église était remplie de tous ses paroissiens, hommes et femmes, les premiers barbouillés de suie collée par la sueur, les secondes transpirant la fatigue et les efforts qu'elles avaient déployés à transporter tout le matériel à la sacristie.

La soirée fut consacrée à organiser un campement de fortune. Un appel fut lancé pour loger les sans-abri dans les familles. Le campement de nuit servit surtout aux religieuses qui avaient refusé toutes les invitations, préférant demeurer ensemble, dans l'église, et remercier le Seigneur de leur avoir laissé la vie. Leurs concitoyens respectèrent ce choix. Les Pronovost et Émilie revinrent au Bourdais à la brunante. Émilie avait offert de loger deux des pensionnaires chez elle. Les Pronovost vinrent donc reconduire les trois filles avant de rentrer chez eux.

Depuis cinq ans, Émilie ouvrait son école à des dizaines d'enfants. Quand à l'église on avait demandé des volontaires pour héberger les sinistrées, elle avait accepté de recueillir Alma et Antoinette. Elle n'avait pas réfléchi à son geste, mue plutôt par sa compassion. Elle n'avait pas non plus pensé qu'elle n'accueillait pas des enfants mais des jeunes filles. Elle les avait aidées à monter dans la voiture, mais leur avait peu parlé durant le trajet, soudainement mal à l'aise. Elle les avait regardées. Antoinette d'abord, petite, trapue, les cheveux retenus par un ruban, la bouche amère et l'œil vif. Puis Alma, soucieuse, l'air triste, pensive, lointaine, des traces de fossettes invisibles pour le moment mais sûrement jolies lorsque son visage s'éclairait d'un sourire.

Émilie ouvrit la porte à ses «pensionnaires». Elles regardèrent l'école avec soulagement. Les pupitres bien alignés et l'ardoise les retransplantaient dans un décor familier. Le cœur d'Émilie se manifesta bruyamment. Il lui fallait maintenant les amener dans sa chambre. «Sa chambre». Il lui fallait dévoiler qui elle était, ses goûts, les heures passées à coudre et à décorer. Il lui fallait partager son petit coin de vie à elle, bien différent de la classe. Saisiraient-elles, d'un coup d'œil, à quoi elle rêvait? Trouveraient-elles l'endroit où elle conservait la lettre d'Ovila et celles d'Henri? Elle pensa qu'il était urgent qu'elle les rangeât dans un endroit sûr. Du coup elle avait perdu toute son assurance d'institutrice. Elle redevenait une fille comme ces deux filles qu'elle regrettait de voir sous son toit.

Elles montèrent rapidement à l'étage. Émilie chauffa immédiatement de l'eau pour que toutes les trois elles puissent se tremper dans un bon bain. Les deux jeunes filles, qui avaient presque son âge, lui en furent reconnaissantes. Polies, elles offrirent à Émilie de se baigner la première. Émilie les remercia. Elle s'était demandé si les jeunes filles auraient cette délicatesse. Elle aurait été bien mal à l'aise de se laver dans la même eau que de pures étrangères. Elle prêta à chacune un vêtement propre et s'excusa de ne pouvoir leur fournir de robes de nuit. Elle n'en avait que deux. Elle portait la première et la seconde n'était pas lavée. Les deux jeunes filles la remercièrent encore une fois de son attention, mais lui dirent qu'elles seraient aussi à l'aise avec de bons sous-vêtements.

Émilie remplit son bac d'eau chaude et y agita frénétiquement son *savonnier* de façon à faire de la mousse pour éviter que le bain ne s'encrasse trop rapidement. Elle se baigna le plus rapidement possible afin que l'eau reste chaude pour Antoinette et Alma. Si elle prit grand soin de se cacher derrière le paravent pour se dévêtir, elle fut encore plus prudente lors de ses ablutions, usant de mille précautions pour ne pas faire de bruit. Elle aurait été extrêmement gênée si elle avait, par des sons incongrus, indiqué quelle partie de son corps elle savonnait. Quand à son tour Antoinette s'immergea, Émilie ne put éviter d'entendre les sons émanant du petit coin. Avait-elle été aussi bruyante? Alma, la plus jeune, avait trouvé tout à fait normal de se laver la dernière. Émilie avait ajouté de l'eau chaude qu'elle avait refait mousser.

Les trois filles, vêtues pour la nuit, commencèrent à parler. Émilie ne sut d'abord que raconter pour intéresser ses invitées, mais Alma lui posa aussitôt plusieurs questions sur ses années d'enseignement. Émilie parla donc de la petite vie qu'elle menait depuis son départ de Saint-Stanislas, omettant toutefois plusieurs détails. Candide, Alma l'écoutait religieusement. Elle buvait systématiquement toutes ses paroles demandant parfois une précision. Antoinette, elle, ne réagissait pas. Elle semblait perdue dans ses pensées, l'air renfrogné. Émilie se tut et lui demanda s'il y avait quelque chose qui n'allait pas. Antoinette lui répondit que tout allait «très bien, merci». Émilie fronça les sourcils. Elle eut le sentiment qu'Antoinette taisait quelque chose. Elle n'insista pas et reporta son attention vers Alma.

Antoinette se leva et descendit pour aller «au petit coin» derrière la classe. Sachant qu'Émilie était au second, elle en profita pour ouvrir la boîte dans laquelle Émilie rangeait ses objets de toilette. Elle remonta. Émilie lui demanda si elle avait besoin de quelque chose. Antoinette lui répondit qu'elle aimerait bien dormir. Que la journée avait été éreintante et qu'elle avait besoin de sommeil. Émilie s'excusa de ne pas y avoir songé plus tôt. Elle installa des couvertures sur le plancher, y déposa les coussins de ses chaises, n'ayant pas d'oreillers supplémentaires, recouvrit le tout d'une bonne catalogne et les invita à se coucher. Elle essaya de blaguer tout au long des préparatifs afin de mettre ses invitées à l'aise — ce qui fut plutôt inutile car elles l'étaient manifestement plus qu'elle — afin aussi de se faire à l'idée qu'elle devait contrôler ses rêves, au cas où elle parlerait en dormant.

Elles se couchèrent finalement dès qu'Émilie et Antoinette eurent réussi à consoler Alma qui venait de prendre conscience qu'elle n'avait plus rien. Plus de livres, plus de vêtements, plus de peigne, plus de brosse à cheveux, plus de missel, plus même de lettres que sa mère lui avait écrites.

Le soleil avait coloré les carreaux des fenêtres d'un rose matin. Émilie ouvrit les yeux, se tourna sur le dos, s'étira en bâillant avec cœur, se gratta la tête, se frotta les yeux et entendit des bruits de chaudrons que l'on brassait. Elle figea, remonta rapidement sa couverture et referma les yeux. Elle avait oublié qu'elle n'était pas seule. Elle toussota pour attirer l'attention d'Alma qui, à ce qu'il lui sembla, préparait un gruau.

«Bonjour, Émilie. Est-ce que tu as bien dormi?»

Émilie chercha Antoinette des yeux avant de répondre.

«Antoinette est partie marcher dehors pour faire sa prière. Antoinette est bien pieuse tu sais. Quand le déjeuner va être prêt on a juste à aller la chercher. Antoinette va pas nous faire attendre. Pis? As-tu bien dormi?

— Comme une marmotte. J'ai même pas entendu sortir Antoinette.

— Ça fait déjà une bonne demi-heure qu'est partie. J'espère que c'est pas moi qui t'a réveillée avec le bruit des casseroles. J'imagine qu'une maîtresse d'école ça a besoin de se reposer pendant les p'tits congés. Je voulais juste vous faire une surprise à toi pis à Antoinette.

— C'est gentil de ta part, Alma.»

Alma sourit au commentaire d'Émilie et retourna à son gruau. Émilie profita du fait qu'elle avait le dos tourné pour passer derrière le paravent et se vêtir à la hâte.

«Antoinette a mis une de tes robes. Elle trouvait que la sienne puait la *boucane*. Moi, j'ai pensé que la mienne était encore correcte.»

Émilie était horrifiée. Antoinette avait mis une de ses robes sans lui demander la permission! Elle lui en aurait offert une de bon gré, mais il y avait des robes qu'elle ne pouvait prêter. La bleu pâle, par exemple, celle qu'elle venait tout juste de terminer et qu'elle étrennerait à Noël, pour ses fiançailles.

«J'imagine, dit-elle d'une voix mal assurée, qu'Antoinette a choisi ma robe brune ou ma robe grise.

Elle avait cessé de s'habiller pour bien entendre la réponse.

«Ah non! Le brun pis le gris c'est des couleurs qu'Antoinette aime pas. Antoinette a choisi une robe bleue.

— Bleu pâle ou bleu foncé, demanda Émilie la voix angoissée.

— Pâle, me semble. Oui, pâle. Un beau bleu *pourdre* avec des dentelles au collet pis aux poignets. Mon Dieu Émilie, c'est-y toi qui l'as faite? Si c'est toi, tu as des vrais doigts de fée.»

La fée s'empourpra. Elle attacha rageusement les derniers boutons de sa robe, sortit de derrière le paravent à la course, dévala l'escalier pendant qu'Alma lui demandait si elle avait dit ou fait quelque chose pour la choquer, ne prit même pas le temps d'arrêter au petit coin se soulager de toute une nuit de continence, ouvrit la porte de l'école et se retrouva dehors en plein milieu du Bourdais à regarder à gauche et à droite, tournant sur elle-même comme un toupie. Elle ne voyait pas Antoinette. Elle se dirigea à l'arrière de l'école en passant du côté de la montée des Pointes et l'aperçut au sommet de la colline. Elle ne l'attendit pas. Elle partit à sa rencontre à la course. Dès qu'elle sut qu'Antoinette pouvait l'entendre, elle se mit à crier.

«Antoinette je sais pus qui, mon innocente! Enlève-moi cette robe-là de suite! Viens ici mon enfant de carême pis dépêche-toi! J'ai deux pis trois mots à te dire, ça fait que lâche tes prières mais lâche pas la robe parce que tu es tellement p'tite que tu vas piler dessus.»

Antoinette avait cessé de marcher. Elle regardait fixement Émilie qui venait de la rejoindre.

«Tu es toute essoufflée, Émilie. Tu devrais pas courir de même le matin avant le déjeuner. À moins que tu aies déjà mangé.

— Change pas le sujet pis laisse-moi courir quand ça me tente. De quel droit que tu as pris ma robe bleue?

— J'ai juste pris la première qui m'a donné l'impression d'être propre.

— Menteuse! Triple menteuse! Alma m'a dit que tu avais pas voulu mettre la brune ou la grise!»

Émilie était tellement furieuse qu'elle avait de la difficulté à respirer. Elle inspira profondément puis enchaîna, incapable de maîtriser sa colère.

«Me semble que ça paraît que c'est pas une robe pour tous les jours. Tu penses-tu que j'enseigne avec des robes de même?»

Antoinette dodelina de la tête, regarda Émilie de côté, fit bouger ses épaules avant de répondre.

«À voir ce que tu caches dans ton «p'tit coin», je me suis même pas posé de questions sur le linge que tu mettais pour enseigner.»

Émilie suffoqua. Elle avait osé fouiller dans sa boîte! Pour toute réponse elle se contenta de donner un violent coup de pied au sol.

«À te voir de même, je commence à penser que c'est vrai l'histoire du gars qui s'est fait tremper la tête dans la pisse.»

Émilie étouffa. Encore cette maudite histoire qui lui revenait après tant d'années!

«Est-ce que quelqu'un t'a déjà dit, Antoinette, que tu étais méchante?

— Pas à ma connaissance, Émilie. Pis toi, est-ce que quelqu'un t'a déjà dit qu'au village, tu avais la réputation de péter plus haut que le trou?

— Moi! Moi péter plus haut que le trou? Tu parles de qui, Antoinette? Qui c'est qui dit des affaires de même? Dis-le si tu as du courage!

— J'ai le courage de tenir parole. Ça fait que mets ça dans ta pipe pis essaie pas de savoir d'où qu'il vient le tabac!»

Émilie lui tourna le dos et se dirigea vers l'école. Des larmes coulaient sur ses joues. Qui était-elle cette Antoinette pour venir détruire sa quiétude? Jamais plus, elle se le promettait formellement, jamais plus elle n'accueillerait d'étrangers chez elle. Jamais plus elle ne rendrait service. Jamais plus! Tout ce qu'elle en retirait était une immense peine.

Antoinette, un sourire mesquin aux lèvres, avait laissé tomber la robe et la piétinait en marchant derrière Émilie. Bientôt son sourire se changea en rictus, puis du rictus en une franche grimace. À son tour elle éclata en sanglots.

«Émilie, cria-t-elle, Émilie viens ici. Attends-moi.» Elle pleurait de plus en plus fort, comme un enfant qui vient de s'érafler les genoux en tombant. «Émilie, je m'excuse! M'as-tu entendue? Je m'excuse!»

Émilie s'essuya les yeux avant de se retourner. Elle attendit Antoinette tout en la regardant, découragée, piétiner sa robe. Antoinette la rejoignit enfin. Émilie la regarda froidement, consciente toutefois qu'elle devait avoir les yeux rouges, et lui demanda pourquoi elle agissait ainsi. Antoinette sanglota en lui disant qu'elle avait entendu parler d'elle depuis des années. Que tout le monde semblait s'entendre sur le fait qu'elle était sans pareille. Que même les soeurs disaient qu'elle enseignait bien. Qu'elle ne l'avait jamais vue avant la veille parce qu'elle sortait rarement du couvent, mais qu'en entrant dans la sacristie, elle l'avait reconnue tellement on la lui avait souventes fois décrite. Qu'Alma, sa meilleure amie, ne s'était même pas occupée d'elle la veille tant elle, Émilie, racontait des choses intéressantes. Qu'elle n'avait pas pu résister le matin à mettre cette robe bleue, parce que jamais elle n'avait eu une aussi belle robe et que même si elle voulait s'en faire une, elle n'avait pas d'habileté en couture et que de toute façon, elle devait coudre pour le couvent, étant là en élève depuis que son père était mort et que sa mère devait travailler à Trois-Rivières.

«Pis Alma, hier, a pleuré parce que toutes ses affaires avaient brûlé…Alma a même pas pensé que sa meilleure amie avait pas brûlé…»

Émilie avait écouté la fureur d'Antoinette avec compassion. Sa colère s'était estompée. Non, Antoinette n'était pas une méchante fille. Antoinette se remettait d'une peur plus grande qu'elle ne l'avait imaginée. Émilie la prit dans ses bras et lui frotta le dos. Antoinette sanglotait encore.

«J'ai honte, Émilie, j'ai tellement honte de ce que j'ai fait. Regarde ta belle robe. Je l'ai toute gâchée.

— On va voir ce qu'on peut faire. Le bord est pas mal massacré. Mais on va voir.»

Émilie avait des sanglots d'émotion dans la voix. Et ces sanglots n'avaient rien à voir avec le fait que sa robe fût salie et effilochée. Antoinette relâcha l'étreinte d'Émilie, renifla avec coeur et dit d'une voix toute douce, une voix de petite fille, qu'elle avait froid. Émilie se rendit compte qu'elle-même frissonnait. Elle était sortie sans prendre la peine d'enfiler un manteau. Elle regarda la terre blanche de gelée.

«Pourquoi est-ce que tu es sortie sans mettre de manteau, Antoinette?

— Je voulais marcher avec juste la robe, pour l'entendre froufrouter.»

Elles entrèrent dans l'école, bras dessus bras dessous, montèrent rejoindre Alma qui les regarda sans dire un mot. Le gruau avait collé au fond du chaudron qu'elle s'affairait à récurer. Antoinette, sans dire un mot, passa derrière le paravent pour se changer. Piteuse, elle remit la robe à Émilie qui l'examina attentivement. Il n'y avait plus qu'une solution: se hâter d'en coudre une autre.

Antoinette et Alma étaient retournées au village où une classe de fortune avait été organisée pour les élèves de huitième et de neuvième années. Émilie avait accueilli cinq élèves de sixième dans son école. Les autres étaient allées dans l'école du rang Sud et dans l'autre école du Bourdais. Tous les matins, l'employé du couvent reconduisait toutes les jeunes filles et venait les chercher en fin de journée. Les jeunes pensionnaires du couvent s'étaient habituées au style d'enseignement d'Émilie même si elles avaient, au début, fait quelques comparaisons disgracieuses.

Émilie avait occupé ses soirées à coudre une nouvelle robe. Elle n'avait plus trouvé de tissu aussi beau que le bleu pâle, mais elle avait néanmoins fait quelque chose de très convenable pour des fiançailles. À cause de sa surcharge de travail et du temps qu'elle devait consacrer à la couture, elle n'avait pas fait de crèche ni monté de spectacle. Les samedis, elle était allée visiter Antoinette au village en faisant ses courses et Antoinette était venue passer ses dimanches à l'école. Les religieuses lui avaient accordé cette permission spéciale, sachant qu'elle passerait les Fêtes éloignée de sa mère, comme chaque année.

Émilie avait reçu deux lettres d'Henri pendant le mois de décembre et aucune d'Ovila. Ovila, décida-t-elle, pouvait bien aller paître. Elle s'était abstenue de parler de ses histoires sentimentales avec Antoinette. Celle-ci avait bien essayé de lui tirer les vers du nez, mais Émilie s'était contentée de lui dire qu'une maîtresse d'école ne pouvait se permettre «ce genre de choses».

Le mois de décembre avait été particulièrement clément cette année-là. Il était bien tombé un peu de neige, mais si peu que les gens roulaient encore en calèche. Émilie avait bouclé ses valises et quitté l'école le vingt-trois décembre avec son frère. Ils s'étaient arrêtés au village pour saluer Antoinette. Émilie était descendue, seule, demandant à son frère de l'attendre, ajoutant qu'elle n'en avait que pour quelques minutes. Antoinette lui avait ouvert la porte, heureuse de la voir et de lui souhaiter de joyeuses Fêtes. Heureuse aussi qu'Émilie ne l'ait pas oubliée.

«Tiens, Antoinette, je t'ai apporté un p'tit quelque chose pour le Nouvel An.

— Pour moi? fit Antoinette à la fois émue et étonnée.

— Pour toi.»

Antoinette prit la boîte qu'Émilie lui tendait. Elle la serra sur son cœur, passa sa main dessus à plusieurs reprises avant de se décider à l'ouvrir. Émilie trépignait d'impatience.

«Cesse de flatter la boîte comme si c'était un chat pis ouvre-la.»

Antoinette l'ouvrit enfin. Elle éclata en sanglots. La robe bleue! La belle robe bleue! Les Trudel, chez qui elle habitait, s'extasièrent. Antoinette avait déplié la robe et la tenait devant elle.

«Tu l'as toute réparée!

— Tu parles. J'ai rétréci les épaules, pis raccourci les manches, pis enlevé huit pouces du bord. Crains pas, ma fille, j'avais eu le temps *en masse* de voir où qu'il fallait que je l'arrange.

— Compte sur moi pour arrêter de grandir! Si tu penses que j'vas me passer de cette robe-là pour un ou deux pouces de plus! Je suis un p'tit bout de quatre pieds onze, pis j'ai l'intention de le rester, même si à côté de toi, j'ai l'air d'une naine.»

Les deux amies s'étaient quittées la larme à l'œil. Antoinette, parce qu'elle n'avait pu donner qu'un sachet d'herbes odorantes à Émilie, Émilie parce qu'elle avait vraiment fait plaisir à Antoinette.

21.

La maison était sens dessus dessous. Célina avait consacré d'interminables heures à la préparation du réveillon. Ce réveillon était plus que spécial. Il devait souligner la Noël, le vingtième anniversaire d'Émilie et ses fiançailles. Ses filles l'avaient aidée le plus possible, même si tous ces préparatifs lui avaient redonné une énergie depuis longtemps perdue. À la demande d'Émilie, la petite fête qui suivrait la messe de minuit devait se faire en famille. Caleb, qui aurait bien aimé fiancer son aînée avec ostentation, s'était incliné. Émilie semblait radieuse. Elle montra sa robe à sa mère et ses sœurs et leur demanda si elles croyaient qu'elle pouvait la porter en été. Célina lui répondit qu'à son avis, elle serait fort convenable pour les soirées fraîches. Émilie sourit. Elle n'avait parlé à personne du projet qu'elle et Henri caressaient pour le voyage de noce. Elle porterait cette robe sur le pont du paquebot. Elle regretta un peu ne pas avoir la bleu pâle, mais celle-ci était aussi jolie quoique d'apparence un peu moins désinvolte.

Henri, comme il l'avait promis à Émilie dans sa dernière lettre, arriva à Saint-Stanislas quatre heures avant la messe de minuit. Il fut accueilli à bras ouverts. Émilie fut étonnée de remarquer son strabisme. Il lui avait semblé, lors de leur dernière rencontre, qu'il n'était plus aussi apparent. Henri avait un énorme paquet sous le bras. Il demanda discrètement à Célina de le cacher quelque part. Célina obéit. Ils s'assirent tous dans le salon et parlèrent de la température clémente. Henri assura à Émilie qu'elle pouvait fort bien se rendre à l'église sans couvre-chaussures. Émilie ricana et lui dit qu'elle le ferait. De mémoire, ce serait bien la première fois qu'elle entendrait résonner ses pas sur le plancher de l'église une nuit de Noël.

Imitant leurs parents, les enfants se retirèrent du salon pour aller enfiler leurs vêtements propres. Émilie, déjà prête, resta seule avec Henri. Il vint s'asseoir à ses côtés et lui prit une main.

«Émilie, je n'aurais jamais pensé être aussi chanceux. Quand je t'ai vue ce soir, il me semblait que j'assistais à un opéra et que la *diva* faisait son entrée.

— Tu ne m'as jamais dit que tu étais allé à l'opéra, répondit-elle en s'efforçant de bien prononcer chacun de ses mots.

— En fait, je n'y suis jamais allé, mais j'ai lu beaucoup de descriptions dans des journaux venus de la Métropole.

— La Métropole...?

— Mais la France, voyons, Émilie. Tu sais très bien que les gens des colonies appellent la France la Métropole.

— Oui, mais on n'est pas...nous ne sommes plus une colonie française.

— Si, Émilie, si. Dans le cœur de tous les Canadiens français, la France sera toujours notre mère et nous serons toujours des Français. Nous parlons la langue des Français, nous avons le code Napoléon et nous sommes entêtés comme les Normands, nos ancêtres. Enfin je présume que tes ancêtres étaient normands.

— Je pourrais...je ne pourrais pas te dire, Henri. Tout c'que...ce que je sais c'est que l'ancêtre était soldat dans le régiment de Carignan, et qu'il a marié une fille du Roy.

— Vraiment? Aaah! les filles du Roy...joli mythe.

— Qu'est-ce que tu veux dire par ça?

— Rien du tout, ma chère, mais j'ai ma petite idée là-dessus.

— Ah! bon.»

Émilie s'était tue. Elle ne savait pas ce qu'il avait voulu dire. Elle était aussi quelque peu agacée par ses attitudes empesées. Elle se demandait, un peu craintive, si elle pourrait toujours tenir des conversations aussi sérieuses. Mais elle était flattée de l'effet qu'elle faisait sur Henri. Elle était certaine qu'en devenant sa femme elle enorgueillirait Henri et qu'un homme fier de sa conquête, elle le savait, ferait toujours un mari attentif.

Caleb revint au salon, non sans prendre la peine de toussoter avant d'entrer. Henri n'avait pas pour autant laissé la main d'Émilie. C'est elle qui la retira. Caleb le remarqua.

«Bon, les jeunes, est-ce que ça fait votre affaire si on part à onze heures et quart? Me semble que ça serait une bonne heure.

— C'est vous qui décidez ça, pâpâ. Si vous pensez que c'est la bonne heure, alors c'est que c'est la bonne heure.»

Caleb regarda sa fille, intrigué. Normalement, elle aurait discuté de l'heure du départ. Il avait dit onze heures quinze pour être certain qu'elle voudrait bien être prête à partir à onze heures et demie. De plus, elle avait, devant Henri, une de ces façons de parler qui lui portait sur les nerfs. Il refusait de croire qu'elle faisait toujours autant d'efforts. S'il ne voulait pas passer de commentaires, il se sentait néanmoins obligé de dire quelque chose à sa fille.

«Émilie, est-ce que tu pourrais venir avec moi deux minutes dans la cuisine?»

Émilie s'excusa auprès d'Henri et suivit Caleb, pensant qu'il y avait quelque chose à mettre au point pour le réveillon.

«Qu'est-ce qu'il y a, pâpâ?

— Ça serait plus à moi de te demander ça.

— Je comprends pas.»

Caleb s'assit dans la berceuse. Il jeta un coup d'œil en direction de sa chambre pour s'assurer que Célina y était encore. Il écouta aussi les sons qui provenaient de l'étage. Les autres enfants avaient l'air affairés à souhait. Il se berça lentement. Émilie s'impatienta.

«Qu'est-ce qu'il y a?

— Je le sais pas. Je voudrais pas avoir l'air d'un père qui joue à la mère poule, mais il me semble, ma fille, que tu es pas comme avant. Je sais que tu es assez grande pour te choisir un mari, même si tu es pas encore en âge, pis je sais qu'Henri c'est un maudit bon parti pour toi. Mais quelque chose me *chicote*. Tu es peut-être pas prête à te fiancer tout de suite.»

Il soupira. Il avait réussi à lui dire ce qu'il avait sur le cœur depuis qu'elle était arrivée de Saint-Tite.

Émilie avait rougi. Elle détestait que son père intervienne de cette façon. Elle se débrouillait seule depuis assez d'années maintenant pour avoir l'impression qu'il n'avait plus vraiment l'autorité de lui parler sur ce ton. Mais ce soir, elle se devait de demeurer calme.

«Je vous remercie de me dire ça, pâpâ, mais je pense que vous faites erreur. Henri est un homme remarquable que je respecte énormément...

— C'est justement ça le problème, Émilie. Tu le respectes. Ça veut-tu dire que tu l'aimes, ça?»

Émilie s'abstint de répondre. Elle ne s'était jamais posé la question en ces termes. Henri était un bon choix, elle le savait. Elle serait gâtée, choyée, protégée. Avec lui, elle n'avait même pas besoin de se préparer un coffre de cèdre. Voyant qu'elle ne répondait pas, Caleb enchaîna.

«Moi, j'ai toujours eu pour mon dire que mes filles marieraient des hommes à leur goût. Mais il me semble qu'Henri est bien différent de toi...

— Les contraires s'attirent, pâpâ...

— Pis qui se ressemble se rassemble *itou*.»

Il fit une courte pause, la regarda, pinça les lèvres, se leva, lui tapota la joue en lui disant que finalement c'était son affaire à elle et que ce n'était pas le moment de gâcher une si belle soirée.

«Au fait, Émilie, comment est-ce qu'il va le grand Pronovost qui m'avait si gentiment prêté son étalon pour servir la pouliche?

— J'imagine qu'il doit bien aller, répondit-elle sèchement.

— Aaah, tu as pas eu de ses nouvelles?

— Ben oui! Je viens de vous dire qu'il va bien.» Elle devenait cassante.

«M'avait semblé que tu disais que tu le savais pas trop, trop.

— Il va bien d'abord. Est-ce que vous êtes content là?» Elle était aux limites de la furie.

«J'aime mieux ça de même, se contenta de dire Caleb, un petit sourire moqueur accroché aux lèvres.

— Ça quoi?

— *Ça* quand tu te choques un peu, pis *ça* quand tu parles comme tu as appris à parler, sans passer tes *t* pis tes *i* dans l'aiguisoir à crayons.»

Satisfait de lui-même, il tourna les talons et se dirigea au pied de l'escalier pour rappeler ses autres enfants à l'ordre et leur dire qu'ils devaient partir.

Émilie était retournée au salon rejoindre Henri qui, visiblement, s'impatientait. Il l'accueillit avec un soupir de soulagement et de fascination. Elle l'invita à passer à la cuisine pour se préparer. Henri lui demanda si elle pouvait exceptionnellement ouvrir un petit cadeau avant de partir pour la messe. Elle lui dit qu'elle préférait attendre. Il insista. Elle s'entêta. Il lui dit que si la chose n'avait pas été sans importance, il ne se serait pas permis d'insister. Elle répondit qu'une étrenne du Nouvel An était une étrenne du Nouvel An. Agacé, Henri lui expliqua qu'elle pouvait considérer ce petit cadeau comme son cadeau d'anniversaire. Émilie accepta donc d'ouvrir le cadeau que Célina, à la demande d'Henri, alla chercher. Caleb, témoin de l'altercation, s'en était amusé. Son Émilie était revenue.

Émilie s'assit à la table de la cuisine, faisant attention de ne pas déplacer le couvert. Sa mère avait remis la boîte à Henri qui, à son tour, l'avait déposée sur les genoux d'Émilie.

Émilie revit les gestes qu'Antoinette avait posés quand elle-même lui avait donné son cadeau et les imita pendant quelques secondes. Elle n'avait pas envie d'ouvrir le cadeau d'Henri, mais elle le fit quand même. La boîte contenait une toque et un énorme manchon de castor. Émilie demeura bouche bée.

«Hâte-toi d'enfiler ton manteau, Émilie. Tu me pardonneras mon enfantillage mais je ne peux attendre de voir si la toque te sied.»

Caleb grinça intérieurement des dents. Décidément, il aurait toujours de la difficulté à écouter parler son gendre. Il aida sa fille à enfiler son manteau pour montrer à Henri que chez les Bordeleau aussi, on avait de bonnes manières. Émilie alla se planter devant le miroir du salon pour ajuster le chapeau. Il lui allait à ravir. Elle sourit à son reflet et revint vers la cuisine quand elle prit conscience qu'elle avait complètement oublié de remercier Henri. Elle le fit avec un peu moins de cœur qu'elle aurait souhaité. Henri lui répondit que ce qu'il avait fait n'était que «normal».

Émilie était montée dans la carriole d'Henri et avait invité ses sœurs à se joindre à eux. Elles avaient chanté des cantiques de Noël tout au long du trajet. Henri avait bien essayé de se joindre à elles, mais tout le monde avait éclaté de rire au son de sa voix on ne peut plus fausse. Émilie l'avait taquiné en lui disant qu'il avait fait un bon choix de carrière en préférant l'enseignement à la vie de chanteur d'opéra. Henri n'avait émis qu'un petit grognement, mais Émilie sut qu'elle l'avait blessé dans son orgueil.

À l'offertoire, Henri avait passé une magnifique bague à diamant au doigt d'Émilie. S'il avait eu l'œil pour la grandeur du chapeau, il s'était trompé pour la bague. Elle était beaucoup trop grande et Émilie dut l'enlever de crainte de la perdre. De retour à la maison, il lui avait donné un autre cadeau, «son vrai cadeau des Fêtes»: une resplendissante broche représentant une tête de femme sculptée dans du camée. Émilie le remercia encore une fois, gênée de tant d'attentions si coûteuses. Ses parents lui remirent une jolie valise. Elle éclata en sanglots et se précipita dans sa chambre.

«Quel cœur fragile, constata Henri quelque peu dérouté.

— Émilie a toujours été comme ça, répondit Caleb. Bien prompte, bien imprévisible, bien orgueilleuse, bien coléreuse, bien têtue...

— Voyons donc, Caleb, l'interrompit Célina. Faut pas exagérer. Émilie est juste émue d'avoir tant d'attentions. Vous pensez pas, Henri?»

Henri acquiesça. Mais le comportement d'Émilie l'inquiétait. Elle avait beaucoup changé depuis leur dernière rencontre. Avait-il écrit quelque chose dans ses lettres qui aurait pu choquer son âme sensible?

Émilie était revenue. Elle avait fêté allègrement, toute trace de chagrin évanouie. Célina, elle aussi, s'était beaucoup amusée et était restée debout jusqu'à l'aube. Toute la famille — sauf Caleb qui était allé traire ses vaches — s'était couchée après que le soleil eut montré que la journée serait sans nuages. Une belle journée de Noël.

Caleb n'avait pas voulu d'aide ce matin-là, préférant être seul pour réfléchir, comme il le faisait si souvent, au milieu de la chaleur que dégageaient ses animaux. Il avait trait ses vaches, la main nerveuse et sèche. Ses vaches avaient manifesté leur désapprobation en donnant quelques coups de pattes, plusieurs coups de queue et l'une d'elles avait même exprimé son mécontentement en renversant une pleine chaudière de lait chaud et mousseux.

«Maudite Joséphine!»

Caleb avait finalement trait sa dernière vache, replié sur les trayons certes, mais davantage sur ses pensées. Il avait peur. Pas une peur comme celle qu'il avait connue lorsqu'un bœuf l'avait forcé à courir et à sauter une clôture, mais une autre sorte de peur. Il avait peur pour Émilie. Jusqu'à la veille encore, il avait été très entiché d'Henri Douville. Et puis, sans savoir pourquoi, il avait trouvé que Douville lui faisait trop penser à un cul de poule. Il voyait mal comment sa fille, fringante comme un animal de race, pouvait passer sa vie aux côtés d'un homme dont elle devrait laver et empeser les chemises à tous les jours. C'est qu'il suait, le bougre. Caleb l'avait remarqué.

Il savait qu'il avait été maladroit pour faire comprendre à Émilie qu'elle pouvait reporter ses fiançailles d'une autre année. Attendre qu'elle ait ses vingt et un ans. Il savait aussi qu'Émilie jouait un jeu. Il la connaissait si bien. Le cœur lui faisait mal de voir qu'elle courait à son malheur.

La porte de l'étable s'ouvrit. Caleb se retourna. C'était Émilie. Il lui demanda ce qu'elle faisait là.

«J'étais pas capable de dormir. Ça fait que je me suis dit que vous deviez être encore ici à jongler.

— As-tu l'impression que j'ai des raisons de jongler?

— Oui. J'avais même pas besoin d'être dans l'étable, moi, que je jonglais aussi.

— As-tu l'impression qu'on jonglait à la même affaire?

— Ça dépend. Moi je jonglais à mon voyage de noce. Vous?»

Caleb demeura muet. Ainsi donc elle se marierait.

«Comme je connais ton *futur*, il doit avoir une idée pas ordinaire pour faire un voyage de noce. Il voudrait t'amener voir les grosses chutes du Haut-Canada que ça m'étonnerait même pas.»

Émilie sourit. Son père avait bien toisé Henri. Elle le regarda pendant quelques minutes avant de lui révéler leur destination. Elle savait qu'il en tomberait de son tabouret. Caleb, lui, attendait qu'elle parle. Elle n'avait, Dieu merci, pas remarqué le tremblement de ses mains.

«Cette année, pâpâ, j'vas être obligée d'être remplacée à l'école pour le mois de juin.

— Pourquoi ça?

— Parce qu'Henri et moi, on se marie.

— Vous avez décidé de la date comme ça sans nous en parler!

— C'est qu'on n'a pas eu de choix. Il faut qu'on embarque sur le bateau au début de juin.

— Le bateau! Quel bateau?»

Émilie attendit quelques secondes afin de s'assurer de l'effet qu'elle produirait.

«Le bateau qu'on va prendre à New York pour se rendre en France. Voir l'Exposition de Paris!»

Caleb ne tomba pas du tabouret, mais c'était bien parce qu'il était solidement arrimé au pis de sa vache.

«Ben, ma fille, on peut dire que c'est tout un projet. J'espère que tu tiens pas de moi parce que je suis même pas capable de prendre le traversier des Trois-Rivières sans vomir ce que j'ai dans le ventre. Pis il paraît que la mer, ça vous brasse une panse, madame, que c'en n'est même pas drôle. J'espère qu'Henri a le pied marin parce que tu vas avoir affaire à nettoyer quelques p'tits dégâts.»

Émilie cessa de sourire. Elle n'avait jamais pensé à cet aspect du voyage. Elle n'avait vu que le chic d'un paquebot, les lumières se reflétant sur la mer dans la nuit, les repas servis sous l'éclairage d'immenses chandeliers. Et s'il fallait qu'elle ou Henri aient le mal de mer? Ou les deux?

«Henri m'a dit qu'en juin, c'est rare que ça brasse.

— Ils disent que ça a pas besoin de brasser pour donner le mal de mer. Juste le fait de pus être sur le plancher des vaches ça suffit. En tout cas, c'est ce qu'ils disent. Moi, j'ai juste l'expérience du fleuve, pis si ma mémoire est bonne, l'eau était calme.

— Oh! vous! Chaque fois que j'ai une idée pis que vous avez pas la même, vous vous arrangez toujours pour... pour...»

Elle ne termina pas sa phrase. Elle tourna les talons et sortit de l'étable. Elle referma la porte et, de dos, s'appuya dessus. Elle bascula quand Caleb l'ouvrit quelques secondes plus tard.

«J'ai bien pensé que tu serais encore ici. C'est quoi au juste, Émilie, que tu voulais me dire?

— Rien de spécial...En fait, je voulais juste vous dire qu'Ovila Pronovost m'a écrit. J'aime mieux Douville. Au moins, avec lui, on sait ce qui va arriver le lendemain, pis le jour après.

— C'est certain. Le grand Pronovost, c'est pas le même genre pantoute. Il m'a l'air d'avoir toute une tête de mule lui *avec*.

— Pour avoir une tête de mule, il a une tête de mule. Ça fait que deux têtes de mules, pâpâ, c'est rien de bon. Vous pouvez pas comprendre pourquoi Henri c'est le mari qu'il me faut. Oubliez pas que ça fait bien des années que je vis pus ici, pis que vous me connaissez un peu moins qu'avant.

— Je sais ça, Émilie. C'est pour ça que je me demande pourquoi tu te donnes tant de mal à essayer de me convaincre. Si tu étais si sûre de toi, ça paraîtrait dans ta face. Me semble.»

Il avait visé juste. Émilie s'était dit qu'en convainquant son père, elle trouverait les arguments pour se convaincre elle-même. Elle doutait de ses sentiments et détestait cette confusion. Elle soupira. Comment pourrait-elle expliquer à Henri que leurs fiançailles n'auraient duré que le temps d'une nuit?

Caleb avait suivi le cours des pensées de sa fille.

«Dans mon temps, Émilie, on avait pour notre dire que les fiançailles ça servait à deux choses. La première, ça voulait dire au prétendant qu'on allait le marier ou *bedon* la deuxième, qui voulait dire qu'on prenait plus de temps pour réfléchir. Tu peux choisir.»

Il se frotta la nuque, puis les yeux. Il s'étira en bâillant.

«Bon, bien, moi, si tu as rien contre, j'vas aller faire un p'tit somme, pis je pense que que tu devrais faire pareil.»

La journée de Noël s'était passée sans encombres. Émilie avait choisi de ne pas parler à Douville. Ne sachant plus très bien où situer ses sentiments, elle avait décidé de ne rien brusquer. Il avait quitté Saint-Stanislas le soir de Noël en promettant d'être présent la veille du Jour de l'An. Pour rien au monde, avait-il dit, il n'aurait voulu être éloigné de sa fiancée pour regarder tourner le siècle.

Caleb et Émilie n'avaient plus parlé de son mariage. Il était certain qu'Émilie reviendrait sur sa décision. Émilie, elle, n'en savait toujours rien.

Henri était arrivé, encore une fois, quatre heures avant la messe de minuit. Il avait l'air troublé. Il demanda à Émilie s'il était possible qu'ils aillent marcher dehors, même si le temps était extrêmement froid. Émilie n'avait pas posé de questions et avait enfilé son manteau, prenant bien soin de porter sa toque et son manchon. Douville était trop silencieux pour que son silence annonçât quoi que ce soit qui vaille.

«Émilie, parvint-il enfin à dire, j'ai beaucoup songé à toi et à nous depuis une semaine. Je t'ai écrit au moins dix lettres que j'ai toutes détruites. Vois-tu, Émilie, je me suis demandé si le peu d'empressement que nous mettions à sceller notre union n'indiquait pas que nous n'étions pas prêts. Tu...tu es vraiment tout ce dont j'ai rêvé, d'aussi loin que je me souvienne. Mais j'ai mes... appelons-les mes craintes. Je suis un vieux garçon et je ne sais rien aux femmes. Tu es tellement jeune, tellement enthousiaste à propos de tout et de rien, que je me demande si, à côté de toi, je ferais bonne figure. Je te prie de me croire, Émilie, quand je te dis que je souffre beaucoup. Je t'ai fait tant de promesses que je crains ne pouvoir tenir.»

Il se tut, essayant d'éviter le regard d'Émilie. Elle se retourna et le dévisagea. Si elle s'était écoutée, elle se serait roulée par terre tant elle avait envie de rire. Mais Henri, lui, ne semblait pas partager cette humeur. Elle se contint donc, pour lui dire qu'il la voyait défaite et déçue — *qu'est-ce qu'elle était menteuse* — qu'elle voyait s'éteindre un beau rêve — *il ne faudrait quand même pas exagérer* — que si la vie voulait qu'ils s'unissent, la vie verrait à ce que cela se fasse — *non!* — qu'elle avait passé de merveilleux moments en sa compagnie — *surtout le moment présent* — que ce qu'elle souhaitait le plus ardemment c'était son bonheur à lui — *loin d'elle* — et que finalement rien ne les empêcherait de demeurer amis.

Henri lui baisa la joue après lui avoir dit, ému, qu'il savait qu'elle comprendrait. Il la pria cependant de ne rien dire à ses parents. Il préférait leur annoncer la «mauvaie nouvelle» lui-même, comme un homme. Émilie lui demanda de n'en rien faire. Elle voulait être sa propre messagère.

À la messe de minuit, Émilie et Henri s'étaient assis côte à côte. À minuit juste, ils s'étaient regardés. Émilie lui avait souhaité beaucoup de bonheur pendant ce nouveau siècle. Henri avait chuchoté, en retour, qu'il leur en souhaitait à tous deux. Il lui fit un clin d'œil et elle lui sourit. Cet Henri Douville était quand même un homme bien et elle était certaine que si elle devait revenir sur sa décision, il reverrait sûrement la sienne.

Malgré cette certitude, Émilie ressentit quand même un pincement. La solitude commençait à lui peser. Demeurerait-elle une éternelle institutrice?

22.

L'hiver, distraction ultime, avait presque oublié d'ex-pédier de la neige. Aussi s'était-elle évaporée au soleil comme une flaque d'eau sans importance. Avril avait montré des rayons brûlants pour raviver les cœurs et annoncer la fin du carême. Dosithée, qui détestait cette période de péni-tence, fulminait en ce Vendredi Saint. Il avait terminé son contrat annuel au lac Pierre-Paul depuis une semaine et Félicité l'avait obligé à jeûner et à faire pénitence, ne fût-ce que pour se faire pardonner les gourmandises qu'il s'était certainement permises au chantier.

«Tu t'imagines quand même pas que quand on a des grosses journées à faire dans le bois, on se demande si le Bon Dieu regarde ce qu'on mange. Il nous a dit de travailler à la sueur de notre front, mais Il a jamais dit de travailler le ventre vide.

— Le Bon Dieu a dit de faire pénitence, ça fait que tu vas faire comme Il dit, Dosithée Pronovost!

— Moi, si tu veux savoir, je pense qu'on nous a toujours caché que le Bon Dieu était marié pis que c'est sa femme qui a inventé l'histoire du carême juste pour pas montrer que les provisions commençaient à descendre pis pour être capable de se rendre jusqu'aux premières récoltes. Parce qu'entre toi pis moi, demander au monde de pas manger pendant quarante jours avec des froids comme on en connaît, ça a juste pas d'allure...»

Félicité lui fit comprendre qu'elle aurait préféré qu'il se tût devant les enfants. Elle avait déjà assez de difficultés à les priver de dessert et à leur faire accepter de diminuer les portions sans que leur père arrive avec ses idées presque sacrilèges. Elle soupira et résista mal à l'envie de le gronder comme elle l'aurait fait avec un enfant désobéissant.

«Prends patience, ça va être Pâques dans deux jours.»

Dosithée se contenta de tirer une profonde bouffée sur sa pipe en susurrant un *Alleluia* de rage.

Télesphore entra dans la maison en coup de vent. Sa mère eut juste le temps de le retenir quand il perdit pied en glissant sur une des carpettes.

«Voyons donc, le jeune, combien de fois que ta mère t'a dit de pas rentrer dans la maison comme si tu rentrais dans l'étable?» lui lança Dosithée.

— Ovila arrive! J'ai vu Ovila! Il est rendu à peu près vis-à-vis l'ancienne maison du père Mercure. C'est lui, c'est sûr! Il y a personne d'autre d'aussi grand que lui.»

Tout le monde se leva, Dosithée le premier. Enfin! une bonne nouvelle pour lui faire oublier les tiraillements de son estomac. Le père et la mère, suivis de leurs enfants, marchèrent à la rencontre de ce fils dont ils avaient été sans nouvelles depuis des mois.

Il leur fit un signe de la main. Même à distance, ils purent deviner son sourire, mais s'étonnèrent de voir combien sa carrure avait changé. Dosithée et Félicité étaient émerveillés de constater que cet homme n'était nul autre que leur indépendant de fils, celui qui faisait toujours à sa tête. Ils purent enfin le toucher. Félicité lui posa un baiser sur les lèvres et Dosithée s'empara de sa main droite qu'il serra pendant de très longues secondes.

«Bonyeu de bonyeu, fit Ovide tout essoufflé, faudrait pas que personne décide de te marcher sur un pied.

— Surtout pas celui que je me suis blessé, répondit Ovila en riant.

— Est-ce que ça te fait encore mal? demanda Rosée.

— Seulement quand c'est humide.»

Toute la famille revint à la maison, Oscar et Télesphore s'étant emparés du bagage de leur frère pour lui montrer à quel point ils avaient grandi et combien ils étaient devenus forts, eux aussi. Ils s'engouffrèrent tous dans la cuisine, impatients d'entendre ce qu'il avait à leur raconter.

Émilie s'était assise sous l'effet du choc. C'était lui! C'était bien lui! Il était de retour. Elle aurait reconnu sa démarche à des milles à la ronde. Elle était resté rivée à sa fenêtre à le regarder venir tranquillement dans le Bourdais. Elle avait vu Télesphore rentrer dans la maison à toute vitesse puis elle avait été témoin de l'accueil que sa famille lui avait réservé. Elle aurait voulu être avec eux à ce moment-là, mais elle le laisserait faire. S'il voulait la voir, il n'avait qu'à se déplacer. Il savait où la trouver. Elle ne brusquerait rien. Il devait comprendre qu'elle n'avait pas passé tous ces mois à l'attendre. Mon Dieu, faites qu'il vienne, priait-elle silencieusement. Mais qui essayait-elle de leurrer? Elle savait bien qu'elle n'avait jamais cessé d'espérer son retour. Que la lettre qu'il lui avait laissée dans son pupitre était toute fanée tant elle l'avait lue et relue…sans parler des nuits où elle l'avait placée sous son oreiller.

Henri était à cent mille lieues de ses pensées. Henri. L'homme qui lui avait donné l'assurance d'être belle et désirable. Henri qui, finalement, lui avait permis de répéter son rôle d'aimante. Mon Dieu, faites qu'il vienne, ne cessait-elle de se redire. Elle respira longuement puis décida de passer à l'action. Elle abandonna le lavage des fenêtres, monta à l'étage, se chauffa de l'eau et se coula un bain. Mon Dieu, faites qu'il vienne.

Elle s'affaissa dans l'eau, ferma les yeux et tenta de se calmer avant de commencer à se savonner. Elle demeura ainsi pendant de longues minutes avant de procéder au lavage de tête qu'elle s'était promis pour le lendemain en fin de journée. Elle s'immergea la tête puis, satisfaite, décida que toute cette mousse l'avait sûrement bien lavée.

Elle enfila sa vieille robe de chambre en pensant qu'il était grand temps qu'elle en confectionne une autre et essora ses cheveux avec une bonne serviette. Elle lança la serviette sur le dossier de sa chaise, s'assit sur le bord du lit et commença à se démêler la crinière. Elle détestait cela. Ses cheveux étaient tellement longs. Elle allait passer derrière le paravent pour revêtir sa robe lorsqu'elle aperçut Ovila, debout sur la dernière marche. Saisie, elle resta au beau milieu de la pièce, bouche bée, devant lui. Ses cheveux mouillaient la robe de chambre sur ses fesses et sur ses seins. Elle oublia que l'eau rendait transparent le coton léger de sa robe.

Ovila la regarda de la tête aux pieds, sourit et s'approcha d'elle pour l'enlacer dans ses bras.

«J'ai cogné trois fois. Comme ça répondait pas pis que je savais que tu étais là parce que la porte était débarrée, je me suis permis d'entrer. Remarque que j'étais loin de penser que tu serais aussi belle en plein milieu de l'après-midi.»

Émilie n'avait pas encore réussi à se remettre de ses émotions. Il était là, devant elle, souriant, plus sûr de lui que jamais. À le voir agir, on aurait pu penser qu'il l'avait visitée la veille. Elle réussit enfin à parler.

«Cesse tes moqueries. J'ai l'air d'un chat mouillé.

— Une chatte, Émilie, une belle chatte.»

Cette remarque ne l'aida pas à dissiper le malaise qui la gagnait.

«Depuis quand est-ce que tu es arrivé? demanda-t-elle innocemment.

— Depuis à peu près une heure.

— Ta famille a dû être surprise vrai...

— Oui, très.»

Émilie regarda autour d'elle, se cherchant une contenance. Elle demanda à Ovila de se tourner, le temps qu'elle passe derrière le paravent pour enfiler sa robe. Ovila la pria de n'en rien faire, qu'elle était bien à son goût comme elle était. Elle éclata d'un rire niais, essayant de lui faire croire qu'elle avait pris cette remarque comme une boutade et passa quand même derrière le paravent afin d'être plus à l'aise pour se tenir la poitrine à deux mains. Ovila s'assit sur le lit et la regarda. Toute la tête d'Émilie dépassait.

«J'ai dit de te retourner, Ovila Pronovost.

— Ça fait tellement longtemps que je t'ai vue que j'ai pas envie de perdre une minute de plus.»

En un temps record, Émilie enfila ses sous-vêtements, son cache-corset, ses jupons et sa robe.

«As-tu pensé à moi pendant que j'étais parti, Émilie?

— Pas souvent, Ovila. On peut pas dire que tu m'as aidée à le faire. Pourquoi est-ce que tu m'as écrit rien qu'une lettre?

— Parce que j'haïs ça, écrire.

— Pis moi, tu sauras que j'haïs attendre un fantôme.

— Tu devais avoir confiance. J'avais dit que je travaillais pour gagner l'argent pour nous installer.

— C'est facile à dire ça, Ovila Pronovost. As-tu vraiment l'impression que j'ai passé tout ce temps-là à me morfondre?

— Moi je me suis morfondu», dit-il amèrement.

Émilie n'y tint plus. Elle sortit de derrière le paravent et se précipita vers lui. Ils basculèrent tous les deux sur le lit.

«Mon grand fou! Faut pas avoir de cœur pour faire ça à une fille.

— Non, mais j'ai le cœur de faire ça.»

Il l'embrassa tendrement. Elle s'abandonna aux limites de la correctitude. La fougue d'Ovila augmenta.

«Ovila...on devrait aller marcher. J'aimerais mieux que les gens nous voient dehors.

— Dans deux minutes. Promis...» dit-il en mordant goulûment dans une de ses joues.

Ils sortirent une demi-heure plus tard. Émilie avait consacré beaucoup de ses énergies à freiner cette femme qui lui criait de la laisser sortir. Ils prirent le chemin de la montée des Pointes.

«J'ai beaucoup pensé à toi. J'ai passé des nuits blanches à me demander si tu avais oublié toutes mes bêtises. J'espérais que tu m'en voudrais pas trop. Je sais pas comment dire ça, mais j'aurais voulu, le matin de la mort de Marie-Anne, que tu restes avec moi pour me consoler.

— Je le savais, Ovila, mais je pouvais rien faire sauf te dire de revenir. Je pouvais quand même pas perdre mon poste.»

Ovila gratta le sol du bout de sa chaussure, donnant ensuite quelques petits coups de pied aux cailloux qu'il n'avait pu déplacer.

«C'est parce que j'avais trop honte que je suis parti. Il est arrivé trop d'affaires en deux jours. Moi, j'ai besoin de temps pour réfléchir quand tout change.

— Si ça te fait rien, j'aimerais qu'on parle d'autre chose.

— Ça tombe bien! J'espère que tu m'as pris au sérieux quand je t'ai dit que j'étais parti pour faire de l'argent pour qu'on s'installe.

— Ça m'a pas semblé aussi clair que ça.

— Je l'ai écrit noir sur blanc!

— Oui, mais comme j'ai pus entendu parler de toi, j'ai pensé que c'étaient des paroles en l'air.

— Maudite tête de mule, Émilie! Tu es pire que moi. Ben là, tu vas m'écouter. Quand je dis que je suis revenu, c'est que je suis revenu. Cet été, j'vas aider au père. Pis le soir, j'vas finir la maison qui est en chantier depuis trop de temps. Si tout va bien, mes parents pourraient déménager l'année prochaine. Nous autres on va se marier pis rester dans la vieille maison. Edmond pis Ovide ont pas l'air intéressés de la prendre.

— Je comprends pour Ovide, mais Edmond...

— Edmond préfère rester près du père pis de la mère pis de ses ch'vaux. En tout cas, si tout va bien, on va pouvoir se marier l'été prochain. Astheure, tu vas me dire, un, si c'est clair, pis deux, ce que tu en penses.

— Pour être clair, c'est clair. Pour savoir ce que j'en pense, tu vas attendre un peu.

— Comment ça? Tu veux pus qu'on se marie?

— Comment ça, je veux pus! C'est la première fois que tu m'en parles.

— Me semblait que c'était ça qu'on avait dit qu'on ferait.

— Ovila Pronovost, tu vas attendre. Tu arrives comme un cheveu sur la soupe, tu me prends mouillée comme un canard, tu dis qu'on se marie l'année prochaine pis qu'on va rester dans la maison à ton père. Pis moi, là-dedans? Est-ce que ça se pourrait que j'aie mon mot à dire?

— Choque-toi pas, Émilie. Moi, j'ai pensé rien qu'à ça depuis que je suis parti. J'vas attendre. J'vas faire comme tu veux.»

Émilie s'était tue. Elle attendait ce jour d'aussi loin qu'elle pouvait se souvenir. Et voilà que la peur venait de commencer à lui ronger un coin de cœur. Elle regarda Ovila, le trouva plus beau que jamais, remercia le ciel de ne plus être fiancée à Henri, aurait voulu croire tout ce qu'il venait de lui dire, mais quelque chose lui faisait peur. Et s'il décidait de repartir? Et s'il oubliait ses belles promesses? Non! Le regard qu'il lui jetait en ce moment était imprégné de tellement de confiance, de tellement d'incertitude et de naïveté qu'elle eut envie de lui crier qu'elle acceptait. Mais il l'avait blessée. Il lui avait fait passer des heures d'attente dans le doute et l'angoisse. Il n'avait jamais douté d'elle. Elle ne pouvait pas en dire autant...

«Trouverais-tu que ça serait raisonnable que je te donne ma réponse au début de l'année scolaire? J'vas penser à tout ça pendant l'été. Pis comme ça, toi pis moi, on va avoir le temps de se fréquenter en bonne et due forme, pis de se connaître un peu mieux.»

Ovila avait émis un sifflement de désespoir. Elle lui demandait d'attendre sa réponse pendant quatre mois. Quatre longs mois durant lesquels il ne pourrait parler de leur projet.

«Si tu veux que j'attende jusqu'au mois de septembre, je pourrai pas commencer les travaux sans énerver tout le monde.

— Ovila, je veux juste avoir quatre mois pour penser! Toi, tu as pensé pendant pas mal plus de temps que ça.

— C'est correct. J'vas attendre. Reste juste à espérer que l'hiver sera pas trop dur pour que j'aie le temps de travailler sans trop avoir de problèmes.»

Tout à leurs pensées, ils n'avaient plus parlé sur le chemin du retour. Ils se séparèrent en se touchant discrètement la main. Émilie lui sourit.

«Je peux quand même te dire que je suis contente que tu sois revenu.

— Je peux bien répondre que j'en pouvais pus d'être trop loin du Bourdais pis de la p'tite école. Pis, si ça peut te rassurer, je peux bien te répéter que je t'aime. Toujours, pis plus.»

Le printemps avait filé tout aussi parfaitement que l'amour entre Ovila et Émilie. Ils avaient tous les deux vu approcher la fin des classes avec un brin d'angoisse. Les deux mois de séparation leur apparaissaient comme deux mois d'éternité. Émilie avait gardé précieusement le secret de sa réponse, non pas parce qu'elle était indécise, mais bien parce qu'elle aimait voir Ovila lui faire la cour. Il n'avait certes pas la finesse et la tournure de mots d'Henri, mais il avait une spontanéité qui manquait à ce dernier.

Henri était venu comme à chaque année. Si Émilie n'avait pas été certaine de s'être fiancée à lui l'année précédente, elle aurait cru rêver tant il était distant, malgré sa courtoisie coutumière. Il n'avait fait aucune allusion à leur courte fréquentation. Il n'avait pas non plus parlé de la bague de fiançailles qu'elle n'avait plus jamais revue. Elle avait attendu un autre inspecteur, convaincue qu'il avait dû s'embarquer pour l'Europe, mais s'était abstenue de lui demander comment il se faisait qu'il ne voguait pas sur l'Atlantique.

Sa journée terminée, Henri avait refusé le verre d'eau qu'elle lui avait offert, prétextant qu'il était attendu à Sainte-Thècle. Émilie lui avait dit qu'il était préférable, en effet, qu'il ne fasse pas patienter la personne avec laquelle il avait rendez-vous. Douville avait remis son chapeau et salué Émilie poliment. Contrairement aux années passées, il ne lui avait pas envoyé la main une fois rendu sur la route.

Émilie avait bouclé ses malles. Elle avait averti ses parents qu'elle arriverait le vingt-trois juin et qu'il n'était pas nécessaire d'envoyer son frère avec la calèche. Une connaissance, avait-elle écrit, lui avait offert de la conduire. Ovila était venu la chercher. Il n'avait pas voulu la quitter à Saint-Tite, préférant les heures de solitude que leur permettrait le parcours. Émilie avait d'abord hésité puis s'était laissé convaincre. Ce n'était pas la première fois qu'un Pronovost lui rendait un tel service.

Le trajet avait été long et pénible, ponctué d'orages subits et fréquents. Ils étaient partis sous un ciel éclatant qui, à tout moment, s'était chagriné sans avertissement. Ils étaient trempés en arrivant à Saint-Séverin. Émilie proposa donc à Ovila de faire une halte chez sa cousine, le temps de se sécher un peu et de prendre une bouchée. Ovila ne s'était pas fait prier.

Lucie fut vraiment surprise de les voir arriver. Elle les accueillit chaleureusement. Émilie présenta Ovila comme un «bon ami à elle», un ancien élève. Lucie, qui avait l'œil vif, ne fut pas dupe pour deux sous.

«B-ben, ma chère, si tous tes «anciens élèves » ont l'air de m-même, je comprends pourquoi tu aimes l'enseignement.»

Émilie la foudroya du regard, pour ensuite lui sourire. À quoi lui servirait de cacher une chose qui, d'après la réaction de sa cousine, devenait de plus en plus manifeste?

Ils ne restèrent qu'une petite heure. Leurs vêtements avaient repris une forme presque normale et le ciel s'était égayé encore une fois.

Émilie et Ovila échangèrent peu durant le reste du trajet. Ils se contentaient de se tenir par la main, pressant la main de l'autre au fil de leur pensée respective. Émilie ne nourrissait aucune crainte quant à la réaction de son père. Elle redoutait plutôt celle de sa mère qui avait mal réagi au fait qu'elle se soit donné tant de mal pour préparer une réception qui s'était, finalement, soldée par un échec.

Ils arrivèrent à la côte Saint-Paul. Ovila avait reconnu le chemin sans qu'elle ait eu besoin de lui fournir d'indications.

«Il y a pas un arbre, une roche, un brin d'herbe, un virage, une lumière, un son pis une odeur que je reconnais pas, Émilie. C'est ici que j'ai commencé à penser que l'avenir ça pouvait exister.»

Il fit arrêter le cheval.

«Si ma mémoire est bonne, c'est ici même que j'ai crié que je t'aimais.

— Ta mémoire est bonne.»

Que de temps passé depuis cette visite. Que d'eau avait coulé dans sa Batiscan. Il lui faudrait écrire à Berthe et lui raconter tout ce qu'elle avait vécu depuis le Vendredi Saint. Elle n'avait pas encore pris le temps de le faire. Il lui faudrait aussi écrire à Antoinette qu'elle avait tellement négligée. Antoinette avait eu l'amabilité de lui offrir ses services pour l'aider avec sa classe toujours surchargée à cause des élèves du pensionnat. Émilie lui avait dit qu'elle y réfléchirait. Antoinette avait ajouté qu'elle ne demanderait pas de compensation financière. Elle se contenterait d'installer un deuxième lit à l'étage et elles pourraient vivre, toutes les deux, comme au début de leur amitié. Depuis qu'Alma avait quitté Saint-Tite pour retourner dans sa famille et qu'Ovila était revenu, Antoinette avait connu de longues heures de solitude. Émilie l'avait visitée un peu moins souvent. Elle lui avait même demandé, à quelques reprises, de reporter sa visite dominicale. Émilie s'était promis de réfléchir à cette proposition durant ses vacances. Certes, un tel arrangement lui faciliterait la tâche. Mais elle se demandait comment elle pourrait voir Ovila en évitant de tenir Antoinette dans le secret. Oui, elle y réfléchirait. Elle aimait Antoinette comme on aime une amie très chère, mais elle craignait que sa présence ne la prive de sa liberté. Elle y réfléchirait.

Ovila immobilisa la calèche au même endroit qu'il l'avait fait lors de sa première — et dernière — visite. Tous les membres de la famille qui, apparemment, étaient aux aguets, accueillirent Émilie. Ils furent tous surpris de voir Ovila. La surprise de Caleb n'était toutefois rien comparée à celle de sa femme. Célina leur souhaita la bienvenue, tout à fait inconsciente qu'Ovila était le soupirant de sa fille. Caleb, pour sa part, lui avait chaleureusement serré la main en lui répétant sans arrêt qu'il était «très très très» heureux de le revoir.

Ils portèrent les bagages d'Émilie à l'intérieur et invitèrent Ovila à passer la nuit à Saint-Stanislas. Ovila aurait eu le temps de retourner à Saint-Tite, mais il accepta. Émilie rougit de plaisir. Ils pourraient, le lendemain matin, faire une belle promenade dans le bois. Seuls.

23.

Émilie avait refusé, pour la première fois, de prendre des élèves durant l'été. Elle voulait vraiment se reposer de cette difficile année qu'elle avait connue. Elle voulait aussi réfléchir à toutes les décisions qu'elle devrait prendre. Elle avait repensé à ce qu'Ovila lui avait dit concernant ses plans et s'était rendu compte avec étonnement qu'il n'avait jamais entrevu la possibilité que ses parents refusent de déménager. Ovila était tellement enthousiasmé par tous ses projets qu'il n'avait même pas songé qu'ils puissent ne pas convenir à tous. Émilie se sentirait bien malheureuse si elle devait avoir l'impression de forcer toute la famille Pronovost à changer de domicile.

À la fin juillet, elle avait écrit à Antoinette pour lui dire qu'elle acceptait son offre. Trois raisons étaient venues à bout de ses hésitations. La première, elle aimait vraiment ce petit bout de femme replète. La seconde, elle ne se sentait pas le courage d'entreprendre cette année scolaire sans aide. Elle savait que le nombre d'élèves serait encore plus grand, les religieuses lui ayant demandé si elle accepterait de garder avec elle les pensionnaires de l'année précédente, et d'accueillir, en plus, les nouvelles de sixième. Elle enseignerait donc à plus de quarante enfants. Normalement, cela aurait nécessité l'embauche d'une seconde institutrice, ce que les commissaires n'avaient pu faire. Émilie savait que ses charges de travail seraient augmentées terriblement et qu'elle devrait, par surcroît, préparer son coffre de cèdre. Tout ceci demanderait une organisation serrée de son temps. Enfin, dernière raison, elle avait pris conscience qu'elle et Ovila ne pourraient cacher indéfiniment leur relation. Aussi, il lui avait semblé préférable qu'Antoinette habitât avec elle pour faire taire les mauvaises langues qui commenceraient certainement à s'agiter.

Antoinette lui avait répondu qu'elle était très excitée à l'idée de revenir habiter le Bourdais. Elle promit à Émilie qu'elle serait le plus discrète possible et ferait en sorte qu'Émilie ne regrette jamais sa décision.

Caleb avait tenté de parler d'Ovila à sa fille mais elle n'avait rien laissé transpirer de ce qu'il y avait à l'horizon. Il avait maugréé un peu, se sentant privé de sa confiance. Émilie n'avait pas non plus satisfait sa curiosité quant à sa rupture avec Henri.

Malgré un été moins occupé que les précédents, elle avait été surprise de voir surgir la fin août. Ovila lui avait terriblement manqué durant ces deux mois, mais elle s'était gardée de lui écrire. Elle savourait d'avance le moment des retrouvailles. La veille de son départ, la mine renfrognée, Caleb lui avait demandé s'il pouvait lui parler. Elle avait laissé tomber ce qu'elle faisait pour le suivre à l'étable.

«Émilie, je pense que demain, je pourrai pas aller te conduire.

— C'est pas grave, pâpâ, j'irai avec un de mes frères.

— C'est justement ça le problème. Demain, j'ai besoin des bras de tout le monde pour finir ma récolte de patates.

— On partira après demain si c'est plus simple.

— C'est que j'ai promis au voisin qu'on irait l'aider après-demain.»

Émilie ne comprenait pas ce qui se passait. Encore un peu et elle aurait cru qu'il ne voulait pas la laisser partir. Elle regarda son père, sourcils froncés, et lui dit qu'elle se débrouillerait. Elle irait chez le marchand général pour lui demander si, à sa connaissance, quelqu'un du village devait se rendre à Saint-Tite.

«C'est une bonne idée ça, Émilie…sauf que tu vas être obligée d'aller à pied jusqu'au village parce que j'ai promis de prêter ma calèche à Éphrem.»

Émilie cessa de discuter. Son père montrait une mauvaise volonté qui lui répugnait. Lasse de toute cette discussion, elle lui demanda s'il avait une solution à proposer.

«J'en aurais peut-être une.» Il fit mine de chercher ses mots. «Tu sais que La-Tite est d'âge d'être attelée. Je me suis dit de même que, quitte à passer pour un fou, ça serait peut-être bien utile que ma fille ait sa propre calèche pis son ch'val. J'ai demandé à ta mère d'écrire au père Pronovost pour savoir s'il pouvait lui donner un peu de pacage pis la pension pendant l'hiver, pis il a répondu que ça lui ferait plaisir.»

Émilie sauta de joie. Une cheval et une calèche à elle! Elle embrassa son père.

«Je sais que c'est pas dans les habitudes du monde de voir une fille équipée de même, mais me semble que pour les vingt et un ans que tu vas avoir, ça serait pratique. Pis à part ça, c'est moi qui vas passer pour un vieux fou. Ça fait qu'une fois de plus ou une fois de moins, ça me dérange pas tellement.»

Émilie avait tenu à atteler elle-même sa bête. Elle avait brossé et rebrossé sa pouliche en lui parlant doucement à l'oreille. Elle savait que la plupart des gens trouvaient qu'il était idiot de s'attacher à un animal, mais ils pouvaient bien braire. En quelques minutes, elle s'était liée à sa Tite.

Son père lui avait acheté une calèche presque neuve, payée pour une bouchée de pain à une paroissienne que la mort de son mari avait laissée seule. La calèche était la plus belle qu'Émilie eût jamais vue. Elle aurait bien pu se contenter de la vieille calèche de son père, mais il avait insisté pour qu'elle prenne la neuve. Une superbe calèche dont le toit avançait tellement vers l'avant qu'à moins d'avoir une pluie de front, elle pourrait demeurer au sec presque en tout temps.

Émilie avait installé son bagage sur la banquette avant, à côté d'elle, se laissant peu de place pour manœuvrer.

«Pourquoi tu fais ça, Émilie? Tu as tout le banc d'en arrière pour te servir.

— Je veux juste voir si je peux m'organiser comme ça, c'est tout.

— Fais à ta tête, ma fille, fais à ta tête. C'est toi qui vas avoir mal partout en arrivant à Saint-Tite.

— C'est pas certain. En tout cas, pâpâ, si je vois que c'est trop fatigant, craignez pas, j'vas repenser à mon affaire.»

Comme à chaque année les parents, frères et sœurs d'Émilie assistèrent à son départ.

«Salue juste le monde que tu connais, avait dit Célina, on sait jamais qui peut se promener par les chemins.»

Elle avait chuchoté à Caleb qu'elle n'aimait vraiment pas ça. Qu'elle trouvait qu'il avait exagéré un tantinet en donnant ce bel attelage à leur fille. Caleb n'avait pas répliqué. Son idée était faite depuis le début de l'été et rien ne le ferait revenir sur sa décision.

«Vas-y La-Tite. J'vas te montrer le chemin.»

Émilie avait bien écouté la consigne de sa mère. Elle n'avait salué que les gens qu'elle connaissait. Mais elle les avait salués avec une ostentation à la limite de l'exhibitionnisme. Son père aurait sûrement été très fier d'elle s'il l'avait vue courber l'échine devant Elzéar Veillette qui, surpris, avait encore une fois laissé tomber et cassé sa pipe. Elle trotta joyeusement jusqu'à Saint-Séverin. Elle alla voir sa cousine Lucie qui fut renversée de voir l'attelage d'Émilie.

«Ah ben! Ah ben! La fille à son p-père qui arrive comme une princesse. C'est-y à toi ce b-bel attelage-là?

— Oui, ma chère. C'est le cadeau que pâpâ me donne pour mes vingt et un ans.

— Ouais j'vas m'arranger p-pour avoir vingt et un ans à ma prochaine fête. Mon Phonse va peut-être p-penser de m'acheter un cadeau comme le tien.»

Émilie demanda à sa cousine si elle pouvait s'absenter pour faire une course au village. Lucie lui dit qu'elle le pourrait certainement. Elle demanda donc à son mari de jeter un coup d'œil aux enfants.

Lucie pria Émilie de l'attendre, le temps qu'elle aille mettre un chapeau. Émilie lui dit qu'elle n'en avait pas besoin. Lucie s'entêta.

«M-ma chère cousine, si tu réussis à faire partir m-mon chapeau au vent, c'est que tu mènes comme un homme.»

Les deux filles partirent rapidement. Lucie, seule à l'arrière et riant aux éclats, avait retenu son chapeau.

«Une chance qu'il vente un peu, p-parce que je dirais que tu mènes bien.»

Après avoir ri avec sa cousine, Émilie devint plus sérieuse. Elle dit à Lucie qu'elle avait besoin de son aide.

Lucie, comprenant qu'Émilie n'avait pas improvisé cette randonnée en voiture, lui demanda en quoi elle pouvait lui être utile.

«J'ai besoin que tu m'aides à monter un coffre de cèdre sur le banc d'en arrière.»

Elle n'ajouta plus un seul mot, certaine que Lucie avait compris ce dont il s'agissait.

«J'imagine que c'est le «bon ami à toi» qui va t'aider à le vider d-de son contenu?

— Oui, mais il y a encore personne qui le sait.

— Ah!»

Elles s'en allèrent chez le marchand général et achetèrent le coffre. Dès qu'il fut installé sur la banquette, Émilie, le trouvant trop visible, demanda une vieille toile. Le marchand lui en donna une. Elle et Lucie recouvrirent le coffre.

«Ça ressemble à quoi, Lucie?

— À un coffre caché en dessous d'une grosse toile.

— Ouain... d'abord aide-moi à mettre des valises pis des sacs dessus. Comme ça la boîte va être moins carrée.

— On p-peut dire que tu as toujours des bonnes idées.»

Le coffre fut camouflé en bagage ordinaire qu'une institutrice apportait avec elle en début d'année. Émilie reconduisit sa cousine et la remercia à plusieurs reprises de sa complicité. Lucie lui répondit que tout cela lui faisait extrêmement plaisir. Elle ajouta qu'elle trouvait Ovila bien à son goût. Émilie sourit. Lucie, toujours futée, comprit qu'Émilie n'aurait pas pu acheter son coffre à Saint-Stanislas sans que tout le village sache qu'elle songeait à se marier. Pour cette même raison, il lui aurait été impossible de l'acheter à Saint-Tite. La confiance d'Émilie lui avait picoté le cœur.

Elles s'étaient quittées un peu avant d'arriver chez Lucie, de façon à éviter que Phonse ne voie l'achat. Lucie espérait que le marchand général n'en dirait rien. Elles avaient eu la chance d'être les seules clientes dans le magasin.

Émilie avait repris le chemin de Saint-Tite sans s'inquiéter de son arrivée. Ovila viendrait sûrement l'aider à monter le coffre. Elle s'était dit que le coffre serait sa réponse. Quelle jolie façon de donner une réponse!

24.

Émilie était arrivée à Saint-Tite assez tôt pour aller faire quelques courses chez le boucher, acheter des provisions, saluer Antoinette et l'inviter à emménager le lendemain. Elle s'était ensuite dirigée vers le Bourdais.

Émilie approcha de la terre du père Mercure. Le battement de son cœur se confondit avec le trot rapide de La-Tite. Elle vit sa petite école et lui trouva un air coquet. Elle ralentit la cadence en passant devant la maison des Pronovost pour s'assurer que quelqu'un la verrait. Elle ne se trompa pas.

«Hé! La grande de Saint-Stanislas, on n'arrête pus chez le monde pour les saluer?

— Bonjour, Ovila! Je voulais juste aller me rafraîchir avant de venir te demander de l'aide.»

Elle avait dû se tourner pour lui parler. Elle le regarda marcher jusqu'à elle, les yeux remplis de sourires et de plaisir. Non, elle n'avait pas rêvé de l'été. Il était conforme à ses aspirations et à ses désirs les plus fous.

«Pas besoin de te rafraîchir, ma belle. Tu as l'air d'une fleur qui vient de recevoir des gouttes de rosée.

— Mon Dieu, Ovila, as-tu pratiqué ta phrase pendant tout l'été?» lui répondit-elle moqueusement, tant elle était surprise de son accueil.

«Voyons donc, Émilie, je pouvais pas savoir que tu aurais de la p'tite sueur sur le front? répliqua-t-il en riant. Si tu veux, je peux aller t'aider tout de suite.

— Je veux.»

Il s'assit à ses côtés, sans lui demander de prendre sa place.

«Ton père t'a vraiment acheté quelque chose de bien.» Il la regarda et plissa les yeux. «Mais on peut dire que sans la pouliche l'attelage serait pas mal moins beau.»

À leur arrivée à l'école, Émilie lui demanda d'ouvrir la porte. Pendant qu'il s'exécutait, elle s'empressa de retirer la toile, après s'être assurée qu'il n'y avait personne en vue. Ovila revint vers la calèche. Il aperçut le coffre de cèdre. Il le regarda, regarda Émilie, puis le coffre. Il ne savait que dire. Émilie était émue.

«Ma foi du Bon Dieu, Ovila, si tu avais eu un chapeau sur la tête, tu te serais découvert comme devant une église.

— Entre toi pis moi, Émilie, c'est pas un coffre que je vois, c'est toute une cathédrale.

— Fais attention, faudrait pas que tu attrapes la folie des grandeurs.

— Inquiète-toi pas pour moi. La folie, ça fait longtemps que je l'ai. Pis la grandeur, tu viens juste de me la donner.»

L'année scolaire avait commencé comme toutes les autres. Émilie était occupée plus que jamais. Elle se levait tôt pour préparer sa journée pendant qu'Antoinette faisait le petit déjeuner. Antoinette lui était d'un grand secours et Émilie n'avait jamais regretté de lui avoir permis d'habiter avec elle pour l'année. À la mi-temps de l'avant-midi, elle commençait à sentir le dîner qu'Antoinette préparait. Il avait été convenu, comme l'année précédente, qu'elle donnait à manger aux pensionnaires du couvent. Elle avait aussi continué à nourrir ses quelques élèves qui demeuraient discrètement à l'école. Les commissaires avaient fermé les yeux sur cette pratique au nom de la charité chrétienne, mais aussi parce qu'Émilie n'avait jamais demandé de hausse de ses gages pour acheter la nourriture. La majeure partie de l'avant-midi était consacrée aux petits. L'après-midi, elle s'occupait principalement des grands dont la concentration était meilleure. Durant cette période, Antoinette prenait les petits en charge, les aidait avec leurs devoirs et les accompagnait parfois dehors. La classe avait été réaménagée pour permettre à Antoinette de parler à voix basse sans pour autant nuire à Émilie.

L'automne avait filé rapidement. Les arbres n'avaient conservé leur magnifique rouge que quelques jours, la gelée les ayant rapidement obligés à se dénuder. Ovila, comme il l'avait planifié, avait commencé à travailler à l'achèvement de la maison. Enfin au courant des intentions de son fils et d'Émilie, Dosithée s'était réjoui. Quelques personnes de la paroisse regardaient cette situation d'un œil sceptique, mais les bonnes mœurs d'Émilie, la présence d'Antoinette et le succès des élèves empêchèrent les murmures de se propager.

Émilie et Antoinette, si elles n'avaient pas de visiteurs, consacraient leurs soirées à la correction des travaux puis à la préparation du trousseau d'Émilie. Antoinette avait patiemment appris à manipuler l'aiguille. Elle avait commencé par faire des choses simples: taies d'oreillers, bordures de draps. Puis suivant les conseils patients d'Émilie, elle avait enfin su broder. D'humeur presque toujours égale, Antoinette ne s'assombrissait que lorsqu'elle constatait qu'elle ne semblait pas attirer de soupirants. Émilie se moquait alors gentiment d'elle, en lui disant de prendre patience.

«Faut pas que tu prennes le mors au dents, Antoinette. Les jeunes hommes de Saint-Tite s'intéressent pas mal plus à la *bricade* pis à l'hôtel Brunelle qu'à l'amie de la maîtresse d'école du Bourdais. À part de ça, si tu veux mon avis, les jeunes de Saint-Tite auraient besoin de porter des lunettes une fois de temps en temps. »

Antoinette riait et s'encourageait. Elle vouait une admiration sans bornes à Émilie, qui le lui rendait bien.

«Des fois, Antoinette, je me demande ce que j'aurais fait si tu étais pas venue rester ici. Je me demande même comment je me débrouillais avant que tu sois là. »

Antoinette rougissait et continuait à piquer son aiguille sans dire un mot. De sa vie, jamais elle n'avait connu un tel sentiment d'utilité.

Émilie avait écrit chez elle dès le début du mois de septembre pour annoncer qu'elle se fiancerait à Noël. Elle avait plaisanté sur le fait qu'elle semblait prendre plaisir à la chose, mais avait ajouté que cette fois-ci, elle avait bien l'impression que c'était la bonne. Elle avait demandé à sa mère de ne pas commencer à penser à des extravagances, mais elle avait permis à ses parents d'annoncer que leur aînée se fiançait. Quand Caleb avait reçu cette lettre, il avait souri de plaisir. Émilie se fiançait pour vrai.

Ovila fréquentait Émilie en soupirant transi. Il ne tenait plus en place, comptant les jours avant le mariage, dont la date avait été fixée au premier samedi de juillet. À tous les soirs, il cochait une marque au couteau sur un bout de bois en disant à Émilie qu'il comptait les jours qu'il lui restait à être «prisonnier de sa liberté». Pour tout commentaire, Émilie lui donnait un petit coup de poing sur l'épaule et Antoinette riait sous cape. Elle aurait tant aimé être adulée comme l'était Émilie.

Le mois de décembre était arrivé, sournoisement caché derrière une énorme tempête de neige. Ovila avait été forcé d'arrêter les travaux de construction de la maison pendant plus d'une semaine parce que le vent rafalait et lui faisait perdre le souffle. Suivant les conseils de sa mère, il avait consacré ce temps à acheter ce qu'il lui fallait pour les Fêtes. Émilie lui avait offert de l'accompagner, mais il avait refusé, lui disant en riant qu'il y avait déjà sa mère qui se mêlait de lui dire ce qu'il lui fallait et qu'il ne voulait pas donner à sa fiancée l'occasion de «jouer à la maîtresse d'école avec lui».

Antoinette avait aidé Émilie à poser la dentelle sur sa robe de fiançailles. Elle était de beaucoup plus jolie que celle qu'elle avait confectionnée l'année précédente, soulignant de façon très flatteuse la ligne de son buste généreux, de ses épaules carrées et cachant adroitement son cou trapu, sa taille et ses hanches un peu trop en chair. Émilie avait offert à Antoinette de lui faire une nouvelle toilette, mais Antoinette avait refusé. Elle tenait à porter sa robe bleu pâle. Émilie avait invité Antoinette à l'accompagner à Saint-Stanislas pour les fiançailles. Antoinette avait accepté sans se faire prier. Lucie aussi devait être là avec Phonse et ses enfants. Elle avait écrit à Émilie pour lui dire qu'elle acceptait son invitation et pour lui demander si le coffre était rempli au tiers, à la moitié ou s'il débordait déjà.

Le vingt et un décembre, tous les Pronovost étaient venus à l'école pour fêter les vingt et un ans d'Émilie.

«C'est mon année chanceuse», avait-elle dit en regardant Ovila.

«Attends de voir celles qui vont suivre», avait-il répliqué.

C'est en véritable procession qu'ils avaient quitté Saint-Tite, Émilie ayant tenu à ce qu'ils soient tous présents. Seul Edmond était resté derrière, pour s'occuper des animaux. Le trajet avait été long et pénible. Toutefois, personne ne s'était plaint, la chaleur des cœurs l'emportant sur la morsure du froid.

Les réjouissances commencèrent le matin de la veille de Noël. Célina et Caleb avaient insisté pour que tous les Pronovost logent chez eux. Dosithée et Félicité avaient décliné l'offre, ayant déjà fait des arrangements avec les cousins Bédard. La moitié de leur famille s'était donc déplacée. Ovila, bien entendu, était demeuré près d'Émilie malgré les taquineries des deux pères qui avaient longuement discuté de la chose en disant qu'il ne fallait surtout pas que le curé l'apprenne et force les deux tourtereaux à changer la journée des fiançailles en une journée de noces. Antoinette, Rosée et Éva avaient tenu à être ensemble. Lucie et Phonse n'étaient attendus que pour le réveillon. Célina s'affairait à mettre une touche finale à tous les préparatifs, le cœur léger et la main adroite. Caleb lui avait tiré la pipe en lui disant que plus elle avait de travail, plus elle semblait en forme. Célina lui avait répondu que c'était parce que le travail l'empêchait de manger et qu'elle se sentait toujours en meilleure forme quand elle se contentait de grignoter.

Les Pronovost, qui logeaient chez les Bédard, avaient quitté les Bordeleau vers dix heures du soir, promettant de les retrouver sur le parvis de l'église à minuit moins le quart. Félicité avait pris Ovila à part, lui recommandant une dernière fois de bien placer son col de chemise. Ovila avait ri en lui répondant qu'il avait assez de femmes autour de lui pour le passer en revue. Il était connu de tous qu'il détestait s'endimancher, préférant nettement ses habits de travail à ses habits propres.

La nuit était rêvée. Une neige légère poudrait les épaules d'Émilie. Par respect, elle n'avait pas porté sa toque de castor et son manchon. Elle était donc restée tête nue, protégeant son chignon et ses oreilles d'un foulard.

Conduite par Ovila, la carriole glissait doucement, faisant chanter ses patins sur l'épaisse neige. Émilie se collait contre lui, lui chuchotant toutes sortes de joies à l'oreille. Le tintement de plus en plus réverbérant des grelots et les cris venant des traîneaux annonçaient qu'ils approchaient de l'église.

Caleb et Dosithée firent une entrée remarquée, marchant tous les deux au pas derrière le Zouave de la garde paroissiale. Ils étaient suivis de leurs femmes et de leurs enfants. Émilie et Ovila fermaient la marche, Ovila lui soutenant le bras.

Le cousin Bédard entama le *Minuit Chrétien*, faussant aussi allègrement que d'habitude. Émilie et Ovila, pourtant, ne sourirent pas, n'ayant d'écoute que pour leur présence respective.

La deuxième messe terminée, la majorité des femmes quittèrent l'église pour aller préparer le réveillon. Quelques hommes les accompagnaient pour conduire les attelages. Émilie et Ovila restèrent pour la messe d'aurore. Quand le curé chanta son *Ite missa est*, les paroissiens se hâtèrent vers la sortie. Ils s'attardèrent sur le parvis de l'église pour échanger leurs vœux. Plusieurs se souvenaient avoir rencontré Ovila. Le curé les rejoignit et félicita tous les couples qui s'étaient fiancés.

Célina et Caleb accueillirent pas moins de trente personnes pour le réveillon. Dès que la troisième tablée fut rassasiée, on tassa tous les meubles le long des murs et les musiciens sortirent leurs instruments : guimbardes, violons et accordéons. La danse commença. Les fiancés furent invités à faire les premiers pas. On les applaudit avant de se joindre à eux. Lucie réussit à faire transpirer son mari dès la première danse. Elle s'amusait follement. Antoinette avait trouvé partenaire. Elle avait fière allure dans sa robe bleue, pour laquelle elle reçut de nombreux compliments. Mais Émilie fut la reine de la soirée. Pendue tantôt au cou, tantôt au bras d'Ovila, elle virevoltait dans un froufrou de joie.

Les gens de Saint-Stanislas lancèrent un défi à ceux de Saint-Tite. Un concours de gigue fut organisé. Lucie essaya de convaincre Phonse de sauver l'honneur de Saint-Séverin, mais il refusa de participer, offrant toutefois ses services comme juge. Caleb se déchaîna, imité par Dosithée. Tous les fils firent aussi leur grand effort excepté Ovide, bien entendu, qui s'était joint à Phonse dans le jury. La folie gagna tous les fêtards à un point tel que les membres du jury ne nommèrent jamais de vainqueur. Il leur aurait été difficile de le faire, leur vue et leur jugement étant embrouillés par les vapeurs de *p'tit blanc*.

Le soleil était levé quand les derniers invités quittèrent la côte Saint-Paul. Lucie avait bien essayé de convaincre son mari de ne pas prendre les rênes, mais Phonse n'avait rien voulu entendre. Lucie en avait été quitte pour mener l'attelage jusqu'à Saint-Séverin, Phonse s'étant endormi avant même qu'ils n'atteignent les rives de la Batiscan.

Émilie, surexcitée, n'avait pas trouvé le sommeil. Elle s'était changée à la hâte et était allée donner un coup de main à Caleb qui essayait de traire ses vaches. Caleb lui dit qu'il n'avait jamais eu un aussi beau réveillon. Émilie lui répondit que cela paraissait. Il avait essayé de traire deux fois la même vache. Caleb s'était esclaffé, avait basculé dans le foin et s'était endormi. Le travail terminé, Émilie l'avait réveillé.

Le midi de Noël, la fête recommença. Exceptionnellement encore, on procéda à l'échange de quelques cadeaux. Ovila remit un collier de perles de nacre à Émilie. Elle lui donna un coupe-vent qu'elle avait confectionné dans une serge épaisse, ainsi qu'un cadre avec une photo d'elle-même. Ovila enfila le coupe-vent et glissa le cadre sous sa chemise. Tout le monde rit. Antoinette reçut un bracelet qu'Émilie et Ovila lui avaient acheté. Antoinette les remercia chaleureusement en disant qu'elle n'avait jamais eu un aussi beau bracelet.

L'échange de cadeaux terminé, on recommença à manger et à s'abreuver généreusement. Ce soir-là, Émilie, Antoinette et Rosée se chargèrent de traire les vaches, les hommes étant trop occupés à jouer aux dames, ou à ramasser les pièces du jeu qu'ils échappaient à tout moment.

Les Pronovost ne quittèrent Saint-Stanislas que le lendemain de Noël. Émilie leur promit qu'elle serait de retour pour la fête des Rois. Ovila prit les commandes d'un des traîneaux, délesté de La-Tite, et salua Émilie.

«Que tu t'étouffes ou pas avec le pois, c'est toi, Émilie, qui vas être la reine.»

Il rappela à Antoinette qu'elle aussi était attendue. Antoinette le remercia. Après le départ des Pronovost, Célina et ses filles passèrent deux journées complètes à astiquer la maison. Le plus difficile fut de faire disparaître les stries noires laissées sur le plancher par les talons des danseurs.

Caleb, comme il l'avait promis à sa fille dans une lettre, lui avait donné une carriole comme cadeau de fiançailles. Émilie et Antoinette rentrèrent donc seules à Saint-Tite la première journée assez clémente de janvier, soit le trois. Durant le trajet, Émilie se demanda si elle devait raconter à Antoinette sa romance avec Henri Douville. Elle ne lui en avait jamais parlé, par orgueil et par discrétion. Elle décida de n'en rien faire. Cette histoire était morte de sa belle mort.

Elles prirent leur temps pour rentrer, faisant une longue halte chez Lucie qui leur raconta tous les problèmes qu'elle avait eus à réveiller et à rentrer Phonse dans la maison au retour du réveillon.

«C'est p-pas mêlant, j'avais l'air d'un p'tit *méné* qui essayait de bouger une b-baleine!»

À Saint-Tite, elles s'arrêtèrent chez les Trudel pour leur offrir leurs vœux. Les Trudel furent enchantés de cette attention.

Émilie et Antoinette firent la dernière partie du trajet dans un silence presque complet. Émilie pensait à cette année qui venait de naître et à Ovila qui s'était greffé à cette naissance. Elle eut l'impression que le bonheur lui sortait par tous les pores de la peau. Ne se contenant plus, elle donna un coup de coude à Antoinette.

«Antoinette, plus j'y pense, plus il me semble que ça se peut pas.

— Quoi donc, Émilie?

— Ça se peut pas d'être heureuse de même.»

****

Chapitre troisième

1901-1913

25.

L'hiver 1901-1902 avait vengé son prédécesseur. Les tempêtes de neige jouaient à saute-mouton avec les nuages encore gorgés de flocons qui ne réussissaient jamais à quitter le ciel et à se débarrasser de leur trop-plein. Ovila avait abandonné les travaux sur la maison de son père : le froid était si intense que les clous fendaient le bois. Émilie et Antoinette continuaient à occuper leurs soirées de corrections et d'aiguillées, gonflant le coffre de cèdre de cotonnades, de lin et de toile.

La terre n'avait commencé à se réchauffer qu'au mois de mai. Ovila avait repris ses travaux sur la maison, secondé par ses frères et son père, qui était rentré du lac Pierre-Paul. Il s'inquiétait. Les travaux n'avançaient pas aussi rapidement qu'il l'aurait voulu. Dosithée lui offrit d'habiter avec eux dans la maison actuelle en attendant que la nouvelle maison soit prête. Ovila avait refusé. Il voulait porter Émilie dans «leur maison». Dosithée ne comprenait rien à l'obstination de son fils mais promit qu'il ferait tout son possible pour que son vœu se réalise.

Afin d'éviter des problèmes à Émilie, Ovila mentionna la possibilité de reporter le mariage de quelques semaines. Émilie lui avait répondu que s'ils ne pouvaient faire autrement, elle se plierait à ce désagrément. Elle avait espoir que les travaux soient terminés à temps. À la mi-mai, elle dit à Antoinette qu'elle commencerait la confection de sa robe de nuit. Antoinette avait rougi en la voyant déplier une fine toile de lin translucide.

«Tu vas pas faire ta robe de nuit de noces dans ça!

— Pourquoi pas? C'est pas mal plus de circonstance qu'un gros coton épais. Je me marie en été, Antoinette, pas en hiver.

— Oui, mais quand même, c'est presque transparent!

— Presque... De toute façon, as-tu l'impression que j'vas la garder sur moi longtemps?»

Antoinette n'avait plus parlé. Elle avait regardé Émilie tailler sa robe. À sa grande surprise, Émilie l'avait taillée de façon à ce qu'elle ouvre à l'avant. Antoinette n'avait jamais vu ça. Émilie lui avoua s'être inspirée d'une illustration qu'elle avait vue dans une publicité. Antoinette fut encore plus surprise quand elle comprit qu'Émilie n'avait pas l'intention de poser de boutons.

«Je pense que des p'tits rubans, six p'tits rubans qui font des belles boucles, ça va être pas mal plus beau.»

Encore une fois, Antoinette s'était abstenue de commentaires. Elle commençait à se demander si Émilie se rendait compte de ce qu'elle faisait. Elle devint encore plus perplexe en constatant que la robe de nuit n'aurait pas de manches. Le tissu était simplement froncé à l'épaule.

«Tu exagères pas un peu, Émilie? Pas de manches, pas de collet, pas de boutons, pas de doublure. Juste du tissu transparent avec des p'tits rubans pis de la dentelle. Tu pourras jamais remettre ça deux fois. Ça va tomber en lambeaux.»

Émilie lui avait répondu en souriant qu'elle l'espérait bien. Antoinette avait été scandalisée de cette réponse.

Au début de juin, il devint évident que la maison ne serait pas prête. Émilie écrivit à ses parents pour les aviser qu'elle rentrait pour l'été. Elle les rassura en leur disant que ce n'était pas «parce que les fiançailles avaient été annulées». Elle offrit à Antoinette de passer l'été à Saint-Stanislas. Antoinette refusa, disant qu'elle irait à Trois-Rivières chez sa mère, qu'elle n'avait pas revue depuis au moins cinq ans. Les deux amies étaient chagrines. Cette année scolaire avait été, grâce à Antoinette, la plus agréable qu'Émilie eût connue. Antoinette, pour sa part, n'avait jamais été aussi heureuse.

Ovila les visita tous les jours. Maintenant que les fiançailles étaient connues de tous, le village se montrait tolérant.

Émilie et Antoinette préparaient les élèves à la visite de l'inspecteur. Antoinette n'avait jamais rencontré Henri. Émilie le lui avait décrit aussi fidèlement que possible. Antoinette avait fait la moue.

«Le pauvre a pas l'air bien *emmanché*.

— Détrompe-toi. Il est pas joli, mais c'est un homme bien spécial.

— Comment ça se fait que tu sais ça, toi?

— Voyons, Antoinette, je le connais depuis 96.»

Elle avait clos le sujet beaucoup trop glissant à son goût et souhaita plus que jamais la discrétion d'Henri.

Il arriva un peu plus tôt que d'habitude, ce qui permit à Émilie de présenter Antoinette et de lui offrir un verre d'eau. Ils montèrent à l'étage et Antoinette, au grand étonnement d'Émilie, s'était subitement animée. Henri, pour sa part, sembla la trouver intéressante. Émilie lui demanda donc s'il lui plairait de rester après la classe et souper avec elles. Henri accepta.

Antoinette passa l'après-midi à nettoyer l'étage et à faire disparaître toute trace des travaux de couture : bouts de fil, petits morceaux de tissu, surtout les retailles de la robe de nuit. Elle commença très tôt à faire mijoter le souper, espérant ainsi mettre Henri en appétit. Sa mère, avant que son père ne meure et qu'elle ne soit forcée de la quitter, lui avait appris qu'un homme bien nourri allait rarement chercher ailleurs une autre sorte de nourriture. Antoinette pensait à ce qu'Émilie lui avait dit d'Henri. Elle trouvait que son amie avait un peu exagéré l'importance de son strabisme et l'ampleur de son maniérisme.

Les enfants quittèrent l'école très tôt, comme il était coutume. Henri et Émilie montèrent à l'étage.

«Mademoiselle Antoinette, Émilie me disait à l'instant que vous l'aviez beaucoup aidée avec le groupe des petits.

— Beaucoup... beaucoup, faudrait pas exagérer. Disons que j'ai fait mon possible pour aider Émilie à faire tout le travail. Je sais pas si vous avez remarqué, monsieur Douville, mais Émilie a la plus grosse classe de tout le canton. Mais la construction du nouveau couvent avance pas mal vite. Avec un peu de chance, les sœurs vont être capables de recommencer leurs classes cette année.»

Tout en parlant, elle brassait le contenu du chaudron, ramassait une *traînerie* qui n'en n'était pas une pour la remettre à la place exacte où elle l'avait prise, revenait au poêle et demandait sans cesse à monsieur Douville s'il avait besoin de quelque chose. Elle remplissait son verre d'eau dès qu'il y trempait ses lèvres.

Émilie s'amusait. Jamais elle n'avait vu Antoinette *s'épivarder* de la sorte. Enfin, le couvert fut dressé et ils passèrent à table.

«C'est délicieux, mademoiselle Antoinette.

— Oh! mon Dieu, c'est rien de compliqué. Juste une vieille recette de bouilli de volaille de ma grand-mère.

— Oui, peut-être, mais il a un petit quelque chose de spécial.

— Ça pourrait être le fait que j'ai mis des os à moelle. Ça change pas mal le goût d'un bouilli.

— Ou c'est cela, ou c'est votre touche personnelle», renchérit Henri.

Émilie ne voulait pas priver Antoinette de son plaisir évident d'être avec Douville. Elle se cherchait une raison de sortir mais n'en trouva aucune. Elle offrit donc à Antoinette d'aller montrer à monsieur Douville combien la vue était belle du haut de la montée des Pointes.

«Montre-lui la place où on a eu notre première chicane, Antoinette.»

Heureusement, se dit-elle, elle n'avait jamais parlé à Douville de l'histoire de la robe bleu pâle. Antoinette demanda à Douville s'il était intéressé d'aller admirer le site. Henri répondit qu'il n'attendait que cela depuis des années. Émilie rit sous cape.

«Prends tout ton temps, Antoinette, j'vas faire la vaisselle.»

Ovila arriva à l'improviste. Émilie était encore seule et rangeait les derniers chaudrons.

«Qu'est-ce qui se passe? Antoinette est pas là?

— Imagine-toi donc qu'est partie faire une promenade avec Henri Douville.

— L'inspecteur? Je me suis toujours demandé quel genre de femme attirait un homme de même. J'ai ma réponse.»

Émilie ne releva pas cette phrase. Elle demanda plutôt à Ovila où en étaient rendus les travaux, question qu'elle lui posait chaque jour.

« On est toujours en dedans. C'est le plus long. La p'tite finition ça prend un temps de fou, pis je serais mal à l'aise de dire à mes parents de rentrer dans la maison si la maison était pas finie à la perfection. »

Émilie répondit qu'il avait bien raison, même si, en son for intérieur, elle n'en pouvait plus d'attendre que soit fixée la nouvelle date du mariage. Elle se rapprocha et lui chuchota à l'oreille qu'elle avait hâte. Ovila lui flatta la nuque, du bas vers le haut. Il le savait, elle aimait toujours ce geste.

Henri et Antoinette rentrèrent. Henri était d'une affabilité exemplaire. Antoinette était rouge de plaisir et d'essoufflement. Henri avait accepté de « veiller un peu » comme il lui avait été offert. Antoinette lui présenta Ovila sans attendre.

« Henri, j'imagine que vous reconnaissez Ovila Pronovost. C'est un des anciens élèves d'Émilie. C'est aussi son fiancé. »

À ces mots, la main d'Henri serra un peu plus fort celle qu'Ovila lui avait tendue.

« Comme c'est romantique. Vous allez vous marier avec votre ancienne institutrice.

— Je sais pas si c'est romantique, mais nous autres ça fait longtemps qu'on sait qu'on est faits pour aller ensemble.

— Ah! vraiment, comme c'est intéressant. Un amour caché pendant des années. Et vous, mademoiselle Émilie, est-ce que vous avez toujours su que monsieur était l'homme de votre vie?»

Émilie se racla la gorge. Elle voulait à tout prix conserver sa contenance, mais Henri venait de commencer un
petit jeu qu'ils étaient les seuls à comprendre. Elle haussa
les épaules et se contenta de sourire, essayant de montrer
à quel point les hommes, Ovila en l'occurrence, étaient naïfs.
Ovila, qui ne savait pas du tout ce qui se passait, renchérit.

«J'ai été parti pendant quasiment deux ans, pis j'ai
écrit une lettre à Émilie pour lui dire de m'attendre. Quand
je suis rentré, l'année passée, Émilie m'attendait.»

Les propos d'Ovila étaient teintés tantôt d'orgueil,
tantôt de tendresse, tantôt d'amour. Émilie ne savait plus
où regarder. Henri semblait passionné par cette histoire
et Antoinette aussi.

«Et vous, ma chère Antoinette, avez-vous déjà connu
une chose semblable?

— Oh! non, moi vous savez, je vous l'ai dit, j'ai passé
une bonne partie de ma vie en élève au couvent. Pis vous,
monsieur Henri, avec tout votre charme, vous avez dû en
faire couler des larmes.

— Pas vraiment, ma chère. À vrai dire, je ne me suis
intéressé qu'à une seule femme. Je me suis même fiancé.
Mais voyez-vous, ma chère, je me suis rendu compte qu'elle
ne me rendait pas tout l'amour que j'avais pour elle. Alors
j'ai feint de craindre le mariage, et je lui ai redonné sa
liberté.

— Pauvre vous! C'est pas drôle des histoires de même,
hein Émilie? Vous avez dû en avoir de la peine.

— Oui, un immense chagrin, au point que j'ai reporté
un voyage en Europe. Nous devions y aller en voyage de
noces.

— En Europe! s'écria Ovila. Ça devait être une belle
capricieuse votre fiancée. Je connais pas beaucoup de
femmes qui refuseraient un voyage de même.

270

— Que voulez-vous, mon cher. Il y a un homme chanceux quelque part qu'elle aimait en secret. Le malheur des uns fait le bonheur des autres.

— Est-ce que vous avez encore du chagrin? lui demanda Antoinette, tout à son romantisme.

— Occasionnellement, surtout quand il m'arrive de la voir.

— Ho! fit Antoinette, ça doit être terrible de la voir. Surtout si, comme vous dites, ça vous arrive encore. Tu trouves pas, Émilie?»

Émilie, qui depuis le début de cette discussion était de plus en plus confuse, regarda Antoinette. Puis Henri. Puis Ovila. Puis Henri à nouveau. Elle ne savait quelle contenance adopter. Elle venait de comprendre l'ampleur du mal qu'elle avait fait. Il lui fallait trouver un moyen de s'excuser. Elle prit finalement son courage à deux mains.

«Je comprends, pauvre monsieur Douville, que cette femme vous a terriblement blessé. Mais j'aurais de la difficulté à croire qu'une femme honnête irait jusqu'à se fiancer pour jouer une comédie. Personnellement, si je connaissais une femme capable de faire une chose comme ça, je ne lui parlerais plus jamais.»

Henri l'avait écoutée religieusement. Entre elle et lui, la situation commençait à devenir tendue. Émilie décida néanmoins d'aller jusqu'au bout de cette explication.

«Je connais une fille qui a vécu, disons, quelque chose de semblable...

— Ah oui? fit Antoinette. Tu m'as jamais dit ça!

— C'est parce que c'est une fille de Saint-Stanislas, Antoinette.» Émilie enchaîna, oubliant soudainement de châtier son langage. «Donc, cette fille-là, il paraît que c'est pas par méchanceté qu'elle s'était fiancée. Elle avait la certitude de pouvoir rendre son fiancé heureux. Pis, il paraît — en tout cas c'est ce que les gens racontent qu'elle aurait dit — il paraît qu'elle s'est rendu compte que peut-être que lui pis elle ils avaient pas grand-chose en commun. Ça fait que le gars qui, il paraît, pensait la même affaire, a dit à la fille que c'était mieux de même. Il paraît aussi que, quand la fille a su que le gars avait menti, elle avait eu le cœur absolument crevé.

— Tu parles d'une niaiserie. Si seulement le monde se parlait des fois», fit Antoinette, impressionnée par cette histoire.

Douville s'était mouché bruyamment, avait éternué à deux reprises et s'était mouché encore une fois. Émilie revit dans ce geste l'attitude du curé Grenier lors de sa représentation de Noël. Le curé Grenier avait ainsi caché ses rires. Henri venait de cacher ses pleurs. Si Émilie avait pu, elle l'aurait consolé. Du regard, elle essaya de lui faire savoir qu'elle venait de comprendre toute la générosité de sa rupture.

Henri changea le sujet de discussion. Il reporta toute son attention vers Antoinette. Celle-ci, remise de ses émotions, proposa une partie de cartes, ce qu'Ovila approuva chaudement. Quelque chose dans l'attitude d'Émilie l'avait troublé et il était bien content qu'on lui offre de s'occuper les mains et l'esprit.

La soirée se poursuivit sans autres nuages. Émilie avait retrouvé sa bonne humeur, Henri aussi. Antoinette était resplendissante. Son plaisir fut à son comble lorsque, sachant qu'elle passerait l'été à Trois-Rivières, Henri lui glissa:

«Je sais que je devrai aller à Trois-Rivières à plusieurs reprises cet été. Avec votre permission, Antoinette, j'irais vous visiter.»

La soirée s'acheva joyeusement. Ovila avait raconté à Henri le souvenir qu'il avait de lui comme inspecteur.

«Épousailles? qui peut me donner le singulier d'épousailles? disait-il en imitant l'accent d'Henri. Crois-le ou non, Henri, je me suis toujours rappelé de la réponse: «Il n'y a pas de singulier à épousailles. Souvenez-vous de cela! Il y a toujours deux personnes qui se marient!»

La partie de cartes terminée, Henri se leva, prit son chapeau et demanda un dernier verre d'eau qu'Antoinette lui versa.

«Émilie, pourrais-je vous voir deux minutes? Il y a une petite chose que je voudrais vérifier dans votre cahier d'appel.»

Émilie et lui demeurèrent dans la classe pendant qu'Antoinette et Ovila sortaient pour s'occuper de l'attelage.

«Je suis désolé de t'avoir blessée, Émilie. Je t'ai prêté plus de mauvaise volonté à mon égard que tu n'en avais eue. Mais je rumine cette histoire depuis si longtemps que je crois en avoir déformé les faits.

— J'aurais dû parler plus vite.

— L'incident est clos, ma chère, et comme dit le philosophe, la vie continue.»

Il se dirigea vers la sortie, regarda Antoinette par une des fenêtres. Antoinette et lui. Deux enfants seuls. Deux enfants élevés dans les communautés. Oui, Antoinette et lui pourraient peut-être découvrir ensemble les joies d'une famille.

«Émilie, tu as été une étoile filante dans ma vie. Les gens disent que si on aperçoit une étoile filante, il faut s'empresser de faire un vœu. J'ai fait mon vœu ce soir.» Il pointa

Antoinette d'un mouvement de tête. «Mon désir c'est d'arriver au port. Je crois que le marin que je suis, en errance sur une mer déchaînée depuis tant de mois, vient enfin d'apercevoir son étoile du Nord.» Il se racla la gorge, fit un sourire moqueur et ajouta: «À ton avis, Émilie, cette phrase était-elle assez poétiquement tournée?»

Ils éclatèrent de rire. Oui, Henri Douville était quelqu'un de vraiment spécial.

«Une dernière chose, Émilie. Si par hasard tu revoyais au doigt d'Antoinette cette bague que tu as déjà portée pendant quelques minutes, aurais-tu l'amabilité...

— De quelle bague est-ce que tu parles, Henri?»

Antoinette, qui savait depuis longtemps qu'elle aurait immensément de chagrin à quitter l'école du rang du Bourdais, sa première maison depuis des années, le fit finalement beaucoup plus facilement qu'elle ne l'avait cru. Elle s'en allait allègrement vers une autre vie. Une vie, elle l'espérait, avec Henri. Émilie s'était bien gardée de lui révéler les propos d'Henri. Elle s'était simplement réjouie de voir qu'Antoinette nourrissait à son égard des sentiments sans équivoque. Toute à sa joie, Antoinette n'avait pas vu les tourments d'Émilie.

Antoinette avait offert à Émilie de rester avec elle jusqu'à la dernière journée. Émilie lui avait répondu, avec douceur, qu'elle préférait être seule pour quitter l'école. Elle n'avait pas eu besoin d'en dire davantage. Antoinette avait compris. Henri était venu la chercher, arrivant tout en sueurs et aussi poussiéreux que d'habitude. Il avait hissé le maigre bagage d'Antoinette — une valise et un petit lit de fer — sur le banc arrière de sa calèche.

Émilie et Antoinette étaient restées seules à l'étage. Antoinette était excitée à l'idée de faire toute la route avec Henri, mais son bonheur était quand même nuageux.

«Comment est-ce qu'une fille peut dire que jamais elle a été aussi heureuse que depuis le feu du couvent.

— Comme tu viens de le faire, Antoinette.»

L'étreinte des deux amies fut de courte durée. Henri appelait Antoinette. Toutes les deux, elles refoulaient leurs larmes.

«Dire que tout ça a commencé à cause de ma jalousie parce que tu étais plus belle pis plus grande que moi.

— J'ai toujours été jalouse de toi aussi.

— Toi! jalouse de moi?

— Oui. Les personnes qui ont un cœur aussi grand que le tien font toujours des envieux.

— Ho! Émilie, arrête, tu vas me faire brailler.»

À ces mots, les deux amies éclatèrent en sanglots au grand désespoir d'Henri qui venait de les rejoindre.

«Si j'étais peintre, je ferais une toile que j'intitulerais *Les pleureuses*.

— Cessez donc de blaguer, monsieur Henri», fit Émilie.

— Mais je ne blague pas du tout. Seulement, je ne suis pas peintre. Alors, je vous en prie, *chessez* vos larmes, comme diraient les enfants.»

Ovila arriva. Il n'avait pas voulu rater le départ d'Antoinette. Il savait qu'il lui devait beaucoup. Son intuition lui disait aussi qu'Émilie ne devait pas être seule. Assistée d'Henri, Antoinette monta sur le siège.

Henri mit la calèche en marche. Antoinette serra encore la main d'Émilie pendant quelques instants, puis elle la laissa tomber. Émilie resta dehors à regarder la poussière retomber dans le Bourdais. Ovila ne dit pas un mot, se contentant d'être à ses côtés.

Émilie tournait en rond. Elle avait bouclé ses valises et ses multiples malles. Elle s'était levée avec le soleil, pour s'assurer que tout était en ordre. Elle avait mangé son dernier petit déjeuner, lavé sa tasse, son assiette, son couteau, sa fourchette et sa cuiller. Elle avait rangé le tout sur l'étagère, à l'envers, de façon à empêcher la poussière de s'accumuler. Elle avait enlevé sa literie, fait aérer son matelas, ouvert toutes grandes les fenêtres de la classe et de ses locaux. Elle respirait à grands poumons l'odeur des murs et des planchers. Ses odeurs. Six années d'odeurs, de rires, de pleurs. Six années de travail et de plaisir. D'ennui, aussi.

Elle descendit au rez-de-chaussée tout ce qu'elle pouvait porter elle-même avant l'arrivée d'Ovila. Elle se dirigea ensuite vers son pupitre, s'assit et regarda la classe vide d'enfants, vide d'elle-même. Six ans d'enseignement. Six ans qui avaient filé dans sa vie. Six années qui ne reviendraient plus jamais. Elle quittait l'enseignement. Pour toujours. Elle n'avait pas été déçue. Bien sûr, la vie d'institutrice était souventes fois pénible. Mais c'est la vie qu'elle avait souhaitée. Maintenant, elle voulait d'une autre vie. Être avec Ovila, avoir des enfants et penser à l'avenir. Elle n'avait pensé à l'avenir qu'en de rares occasions. Pendant cinq ans, l'avenir avait toujours eu le même décor: une classe, des pupitres, des fenêtres difficiles à garder propres, des enfants qui changeaient mais qui avaient toujours les mêmes airs de famille. Cette année, elle avait accueilli la petite sœur de Charlotte. Cela avait été comme si elle avait revécu à nouveau l'arrivée de Charlotte elle-même. Sauf que la petite sœur de Charlotte n'avait pas eu besoin de se faire rappeler l'heure. Charlotte... Elle ne l'avait vue qu'en de rares occasions, Charlotte ne sortant presque plus de chez elle. Elle s'était déplacée pour aller la visiter. À son anniversaire, à Noël, à Pâques. Elle n'oublierait jamais Charlotte.

Six annés à enseigner les mêmes choses, mais jamais vraiment de la même façon. Elle avait toujours adapté son enseignement aux enfants. Certaines années, les enfants étaient curieux, avides d'apprendre. D'autres années, ils étaient agités, distraits. Elle n'avait jamais eu un groupe d'enfants qui ressemblait au groupe précédent.

Elle ouvrit une des boîtes qu'elle avait déjà bien ficelée. Cette boîte contenait ses souvenirs les plus précieux. Un dessin. Une fleur séchée. Un rameau bien tressé et sans odeur tant il était jauni et sec. La composition qu'Ovila avait faite sur le respect. Elle avait toujours conservé les plus beaux textes que les enfants avaient rédigés. Une autre composition d'Ovila sur le bois. Une prière que la grosse Marie, maintenant mariée, avait écrite pour remercier ses parents de leur bonté et qu'elle avait intitulée : «Mon quatrième commandement».

Émilie souriait à travers ses larmes. Elle s'ennuierait de l'école, même si elle savait qu'elle n'en serait pas éloignée. L'enseignement lui manquerait, malgré une dernière année qui lui avait pesé un peu plus lourd. Les rires, les cris, les déceptions et les succès de ses élèves lui manqueraient. Lui manquerait aussi la variété saisonnière que lui offrait l'enseignement dans une école de rang: dix mois de travail suivis d'un été qu'elle pouvait regarder passer.

Elle remonta à l'étage pour fermer les fenêtres. Elle avait essayé de rendre le local le plus attrayant possible pour la nouvelle institutrice qui arriverait en septembre. Les commissaires lui avaient demandé si elle accepterait de remplacer l'institutrice, si jamais elle était malade. Émilie, elle, préférait que ce soit Rosée qui fasse ce travail. Il valait mieux qu'elle ne touche plus jamais à une craie, à un crayon de correction, à un livre de classe. Elle voulait que l'enseignement demeure un souvenir. Une période de sa vie qu'elle pourrait toujours ranimer en disant: «quand j'étais jeune et que j'enseignais...» Pas une seule journée elle n'avait manqué d'être à son poste. Grippe, mal de femme, extinction de voix, elle avait toujours été là. Entre dormir à l'étage et faire travailler les enfants en silence, elle avait toujours opté pour être avec les enfants.

Elle regarda l'heure. Ovila devait arriver d'une minute à l'autre. Elle redescendit dans la classe. Elle commença à fermer les fenêtres, une par une, prenant son temps pour bien s'imprégner des caractéristiques de chacune. La première qui grinçait. La seconde, sur laquelle il fallait donner un coup de poing à deux pieds de la base. La troisième, à laquelle il manquait une vis à la penture. La quatrième, dont le carreau en haut à droite avait été étoilé par un caillou lancé par elle n'avait jamais su quel élève. La cinquième, dont la vitre du bas avait toujours été gondolée, comme si elle avait fondu au soleil. La sixième, dont le mastic, pour une raison mystérieuse, se ratatinait d'année en année plus rapidement que celui des autres fenêtres.

Elle promena sa main sur chacun des pupitres, tout à coup attentive aux graffiti que les enfants s'étaient amusés à écrire et qu'ils n'avaient pu effacer. *Charlotte x Lazare; Émilie, ma jolie...; Punaise; J'aime Jésus; J.C. est bête.* Elle avait toujours répété aux enfants qu'il ne fallait pas abîmer la propriété d'autrui. De toute évidence, cet enseignement-là n'avait pas porté fruit.

Elle tourna ensuite son attention sur le plancher. Toujours les mêmes planches fendues. Toujours les mêmes jours entre les joints. Ses ramasse-poussière, comme elle les appelait. Toujours les mêmes taches impossibles à faire partir, surtout celle-là, en forme d'ours, que le petit Oscar avait involontairement dessinée en cassant son encrier. La tache avait bien pâli un peu à force d'être passée à l'eau de javel, mais elle était encore là.

Émilie sortit. Elle fit le tour de l'école, reculant pour mieux la regarder. L'école s'embrouilla. Elle décida donc de rentrer.

Elle s'assit encore à son pupitre. Elle regardait chacune des places devant elle. Elle entendait encore les voix. Elle voyait encore les visages, tantôt sérieux, tantôt rieurs. Finalement, elle conclut qu'elle était la seule à avoir changé. Elle était arrivée ici à seize ans. Elle en avait vingt et un. Elle avait vieilli. Non! elle n'avait pas vieilli.

Fébrilement, elle enleva toutes les pinces qui retenaient son chignon. Ses cheveux dévalèrent la pente de sa nuque et de son dos. Elle courut au petit coin. Elle se fit des nattes, beaucoup plus longues, beaucoup plus lourdes que celles qu'elle avait tressées ce premier hiver après le spectacle de Noël. Elle se regarda dans le miroir, se sourit à pleines dents. Son sourire se changea en une grimace de myope. Elle s'approcha du miroir. Elle avait bien vu! Un cheveu blanc la narguait de tout son éclat. Son premier cheveu blanc! Elle l'arracha. Tant pis, elle gardait ses tresses.

Ovila arriva et pouffa de rire.

«Tu as l'air d'une jeunesse, ma belle.

— J'espère. Je pars d'ici sans trop de rides...juste un cheveu blanc.

— Un cheveu blanc! Ben, ma belle, il est grand temps qu'on s'occupe de vous enlever vos problèmes.»

Ovila s'approcha d'elle, lui enserra la taille et lui posa une bise dans le cou. Émilie laissa tomber sa tête vers l'arrière.

«Ça sera pas l'été que je voulais, Ovila.

— C'est une question de semaines, Émilie. Ça sera pas plus facile pour moi. Mais en tout cas, j'vas avoir la fierté de te porter chez nous, dans notre maison, sous notre toit.

— Le seul toit que je veux, Ovila, c'est le creux de ton épaule.»

Ils restèrent sans bouger pendant quelques minutes. Puis Émilie suivit Ovila à l'étage.

«Laisses-tu ton coffre de cèdre à Saint-Tite? Je vois pas l'utilité de tout *trimbaler* ça à Saint-Stanislas.»

Émilie réfléchit pendant quelques minutes. Elle en avait besoin pour le jour du mariage. Tous ses effets y étaient rangés.

«Je l'apporte...pour le mariage et pour les jours où j'vas trop m'ennuyer de toi.

— Si c'est ce que tu veux, on va le monter dans la calèche.»

Ovila voulut enchaîner, mais revint sur sa décision. Émilie sentit son hésitation.

«Qu'est-ce que tu voulais dire?

— Rien.

— Rien?

— Tu rirais de moi.

— Dis toujours.

— Aurais-tu quelque chose qui, qui...que tu aurais porté pis qui sentirait un peu comme toi. Comme ça, quand moi aussi j'vas m'ennuyer, je pourrais me consoler un p'tit peu.

— Un mouchoir pis un peigne de cheveu, est-ce que ça ferait ton bonheur?

— Si tu promets de pas rire de moi, ça ferait mon bonheur.

—Je pourrai jamais rire de l'ennui, Ovila. L'ennui c'est quelque chose qui fait tellement mal.»

Ovila transporta le coffre de cèdre, Émilie, le reste du bagage. Elle quitta son école sans verser de larmes. Ovila l'accompagna jusqu'à Saint-Stanislas. Ils se suivirent sur la route, roulant côte à côte quand la voie était libre.

Ils firent une courte halte chez Lucie, comme cela devenait coutume. Lucie les accueillit à bras ouverts et s'enquit de la date du mariage. Émilie répondit qu'elle le lui dirait aussitôt que possible.

Juste avant d'arriver à Saint-Stanislas, elle rappela à Ovila de l'aviser au moins trois semaines à l'avance afin qu'ils aient le temps requis pour la publication des bans. Ovila promit.

Ils arrivèrent à la côte Saint-Paul à la brunante. Célina et Caleb, presque méfiants à l'endroit de leur fille, furent soulagés de voir leur «gendre». En son for intérieur, Caleb s'était avoué qu'il aurait été à peine surpris si elle lui avait annoncé une seconde rupture.

Émilie et Ovila se quittèrent le lendemain matin, le cœur au bord des lèvres. Ovila promit à Émilie que cette fois il écrirait. Émilie lui dit qu'elle attendrait chacune de ses lettres et qu'elle répondrait le plus rapidement possible. Il promit aussi qu'il viendrait la voir à quelques reprises durant l'été. Elle lui demanda de ne pas l'en aviser afin que ce soit toujours une surprise.

«Deux mois, Émilie, deux p'tits mois de rien du tout, pis on va être ensemble pour pas mal de temps.

— J'espère de pas être obligée d'attendre deux mois.

— Moi aussi, mais ça va dépendre de la température.»

Et Ovila partit en lui faisant mille signes de la main. Émilie constata que c'était toujours elle qui restait. Avec

Berthe, avec Antoinette et, encore une fois, avec Ovila. Berthe n'était jamais revenue. Antoinette reviendrait occasionnellement et Ovila, elle l'espérait, reviendrait pour toujours.

Elle rentra dans la maison, sourit tristement à ses parents, s'assit à la table de la cuisine, commença à défaire ses tresses. Son regard était fixe, bien accroché derrière une calèche qui trottait quelque part entre un passé déjà flou et un avenir qui lui serra la gorge tant il lui parut lointain.

26.

L'été traînait en longueur. Les jours s'étiraient les uns après les autres comme de vieux élastiques éventés, sans ressort et sans rebondissements. Émilie avait consacré ses journées à repenser à ses six années passées, racontant à ses jeunes frères et sœurs les meilleurs moments qu'elle avait connus. Après quelques semaines, ils connaissaient déjà ses anecdotes préférées.

Elle avait enfin reçu une lettre d'Ovila lui demandant si le neuf septembre lui conviendrait. Elle avait répondu que la date était parfaite et que pour aucune considération elle n'accepterait de la reporter. Ovila avait réécrit en lui demandant de courir au presbytère régler les détails de la journée. Caleb avait accompagné sa fille pour remplir les formalités. Le curé avait été d'une gentillesse extrême, malgré l'absence du fiancé.

Émilie était allée dans le bois se chercher une belle branche sèche et droite. Utilisant un des couteaux de son père, elle l'avait dénudée des quelques lambeaux d'écorce qui s'accrochaient encore à la chair, puis avait fait une petite entaille.

«Qu'est-ce que tu fais là, Émilie? lui avait demandé Caleb.

— Je compte les jours.

— Tu aimerais pas mieux faire des croix sur le calendrier?

— Non, parce que je sais qu'Ovila aussi compte les jours avec son p'tit bout de bois.»

Elle avait trouvé cette façon de se tenir près d'Ovila. Toucher à son bout de bois tous les jours comme lui touchait probablement au sien. Caleb ne lui avait plus fait de commentaires mais un soir, il avait parlé de cette manie avec Célina.

«C'est-y moi qui vieillis ou bien est-ce qu'à cet âge-là nous autres on était plus sérieux?

— Je dirais que c'est toi qui vieillis. Des fois, le monde fait des affaires pas importantes pantoute en y mettant bien du cœur. C'est sûr que toi, tu aurais jamais coché un p'tit bout de bois, mais moi, j'ai dessiné des fleurs sur le calendrier.

— Tu as fait ça, toi?»

Ovila n'avait pu venir une seule fois voir Émilie. Au fond d'elle-même, elle n'avait pas cru qu'il tiendrait cette promesse. Mais il avait tenu celle d'écrire et elle lui en sut gré.

Elle n'en pouvait plus d'attendre le neuf septembre mais fut quand même happée par un remous d'énervement lorsqu'il arriva enfin. Elle avait dit à Ovila qu'elle préférait ne le voir qu'à l'église. La messe devait être chantée à neuf heures. À huit heures et quart, Caleb avait discrètement demandé à un de ses fils d'aller voir à l'église si les Pronovost était arrivés de Saint-Tite. Son fils n'avait fait qu'un aller-retour et avait murmuré à l'oreille de Caleb qu'ils étaient tous là. Caleb soupira. La noce aurait lieu.

«Émilie! Émilie, *bonyenne*, est-ce que tu vas faire attendre ton homme le matin de ses noces?

— J'arrive. Pas besoin de crier de même, pâpâ. Moman achève de mettre des fleurs dans mon chignon.

— Tu vas quand même pas te mettre des fleurs dans les ch'veux!

— Juste des p'tites. Vous allez voir, c'est pas mal joli.»

Caleb haussa les épaules. Qu'est-ce qu'elle allait encore inventer. Des fleurs dans les cheveux!

Émilie descendit l'escalier sur la pointe des pieds, demandant à ses sœurs de rester en haut. Elle voulait surprendre son père. Ses frères, assis à la table de la cuisine, comprirent son jeu et ne soufflèrent mot. Caleb était occupé, devant le miroir suspendu au-dessus de la pompe à eau, à recommencer pour la énième fois la raie dans ses cheveux. Il bougonnait, ne réussissant jamais à la faire droite. Ses sillons étaient plus rectilignes.

«Maudite calamité! J'vas pourtant l'avoir.» Il prit un épi de cheveux rebelles avec ses doigts patauds, tenta de lui faire changer de direction. L'épi se redressa inexorablement. Il mouilla la mèche. Elle pointa encore plus désespérément.

«Dans ce temps-là, il faut coller tout ça avec un p'tit peu de savon.»

Émilie avait parlé avec tellement de calme et tellement d'ironie que Caleb n'avait pas pris conscience que c'était elle qui venait de trouver la solution à son problème. Il aperçut finalement son reflet dans le miroir. Il se tourna lentement. Pour la première fois, il venait de prendre conscience que sa fille était belle.

«Si je savais pas que c'est toi, Émilie, je penserais que tu es une apparition de ma mère, quand elle était jeune.

— Il paraît que je lui ressemble, répondit-elle doucement.

— Tu es son portrait tout craché.» Il resta quelques instants à la regarder en se disant que c'était une vraie faveur du ciel de lui envoyer une image vivante de sa mère. C'était aussi une vraie faveur du ciel de lui avoir donné une si belle mariée.

«Bon ben, vas-tu rester là à regarder ma couette ou est-ce que tu vas venir me montrer comment on colle ça avec du savon?»

Émilie rejoignit son père, se mouilla trois doigts, les passa sur le savon puis sur la mèche indisciplinée en lui donnant le pli souhaité. La mèche ne broncha plus.

«Vous voyez. C'était pas plus compliqué que ça. »

Caleb sourit enfin à son image. Célina était maintenant devant lui, ajustant les boutons de son faux col.

«Ça va faire le tripotage! C'est fatigant à la longue. Bon, tout le monde dehors, on part.»

Caleb, Célina et Émilie montèrent tous les trois dans une calèche. Les autres enfants s'installèrent dans une seconde voiture et prirent les devants.

«Tu as de la chance d'avoir une belle journée de même, Émilie. Regarde-moi la Batiscan qui brille comme si elle avait mis ses beaux atours pour ton mariage.»

Émilie regarda la rivière. Puis elle regarda sa robe. Puis elle regarda à nouveau la rivière.

«C'est drôle, mais je viens juste de me rendre compte que ma robe est de la même couleur que la rivière.»

Le clocher se faufilait entre les maisons. Tantôt il se découvrait. Tantôt il se cachait. Enfin, il ne put que se montrer au grand jour. En voyant arriver la voiture des enfants Bordeleau, les Pronovost et tous les invités étaient rentrés dans l'église. Émilie sentit sa gorge se nouer. Elle prit la main de sa mère. Célina la regarda et lui sourit.

«Je me demande si nos parents étaient nerveux comme nous autres le jour de nos noces, Caleb.

— Je suis pas nerveux. Ça fait assez longtemps que j'essaie de me débarrasser de cette grande tannante-là.

— Arrête donc de la taquiner.

— C'est correct, moman, ça me change les idées quand je l'écoute dire des niaiseries.

— Des niaiseries! fit Caleb faussement offusqué. J'vas t'en dire une autre à part de ça. Je pense que je suis encore plus nerveux que quand j'ai marié ta mère.»

Il venait d'immobiliser la calèche. Il descendit, en fit le tour et aida Célina puis Émilie à descendre. Émilie frotta énergiquement le devant de sa jupe pour la débarrasser de tous les plis qui s'étaient formés pendant le trajet. Célina frotta l'arrière.

«Le velours est pas trop *tapé*. C'est de la belle qualité. Bon, moi je rentre. J'vas te regarder marcher. Tiens tes épaules pis ta tête bien droites. Pis toi, Caleb, marche pas plus vite qu'elle. Laisse-la te donner le pas.

— *Envoye*, envoye, presse-toi. On a juste une minute pour rentrer.

Célina alla s'asseoir à l'avant, saluant au passage les visages qui lui étaient les plus familiers. Elle fit un petit signe de tête à Dosithée et à Félicité qui, à en juger par leurs bouches crispées, étaient aussi nerveux qu'elle et Caleb. Dosithée mâchouillait sa moustache et Félicité se mordait la lèvre inférieure. Ovila se tenait fièrement à l'avant, le dos tourné à l'autel, le curé à ses côtés. Il salua sa belle-mère en lui souriant de toutes ses dents. Célina le regarda et se demanda comment il faisait pour être aussi calme. Puis elle vit qu'une petite veine lui battait au front. Une toute petite veine bleue. Discrète. Traîtresse.

Un murmure partit de l'arrière de l'église, bondissant comme un galet lancé sur l'eau jusqu'à l'avant. Caleb et Émilie venaient de faire leur apparition. Célina se monta sur la pointe des pieds et s'étira le cou pour bien voir. Félicité et Dosithée se sourirent. La petite veine sur le front d'Ovila accéléra son battement.

Émilie serrait le bras de son père. Elle avait vu Ovila et Caleb sentit que son pas se faisait de plus en plus rapide. Il la retint un peu. Elle ralentit. Elle marcha pendant toute l'éternité de l'allée centrale. Elle ne reconnut personne, ne voyant que les yeux d'Ovila qui se fondaient dans les siens. Enfin, elle le rejoignit.

Le reste de la cérémonie ne fut que brouillard jusqu'à ce que le curé lui demande si elle acceptait de prendre Charles pour époux. Elle allait dire oui, quand tout à coup elle se rendit compte que le curé avait dit Charles.

«Charles? » avait-elle répété, étonnée.

Le curé avait regardé à nouveau sur son papier et dit que c'était bien ce qui était écrit. Émilie se tourna alors vers Ovila.

«Charles?

— Oui, c'est mon nom de baptême. J'ai jamais pensé de te le dire.» Il riait presque.

Émilie dit donc oui. Le brouillard s'était à nouveau épaissi, ne laissant filtrer que l'éclat de l'anneau qui lui avait été glissé au doigt.

Elle signa les registres en se demandant ce qu'elle signait. Ovila avait apposé sa signature et leurs pères aussi.

Puis elle se retrouva encore dans cette allée sans fin, pendue au bras d'Ovila, ne voyant que des sourires. Elle comprit qu'ils répondaient au sien et à celui de son mari. Le soleil vint enfin dissiper la brumaille.

«Est-ce que je peux embrasser ma femme?

— Oh! oui, tant que tu voudras.»

Ovila l'avait embrassée avec une générosité que les gens n'étaient pas habitués à voir.

«Félicitations, madame Pronovost.»

Émilie s'était retournée, pensant qu'on s'adressait à sa belle-mère pour finalement comprendre que c'était à elle qu'on parlait.

«Antoinette! Regarde, Ovila, Antoinette est venue!»

Les deux amies s'étaient enlacées. Émilie cachait difficilement son émotion. Ce n'est qu'après toutes ces effusions qu'elle aperçut le sourire d'Henri.

«Henri! Comme c'est gentil de t'être déplacé!

— Mais voyons, Émilie, penses-tu que j'aurais laissé ma femme faire seule tout ce trajet?

— Ta femme?

— Antoinette.

— Antoinette! Vous êtes mariés?

— Depuis la semaine passée, Émilie», fit Antoinette rayonnante.

Sous le coup de l'émotion, Émilie ne songea pas au fait que ses amis ne l'avaient pas invitée. Antoinette ne lui laissa pas le temps d'y réfléchir.

«Ma mère est vraiment pas bien. Ça fait qu'Henri pis moi on a décidé de faire ça vitement. On a même eu une dispense de bans, grâce au curé de la paroisse de ma mère. Notre voyage de noces, c'est hier soir qu'on l'a commencé quand on a attelé pour venir ici. On pense qu'à soir, on va aller dormir à l'hôtel Grand Nord de Saint-Tite. C'est à Saint-Tite qu'on veut aller parce qu'on est des romantiques.» Elle avait dit cette phrase en chuchotant. «Demain, on a l'intention d'aller au lac aux Sables. L'année prochaine, Henri m'amène voir les chutes Niagara.»

Toute attentive à son amie, Émilie n'avait pas remarqué les gens qui attendaient pour la féliciter. Antoinette, mal à l'aise, avait laissé Émilie à ses parents, en lui disant qu'elle la reverrait à la côte Saint-Paul. Émilie avait été embrassée par tout le monde, Ovila, farceur, prenant la file à toutes les minutes ou presque. Caleb mit fin aux effusions en disant à ses invités qu'il les attendait tous à la maison. Ils se dispersèrent et se dirigèrent vers leurs voitures. Les jeunes mariés prirent place dans la calèche d'Ovila et ouvrirent le défilé.

«Qu'est-ce que tu penserais de ça, Émilie, si on restait le temps d'être polis, pis qu'on s'en allait à Saint-Tite. J'ai hâte que tu voies la surprise que j'ai pour toi.

— Si tu penses que ça peut se faire, moi je demande pas mieux.»

La noce avait été parfaitement réussie. Émilie, toute à sa joie, avait quand même pris le temps de parler à chacun des convives, s'attardant plus particulièrement à Lucie et à Antoinette. Voyant qu'Ovila commençait à s'impatienter, elle monta à sa chambre, enleva sa robe de velours et enfila une autre robe plus confortable pour la route. Il avait été convenu que les Pronovost transporteraient tous ses bagages, y compris le coffre de cèdre délesté de quelques vêtements et effets nécessaires.

Profitant de sa courte absence, ses parents placèrent tous les cadeaux sur le plancher, au centre du salon, et

obligèrent Émilie à se fermer les yeux dès qu'elle redescendit. Émilie, au bras d'Ovila, entra dans le salon, les yeux
toujours fermés et le rire facile.

«Pourquoi est-ce que vous m'obligez à fermer les yeux
comme ça?

— C'est parce qu'il y a des cadeaux qui pouvaient pas
être emballés, lui répondit sa mère. Bon, astheure tu peux
regarder.»

Émilie ouvrit les yeux et poussa un cri. Devant elle,
il y avait un rouet, un ourdissoir et toutes les pièces d'un
métier à tisser. Les Pronovost avaient acheté le rouet et
fabriqué l'ourdissoir. Caleb avait fait venir le métier de chez
Leclerc, à L'Islet. Émilie et Ovila déballèrent ensuite les
autres cadeaux. Lucie, imprévisible comme toujours, avait
offert un fouet à Émilie.

«Faudrait p-pas que tu comprennes mal. C'est pour ta
Tite, pas p-pour ton mari.»

D'Antoinette et Henri ils reçurent un vase au cou de
cigogne.

«Je sais combien tu aimes les fleurs, Émilie. Ça fait
que j'ai pensé qu'un vrai beau pot ça te ferait plaisir.»

Émilie continua de sourire à Antoinette tout en pensant
que c'était Henri qui lui avait donné son premier vase.

Bientôt, il ne leur resta plus à ouvrir qu'un colis, en
provenance de Saint-Tite, comme en faisait foi le cachet de
la poste. Émilie déchira prudemment l'emballage, le mot
fragile étant inscrit à plusieurs endroits. Le colis contenait
une toute petite ardoise, une craie, une petite brosse et un
mot qui disait que cette ardoise se voulait un rappel de six
années d'enseignement. Sur l'ardoise, expédiée par Charlotte, une seule phrase : «Merci! Et je n'ai jamais trahi
notre secret!»

Émilie et Ovila quittèrent Saint-Stanislas au milieu de l'après-midi. Suivant les recommandations d'Ovila, elle apporta sa valise — celle reçue de ses parents l'année précédente — remplie de tout le nécessaire pour une semaine. Ovila n'avait pas voulu lui dire pourquoi elle avait besoin de ces choses.

«Tu as quand même pas envie, Ovila, de me garder dans la maison pendant une semaine sans sortir? Sans voir de monde?

— Prends donc patience, Émilie. Tu vas comprendre quand on va arriver à Saint-Tite.

— Je veux pas dire par là que j'aurais quelque chose contre...» ajouta-t-elle d'un ton espiègle.

Ovila lui laissa tomber la main. Il glissa ses doigts le long de sa cuisse. Émilie posa sa main sur celle de son mari et soupira. Ovila la regarda de côté sans dire un mot. Lui-même avait l'air plutôt guilleret.

Ils franchirent le pont de la rivière Des Envies. Émilie commença à s'agiter. Bientôt elle verrait sa petite école. Plus qu'une courbe. Elle la vit enfin mais ne ressentit pas cette excitation si familière quand elle la retrouvait après un long été d'éloignement. Elle en fut soulagée. Pas de regrets, pensa-t-elle. Pas de regrets. Elle regardait «sa» maison. Ovila l'épiait du coin de l'œil.

«Émilie, tu as même pas regardé la nouvelle maison.

— Je m'excuse, Ovila, mais j'ai oublié. C'est pas fin de ma part, surtout quand on pense que c'est à cause de cette maison-là qu'on a été obligés de retarder notre mariage.

— J'vas t'excuser en me disant que c'est pour ça que tu voulais pas la voir.»

Ils arrivèrent devant leur maison. Ovila demanda à Émilie de descendre. Elle prit sa valise mais Ovila interrompit son geste.

«Laisse ça là, Émilie. Je veux juste que tu jettes un coup d'œil en dedans pour voir comme c'est changé. Ma mère a pas voulu mettre de rideaux ou d'affaires de même parce qu'elle disait que tu avais un goût bien à toi pis que c'était pas à elle de décider pour nous autres.

— Pourquoi est-ce que j'apporte pas ma valise?

— Prends patience, Émilie, prends patience.»

Elle ne posa plus de questions. Ovila lui prit la main et la dirigea vers la porte, qu'il s'empressa d'ouvrir.

«Bienvenue chez nous, madame Pronovost.»

Il l'embrassa, la souleva de terre et la porta jusqu'à la cuisine. Émilie riait aux éclats. Il pivota sur lui-même, sans la déposer, et lui demanda si elle avait bien vu. Elle lui répondit qu'il tournait trop vite. Alors il l'assit sur une chaise sans lui donner la chance de poser un pied au sol.

«Tu vas pas bouger d'ici pendant que moi je mets ce qui manque dans la calèche.»

Il ouvrit la glacière et sortit quelques paquets qu'il mit dans une grande boîte déjà presque remplie. Il la ferma soigneusement, puis il alla la déposer dans la calèche. Émilie n'avait pas bronché. Elle se demandait où il voulait en venir. Ovila rentra.

«Maintenant, si madame veut me suivre, son carosse est avancé.» Il fit une galante courbette.

Émilie le salua très dignement de la tête, répondant à son jeu. Il referma la porte et escorta Émilie jusqu'à sa place.

«Cesse tes mystères, Ovila…Dis-moi où tu me conduis.

— Pas question, le mystère va être mystérieux jusqu'à ce que je dise qu'on est rendus au bout de notre voyage.»

Il conduisit la calèche, revenant sur ses pas jusqu'à la nouvelle maison qu'Émilie, cette fois, regarda attentivement, complimentant Ovila sur le magnifique travail qu'il avait fait.

«La maison a juste un p'tit défaut. Le plancher du deuxième va toujours gondoler à cause de tous les hivers qu'il a passé sans protection.»

Émilie pensait qu'ils redescendraient vers le Bourdais d'été en tournant à gauche, mais Ovila tourna à droite et engagea la calèche dans un sentier péniblement tracé par des roues de voiture.

«On s'en va dans le bois? demanda-t-elle étonnée.

— On s'en va vers le bois, Émilie, mais à une place spéciale que tu as jamais vue.

— Je suis déjà allée par là.»

Ovila la regarda, craignant tout à coup que sa surprise n'en fût pas une.

«Jusqu'où?

— Je pourrais pas dire.»

Il soupira de soulagement. Ils continuèrent à cahoter pendant plusieurs minutes. Émilie était occupée à repousser les branches d'arbres qui menaçaient à tout moment de les gifler.

«On arrive. On va être là dans dix minutes au plus.»

Il fit enfin arrêter le cheval. Il le détela pendant qu'Émilie, à sa demande, vidait la calèche. Ovila attacha le cheval avec une longue corde, pour lui permettre de brouter à son aise. Il recouvrit ensuite la calèche d'une bonne toile. Émilie ne comprenait toujours pas.

«Encore une p'tite marche de cinq minutes pis on est arrivés.»

Émilie lui emboîta le pas. Ovila porta la boîte de provisions et demanda à Émilie de laisser sa valise. Il viendrait la chercher. Elle répondit qu'elle pouvait la porter elle-même. Ils avancèrent à travers le bois maintenant plus dense. Ovila s'immobilisa enfin.

«Tu vas m'attendre ici. J'ai juste deux p'tites affaires à faire pis je reviens.»

Elle obéit. Pour rien au monde elle ne se serait levée pour se faufiler à travers les arbres et avoir un indice de ce que pouvait être la surprise. Elle adorait les surprises et elle savait qu'Ovila devait mettre au point quelque petit détail. Un *suisse* passa à côté d'elle sans paraître la remarquer, puis il s'arrêta en saccadant sa queue. Émilie retint son souffle pour ne pas l'effrayer. Le suisse se retourna, la regarda et repartit rapidement, changeant de couleur selon qu'il traversait une flaque d'ombre ou de soleil. Un froissement de feuilles et le craquement d'une branche sèche lui annoncèrent le retour d'Ovila.

«Tu es encore là, Émilie?

— Oui, Ovila, j'ai pas bougé d'un poil.»

Il apparut, un foulard de couleur pendant de sa poche de chemise. Il le prit dans ses mains.

«Ça, Émilie, c'est un p'tit cadeau. Mais avant de te le donner, j'aurais besoin que tu me le prêtes une minute.»

Avant qu'Émilie ne dise un mot, il commença à lui nouer le foulard autour des yeux.

«Vois-tu quelque chose?» demanda-t-il en agitant une main devant la figure d'Émilie.

«Rien.»

Il lui prit le bras et lui demanda de le suivre en lui promettant de lui indiquer le trajet et de faire attention pour qu'elle ne trébuche pas. Émilie, encore une fois, se plia à tous ses caprices. Ils marchèrent pendant à peine trois minutes. Émilie entendit un clapotis et sentit la présence de l'eau. Elle comprenait de moins en moins. À sa connaissance, il n'y avait pas d'eau dans les environs. Ovila dénoua le bandeau. Un lac! Un merveilleux petit lac d'eau claire et frémissante. Ovila, debout derrière elle, avait posé ses mains sur la tête d'Émilie, juste derrière les oreilles. Elle lui tint les poignets.

«Mais comment ça se fait, Ovila, que j'aie jamais entendu parler d'un lac?

— Parce que c'est un lac qui était sur la terre du père Mercure. Faut croire qu'on n'a jamais pensé d'en parler.

— Ovila, c'est un p'tit bijou bien caché dans son coffre en bois.

— Astheure, Émilie, tourne-toi.»

Il la fit pivoter. Devant elle, une toute petite maison de bois rond, fraîchement construite. Ovila la poussa légèrement pour qu'elle avance. Elle se dirigea vers la porte. Au moment où elle allait l'ouvrir, Ovila la retint et la souleva.

«Mes honneurs, madame.»

D'un léger coup de pied, il ouvrit la porte qu'il avait laissée entrebâillée et entra.

«Une grande pièce pour vous, madame, avec tout le confort. Une *truie*, une table avec une nappe dessus, quatre chaises, un p'tit chiffonnier, de la vaisselle, une glacière qui un jour aura de la glace. Oh! j'oubliais, un miroir pour vous permettre de regarder vos beaux yeux pis vos beaux cheveux, et, le confort de tous les conforts, un beau grand lit avec une paillasse remplie de bon foin frais, deux oreillers, des draps pis une couverte qu'Éva s'est fait un plaisir d'installer.»

Il s'y dirigea, et y déposa Émilie tout doucement. Émilie l'enlaça et le laissa commencer à l'explorer. Son lourdaud était une ouate qui lui chatouillait le corps de sa tendresse. Il se leva et voulut entreprendre de déboutonner sa chemise. Émilie l'attira à elle et lui fit comprendre que c'était elle qui le ferait. Il ne discuta pas.

La soirée transpirait la chaleur de la journée. Les grenouilles et les *ouaouarons* chantaient le clair de lune quand Émilie et Ovila sortirent du petit camp, tous les deux enroulés dans la couverture. Ils se dirigèrent vers le lac et s'assirent, les pieds dans l'eau. L'eau était tiède et invitante.

«Reste ici, Ovila, je reviens dans une minute.»

Émilie courut jusqu'au chalet, alluma une lampe, prit sa valise, la posa sur le lit, l'ouvrit et en retira sa robe de nuit qu'elle enfila à la hâte. Elle noua les six rubans, sans prendre la peine de faire des boucles. Elle enleva les quelques pinces qui tenaient encore à sa chevelure qu'elle brossa vigoureusement. Elle jeta un rapide coup d'œil dans le miroir et sourit. Elle sortit. Ovila l'entendit et se retourna. La lune jouait avec son ombre dans chacun des plis de la robe. Émilie marcha jusqu'à lui, sans dire un mot. Rendue à sa hauteur, elle ne s'arrêta pas. Elle avança résolument vers le lac. Elle ne ralentit le pas que pour habituer ses pieds à la douceur du sable qui lui glissait entre les orteils. Elle marcha encore, sans se retourner. Quand elle eut de l'eau jusqu'à la taille, elle plia les genoux et se trempa jusqu'aux épaules. Elle tourna sur elle-même, dans l'eau, et se releva. Ovila était debout. Il avait laissé tomber la couverture. Émilie lui ouvrit les bras. Il vint la rejoindre, l'enlaça, lui chuchota qu'elle était complètement folle et complètement belle et que les belles folles le rendaient toujours fou.

Le soleil avait depuis longtemps commencé à faire chanter les oiseaux lorsqu'Ovila ouvrit les yeux. Il se retourna et contempla le sommeil souriant d'Émilie. Il lui mordilla une oreille. Elle soupira et lui tourna le dos. Il lui mordilla l'autre oreille. Elle s'éveilla.

«Bonjour, ma belle brume. Est-ce que ça te tenterait de manger un p'tit quelque chose avec moi? Ta mère est une maudite bonne cuisinière, mais son repas est rendu pas mal loin.»

Émilie avait dit oui, s'était levée et avait enfilé sa robe de nuit froissée mais sèche. Ovila l'avait imitée mais n'avait rien enfilé. Il sortit pour aller «soulager sa nature». Émilie fit de même. Ils avaient mangé en riant de leur bonheur, Ovila taquinant Émilie sur le fait que bien peu de gens pouvaient savoir que les maîtresses d'écoles avaient plein de talents cachés.

«Ça fait six ans, Ovila Pronovost, que je regarde tes épaules, ton cou, tes jambes, pis tes cuisses. Le seul talent que j'ai, c'est d'avoir eu la patience de les attendre.» Elle émit un petit rire victorieux et moqueur.

— Pis moi, ça fait six ans que je trouve que tu vieillis plus vite que moi. Que j'ai peur que tu oublies de me regarder. Ça fait six ans que je rêve à toi à toutes les maudites nuits en trouvant que tu es la plus belle. Ça fait six ans que j'ai peur que tu trouves quelqu'un à ton goût. Pis là, ça fait un jour que je veux pas me réveiller parce que j'ai trop peur d'être encore en train de rêver.»

Pendant cinq jours, ils avaient dormi, mangé les provisions qu'Ovila avaient apportées, regardé les clairs de lune et continué de découvrir leur intimité. Ils ne s'étaient plus baignés, les chaleurs ayant définitivement quitté la Mauricie.

La sixième journée de leur exil, ils furent troublés d'entendre arriver quelqu'un. Ovila s'était vêtu à la hâte et était sorti du chalet, faisant signe à Émilie de ne pas bouger. Elle était donc restée dans le lit, se cachant complètement sous la couverture, ayant une terrible envie de rire tant son attitude lui parut enfantine. Elle entendit Ovila parler. Elle crut ensuite reconnaître la voix de Lazare. Qu'est-ce que Lazare était venu faire ici, s'était-elle vaguement demandé, se répondant aussitôt qu'il était probablement venu vérifier s'ils avaient besoin de quelque chose. Elle tendit l'oreille. Ovila ne parlait plus. Elle se leva, marcha sur la pointe des pieds et regarda discrètement par la fenêtre. Ovila était seul, la tête soutenue par ses bras appuyés sur un tronc d'arbre. Il lui tournait le dos. Elle eut le terrible pressentiment que Lazare venait de lui apprendre quelque chose de désagréable. Elle se dirigea vers la porte et chuchota.

«Ovila, est-ce que je peux sortir?»

Il fit oui de la tête avant de se retourner. Émilie se dirigeait déjà vers lui, sautillant entre les cailloux et les bouts de bois sec. Il la regarda venir, ne sachant comment lui annoncer la mauvaise nouvelle qu'il venait d'apprendre. Émilie essaya de sourire, mais la gravité du visage d'Ovila l'en empêcha.

«Qu'est-ce qui se passe, Ovila?

— C'était Lazare, Émilie.» Il cherchait ses mots. «Viens ici, ma belle brume, j'ai quelque chose à te dire.»

Elle s'approcha de lui et il l'enserra dans ses bras.

«Tu me fais peur, Ovila, qu'est-ce qui se passe? Est-ce que quelqu'un est malade?»

Ovila soupira. Elle avait visé juste. Il lui dit finalement que Lazare était venu pour l'avertir, elle, que Charlotte la réclamait. Charlotte était au plus mal. Le médecin ne lui donnait que quelques heures.

Émilie se précipita à l'intérieur du petit camp, en ressortit à la hâte pour remplir un bol à main d'eau fraîche du lac, retourna aussi rapidement à l'intérieur et demanda à Ovila d'atteler le cheval. Il lui dit que Lazare s'en était chargé et que l'attelage serait prêt. Elle lui demanda alors de se raser mais il répondit qu'il était préférable de ne pas perdre de temps à chauffer de l'eau.

«Ça presse tant que ça?» demanda-t-elle, soudain très inquiète de ne pas arriver à temps pour embrasser sa petite Charlotte.

— Je pense que ça presse, oui.»

Elle enfila une robe à la hâte, apporta son peigne et ses pinces à cheveux pour se faire un chignon en cours de route et dit à Ovila qu'elle était prête. Ils coururent jusqu'à la calèche, y montèrent précipitamment et Ovila poussa la bête.

Ils arrivèrent chez Charlotte. Émilie sauta de la calèche et se hâta vers la maison, soulagée de voir que la voiture du curé n'était pas là. Elle frappa à la porte et entra avant même qu'on vienne ouvrir. La mère de Charlotte l'accueillit, le visage inondé de larmes.

«Charlotte vous attend, mam's...madame. On dirait qu'il y a quelque chose qu'elle veut vous dire.»

Émilie suivit la mère jusqu'au chevet de Charlotte. Toute sa famille était agenouillée autour du lit. Émilie s'approcha, soudain prise d'effroi à l'idée que c'était la première fois qu'elle côtoyait la mort. On lui dégagea un passage. Elle respira profondément, prit une des mains de Charlotte dans les siennes et se pencha pour lui chuchoter qu'elle était là. Charlotte, émaciée, jaunâtre et cireuse, clignota des yeux. Elle demanda péniblement à Émilie si elle avait reçu son cadeau. Émilie lui dit que oui, essayant de mettre un peu de gaîté dans sa voix, et lui jura que c'était le cadeau le plus gentil et le plus pratique qu'elle avait reçu. Charlotte grimaça un sourire. Elle lui répéta qu'elle n'avait jamais trahi leur secret. Émilie ne savait toujours pas de quel secret il s'agissait. Elle avait à maintes reprises, depuis son mariage, essayé de résoudre l'énigme de cette petite phrase, s'étant promis de venir voir Charlotte dès son retour du lac à la Perchaude. Elle n'eut plus le courage de lui demander, maintenant, quel était ce fameux secret qui semblait avoir eu beaucoup d'importance pour Charlotte. Un sanglot lui monta à la gorge. Combien Charlotte avait eu d'importance pour elle aussi. Pourquoi l'avait-elle tant négligée depuis un an? Charlotte laissa tomber sa tête lourdement sur l'oreiller. Puis elle rouvrit les yeux encore une fois, regarda tout autour de la pièce, essayant de fixer son regard sur chacune des personnes présentes, puis tourna les yeux vers Émilie. Elle émit un gargouillement. Émilie crut qu'elle tentait de parler et colla son oreille près de la bouche de Charlotte, consciente qu'elle prenait la place que la mère de Charlotte aurait dû occuper. Elle entendit une toute petite phrase bien faiblement soufflée.

«C'est l'heure, Charlotte.»

Charlotte expira. Émilie crut s'évanouir et se tourna vers la mère de Charlotte pour lui dire qu'elle croyait bien que c'était fini. La mère de Charlotte s'approcha du corps de sa fille, prit un petit miroir et le lui mit sous le nez. Il n'y eut pas de buée. Elle s'agenouilla et se signa.

Émilie se retira, préférant laisser la famille de Charlotte seule avec son chagrin. Elle s'assit dans la cuisine et regarda Ovila qui était entré discrètement pour l'attendre et la soutenir. Qu'Émilie ait adoré la petite Charlotte n'avait été un secret pour personne.

Émilie tint à passer une partie de son dimanche dans la famille de Charlotte dont le corps était exposé dans le salon. On l'avait déposé dans un angle de la pièce, sur une planche de bois. Charlotte avait été vêtue de sa plus jolie robe et recouverte d'un linceul blanc. À sa tête, sur une table, il y avait une statue de l'Immaculée Conception. À ses pieds, un Sacré Coeur protégeant de ses bras ouverts un bénitier et un goupillon. Au mur, juste derrière elle, un Christ en croix, niché dans les mutiples replis de nappes brodées accrochées au mur et faisant une espèce d'alcôve autour de la morte. Des lampes à huile brûlaient à toute heure, noircissant des globes rouges dont les reflets, destinés à colorer la lividité de Charlotte, réussissaient davantage à protéger de la lumière trop crue les yeux des affligés, craquelés par le manque de sommeil et l'abus de larmes.

Émilie regarda sa pauvre petite élève que ses reins avaient finalement réussi à empoisonner. Charlotte ne s'était jamais plainte. Elle avait vécu avec ses constantes humiliations, sans gémir. Chaque année, Émilie avait calmement et gentiment expliqué aux enfants nouvelle-ment arrivés en quoi consistait le respect, faisant toujours le lien avec les «petits problèmes d'heure de Charlotte».

Le soleil, en ce dimanche dix-sept septembre, luisait effrontément de tous ses rayons. Émilie quitta le salon et sortit de la maison pour lui dire ce qu'elle pensait de lui. Elle rageait. Elle fulminait. Elle pleurait. Ovila parvint à peine à la consoler. Lazare arriva, seul, pendant que son frère et sa belle-sœur faisaient les cent pas sur la galerie. Il avait la mine complètement défaite. Il voulut entrer dans la maison, mais revint sur ses pas.

«Émilie, dit-il, est-ce que je peux te parler?»

Émilie demanda à Ovila de l'attendre et se dirigea vers Lazare. Elle savait qu'un lien très spécial avait toujours existé entre lui et Charlotte. Même quand tous les deux avaient quitté l'école, ils avaient continué de se voir. Émilie se souvenait de la première crise de Lazare et de l'entêtement de Charlotte à ne pas le laisser avant d'être assurée qu'il n'était pas mort. À partir de ce jour, la petite Charlotte avait toujours protégé le grand Lazare comme si elle avait compris qu'ils souffraient tous les deux de la même souffrance : celle de la différence et de la solitude.

«Émilie, est-ce que Charlotte est bien *maganée?*

— Non, Lazare, elle est comme toujours. Je dirais même qu'elle a encore son p'tit air moqueur.

— Je sais pas si j'ai la force de la voir...de même. Je sais pas si c'est pas mieux de garder un souvenir d'elle comme elle était, maigre pis malade, mais...en vie.» Il se tut pour cacher les trémolos de sa voix.

Émilie trouva pathétique cet homme de son âge, déchiré par la mort d'une fillette de treize ans. Mais Lazare n'avait jamais pu, à cause de sa maladie, mûrir comme il aurait dû. Il avait encore un peu l'âge de Charlotte.

«Fais comme tu penses, Lazare. Si tu penses que tu veux la voir, rentre, pis j'vas aller avec toi si ça t'aide. Si tu veux pas la voir, retourne chez vous pis essaie de te souvenir d'elle comme tu veux t'en souvenir.»

Lazare décida finalement d'entrer. Il ne resta que deux minutes, le temps d'offrir ses condoléances et, rapidement, de prendre et de baiser la main de la morte. Le choc fut trop grand pour lui. En sortant de la maison, il poussa son grand cri d'impuissance et de surprise et s'affaissa sur la galerie de la maison, se déchirant la tête sur la rampe et les lèvres sur les planches non peintes du plancher. Ovila et Émilie le retournèrent rapidement et demandèrent aux gens de s'éloigner pour lui éviter, quand il reprendrait connaissance, de penser qu'il s'était encore une fois rendu ridicule. C'était son drame. Il s'était toujours senti ridicule au lieu d'accepter son mal.

Émilie ne voulut pas quitter le lac à la Perchaude. Elle y était revenue avec Ovila le soir de la mort de Charlotte et le lendemain aussi. Elle savait que de la fenêtre de sa maison, elle pouvait voir l'école. Elle n'avait pas envie de la regarder avant que Charlotte ne fût enterrée. Ovila n'avait pas discuté. Ils avaient donc raccompagné Lazare puis étaient partis, seuls, pour le chalet. Émilie, le souper fini et la vaisselle lavée, passa de longues heures à regarder le lac et à en écouter les soupirs. Ovila parla peu, se contentant de la tenir par l'épaule et de lui essuyer les larmes avec ses gros pouces.

Le lundi matin, ils bouclèrent leurs valises, nettoyèrent et fermèrent le petit chalet, portèrent toutes leurs choses dans leur maison, après quoi ils partirent pour l'église. Les funérailles furent tristes comme seules peuvent l'être les funérailles d'enfants. Ovila ne cessait de penser à la cérémonie des anges chantée pour la petite Marie-Anne. Émilie, elle, se jura qu'elle ne mettrait jamais un enfant au monde pour le voir mourir. Elle mourrait la première. Ce n'était pas dans l'ordre des choses qu'une mère enterrât son enfant. Un enfant, c'était la seule véritable garantie d'éternité.

27.

Ovila était ravi. Les religieuses lui avaient demandé de fabriquer une bonne partie des meubles pour les réfectoires du nouveau couvent, dont la construction achevait. Il s'était attelé à la tâche après avoir aménagé un atelier dans un des bâtiments. Il lui fallait livrer le tout pour le huit décembre, date prévue pour la bénédiction du couvent.

Émilie consacrait presque tout son temps à tisser des catalognes et des couvertures. En secret, elle était allée voir le médecin qui lui avait confirmé qu'elle serait mère au mois de juin de l'année suivante. Quand Ovila devait s'absenter pour quelques heures, elle s'empressait de sortir sa laine et son crochet et elle agitait fébrilement ses doigts pour confectionner des petites couvertures, des petits bas et des petites *capines*. Elle n'avait pas encore voulu annoncer la nouvelle à Ovila qui, inconscient, n'avait pas remarqué qu'il n'y avait jamais eu de guenilles sur la corde à linge depuis leur mariage.

Émilie avait posé des rideaux de dentelle crochetée, la plupart à motifs d'oiseaux et de fleurs. Elle avait placé les meubles à des endroits différents, simplement pour donner à la maison paternelle d'Ovila un air de nouveauté. Quand il ne devait pas s'absenter, il passait la journée à travailler à ses tables, ses chaises et ses dessertes. Il aurait pu se contenter de faire des choses simples, mais il trouvait le temps, le soir, d'entrer un meuble dans la maison et d'y sculpter des fleurs ou des petites pointes de diamants.

«C'est beau ce que tu fais, Ovila. On dirait que les chaises sont plus légères, juste à cause des fleurs.

— C'est bien parce que ça me change les idées que je fais ça parce que les sœurs ont jamais demandé que ça soit aussi soigné.

— Faudrait pas que tu arrives en retard parce que tu fignoles.

— J'ai calculé mes affaires, pis j'ai organisé mon travail pour que ça aille vite. Je prépare tous mes barreaux, je taille tous mes morceaux pour les pattes, je fais tous mes trous pour les chevilles, je fais tous mes sièges. Après, je rassemble tout ça, en montant tous les meubles de front. Comme ça, je suis certain que toutes les chaises vont être de la même grosseur. Tout ceci, madame, me laisse le temps de sculpter, le soir, assis près de vous. Vous et moi, madame, nous le savons, c'est ce que j'aime le plus faire.»

Émilie l'avait écouté en souriant, revoyant son grand élève qui construisait une crèche immense dans une petite classe.

L'automne et l'arrivée des gelées étaient presque passés inaperçus tant le soleil continuait de réchauffer leur maison. Tous les matins, entre deux discrètes nausées, Émilie se gargarisait de son bonheur. Trois jours avant la date de la bénédiction, Ovila avait porté le matériel qu'on lui avait commandé. Les sœurs l'avaient félicité pour son travail fait «au plus-que-parfait, monsieur Pronovost».

Dès son retour du couvent, Émilie lui demanda de ne pas ranger ses outils.

« J'aurais un p'tit travail à te faire faire.»

Ovila fronça les sourcils en se demandant ce qu'elle voulait. Il lui avait déjà dit qu'il lui ferait quelque chose de bien pour leur chambre à coucher et qu'il referait une nouvelle table pour la cuisine. Il avait déjà terminé les chaises en même temps que celles pour le couvent.

«Je voudrais que tu fasses un beau p'tit berceau», dit-elle d'un ton tellement désinvolte qu'il fallut deux bonnes minutes à Ovila pour saisir ce qu'elle venait de dire. Quand il comprit enfin, il resta bouche bée, puis se leva et la prit dans ses bras en riant aux éclats. Émilie l'imita, toute à sa joie. Sans se remettre réellement de ses émotions, il la contraignit à enfiler son manteau, ses bottes et son chapeau, fit de même et l'entraîna en direction de la maison de ses parents.

«Demande-moi pas de garder un secret comme ça, Émilie.»

Les Pronovost partagèrent leur excitation, les obligeant à rester pour le souper. Dosithée n'en revenait pas. Il allait être grand-père.

Émilie et Ovila passèrent la Noël à Saint-Stanislas. Émilie dut discuter assez violemment avec son père et son mari pour qu'ils acceptent qu'elle danse. Ils craignaient pour sa santé. Ils cédèrent finalement quand, n'écoutant que sa tête, elle commença à giguer. Ils revinrent à Saint-Tite pour le Jour de l'An. Caleb avait remis un cadeau à Émilie, lui faisant promettre de ne pas l'ouvrir avant la nouvelle année. Elle avait juré, après avoir vainement essayé d'en connaître le contenu.

«Tout ce que je peux te dire, Émilie, c'est que ça va occuper tes soirées.»

Avant d'aller chez les Pronovost, Émilie ouvrit le cadeau que son père lui avait remis. Elle s'esclaffa. Elle s'était attendue à trouver quelque chose pour préparer l'arrivée du bébé: accessoires de broderie ou de couture. Caleb lui avait acheté un accordéon!

«Veux-tu me dire où mon père va chercher ses idées?» dit-elle à Ovila.

Elle voulut commencer à jouer quelques notes, mais Ovila la pressa de partir.

«Tu auras le temps d'apprendre.»

Dosithée bénit toute sa famille, blaguant sur le fait qu'il bénissait une personne «qui est pas encore arrivée».

La soirée du Jour de l'An fut pleinement réussie. Émilie rit quand on la taquina sur son embonpoint naissant.

«Je mange pour deux! Je passe mon temps à grignoter.

— Grignoter, répliqua Ovila, vous voulez rire! Savez-vous ce qu'elle a grignoté hier soir? Une aile pis une cuisse de poulet avec deux grosses tranches de pain *beurrées* de graisse de rôt.

— Ovila sait pas que j'ai remangé pendant la nuit parce que j'avais une p'tite fringale. Mais j'ai été raisonnable. J'ai juste pris une grosse tranche de pain, trempée dans de la belle crème épaisse avec du bon sucre du pays. C'était bon!»

Félicité sourit, mais lui dit de faire attention. Beaucoup de femmes ne réussissaient pas à perdre le poids pris pendant leur grossesse. Émilie lui répondit qu'elle avait un peu exagéré, mais que, de fait, elle devrait faire attention.

Les hommes s'éloignèrent comme ils le faisaient toujours, pour parler politique et saisons. Dosithée en profita pour inviter Ovila et Edmond à se joindre à lui pour terminer son contrat de coupe pour les dormants de chemin de fer au lac Pierre-Paul. Edmond, embarrassé, lui dit qu'il préférait demeurer dans le Bourdais. Remarquant la déception de son père, il s'empressa d'ajouter qu'Ovide et Lazare avaient vraiment besoin de lui. Dosithée tourna son regard vers Ovila et fit un petit signe de tête. Ovila était mal à l'aise. Il n'avait pas du tout envie de quitter Émilie, surtout pendant sa grossesse. D'un autre côté, l'argent qu'il avait reçu des religieuses ne pouvait suffire jusqu'à la naissance du bébé. Il promit à son père d'en parler avec Émilie et de lui donner une réponse dès que son idée serait faite.

«En tout cas, nous autres on attelle de suite après les Rois. Si tu embarques dans l'*buggy*, arrange-toi pour être prêt. Personne va te courir après.»

Ovila tourna autour d'Émilie pendant deux jours. Il avait tant de fois promis de ne jamais la quitter. Il dormit mal. Il savait qu'il ne pourrait pas toujours rester à la maison. Peu d'hommes le faisaient. Il en voulait un peu à son père de lui avoir fait cette proposition. Son père aurait dû comprendre qu'il voulait être chez lui, près de sa femme. Il avait déjà parcouru tant de chemins, travaillé sur tellement de chantiers, que la seule chose à laquelle il aspirait était la tranquillité de sa maison. Il avait envie d'entendre le ronronnement de la truie, le cliquetis des aiguilles à tricoter. Il avait envie d'être bien collé sur Émilie, dans leur lit, et d'écouter le vent gronder. Il avait envie de passer des heures dans son atelier à faire le berceau et la commode pour le petit, pendant qu'Émilie serait occupée à faire des rideaux, des *piqués* et des langes. Il n'avait surtout pas envie de s'éloigner. Mais, en même temps, il voulait montrer à son père qu'il avait changé; lui prouver qu'il était le fils qui pourrait prendre la relève avec Edmond; lui faire plaisir après lui avoir fait faux bond à tellement de reprises.

Il se décida enfin à parler à Émilie. Elle écouta toutes ses raisons de partir et toutes ses raisons de ne pas le faire. Ovila semblait vouloir qu'elle décide à sa place. Elle sentait bien son tiraillement. Elle savait aussi qu'il ne lui disait pas tout. La vie dans le bois l'attirait. Peut-être n'en avait-il pas encore pris conscience, mais elle, elle le savait. Une femme sentait ces choses. Quand Ovila n'était pas dans le bois, il lui fallait travailler le bois, toucher le bois. Elle avait su cela quand il lui avait avoué qu'il avait construit le chalet du lac à la Perchaude en même temps qu'il avait terminé la maison de son père. Il l'avait fait pour elle, pour qu'elle ait une belle place près de l'eau. Émilie aimait l'eau, ce n'était un secret pour personne. Mais Émilie avait compris que s'il avait construit le chalet, c'était aussi et beaucoup parce que pendant tout ce temps, il avait été dans le bois. Il avait vécu au lac presque tout le mois d'août. Il avait été tellement absorbé par ses travaux de construction qu'il n'avait plus eu le temps d'aller la voir à Saint-Stanislas. Elle avait appris toutes ces choses pendant leur semaine au lac. Elle avait compris que son Ovila serait toujours tiraillé. Elle ne pouvait lui en vouloir. Elle-même, depuis son mariage, trouvait que les journées étaient bien longues sans sa trentaine d'enfants. Heureusement, la présence d'Ovila avait toujours compensé. Maintenant, il lui parlait de partir. À peine trois mois. Mais trois mois. Elle ne se sentait pas le courage de lui dire de rester. Elle ne se sentait pas non plus le courage de lui dire de partir. Il devait décider lui-même. S'il partait, elle l'attendrait. S'il restait, elle serait encore mieux.

«Écoute, Ovila, moi je pense que tu peux faire ce que tu veux. C'est pas trois mois qui vont me faire mourir. Quand une femme vit dans un pays de bois, faut qu'elle se fasse à l'idée que des fois, le bois devient bien important. Pis pas rien que pour gagner de l'argent...»

Ovila avait longuement hésité, incertain d'avoir bien compris ses propos. Elle avait peut-être essayé de lui faire comprendre qu'elle était incapable de l'avoir à côté d'elle tout le temps, habituée qu'elle était à sa solitude. Le lendemain, il lui dit qu'il avait décidé d'accompagner son père.

Émilie sourit pour bien cacher la grimace que son cœur venait de faire. Sa grande rivale, la forêt, venait de gagner une bataille.

Elle prépara ses vêtements. Il affûta sa scie et sa hache. Le lendemain de la Fête des Rois, il partit, le cœur chagrin. Elle l'accompagna jusqu'au traîneau, le tenant par la main, s'efforçant de sourire.

«Je vas être ici pour Pâques, ma belle brume. Fais attention au p'tit», ajouta-t-il en lui mettant une main sur le ventre.

«Je vas lui parler de toi à tous les jours, crains pas... Je m'ennuie déjà de toi, Ovila.»

Dosithée leur dit de cesser leurs *minouchages* et de se presser. Ovila embrassa Émilie sur les dents, tellement elle souriait, mais elle lui avait mouillé une joue de ses larmes.

Elle refusa de passer la soirée dans sa belle-famille. Elle était pressée d'être dans sa maison. En franchissant le seuil, elle en ressentit tout le vide. Elle courut à sa chambre, s'allongea sur son lit et pleura. C'est ce moment que choisit le bébé pour donner son premier coup de pied.

Ses fringales l'avaient quittée en même temps qu'Ovila. Elle passa toutes ses soirées à apprendre à jouer de son accordéon et sut rapidement quelques airs qu'elle fredonnait ou chantait, le regard absent. Ovila lui écrivait souvent, mais elle le sentait tellement loin. Ovide venait fréquemment lui tenir compagnie. Voyant qu'elle ne désennuyait pas, malgré une bonne humeur apparente, il lui offrit d'aller surprendre Ovila le dimanche suivant. Émilie bondit de joie, lui disant qu'il était le beau-frère le plus extraordinaire de la terre. Elle occupa le reste de sa semaine à se préparer le cœur, à faire du sucre à la crème pour Ovila et à finir le chemisier qu'elle avait commencé avant son départ, mais qu'elle n'avait pas eu le courage de terminer.

Le dimanche arriva enfin...impossible à distinguer tant la neige était opaque. Ils ne purent se déplacer. Ils reportèrent la visite au dimanche suivant. Le samedi qui le précéda fut mémorable pour Émilie. Son père et sa mère vinrent la visiter et restèrent à coucher. Elle se promit donc d'aller la semaine suivante, mais elle reçut Antoinette et Henri qui, au ton d'une des lettres qu'elle avait écrites, avaient décidé de venir lui tenir compagnie. Ovide, fiévreux, annula la visite du quatrième dimanche. Il ne resta plus que deux semaines avant le retour d'Ovila. Émilie décida donc qu'elle ne le surprendrait pas. C'est lui qui la surprit, en pleine nuit, le mardi suivant.

Elle dormait paisiblement lorsqu'elle s'éveilla, ayant cru entendre entrer quelqu'un. Elle n'eut pas le temps de s'inquiéter.

«Salut! ma belle brume.

— Ovila? demanda-t-elle surprise.

— J'espère que je suis le seul homme qui rentre ici en pleine nuit...

— Ovila! dit-elle d'un ton qui criait sa joie.

— Non, c'est Charles.

— Ovila...» roucoula-t-elle, plongée enfin dans une réalité de rêve.

Il s'empressa de se dévêtir, plongea littéralement dans le lit et l'étreignit.

«J'en pouvais pus de m'ennuyer, Émilie.

— J'en pouvais pus d'attendre, Ovila.»

Il lui caressa le ventre, elle lui embrassa la nuque.

«Ça fait quatre dimanches que j'essaie d'aller te voir. Comment ça se fait que tu es revenu avant Pâques?

— Le travail était à peu près fini, ça fait que le *foreman* a dit qu'il fallait que des hommes partent. Je me suis porté volontaire, ça a pas pris *goût de tinette*.

— Tu as le meilleur *foreman* du monde.»

Le soleil de juin avait confondu ses mois, laissant paraître ses rayons de juillet, brûlants et sans cesse présents. Émilie se traînait les pieds du lit à la cuisine, de la cuisine à la chambre du bébé, de la chambre du bébé à son lit. Elle n'en pouvait plus de porter sa maternité. Plus la journée de l'accouchement approchait, plus elle tremblait. Elle avait peur. Elle savait que la nature l'avait rendue difforme et lourde pour l'obliger en quelque sorte à souhaiter la naissance. Mais Émilie ne pouvait pas encore s'y résoudre. Elle aurait voulu être une ardoise et demander à Ovila d'effacer toute trace de sa grossesse. Leurs nuits étaient agitées d'insomnies. Elle se levait à tout moment pour soulager sa vessie trop comprimée, venait se recoucher et tentait de se coller sur Ovila. Elle avait peur. Ovila tentait bien faiblement de la rassurer. Lui même souffrait d'une angoisse qui lui collait au ventre. Il ne voulait pas revivre des heures comme celles qu'il avait connues pendant et après la naissance de Marie-Anne. Non! Jamais il n'accepterait, cette fois, de faire un petit cercueil blanc.

Chacun se gardait bien de dire à l'autre la profondeur du gouffre de sa peur. Ils avaient vu le médecin qui les avait rassurés en leur disant que tout allait très bien. Qu'Émilie était faite pour porter un enfant. Il lui avait offert de l'assister pour l'accouchement, mais elle avait blagué en lui répondant qu'elle préférait que ce soit la sage-femme.

«Je vous promets que si ça prend trop de temps, je vas envoyer Ovila vous chercher pour que vous apportiez vos pinces à glace. Je veux bien faire mon effort, mais j'ai pas envie de pâtir là.» Le médecin lui avait répété qu'elle pouvait compter sur lui.

Le neuf juin, neuf mois jour pour jour après son mariage, Émilie sentit quelque chose lui serrer le ventre et lui déchirer les reins. Elle n'en parla pas à Ovila. Ces tiraillements ne durèrent que quelques heures et disparurent. Le lendemain, à l'aube, le même phénomène se produisit. Cette fois, il ne disparut pas.

Elle essaya d'être calme et se rassura en se disant qu'elle était jeune et en santé, mais le cœur lui débattait dès que son ventre se recroquevillait. Elle prit un ton très posé — où en avait-elle trouvé la force? — pour dire à Ovila qu'elle croyait bien que ça y était. Ovila partit à la hâte chez ses parents, demander à sa mère de venir tout de suite et envoyer Oscar chez la sage-femme. Félicité rit de son énervement.

«Calme-toi, mon gars. La première fois, ça prend des heures. C'est le premier qui fait le chemin pour les autres à venir.»

Elle promit à Ovila qu'elle viendrait dès qu'elle se serait habillée et qu'elle aurait mis un peu d'ordre dans sa maison. Ovila ne la comprenait pas. Il avait l'âme à l'envers à cause des difficultés qu'elle avait connues. Elle ne semblait même pas s'en souvenir.

«En attendant la sage-femme, rends-toi utile. Nettoie bien la cuisine pis garde de l'eau chaude tout le temps.»

Dosithée ne dit pas un mot. Un accouchement l'inquiétait toujours. Il avait hâte d'être grand-père, mais il aurait voulu que la chose prenne deux minutes. Il serra l'épaule d'Ovila. Ovila lui en fut reconnaissant. Son père, lui, n'avait pas oublié. Non, Dosithée n'avait pas oublié le terrible choix qu'il avait eu à faire. Ovila repartit en répétant à sa mère qu'il l'attendait.

Félicité rentra dans sa chambre. Elle ferma la porte bien lentement. Dès qu'elle fut seule, elle s'agenouilla. Elle tremblait. Elle n'avait pas le courage d'aller chez Ovila. Elle n'avait pas la force d'entendre crier Émilie. Elle ne voulait plus voir le sang de la naissance. Quatre fois, pour elle, ce sang avait été celui de l'immolation d'un bébé. «Bon Dieu, aidez-moi à aider Émilie. C'est encore un Pronovost qui va naître. Bon Dieu, laissez-le donc naître en paix!»

Elle ressortit de sa chambre aussi calmement qu'elle y était entrée. Elle regarda son mari, bien en face.

«J'y vas, Dosithée. Pense un peu à elle.»

Dosithée savait qu'il ne ferait que cela. Il lui promit qu'il «brasserait le Saint-Esprit».

Félicité frappa avant d'entrer chez son fils. À son grand soulagement, Émilie était assise dans la cuisine, presque souriante. Félicité regarda Ovila en se demandant s'il n'avait pas alerté la sage-femme pour rien. Émilie lut ses pensées.

«C'est moi, madame Pronovost, qui veux rester ici le plus longtemps possible. J'ai pas vraiment envie d'aller me coucher parce c'est dans les reins que ça fait mal.»

Félicité lui dit qu'elle resterait avec elle toute la journée s'il le fallait. Émilie se demanda comment elle pourrait endurer ce mal pendant toute une journée.

La sage-femme arriva, demanda à Émilie de passer dans la chambre à coucher pour qu'elle l'examine, lui posa toutes les questions d'usage et revint dans la cuisine, satisfaite.

«Ça va bien, dit-elle en se lavant les mains. Elle est déjà à deux doigts.»

Émilie rejoignit son monde dans la cuisine. Elle marchait de long en large, s'appuyant au bras d'Ovila, en disant qu'elle préférait être debout pendant les contractions.

Le soleil avait atteint son zénith qu'elle marchait encore. La sage-femme l'avait examinée deux autres fois. Le travail était lent.

«Elle est toujours à deux doigts.»

Émilie s'inquiétait. Pourquoi le travail était-il si long? Quand le soleil commença à décliner, Dosithée vint aux nouvelles. Il avait empêché ses enfants de le faire, espérant toujours voir revenir sa femme. Il s'en était retourné, plus inquiet encore.

La sage-femme annonça enfin à Émilie qu'elle arrivait presque à quatre doigts et lui demanda de rester couchée. Émilie ne discuta pas. Elle avait repoussé ce moment le plus longtemps possible, ayant l'impression qu'une femme commençait à avoir l'air misérable quand elle était allongée. Elle entendit l'horloge sonner les onze coups. Elle calcula que l'orage de son ventre durait depuis dix-huit heures. La sage-femme fit chauffer beaucoup d'eau et commença à lui appliquer des serviettes chaudes aux entrailles.

«C'est pas pour vous laver, madame, c'est pour empêcher la peau de déchirer.»

Émilie la laissa faire sans poser de questions. La tempête était maintenant de plus en plus violente. La sage-femme l'examina encore une fois.

«Vous êtes à quatre doigts! Quand vous allez sentir que ça pousse, poussez.»

Elle sortit de la chambre pour annoncer à Ovila et à sa mère que la délivrance commencerait d'une minute à l'autre. Ovila blêmit. Félicité ferma les yeux.

Émilie eut l'impression qu'elle avait crié. Elle cherchait son souffle. Ses cheveux, épars sur l'oreiller, étaient mouillés. La sage-femme lui parlait doucement. Émilie se demanda depuis combien de temps elle avait perdu tout sens de la réalité. Venait-elle de crier encore une fois? Il ne fallait pas qu'elle crie. Ovila s'inquiéterait.

À chacun des cris d'Émilie, Félicité sursautait comme si une douleur qu'elle avait oubliée, mais qui était inscrite en elle, revenait la faire souffrir. À chacun des cris d'Émilie, Ovila retenait un sanglot et s'accrochait à la main de sa mère. Les sons étaient les mêmes et il était assis au même endroit. L'histoire était la même. Si seulement il avait pu, aujourd'hui encore, sortir de la maison et courir jusqu'à l'école se nicher dans l'épaule d'Émilie...

La sage-femme fronça les sourcils. Qu'est-ce qu'il y avait chez ces femmes Pronovost? Pourtant, celle-ci n'était pas une Pronovost. Elle était une Bordeleau et elle lui avait dit que sa mère n'avait pas trop connu de problèmes pendant ses accouchements. Elle encouragea Émilie à pousser encore une fois.

«Allez-y, madame. Cette fois-là on devrait voir des p'tits cheveux.»

L'horloge sonna lugubrement ses douze coups, suivis une éternité plus tard d'un seul coup. Ovila marchait de long en large, se précipitant vers sa mère dès qu'il entendait un nouveau hurlement. Il en entendit un, plus profond et plus long que les autres. Il se prit la tête en pleurant.

«J'en peux pus, j'en peux pus. Faites que ça finisse.»

Puis il n'entendit plus rien. Son cœur cessa de battre. Il regarda sa mère qui fixait la porte de la chambre, l'oreille attentive.

L'enfant avait trop souffert. Il ne respirait pas encore. La sage-femme ne perdit pas une minute. Émilie la regarda, les yeux exorbités et remplis de larmes.

«Qu'est-ce qui se passe?» parvint-elle à dire.

La sage-femme ne répondit pas. Puis le miracle se produisit. Émilie vit le petit bébé gris changer de couleur, se déplier comme une fleur au soleil, rosir, puis l'entendit pousser un hurlement. Ovila entra dans la pièce à toute vitesse. Depuis le silence, il s'était tapi derrière la porte, tous ses muscles bandés, prêt à bondir.

«C'est une fille. P'tite, mais bien belle.»

Ovila regarda le bébé qui s'agitait, comme s'il était en colère qu'on ait troublé son sommeil. Émilie pleurait à chaudes larmes, ses cuisses tremblant nerveusement. La sage-femme déposa le bébé à côté d'elle et lui dit de ne pas s'inquiéter.

«C'est le choc pis la fatigue des muscles d'avoir trop travaillé. Mettez la p'tite sur votre sein. Ça va vous calmer, ça va la calmer, pis ça va aider aux restes à sortir.»

Émilie obéit. Ovila avait posé sa tête à côté de la sienne sur l'oreiller. Elle eut une autre contraction et expulsa le placenta.

Félicité aida la sage-femme à laver sa belle-fille qui n'avait plus conscience que d'une chose. Elle était vivante! Ovila était là! Le bébé, tout rose, tétait déjà.

Émilie, que l'accouchement avait littéralement drainée, ne put assister au baptême. Elle et Ovila avaient décidé qu'ils nommeraient leur fille Rose. Émilie avait décrit à Ovila l'instant du changement de couleur et lui avait dit que seul *Rose* pouvait convenir à sa fille. Félicité lui avait confié que Rosée avait reçu son nom parce qu'elle était née à l'aube.

«On a une drôle de façon, nous autres les mères, de se rappeler de la naissance de nos p'tits. Des fois on s'en rend même pas compte. Mais moi j'ai pour mon dire qu'en arrière de chaque nom, il y a une p'tite histoire. Des fois c'est juste une impression, d'autres fois, c'est un souvenir, d'autres fois, c'est la face du p'tit. Mais je suis sûre qu'en arrière d'un nom, il y a une p'tite histoire.»

Émilie serra Rose bien fort. Sa belle-mère n'avait pas tort. Avant la naissance, elle s'était promis qu'elle nommerait sa fille, si elle avait une fille, Charlotte. Mais en voyant son bébé, elle avait changé d'idée. Elle se demandait maintenant si elle n'avait pas eu peur de la nommer Charlotte. Charlotte, c'était le souvenir de la douceur et de la gentillesse. Charlotte, c'était aussi le souvenir de la mort. Elle avait essayé de se convaincre que Charlotte, c'était surtout le féminin de Charles. Mais elle-même, elle ne s'était pas crue.

Le jour du baptême, elle resta seule à la maison, refusant qu'on lui tienne compagnie. Elle avait dit à Ovila qu'elle était certaine d'entendre les cloches.

«Le vent souffle du bon côté. J'vas être capable de savoir quand vous allez vous en revenir.»

Elle entendit les cloches et son cœur se gonfla d'amour.

Ses parents étaient arrivés de Saint-Stanislas le matin même. Antoinette et Henri étaient présents eux aussi. Henri, comme chaque année, devait faire ses visites dans le secteur. Antoinette avait donc pu assister son amie depuis ses couches. Elle en avait profité pour confier à Émilie que c'était une bonne expérience à prendre.

«Quand est-ce que tu vas te décider, Antoinette?

— C'est tout décidé. Tu remarques pas que je suis un p'tit peu plus grosse?»

Émilie l'avait bien regardée puis elle avait éclaté de rire.

«As-tu envie de me faire croire qu'il y a un bébé là-dedans?

— J'ai pas envie de te faire croire ça, Émilie. Ça fait déjà cinq mois qu'il dort dans ma graisse.

— Ben, il y a rien qui paraît. Pourquoi est-ce que tu m'en as pas parlé?

— Parce que j'ai jamais été régulière pis que, comme j'ai pas remarqué, moi non plus, que j'engraissais, je l'ai su ça a fait trois semaines.

— Tu as cinq mois de faits pis tu savais pas que tu étais enceinte!

— Dis pas ça à personne. J'vas avoir l'air d'une innocente vrai. Mais entre toi pis moi, je trouve qu'une grossesse de quatre mois, c'est spécial.»

Ils étaient tous revenus de l'église et Émilie s'empressa de donner le biberon au bébé qui criait son indignation et son appétit. Elle avait dû se résigner à ne pas allaiter, son lait ne pouvant satisfaire la petite.

Ovila versa une bonne rasade à tout le monde. Même Émilie accepta de prendre un verre. Caleb et Dosithée ne cessaient de se féliciter. Tous les deux, ils étaient *pépères*. Émilie avait déjà oublié les difficultés de son accouchement. Elle rassura Antoinette.

«C'est sûr que ça fait mal, mais c'est pas si pire.»

La journée fut très longue, au-delà des forces d'Émilie. Avant l'heure du souper, elle blêmit et alla s'étendre. Les invités essayèrent d'être le plus discrets possible pour lui permettre de dormir. Effort louable, mais vain. À huit heures, ses parents décidèrent d'accompagner les Pronovost pour jouer aux cartes. Antoinette donna un bon bain d'éponge à Émilie et au bébé et monta se coucher avec Henri. Ovila insista pour rester avec sa femme. Il n'alla pas chez ses parents. Émilie lui en fut reconnaissante.

À minuit, Caleb et Célina revinrent de chez les Pronovost. Caleb monta, ouvrit sa porte de chambre, entra sans regarder, ressortit le temps de demander à Célina si elle arrivait, revint, toujours avec sa lampe, et se dévêtit. Puis il vit Henri, bien installé sur Antoinette et Antoinette, qui le regardait, les yeux remplis de rires et de surprise. Caleb s'excusa, ramassa son linge et sortit de la chambre sans prendre la peine de se cacher les fesses. Il referma la porte derrière lui, essayant de ne pas faire de bruit. Il se dirigea vers l'autre chambre, s'assit sur le lit, reprit son souffle, puis éclata de rire. Antoinette, dans sa chambre, fit de même. Célina, intriguée par la commotion, monta à la hâte. Caleb riait tellement qu'il ne put lui expliquer les raisons de l'émoi.

«Tais-toi donc, Caleb. Émilie donne à boire à la p'tite.»

Ovila monta pour voir ce qui se passait. Il frappa à la porte de la chambre de ses beaux-parents. Célina lui répondit que tout allait bien, mais qu'il ne pouvait entrer parce que Caleb n'était pas «montrable». Caleb s'essuyait les yeux tant il riait. Ovila frappa à la porte de la seconde chambre. Pour toute réponse, il entendit les gloussements d'Antoinette et les «chut!» d'Henri. Il rejoignit Émilie.

Le lendemain matin, Henri fut le premier à descendre. Du moins le crut-il. Il voulait se hâter de partir pour ne pas rencontrer Caleb. Il se dirigea vers le petit coin et ouvrit la porte. Caleb était assis en roi et maître, un journal à la main.

«Fais-tu exprès, Douville? Tu t'organises pour être là chaque fois que je baisse mes culottes.»

Henri referma la porte avec empressement. Puis il éclata de rire, incapable de s'arrêter. Caleb lui faisait écho, profitant de l'occasion pour camoufler quelques sons embarrassants, qu'Henri entendit néanmoins fort bien.

«Ça recommence!», dit Ovila. Il se leva à la hâte. Henri était assis à la table de la cuisine. Voyant Ovila, il se leva et se dirigea vers la porte arrière.

«Tu m'excuseras, Ovila, mais je me vois forcé d'aller uriner dehors. J'essaierai d'être le plus discret possible.»

Il éclata de rire à nouveau. Caleb sortit du petit coin, boutonnant son dernier bouton de braguette.

«J'ai jamais vu ça, Ovila. Douville pis moi on a bien des problèmes à faire des affaires bien naturelles.»

Douville rentra. En voyant Caleb, il recommença à rire. Caleb aussi.

«Allez-vous me dire ce qui vous arrive, vous deux?» Émilie se tenait dans la porte de sa chambre, le bébé dans les bras. Caleb et Henri rirent encore plus fort. Antoinette descendit l'escalier suivie de Célina. Antoinette riait déjà, même si elle ne connaissait pas encore la suite des événements.

Caleb parvint enfin à parler.

«Ben, c'est juste qu'hier soir, je me suis trompé de chambre pis je me suis déshabillé devant ces deux-là.

— Vous êtes trop discret, monsieur Bordeleau. Puisque nous en rions pourquoi ne pas tout dire? enchaîna Henri.

— Si tu me donnes ta bénédiction, Henri... Ce qu'Henri veut que je vous dise, c'est que pendant que moi j'avais les culottes à terre, lui il était en train de servir sa belle Antoinette.» Il s'interrompit pour regarder si Antoinette avait rougi. Elle riait. «Pis à matin, je pensais que je pourrais regarder le journal tranquille. Ben non, il a fallu qu'Henri rouvre la porte pis qu'il me poigne encore les culottes à terre!»

Henri hurlait. Célina se pinçait les lèvres. Émilie essayait de consoler Rose que les cris et les rires avaient apeurée. Ovila se tapait les cuisses et Caleb courut encore en direction du petit coin.

Personne n'oublia le baptême de Rose.

28.

Pour leur permettre de fêter leur premier anniversaire de mariage, Rosée avait offert à Émilie et Ovila de garder la petite Rose. Ovila, qui avait réussi à se trouver un travail régulier comme menuisier chez monsieur Légaré, demanda à Émilie si elle voulait faire un voyage.

«Pour aller où? demanda-t-elle, mise en appétit.

— Choisis. Montréal ou Québec.»

Émilie songea à sa proposition en se léchant les lèvres. Elle préférait Montréal.

«Pour combien de temps?

— Le temps que tu voudras, si Rosée peut rester avec le bébé.»

Émilie alla voir Rose qui dormait paisiblement. Pouvait-elle la laisser pendant une semaine sans qu'elle lui manque? La petite se rendrait-elle compte de son absence? Elle se rembrunit. Que diraient les gens? Non, ils pouvaient dire ce qu'ils voulaient. Elle ne commencerait pas à se mettre martel en tête et à s'empêcher de s'amuser à cause d'eux.

«Si tu continues à me tordre le bras rien qu'un peu, j'vas dire oui.»

Ovila se leva, lui prit le bras droit, le tordit puis le replia vers l'arrière. Émilie grimaça.

«Es-tu fou? Je voulais pas que tu le tordes pour vrai.»

Ovila ne lâcha pas sa prise mais appuya encore un petit peu plus.

«C'est oui. Ouiouiouiouiouioui... » dit Émilie ne sachant plus trop si elle se tordait de rire ou de douleur.

Rosée accepta de rester avec la petite aussi longtemps qu'ils seraient partis. Émilie fit les valises et, en secret, Ovila compta leur argent. Ils en auraient assez pour se payer une semaine qu'ils n'oublieraient jamais.

Émilie embrassa Rose avant de partir. Elle avait la poitrine serrée. Mais elle avait la poitrine encore plus serrée à l'idée de passer une semaine seule, loin, avec Ovila. Elle se laissa bercer par le train, résistant à l'envie d'abandonner sa tête sur l'épaule d'Ovila. Elle avait revêtu ses airs de grande dame et n'aurait pas voulu gâcher l'illusion. Elle avait tellement hâte d'arriver à Montréal qu'elle trouvait que le train avançait à pas de tortue. Ils y furent enfin. Ovila lui demanda où elle voulait habiter.

«À l'hôtel Windsor.» Elle en avait vu des photographies et s'était promis qu'au moins une fois dans sa vie elle logerait à cette enseigne.

«Au Windsor! Si c'est le Windsor que tu veux, ça va être le Windsor pour deux!»

Ils montèrent à bord d'une des calèches qui attendaient devant la gare. Ovila demanda l'hôtel d'une voix forte et assurée qu'Émilie ne lui connaissait pas. Elle le regarda et retint une féroce envie de rire. Ovila se pencha et lui chuchota à l'oreille que c'était sa voix de chantiers.

«Quand tu parles comme ça, personne te demande l'heure.»

Le caléchier se retourna et demanda à Ovila de répéter le nom de l'hôtel. Ovila répéta, certain de l'avoir impressionné.

«Vous êtes des visiteurs?

— Comment est-ce que vous savez ça? demanda Ovila.

— C'est facile à savoir. Vous avez deux valises pis il y a rien que le monde en visite qui prend une calèche pour faire un coin de rue.»

Émilie regarda autour d'elle, se mordit les lèvres à plusieurs reprises pour s'empêcher de rire de la déconfiture d'Ovila et aussi pour se convaincre qu'elle ne rêvait pas. Elle laissa enfin tomber sa tête sur l'épaule de son mari. Elle avait remarqué que plusieurs femmes le faisaient.

«C'est laid, hein! Ovila?

— Montréal?

— Non, les poteaux pleins de fils.

— Attends de voir les éclairages que ça donne avant de te plaindre. Il paraît que c'est quelque chose.»

Il avait eu raison. Ils arrivèrent à l'hôtel et Émilie dut faire de nombreux efforts pour ne pas crier de plaisir. L'hôtel n'étant pas trop achalandé, ils eurent une chambre au troisième étage, avec vue sur le Square Dominion. Émilie s'empressa d'aller à la salle de toilette, tirant sur la chasse d'eau à plusieurs reprises. Elle ouvrit les robinets et fut fascinée de voir qu'il y avait de l'eau chaude. Elle se lava les mains avec un savon odorant qui avait été laissé là pour les clients. De retour dans la chambre, elle était allée à la fenêtre rejoindre Ovila.

«C'est un vrai château, ici.

— Il y a rien de trop beau pour toi, ma belle brume.»

Ils vérifièrent pendant deux bonnes heures le confort du matelas avant de se décider enfin à descendre à l'impressionnante salle à dîner. Ils étaient seuls à une table pour quatre. Ils regardèrent le menu et choisirent ce qu'il y avait de moins cher. Émilie n'avait pas les yeux assez grands pour tout voir. Elle passa tout le repas à s'extasier devant la richesse dont elle était témoin.

«J'en compte au moins vingt-quatre.

— De quoi?

— Des lumières dans chacun des candélabres.

— C'est quelque chose l'électricité. As-tu remarqué, la lumière danse même pas!

Elle ne cessait de s'enthousiasmer, entraînant Ovila dans sa folie.

«As-tu vu les belles peintures peinturées à même les murs tout autour de la pièce?

— Je vois pas où c'est que ça peut être.

— Je pense que c'est quelque part dans les vieux pays.

— C'est bien pour ça que je reconnaissais rien.»

Après le repas, ils décidèrent de marcher dehors. Ils ne s'éloignèrent pas de l'hôtel, craignant de s'égarer. Pour le lendemain, il fut convenu qu'avant toute chose ils iraient voir Berthe. Ils décidèrent aussi de faire plusieurs tours de *p'tits chars*.

Le temps était chagrin. Le ciel avait la pluie au bord des yeux quand ils quittèrent l'hôtel après une nuit plutôt agitée. Ils avaient été réveillés à maintes reprises par l'arrivée des autres clients.

«C'est pas possible, quand est-ce que le monde dort en ville? Il est passé onze heures! On dirait que ce monde-là a des fêtes à tous les soirs», avait dit Ovila en grognant.

Émilie avait le cœur serré. Ils avaient été introduits dans le parloir. Une pièce toute blanche et un rideau derrière un grillage. Pendant qu'ils attendaient, elle n'osa pas passer de commentaires à Ovila, craignant qu'une religieuse écoute leurs propos. Ils entendirent finalement un bruit de porte. Puis quelqu'un tira le rideau. Deux religieuses étaient assises derrière le grillage, voilées. Le regard d'Émilie alla de l'une à l'autre. Laquelle est Berthe? Elle n'attendit pas de deviner, certaine que Berthe réagirait aussitôt qu'elle parlerait. Ovila avait enlevé son chapeau et il le tourna plusieurs fois dans ses mains nerveuses, avant de le déposer sur ses genoux.

«Bonjour, Berthe. On est tous les deux bien contents de te voir.»

Une des deux religieuses fit un signe de tête. Comment, elle ne parlerait pas?

«Votre amie, madame, est en période de pénitence. Durant ce temps, elle a choisi de s'isoler et de vivre seule, en silence, dans un des endroits aménagés à cet effet au fond du jardin. Vous auriez dû annoncer votre arrivée. Mais, considérant que vous veniez de si loin, notre mère prieure a permis à votre amie de venir au parloir. Toutefois, votre amie n'a pas la permission de vous parler. J'espère que vous comprendrez qu'il s'agit d'un choix qu'elle a fait et non pas d'une règle qui lui est imposée.»

Émilie demanda à la religieuse si Berthe pouvait au moins lui faire des signes de tête. La religieuse lui dit qu'elle le pouvait. Émilie crut que Berthe, ces explications données, resterait seule avec eux. Il n'en fut rien. Émilie fouilla dans son sac à main et en sortit deux photos.

«Il y a un photographe, Berthe, qui est passé dans le Bourdais. Ovila pis moi on en a profité pour faire faire notre portrait de mariage.» Elle rit nerveusement. «C'est pas un vrai portrait de mariage parce qu'il est passé il y a deux mois. C'est encore heureux que j'avais déjà accouché.»

Elle appuya la photo sur le grillage pour que Berthe la voie. Émilie aurait tant voulu voir son expression.

«On va la laisser ici dans le parloir. Tu pourras venir la chercher. On l'a apportée pour toi.»

Berthe fit non de la tête. Émilie fronça les sourcils et regarda en direction de l'autre religieuse.

«Votre amie a fait le vœu de ne pas s'attacher aux biens de la terre. Elle préfère ne pas avoir le portrait en sa possession.»

Émilie rangea la photo dans son sac et en sortit une autre, celle de Rose dans les bras de son grand-père Pronovost. Berthe la regarda longuement et Émilie crut entendre un discret soupir. Pour meubler le silence, Émilie commença à décrire la photo comme si Berthe avait perdu les yeux en même temps que la langue.

«Rose a les cheveux pas mal longs pour une p'tite de son âge. Comme tu vois, elle frise un p'tit peu. J'ai fait sa robe. C'est une p'tite robe toute blanche avec des dentelles pis des plis cousus. Elle avait des bas blancs pis des beaux p'tits souliers noirs avec une courroie pis des p'tits boutons ronds. Tu connais pas mon beau-père. C'est lui qui tient Rose. Mais on le voit mal parce qu'il y avait de l'ombre à cause de son chapeau.»

Berthe s'approcha du grillage et regarda la photo pendant de longues minutes. Émilie aurait tant voulu être en mesure de suivre le cours de ses pensées. Puis, Berthe éloigna sa tête voilée.

«Même celle-là tu veux pas la garder, Berthe?»

Berthe fit non. La seconde religieuse s'agita sur sa chaise. Émilie regarda Ovila. Il semblait aussi mal à l'aise qu'elle.

La seconde religieuse se leva, imitée par Berthe. Émilie et Ovila en firent autant.

«Bon, Berthe, je pense que nous autres on va y aller. On reste pour la semaine, ça fait qu'on va en profiter pour visiter la ville.»

Elle ne savait plus quoi dire. Si seulement Berthe avait répondu. Craignant d'avoir fait quelque chose d'incorrect, elle voulut se gagner l'estime de la seconde religieuse.

«Est-ce qu'on pourrait visiter votre chapelle?»

Ovila et Émilie passèrent deux journées extraordinaires. Ils montèrent sur le mont Royal. Allèrent voir l'impressionnant hôtel de ville et descendirent vers le port. Au passage, Ovila regarda la marchandise qu'offraient les cultivateurs, place Jacques-Cartier. Arrivés au port, ils se dirigèrent vers le quai Bonsecours. Devant le marché, d'autres cultivateurs, bien installés sous leurs toiles protectrices. Arrivés au quai, ils virent le *Terrebonne* et son immense roue à aubes.

«Ça doit être quelque chose de descendre à Trois-Rivières là-dessus», dit Émilie, béate d'admiration.

Ovila fit un calcul rapide et demanda à Émilie de l'attendre quelques instants. Elle s'assit dans une charrette entre le bateau et les provisions de bois destinées à alimenter les chaudières du vapeur. Ovila revint une demi-heure plus tard.

«Écoute-moi bien. Si tu veux, on peut changer d'hôtel. On pourrait prendre une chambre tout près d'ici. Il y a quatre ou cinq hôtels dans les environs qui coûtent pas mal moins cher que le Windsor. C'est pas aussi beau, c'est sûr. Mais il paraît que c'est bien convenable. Surtout le Rasco. En restant ici pour deux jours, on aurait assez d'argent pour s'en retourner en bateau. Qu'est-ce que tu en penses?»

Émilie n'en pensa que du bien. Ils portèrent leurs effets jusqu'à l'Auberge du Canada, le Rasco n'ayant plus de chambres disponibles. Ils passèrent deux autres journées à voir tout ce qu'ils pouvaient voir et embarquèrent finalement sur le *Richelieu*. Le *Terrebonne* avait déjà quitté le port. Ils quittèrent la ville, les yeux encore remplis de tout ce qu'ils y avaient vu. Ils regardèrent l'île Sainte-Hélène et, comme tous les autres passagers du *Richelieu*, firent des signes de mains à ceux du traversier qui revenaient de l'île.

Émilie respirait l'air à pleins poumons. Elle avait l'estomac quelque part entre sa place normale et le fond de la gorge.

«Je me sens pas bien, Ovila.»

Ovila la regarda. Elle était verte.

«Tu ferais mieux d'aller t'étendre.»

Il l'accompagna jusqu'à leur cabine, dans laquelle elle demeura tout le temps du voyage. Elle ne put s'empêcher de penser à sa traversée en Europe. Jamais elle n'aurait pu se rendre... en digne fille de son père. Ils accostèrent enfin à Trois-Rivières et elle fut la première à débarquer. Ovila rit d'elle.

«Tu parles d'une voyageuse. En tout cas, on pourra dire qu'aussitôt que tu as touché au plancher des vaches, tes couleurs sont revenues.»

Ovila s'était gratté la tête, puis avait demandé à Émilie si elle voulait prendre le train ou la calèche pour rentrer. Émilie lui dit qu'elle voulait prendre le train jusqu'à Shawinigan et faire le reste en calèche. À Shawinigan, ils firent une visite surprise chez Antoinette qui était plus grosse que jamais. Ils y restèrent pendant une journée au cours de laquelle Antoinette écouta Émilie décrire son voyage à

Montréal. Elle riait de voir combien son amie était encore une petite fille. Henri était arrivé quelques minutes avant leur départ. Il eut le temps d'entendre Ovila raconter combien Émilie avait le pied marin. Il regarda Émilie et sourit. Elle fit un petit haussement d'épaules, lui signifiant qu'elle savait à quoi il songeait et qu'à son avis, il l'avait échappé belle. Au grand plaisir de tous, Henri leur dit qu'il devait aller au lac aux Sables rencontrer les commissaires. Émilie et Ovila attendirent donc au lendemain pour rentrer et faire la route avec lui.

Rose bouda sa mère pendant deux jours, lui reprochant d'un regard sombre de l'avoir abandonnée pendant si longtemps. Émilie et Ovila inventèrent toutes sortes de grimaces pour la faire sourire. Ils y parvinrent enfin, au grand soulagement d'Émilie qui commençait à se dire qu'elle ne laisserait jamais plus son enfant. Ce petit nuage vint assombrir le cœur léger d'Émilie. Mais cet ombrage ne fut rien à côté de celui qui suivit.

Ovila avait rôdé comme s'il avait quelque chose à cacher. Émilie le sentit.

« Qu'est-ce que c'est, Ovila, que tu veux pas dire?

— Monsieur Légaré aura pas besoin de moi pour les mois à venir... Ça fait que si je veux être capable d'arriver, va falloir que je descende au lac Pierre-Paul avec le père.»

Ovila repartait... Elle l'attendrait... Encore. Des journées sans soleil. Des soirées froides. Des nuits glacées.

«Tu m'avais dit que tu repartirais jamais, Ovila. Tu m'avais dit que tu pourrais jamais pus être loin de moi. On a la p'tite astheure, pis tu as vu comment elle s'ennuie quand on n'est pas là.

— Je sais tout ça, Émilie. Je sais que Rose me reconnaîtra probablement pas quand j'vas venir aux Fêtes. Mais j'ai pas grand choix. Légaré a pas d'ouvrage pis le voyage a fait un gros trou dans notre bas de laine.»

Il essaya de la faire rire. Elle ne rit pas. Un grand froid venait d'entrer dans la maison. Ils passèrent des jours complets, chacun à son chagrin, à tourner en rond. Émilie se sentait faible. Elle avait tellement besoin d'Ovila. Elle lui en voulait de manquer à sa promesse. Elle n'aurait jamais le courage de vivre loin de lui. Si seulement il pouvait trouver un petit contrat, même à la briqueterie. Pour un hiver, il pouvait bien se passer du bois. Rose choisit évidemment ce moment pour percer une dent, empêchant ses parents de dormir.

Ovila s'était résigné à travailler au lac après avoir tenté par tous les moyens possibles et impossibles de trouver quelque chose qui lui aurait évité de s'éloigner. Il n'en pouvait plus d'être loin de sa femme et elle le regardait comme s'il avait choisi de partir. Elle lui tournait le dos, le soir, et ne le laissait plus s'approcher. Il lui en voulait de ne pas comprendre.

Il était assis près du poêle à tailler son nouveau bout de bois. Émilie avait déposé son accordéon et s'affairait au métier à terminer une couverture. Le vent criait son énergie par toutes les fenêtres, apportant sûrement la première gelée. Une gelée trop précoce. Rose dormait enfin, Émilie lui ayant frotté les gencives avec du clou de girofle. Ovila regardait Émilie et avait la gorge serrée. Elle lui manquait déjà. De temps en temps, Émilie lui jetait un coup d'œil et leurs regards s'accrochaient l'un à l'autre. Puis elle brisait la magie en soupirant et en retournant à son ouvrage.

Ovila se leva, prit son manteau et sortit de la maison, faisant claquer la porte. Il en avait soupé de ses reproches silencieux. Émilie sursauta. Elle lui laissa le temps de s'éloigner puis courut à la fenêtre pour voir où il allait. Elle avait exagéré. Il lui en voulait. Qu'est-ce qu'elle avait fait?

Elle enfila son manteau à son tour, voulut partir à sa recherche puis se rendit compte que Rose la tenait prisonnière. Elle commença à pleurer d'impuissance.

Émilie l'attendit. Il rentra aux petites heures, visiblement ivre. Il la regarda, d'un air bravache, puis se dévêtit en oubliant d'enlever un bas. Émilie l'avait regardé faire, ne comprenant pas très bien ce qui se passait. Il n'avait pas l'habitude de s'enivrer.

«Où c'est que tu es allé?» lui avait-elle finalement demandé.

«Au Grand Nord. Là au moins le monde est de bonne humeur. Pis à part de ça, j'ai gagné quand on a tiré du poignet. Quatre piastres, madame. Quatre belles piastres neuves.»

Il rit sauvagement puis éclata en sanglots. Il lui dit en hoquetant qu'il n'en pouvait plus de la voir aussi triste. Qu'il n'avait pas envie de partir mais qu'en bon père de famille, il le devait. Qu'il avait deux bouches à nourrir. Qu'elle faisait tout pour le rendre malheureux. Qu'il faisait tout pour qu'elle soit heureuse. Qu'elle ne cessait de lui faire la tête et qu'il se sentait comme à l'école quand elle le grondait. Qu'elle devait cesser de jouer à la maîtresse d'école avec lui. Qu'il était son mari. Qu'elle était sa femme.

Émilie sanglota elle aussi tout au long de sa complainte. Tout ce qu'elle avait voulu lui dire c'est qu'elle l'aimait et qu'elle souffrait terriblement quand il n'était pas là. Elle lui avait pris la tête et lui caressait les cheveux. Ils étaient tous les deux inondés de larmes lorsqu'Ovide frappa violemment à leur porte. Ovila, qui avait un peu dégrisé, pensa à regarder l'heure. Émile se leva rapidement et alla ouvrir pendant qu'Ovila gémissait que cinq heures du matin n'était pas une heure pour réveiller le monde.

«Va donc traire les vaches, Ovide, pis laisse-moi pis ma femme dormir.» Il avala un rire à peine entamé lorsqu'il vit la silhouette de son frère encadrée à l'entrée de sa chambre.

«C'est Lazare, Ovila», dit-il la voix enrouée.

— Il veut pas faire le train?

— Même s'il voulait, Ovila, il en fera pus jamais. Il vient de s'étouffer pour de bon.»

Ovila mit quelques minutes avant de comprendre ce qu'Ovide venait de lui dire. Puis il entendit sangloter Émilie. Ses esprits s'éclairèrent enfin.

«Quoi?»

Ovide leur raconta qu'ils venaient de se lever pour aller à l'étable quand Lazare avait fait sa crise fatale.

«C'est pas possible, hier il était bien. Ça faisait même quelques mois qu'il avait pas fait de crise.

— C'est comme ça, Ovila. Qu'est-ce que tu veux que je te dise. Lazare est mort. À matin.»

La querelle entre Émilie et Ovila se noya dans leur océan d'horreur et de chagrin. Dosithée pressa Ovila de faire son bagage.

«On va partir tout de suite après les funérailles», avait-il dit de son ton coupant qui ne trompait personne quant à la profondeur de sa blessure. «Organise-toi pour être prêt.»

Émilie prépara la valise d'Ovila pendant qu'il veillait au corps. Elle ne put être avec lui aussi souvent qu'elle l'aurait voulu, Rose ayant eu un nouvel accès de fièvre.

Ovila et ses frères portèrent Lazare en terre pendant que Félicité, affaissée, baignait le manteau de la petite Rose de ses larmes.

«Donnez-la-moi, madame Pronovost. À la longue, un bébé ça vous pèse sur les bras.»

Félicité avait regardé Émilie et lui avait fait comprendre qu'elle voulait garder Rose dans ses bras.

«C'est vrai que ça pèse. Mais même quand un enfant cesse d'être bébé, ça pèse encore, pis toujours. D'une autre manière…Ça fait que laisse-moi Rose. Ça me donne l'impression que je me tiens après la vie.»

Émilie et Félicité regardèrent leurs hommes partir pour le lac, dès qu'ils furent changés. Dosithée ne voulait pas prendre un seul instant à regarder le vide qui venait de naître, encore une fois, dans sa maison. Émilie retourna chez elle et, après avoir couché Rose que le changement de routine avait rendue maussade, s'assit à la table de la cuisine et écrivit une longue lettre à Berthe. Elle avait reporté cet instant depuis son retour de Montréal, ne sachant comment lui parler de ce qu'elle avait ressenti en sa présence. Incapable aussi de reprendre le ton désinvolte qu'elle avait toujours eu dans presque toutes ses lettres. Berthe était maintenant tellement loin d'elle. En fait, se demandait-elle, Berthe était-elle toujours là?

Émilie, de sa fenêtre, regarda passer un automne faiblard qui n'offrit aucune résistance à la prise de l'hiver. Elle s'occupa, consacrant tout son temps à Rose, au cardage, au tissage et à la couture. Elle entreprit de faire une robe de Noël pour Rose, dont la croissance avait rapetissé sa belle robe blanche. Sa belle-sœur Rosée fut terrassée par une vilaine grippe alors même qu'elle remplaçait l'institutrice, alitée elle aussi. On demanda à Émilie si elle ne pouvait pas revenir sur sa décision. Elle accepta, Éva lui ayant promis de veiller sur Rose. Émilie, une fanfare au cœur, se retrouva donc à son pupitre, craie à la main. Elle regarda longuement les élèves, souriant à ceux qu'elle connaissait et encore plus à ceux qu'elle ne connaissait pas. Leurs traits lui indiquaient leurs noms de famille. Elle leur parla de leurs aînés qu'elle avait bien connus. Seul un jeune Crête, un élève de deuxième année qu'elle n'avait pas encore rencontré, lui faisait la moue.

«Tu dois être le plus jeune de la famille, toi.

— Ouais…» Un petit «ouais» sec comme le craquement d'une branche. Émilie haussa les épaules. Même après sept ans, semblait-il, les Crête parlaient encore de sa prise de bec avec leur aîné.

L'institutrice fit savoir aux commissaires qu'elle ne pourrait être de retour avant les Fêtes. Rosée, remise de sa grippe, demanda à Émilie si elle accepterait de continuer pour les deux semaines qui restaient. Sa mère avait besoin de son aide. Émilie n'eut pas le courage de refuser. Le fait de se retrouver en classe tous les matins lui faisait oublier l'ennui qui lui collait au cœur. Elle se sentait aussi plus proche d'Ovila. Quand elle soupirait son absence, elle pouvait regarder le pupitre qu'il avait occupé pendant si longtemps et se réfugier dans ses rêveries d'adolescente. Et le peu d'argent qu'elle toucherait lui permettrait d'acheter pour son homme une petite surprise pour le Jour de l'An.

Ovila rentra le soir de son anniversaire. Émilie allait se mettre au lit, seule avec ses vingt-trois ans, quand il ouvrit la porte. Il le fit si brusquement qu'Émilie pensa qu'elle était mal fermée et que le vent venait de s'en emparer. Elle se releva et se dirigea vers la cuisine pour enrayer la bise qui, elle le crut, devait déjà commencer à lécher le plancher.

«J'ai bien pensé, ma belle brume, que si je faisais claquer la porte deux pis trois fois, tu te lèverais pour voir ce qui se passe.»

Ovila! Elle se précipita dans ses bras, ne trouvant rien à dire pour exprimer sa joie. Ovila l'accueillit chaudement malgré le froid qui transpirait de son manteau.

«Bonne fête, mam'selle Bordeleau», fit-il quand elle eut relâché son étreinte. Il mit un doigt sur ses lèvres, enleva toutes ses pelures et, sur la pointe des pieds, se dirigea vers la chambre de sa fille. Émilie le suivit. Il demeura un long moment à regarder le sommeil paisible de Rose, le sourire aux lèvres et l'œil en émoi chaque fois qu'un rêve la faisait bouger un peu. Ils revinrent à la cuisine.

«Prendrais-tu un bon thé chaud?

— Seulement si tu en prends un aussi.» Il la regarda l'air taquin et heureux avant d'ajouter que le thé l'empêchait toujours de dormir. Émilie posa deux tasses sur la table et y versa de généreuses portions de thé.

«Avant qu'on passe aux choses sérieuses, ma belle brume, j'ai un p'tit quelque chose à te donner. C'est pas pour rien que je suis arrivé le soir de ta fête. Je voulais que tu voies ce que j'ai pour toi. Pis, comme tu le sais, je suis jamais capable d'attendre quand j'ai une surprise.

— Encore une surprise? Juste le fait d'être ici, ça me fait un beau cadeau», dit-elle à la fois émue et intriguée.

Ovila, fidèle à ses habitudes, l'obligea à fermer les yeux et à patienter, le temps qu'il prépare le tout. Émilie, fidèle à ses habitudes aussi, se plia au jeu. Elle entendit un bruit de froissement de papier. Du gros papier, pensa-t-elle, pas du papier fin. Elle entendit ensuite Ovila bourdonner autour des chaises et de la table. Entre deux déplacements, il venait l'embrasser sur le front ou sur une joue ou dans les cheveux ou à la naissance de la nuque. Elle riait, ne réussissant jamais à lui rendre la pareille. Il vint enfin se placer derrière elle, lui demandant de garder les yeux fermés pendant qu'il la dirigeait. Il lui couvrit les yeux de ses mains maintenant réchauffées et l'aida à se lever.

«Ta-dam! fit-il en laissant tomber les mains.

— Oh!»

Sur les dossiers et les sièges des chaises, sur la table, partout, il avait étendu des peaux de castor. De belles peaux, bien fournies et bien luisantes.

«Pas plus tard que demain, j'vas aller au village trouver la personne chanceuse qui va avoir le plaisir de faire le plus beau manteau de castor du village. Pis pas n'importe quel castor! Du castor que j'ai trappé moi-même!»

Émilie toucha à chacune des peaux, les flattant tantôt à rebrousse-poil pour en palper l'épaisseur, tantôt dans le sens du poil pour en sentir la douceur. Ovila avait certainement pensé à son chapeau et à son manchon. Quel ensemble elle aurait maintenant. Le froid pouvait toujours essayer de frapper à la porte de sa peau, elle serait définitivement à l'abri de ses assauts.

Ils bercèrent leurs retrouvailles jusqu'au réveil de Rose qu'Ovila, dès son premier gargouillement du matin, s'empressa d'aller chercher pour la coucher avec eux. Émilie, pour que la chose fût possible, dut la langer. Ils s'amusèrent avec la petite jusqu'à ce qu'elle cesse de sourire et réclame son petit déjeuner. Émilie, les yeux bouffis d'amour et de manque de sommeil, s'affaira à préparer un plantureux repas. Ils mangèrent tous les trois de bon appétit: Rose sa purée de fécule; Émilie et Ovila, des œufs.

«Je pense que la p'tite me reconnaît.

— Je pense aussi. De ce temps-là, elle est pas mal sauvage, pis là elle a pas l'air effarouchée du tout.»

Ovila consacra tous ses moments libres à faire un traîneau pour sa fille, ne s'arrêtant que pour fêter Noël. Il voulait que le traîneau soit prêt pour le Jour de l'An. Il avait quand même pris le temps d'aller porter ses peaux avec Émilie qui, elle, avait apporté un modèle de manteau qu'elle avait découpé dans un journal. Ils allèrent voir monsieur Tourigny. Il leur dit qu'il n'avait plus l'habitude de s'attaquer à un si gros travail, préférant maintenant faire des chaussures et des bottes. Il leur conseilla de demander à Marchildon.

«Pis inquiétez-vous pas si Marchildon a trop de travail. Il y a assez de monde qui travaille le cuir ici à Saint-Tite, qu'on peut pas faire autrement que de trouver quelqu'un qui va faire la fourrure. Après tout, c'est rien que du cuir poilu.»

Les Marchildon n'osèrent pas accepter d'abord, craignant de manquer d'expérience pour la finition. Émilie leur demanda de ne coudre que les peaux. Elle pouvait faire la doublure. Ils acceptèrent et promirent à Émilie qu'elle aurait son manteau avant la fin du mois de janvier.

Le temps d'arrêt des chantiers fila comme l'éclair. Ovila avait à peine repris son rythme quotidien que déjà Émilie refaisait ses valises, y déposant la pipe qu'elle lui avait offerte. Le culot était déjà noirci. Ils avaient encore tous les deux le cœur en chamaille.

«Avec un peu de chance, l'année prochaine j'vas me trouver quelque chose pour pas être obligé de repartir.»

Émilie acquiesça, espérant, elle aussi, qu'ils n'auraient plus à être séparés.

Ovila embrassa Émilie une dernière fois, monta à côté de son père et regarda longuement sa femme, qui tenait la poignée du traîneau rouge dans lequel Rose dormait en faisant une petite vapeur blanche dans l'air frais et piquant.

29.

Rose ne parvenait pas encore à s'asseoir. Émilie avait bien essayé de lui montrer, l'installant dans une chaise, bien entourée de coussins. Elle aurait voulu pouvoir écrire à Ovila que Rose avait réussi cet exploit. Elle écrivit plutôt, à la fin mars, que Rose dormait encore presque tout le temps, qu'elle mangeait bien sa pâtée, qu'elle avait percé deux autres dents et qu'elle souriait assez souvent. Elle ajouta toutefois qu'elle lui trouvait l'air songeur. Inquiet presque. Puis elle parla de son manteau de fourrure qui lui était encore fort utile. Elle se garda bien de lui dire qu'il y avait eu des peaux en surplus et qu'elle en avait eu suffisamment pour lui faire faire un manteau court. Jamais, pensait-elle, il ne voudrait porter un manteau de fourrure. Alors elle avait demandé aux Marchildon de tourner la peau. De mettre le poil à l'intérieur, sauf pour le collet. Les Marchildon avaient accepté, sachant que pour un homme, la confection demandait moins de petits détails.

Émilie lui parla aussi des dernières nouvelles du village, insistant sur le fait qu'une rumeur voulait que le conseil municipal songeât à faire construire un aqueduc. Ovila comprit, à la lecture, qu'elle lui suggérait d'essayer de trouver du travail sur ce petit chantier. Il se promit de le faire, espérant que cette histoire d'aqueduc était autre chose qu'une promesse électorale.

Pour la première fois, Émilie avait trouvé que l'hiver s'était effacé très rapidement. Elle avait passé beaucoup de temps avec Rosée, à préparer le coffre de cèdre de celle-ci. Rosée leur avait annoncé qu'elle allait se marier avec Arthur Veillette au mois de septembre. Émilie et elle avaient donc consacré la majorité de leurs soirées à coudre, tricoter, tisser. Le trousseau de Rosée était plus sévère que celui d'Émilie. Rosée ne semblait pas avoir son audace. Émilie n'avait fait aucun commentaire.

Félicité était tellement énervée à l'idée de marier l'aînée de ses deux filles, qu'elle était convaincue que le temps s'était mis à bégayer, butant deux et trois fois sur la même journée.

«C'est pas pareil quand on marie un garçon. On sait qu'on va avoir une fille de plus. Mais quand on marie sa fille, on sait qu'on la perd pour de bon. C'est sa belle-famille qui gagne au change.»

Rosée avait bien vu que sa belle-sœur se languissait. Elle semblait ne penser qu'à Ovila, ne parler que de lui, ne vivoter ses journées que dans l'attente de son retour.

«Tu es drôle, Émilie. Quand on passe beaucoup de temps avec toi, on se rend compte que c'est vrai que tu aimes pas ça quand mon frère est parti.»

Émilie n'avait rien dit, se contentant d'écouter ce que lui racontait Rosée. Celle-ci la regarda et rougit.

«Des fois je te trouve bien romantique. Je me demande si c'est Rose que tu aimes ou si tu l'aimes parce que c'est la fille d'Ovila.»

Émilie lui avait répondu qu'elle aimait Rose parce qu'elle l'aimait, tout simplement. Elle avait pourtant ajouté qu'elle s'amusait de retrouver chez sa fille quelques traits d'Ovila.

342

«Je me suis toujours promis, Rosée, que je marierais un bel homme parce que je voulais avoir des beaux enfants. Quand j'ai connu ton frère, je l'ai trouvé beau.»

Elle s'était tue quelques instants pour imaginer chacun des traits de son mari.

«Je l'ai dans la peau ton frère.»

Rosée l'avait regardée puis avait souri. Elle lui dit qu'elle espérait qu'elle et Arthur seraient aussi heureux qu'eux. Elle lui avait finalement demandé leur secret.

«C'est pas un secret. On s'aime. On aime ça être ensemble. Aller au lac ensemble. Manger ensemble. Faire des projets pour l'avenir. Pis, on aime ça dormir ensemble.»

Elle pensa à ces nuits qui n'appartenaient qu'à elle et Ovila. Ces nuits auxquelles elle songeait le soir et qui lui donnaient la chair de poule.

Le coffre de cèdre était presque rempli quand Ovila revint. Une semaine après son retour, il fut réembauché chez monsieur Légaré. Cette fois, crut-il, ils auraient assez de travail pour qu'il ne s'éloigne pas de Saint-Tite l'automne venu. Il travailla pendant tout l'été et le contrat de monsieur Légaré était loin d'être terminé. Ils avaient à faire de nombreux meubles pour le collège des Frères Saint-Gabriel, dont la construction était terminée depuis longtemps. Les frères avaient toutefois attendu de se refaire un capital avant de le meubler complètement. Ovila avait eu la chance extraordinaire de faire valoir ses talents de sculpteur, les Frères lui ayant offert de sculpter un Chemin de croix.

«Vous êtes sûrs que vous voulez pas que ça soit peinturé? On n'entend pas souvent parler de ça des Chemins de croix en bois.

— Nous en sommes certains. Nous croyons qu'à long terme, ce sera une économie. Pas besoin de rafraîchir la peinture à toutes les décennies. La chose se fait souvent dans les vieux pays.

— Si c'est ça que vous voulez, c'est ça que vous allez avoir.

Ovila avait annoncé l'heureuse nouvelle à Émilie. Ils avaient valsé de joie dans le salon, au grand étonnement de Rose. Ce Chemin de croix voulait dire qu'Ovila pourrait rester toute l'année.

«En tout cas, Charles Pronovost, si tu changes d'idée pis que tu repars, c'est moi qui va te crucifier.

— Si c'est avec une de tes épingles à chapeau, j'ai rien contre. Pis appelle-moi pas Charles. J'aime pas ça. Me semble que c'est pas à moi que tu parles.»

Le mariage de Rosée fut célébré en grandes pompes, Dosithée ne lésinant sur aucune dépense. Le lendemain matin, elle quitta sa famille pour suivre Arthur à Cap-de-la-Madeleine. Félicité et Émilie lui promirent toutes les deux qu'elle s'habituerait à vivre dans une nouvelle paroisse.

«Tu vois, ma fille, moi je suis venue de Sainte-Geneviève-de-Batiscan. Je m'en trouve pas plus mal.

— C'est pas pareil. Vous, vous êtes venue avec toute votre famille.

— Pas moi, fit Émilie. Je suis arrivée toute seule. Remarque que ça aurait été pas mal plus facile si j'avais eu un mari avec moi, mais j'ai quand même passé à travers. Astheure, je me demande même comment c'était quand je restais à Saint-Stanislas.»

Rosée sécha ses appréhensions et c'est radieuse qu'elle quitta sa famille. Dès qu'elle fut hors de vue, Félicité regarda son mari et comprit qu'il ressentait la même chose qu'elle.

«C'est dur, hein mon vieux, de voir partir les p'tites.»

Dosithée arracha Rose des bras de sa mère et la serra sur sa poitrine.

«La vie est quand même bien faite. Astheure, la p'tite Rose va prendre sa place.»

Émilie et Ovila passèrent presque tous leurs jours de congé d'automne au lac, amenant Rose avec eux quand ses grands-parents ne la réclamaient pas. Le plus souvent, ils étaient seuls et profitaient pleinement des douces heures qui tictaquaient lentement.

Ovila avait acheté un fusil et il avait montré à Émilie à s'en servir. Ils revenaient toujours à la maison avec un lièvre ou une perdrix. À la surprise d'Ovila, Émilie tirait admirablement bien du fusil.

«Tu es sûre, ma belle brume, que tu as jamais touché à un fusil de chasse avant?

— Jamais. Je trouve que c'est facile de viser.

— Facile...facile... faudrait quand même pas exagérer.

— Ovila, regarde! C'est quoi cet oiseau-là?»

Ovila regarda l'endroit qu'Émilie lui montrait du doigt dans le ciel. L'oiseau montait en vrille à une vitesse étonnante. L'envergure de ses ailes était impressionnante. Ovila était fasciné. Sans quitter l'oiseau des yeux, il s'assit sur un pierre et contempla le spectacle.

«Regarde, Émilie, comme c'est beau. C'est la deuxième fois de ma vie que je vois ça.»

Émilie, à ses côtés, regardait l'oiseau elle aussi. L'oiseau survola leur tête une dernière fois puis disparut dans le bois.

«Pour moi, Émilie, on va l'entendre cette nuit.

— Tu m'as toujours pas dit ce que c'était.

— Un grand duc, Émilie. Un maudit beau grand duc. Pis presque blanc. J'en connais qui auraient donné cher pour le tuer pis l'empailler. Moi, un oiseau de même, je pourrais pas tuer ça.»

Ce soir-là, ils s'endormirent serrés l'un contre l'autre, l'oreille à l'écoute des hululements du grand duc.

Le calme de leurs journées ne laissait qu'un mince sillon sur la glace de l'hiver. Elles se ressemblaient toutes. Émilie se levait la première et langeait Rose. Ovila s'extirpait ensuite du lit et chauffait le poêle et l'eau. S'il savait son frère fatigué, il allait parfois donner un coup de main pour la traite des vaches. Si Ovide était en état de superviser le travail des jeunes, Ovila restait tranquillement près d'Émilie et de Rose à siroter un thé chaud et à grignoter des croûtons de pain. Rose dandinait son année et demi avec beaucoup de sérieux. Quand la journée s'annonçait ensoleillée, Ovila s'isolait plus tôt dans son atelier de façon à pouvoir se permettre une pause traîneau avec Rose. Émilie les accompagnait parfois, quand elle n'avait pas les mains mouillées par l'eau de vaisselle ou de lessive ou si elle n'avait pas quelque morceau de tissu qui trempait dans la teinture. Elle avait donné le manteau de castor à Ovila. Elle avait attendu pendant des mois qu'il se plaigne du froid avant de le sortir de la naphtaline et de le lui remettre. Ovila avait été fort surpris qu'elle ait trouvé le moyen de faire deux manteaux dans les peaux qu'il avait rapportées.

Le froid étant trop traître, ils n'allèrent pas à Saint-Stanislas pour les Fêtes. Célina leur avait écrit qu'elle comprenait leur hésitation à faire faire le voyage à Rose. Caleb et Célina arrivèrent donc pour les surprendre la veille de l'Épiphanie. Émilie s'empressa de les accueillir, de les réchauffer et de leur faire entendre quelques airs d'accordéon pendant que Caleb jouait au cheval avec Rose. Il avait croisé une jambe et avait installé la petite sur le dessus de sa bottine, lui tenant fermement les mains. Il la faisait sauter au rythme de sa comptine.

«Viens-t'en, ma Rose. Viens faire du ch'val sur le pied à pépère. Accroche-toi bien, là, parce que c'est un maudit bel étalon le ch'val à pépère. Tu te tiens là? On part. *À Paris...à Paris, sur un petit cheval gris. Au pas, au pas... au trot, au trot... au galop... au galop!*»

Rose souriait en se dandinant au pas, ricanait en rebondissant au trot et riait aux éclats en s'accrochant au galop.

«Veux-tu recommencer, ma Rose? Le cheval à pépère se fatigue jamais.

— A-o, répondit Rose.

— As-tu entendu ça, Émilie? La p'tite a dit galop.»

Émilie rit aux éclats en regardant les joues rouges de Rose.

«Je voudrais pas vous décevoir, pâpâ, mais Rose dit a-o pour tout. A-o, pour en haut; a-o pour de l'eau; a-o pour bobo; a-o pour gâteau; a-o pour traîneau, pis astheure elle va dire a-o pour galop. On a juste à regarder où c'est qu'elle regarde pour savoir de quel a-o il s'agit.»

Caleb feignit d'être terriblement déçu et s'acharna pendant tout son séjour à essayer de faire dire galop à Rose.

«Me semble qu'elle parle pas beaucoup pour son âge.

— Rose est de même. Elle parle pas, elle a marché tard, pis elle a pas l'air intéressée pantoute à aller sur le pot.

— Tu tiens pas de ton pépère, ma Rose, pour être paresseuse de même. Regarde ton pépère. Il est pas paresseux pis il va vivre vieux pareil.»

Célina s'abstint de commentaires autres que les rappels qu'elle lançait à Caleb de cesser de faire galoper la petite après les repas.

«Arrête-toi donc deux minutes, Caleb. Tu vas lui mettre l'estomac à l'envers.»

— Célina, j'ai jamais eu le temps de m'amuser avec les nôtres parce que j'étais trop affairé. Astheure que le lait tombe dans les chaudières même quand je suis pas là, j'vas toujours bien pas me priver de jouer avec ma p'tite-fille. Rose connaît rien que son pépère Pronovost. Faut que je lui mette le ventre un peu à l'envers si je veux qu'elle se souvienne de moi.»

Émilie et Ovila regardèrent arriver le printemps de leur fenêtre de chambre. Émilie en profita pour annoncer à Ovila qu'il y avait aussi un bourgeon qui voulait éclore en elle. Ovila, encore une fois, valsa de plaisir. Les affres de l'accouchement d'Émilie étaient presque oubliées.

«Cette fois-là, ma belle brume, j'vas pas te quitter pendant tout le temps que le p'tit va se faire un caractère. J'vas le regarder pousser sur ton nombril. Euh… jusqu'à quand est-ce qu'il faut que je patiente?

— Jusqu'à l'automne. Crains pas, tu vas finir ton Chemin de croix avant que moi je finisse le mien.»

Émilie se demandait si c'était la présence d'Ovila qui facilitait sa deuxième grossesse ou si c'était parce que son corps se moulait simplement à la maternité.

«C'est un ange ce bébé-là. Il me laisse dormir la nuit, pis il me fait pas mal au dos.

— Ça doit être un garçon.

—Je dirais que non. Je suis grosse de la même manière.

— Dis-moi pas que tu crois à ces histoires-là, Émilie. Instruite comme tu es! Les p'tits, filles ou gars, sont dans le même ventre.

— Dis ce que tu voudras, moi, je suis certaine que ça va être une autre fille.

— Pis moi je dis que ça va être un gars. Veux-tu gager?

— Oui. On gage que si c'est une fille tu repars pas pour les chantiers l'hiver prochain.» Émilie avait lancé sa gageure l'air triomphant, comme si elle venait de trouver un moyen miracle de tenir Ovila loin de la forêt. Près d'elle.

«Ouais...tu y vas pas avec le dos de la cuiller!» Ovila avait feint d'être très inquiété par l'enjeu. Émilie souhaitait que ce fût bien une feinte.

«Quand on gage, on gage, mon vieux.

— Gagé!»

Les feuilles avaient depuis longtemps pris possession des branches puis abandonné leur domaine quand Émilie ressentit les premières douleurs de la naissance. Elle demanda à Ovila d'aller chercher la sage-femme. Ovila voulut envoyer Oscar ou Télesphore mais Émilie le pria de n'en rien faire.

«J'aimerais mieux que tu y ailles toi-même. Si tu vas chez tes parents, tout le monde va s'inquiéter. De même, on va pouvoir les avertir à la dernière minute.»

Ovila, Rose sur les genoux, partit chercher la sage-femme en prenant bien son temps, comme Émilie le lui avait recommandé. Ils revinrent une heure plus tard. La sage-femme frappa à la porte de la chambre, mais Émilie la pria d'attendre, le temps qu'elle s'installe. Ovila frappa à son tour et lui demanda si tout allait bien. Elle lui répondit par l'affirmative, ajoutant que c'était beaucoup plus facile que la première fois. Elle lui suggéra d'emmener Rose jouer dehors.

«Je veux pas te laisser toute seule.

— J'aime mieux que Rose soit pas dans la maison.

— D'abord j'vas aller la porter à ma mère ou à Éva.

— Non! Je veux que tu restes tout près de la maison.

— Émilie, c'est complètement *niaiseux* de se parler de même à travers la porte. La sage-femme est prête à venir t'aider.

— J'vas la laisser rentrer aussitôt que tu vas être dehors avec Rose.»

Ovila regarda la sage-femme qui finissait de chauffer l'eau et de déchirer de vieux draps en longues lisières.

«Une femme qui accouche a toujours ses caprices», dit-elle avec un sourire moqueur.

Ovila sortit de la maison, Rose à sa suite. La sage-femme frappa à la porte et entra dans la chambre. Émilie était rouge, ce qui fit craindre à la sage-femme une poussée de fièvre. Émilie lui demanda si elle avait apporté le fil. La sage-femme lui rappela qu'elles n'en n'étaient pas encore là. Émilie éclata de rire.

«Le bébé est arrivé! J'ai juste besoin du fil pour le cordon.»

La sage-femme la regarda, incrédule, puis souleva rapidement le drap. Une toute petite fille gigotait sur la poitrine d'Émilie. Émilie riait encore et la sage-femme comprit que ses rougeurs étaient des rougeurs de plaisir. La sage-femme prit son fil, attacha puis coupa le cordon. Pendant ce temps, Émilie regardait par la fenêtre. Elle voyait Ovila qui essayait bien de distraire Rose mais qui visiblement avait énormément de difficultés à le faire.

«Depuis quand est-ce qu'elle est née?

— Depuis bien avant que vous arriviez. C'est pour ça que je voulais pas vous laisser rentrer pis que je voulais pas qu'Ovila la voie avant qu'elle soit bien lavée.

— Pourquoi est-ce que vous l'avez pas envoyé me chercher avant?

— Parce que je savais que tout allait bien. Pis, j'ai quand même été un peu surprise de la sentir arriver.

— Ça a pas d'allure. Combien de temps que ça vous a pris depuis les premières douleurs?

— Deux heures!

— J'aurai tout vu. La première fois, ça finissait pus, pis la deuxième, ça a même pas eu le temps de commencer.»

Émilie demanda à la femme d'aller chercher Ovila qui jouait à faire les cent pas dehors, comptant bien fort chacun des pas, comme s'il montrait les chiffres à sa fille. Dès qu'Ovila aperçut la sage-femme, il blêmit. Elle lui sourit et lui demanda d'entrer dans la chambre.

Ovila fronça les sourcils quand il frappa à la porte. Un pleur de bébé lui répondit qu'il était attendu.

«Pas déjà, Émilie!

— Eh oui! Pis j'ai gagné la gageure.

— Une autre fille?

— Oui, monsieur. Belle comme un ange. Le portrait tout craché de ta mère.»

Ovila embrassa Émilie avant de se pencher sur l'enfant. Il porta son regard sur le petit front plissé qui coiffait deux yeux aveugles et grands ouverts. Il compta les doigts et les orteils et s'assura en blaguant qu'il s'agissait bien d'une fille. Il la prit dans ses bras. L'enfant n'émit aucun son.

«Je pense que je sais comment l'appeler, Ovila.

— Félicité? Comme ma mère? C'est vrai que la p'tite lui ressemble.

— Peut-être une autre fois. Celle-là, je voudrais l'appeler Marie-Ange.»

Ovila regarda la petite longuement en répétant son nom sur tous les tons. Puis il sourit à sa femme.

«C'est un nom qui lui va bien.»

L'automne berça Marie-Ange de longues journées ensoleillées. Un automne rempli d'étés des Indiens. À l'arrivée de sa sœur, Rose avait commencé à se sucer le pouce. Émilie et Ovila essayèrent tout pour lui passer cette habitude.

«Suce pas ton pouce, Rose. Tes dents vont être croches.

— É bon, ouce.

— Je sais que c'est bon, répondit Émilie patiemment, mais tu es pus un bébé astheure. Tu es encore la belle Rose à maman, mais le bébé c'est Marie-Ange. Pis Marie-Ange va apprendre à sucer son pouce si tu suces le tien.

— É bon, ouce!»

Émilie avait soupiré et décidé de ne plus faire allusion à la nouvelle habitude de Rose. Ovila commença à l'ignorer lui aussi. Rose n'en continua pas moins à sucer son pouce goulûment.

«Pendant vingt-sept mois, Rose a jamais sucé son pouce. C'est aujourd'hui qu'elle commence ça», dit Ovila un soir.

— Pis aujourd'hui, elle a recommencé à se salir.

— Non!

— Oui. Me voilà prise avec deux bébés aux couches.»

Ovila s'était emporté. Il dit à sa femme que Rose avait déjà mis beaucoup de temps à être propre et qu'il n'endurerait pas qu'elle les oblige à tout recommencer. Émilie lui demanda d'être patient. Rose était probablement jalouse du bébé.

«Ça arrive presque tout le temps. Ma mère m'a raconté que moi-même j'avais arrêté de manger toute seule quand mon frère est né.

— C'est pas une raison pour qu'on laisse Rose faire la même affaire.»

Ovila, au grand désespoir d'Émilie, avait entrepris de «dompter» Rose, la laissant assise pendant des heures sur le pot. Rose pleurait, gémissait et essayait de se lever. Ovila la rassoyait. Elle commença à s'éveiller la nuit et à réclamer de l'eau dès qu'Émilie se levait pour Marie-Ange.

«On va venir fous, Émilie. On a rien que deux enfants pis on en a plein les bras. Veux-tu me dire comment nos mères faisaient pour en avoir autant?»

Émilie soupirait et soulevait les épaules. Elle avait perdu beaucoup de poids et était de plus en plus cernée. Le bébé, heureusement, était facile, ne pleurant que s'il avait faim ou si sa couche était sale.

Marie-Ange avait trois mois quand Émilie et Ovila décidèrent qu'ils n'assisteraient pas à la messe de minuit. Ils se contentèrent d'aller au réveillon. Rose n'avait toujours pas cessé de se sucer le pouce, avait continué à salir sa culotte et, comme sa mère l'avait fait plusieurs années avant elle, avait cessé de manger seule. Émilie et Ovila tinrent bon pendant plusieurs jours, refusant de la nourrir. Rose jeûna. N'y tenant plus, Ovila avait cédé.

«Je sais pas ce qu'elle a, mais moi, aujourd'hui même, j'vas aller voir le docteur. Rose a deux ans et demi pis elle est pire qu'un bébé.»

Il avait emmitouflé sa fille et avait filé directement chez le médecin pendant qu'Émilie pleurait doucement. Elle ne reconnaissait plus Ovila. Impatient, irascible, nerveux. Trop de nuits blanches, pensa-t-elle. Trop de problèmes avec Rose. Félicité avait peut-être raison de dire qu'il s'occupait trop des enfants. Que ce n'était pas un travail d'homme. Émilie avait bercé Marie-Ange, essuyant ses larmes avant qu'elles n'humectent la petite.

Ovila revint deux heures plus tard, ce qui permit à Émilie d'avaler sa peine. Il entra doucement dans la maison, tenant une Rose endormie dans ses bras. Il alla la coucher dans son lit, enlevant son manteau avec de multiples précautions. Marie-Ange dormait à poings fermés. Émilie était affairée à laver les couches, les frottant énergiquement sur sa planche. Elle sourit à Ovila qui s'approcha d'elle et lui enserra la taille. Elle abandonna sa tête avant de se rendre compte qu'il tremblait. Elle se redressa rapidement et se tourna pour le regarder.

«Qu'est-ce qui t'arrive?»

Ovila lui prit le poignet et l'entraîna vers le salon. Là il la fit asseoir et vint s'installer directement devant elle.

«Ovila, arrête tes *sparages*. Tu as une tête d'enterrement.»

Ovila la regarda dans les yeux puis détourna son regard.

«Le docteur m'a demandé pendant combien de temps Rose avait pas respiré quand elle est née.» Il avait parlé d'une voix hésitante, presque éteinte.

«Pis, tu lui as dit que ça avait duré quelques minutes, c'est tout?

— C'est ce que j'ai dit.

— Pis?

— Le docteur a examiné Rose pendant pas mal de temps. Il trouve qu'elle parle pas beaucoup pour deux ans et demi. Il m'a même demandé si on lui parlait de temps en temps.

— J'espère que tu lui as dit qu'on lui parlait tout le temps.» Émilie était piquée. Le médecin avait-il l'impression qu'elle ne savait pas comment s'occuper d'un enfant?

«J'ai tout dit ça, Émilie, crains pas. Ensuite le docteur l'a fait marcher dans son bureau.

— Pis?

— Il trouve que Rose marche pas mal sur la pointe des pieds.

— Rose a toujours marché de même!

— Je le sais. Mais le docteur dit qu'à deux ans et demi, Rose devrait marcher sur le talon.

— Tu lui as pas dit que c'était parce qu'elle avait juste commencé à marcher à dix-huit mois?

— J'ai dit ça, Émilie.

— Pis après?

— Pis après ça, le docteur a posé des questions à Rose. Son nom, par exemple.

— Elle le dit son nom.

— Non, Émilie, elle le dit pas.

— Voyons, Ovila!» Émilie s'énervait de plus en plus. Elle avait l'impression de passer en jugement et de ne pas savoir exactement de quoi elle était coupable. Elle avait la certitude qu'Ovila l'accuserait bientôt de quelque méfait.

«Ose Ovo. C'est ça qu'elle dit. Ose Ovo. Nous autres on le sait que c'est Rose Pronovost qu'elle veut dire, mais c'est pas ça qu'elle dit. Émilie, le docteur pense que Rose va avoir des p'tits problèmes rapport qu'elle a pas eu d'air en naissant.»

Émilie blêmit. Elle respirait bruyamment. Elle s'humecta les lèvres à plusieurs reprises.

«Qu'est-ce qu'il connaît aux enfants, lui!» Elle criait maintenant. «Il a jamais vu Rose de sa vie parce que Rose a jamais été malade, pis il vient nous dire que Rose est pas correcte! Il se prend pour qui, lui? Le Bon Dieu? Rose pas correcte! Veux-tu me faire rire? Rose est juste un peu moins vite que d'autres.

— C'est ça, Émilie. Juste moins vite, ça veut dire plus lente. Rose est lente.»

Émilie l'avait toujours su. Elle se l'était bien caché et avait enseigné à Rose tout ce qu'elle avait pu. Maintenant, ses craintes étaient devenues réalité. Émilie serra les dents. Elle inspira profondément et tenta bien vainement de refouler ses larmes.

«Écoute-moi bien, Ovila Pronovost. Je jure sur la tête de Rose pis sur celle de Marie-Ange que ma fille va lire, écrire pis compter. Fie-toi à moi. Ça prendra le temps que ça prendra, mais Rose va être comme les autres. Rose va grandir en beauté pis un jour elle va se marier! As-tu compris ça, Ovila Pronovost?

— Choque-toi pas contre moi, Émilie.

— Je suis pas choquée!

— Cesse de crier d'abord. Ça me fait de la peine de te voir de même.»

Il était effondré. Il avait essayé d'épargner Émilie. Il savait qu'elle n'était responsable de rien. À la voir et à l'entendre, il aurait juré qu'elle venait d'être répudiée. Elle continua de tempêter contre le médecin jusqu'à ce que Rose arrive dans la cuisine en pleurant. En voyant sa fille, elle se hâta de la prendre dans ses bras et de la bercer. Rose, ravie, suçait son pouce allègrement et chantonnait pendant qu'Émilie lui faisait des milliers de promesses tacites.

«J'ai pas l'impression, Émilie, que c'est en la traitant comme un bébé que tu vas l'aider.

— Je t'ai rien demandé, Ovila Pronovost. Je t'ai surtout pas demandé de me faire des enfants. Pis à part ça, si tu veux le savoir, il y en a un autre en cours de route.»

Ovila était assis au Grand Nord à ruminer sa tristesse. Elle avait exagéré. Le blâmer d'avoir fait des enfants. Lui annoncer sur un ton rageur qu'elle était encore enceinte.

«Hé! le grand! Est-ce que quelqu'un est mort?

— Je sais pas.

— Qui c'est qui est mourant?

— Moi!

— Ha! ha! ha! Toujours farceur!

— Fais de l'air, Joachim Crête.

— Hé! les gars, regardez la tête de Pronovost. On dirait que sa femme l'a battu. Tu le savais, Pronovost, que de marier une maîtresse d'école, surtout comme la belle Émilie...»

Ovila se leva et d'un coup de poing envoya Joachim Crête voler sur la table voisine. Ivre, il se rapprocha de lui et lui donna un autre bon coup dans le ventre. Crête hurla. Deux hommes empoignèrent Ovila et le sortirent de l'hôtel.

«Va passer ta rage ailleurs, le grand. Crête t'a juste taquiné un peu. C'est pas des affaires qu'on aime voir dans la paroisse.»

Ils assirent Ovila sur la neige et revinrent pour lui lancer son manteau de fourrure et son chapeau. Ovila essaya de se relever mais en fut incapable. Il bavait sa rage, et la salive lui faisait des glaçons au menton. Il se frotta le poing et vit à travers les vapeurs de son ivresse que ses jointures étaient en sang. Il éclata de rire. Crête devait être beau à voir. Il parvint enfin à se relever et voulut rentrer dans l'hôtel. Il ne put faire qu'un pas au-delà de la porte. À nouveau on le dirigea vers la sortie mais il eut le temps de voir que Crête était encore sonné et qu'on lui appliquait de la glace sur la moitié du visage.

«Hé! Crête! J'vas leur dire que pour toi c'est mieux de te tremper la tête dans une chaudière pleine de pisse!»

Crête releva la tête, lança la glace sur le plancher et se dirigea vers Ovila qui venait de sortir. Il se tourna vers les hommes qui étaient attablés et qui riaient.

«Il y a pas un chat qui va m'empêcher de le battre dehors. On va régler ça au bout des poings.

— Fais attention. Ovila c'est un cogneur. Pis à soir il a pas l'air de bonne humeur pantoute.

— Cogneur pour cogneur, on va voir.»

Crête avait à peine franchi le seuil de la porte que les hommes gagèrent sur l'issue du combat.

«Le grand Pronovost va l'*étamper* raide.

— Pantoute! Il est bien trop saoul! Crête va l'avoir en criant *bine*.

— Pronovost *haït* assez Crête qu'il va dessaouler d'une claque.

— Je gagerais pas ma chemise là-dessus, moi.»

Ils s'installèrent à la fenêtre et virent Crête accrocher Ovila par l'épaule. Ovila qui essayait de monter dans sa carriole, bascula et tomba sur le dos. Crête se jeta sur lui et le laboura de coups de poings. Tout d'abord, Ovila ne résista pas. Puis, quand il entendit son nez craquer, il s'encoléra. Il fit tomber Crête et lui donna un coup de pied sur la tête. Crête se prit la tête à deux mains. Ovila lui donna un coup de pied dans les côtes et tomba à son tour, trop ivre pour se tenir en équilibre. Il injuria Crête qui ne répondit pas.

Les hommes sortirent précipitamment de l'hôtel et s'approchèrent de Crête.

«Vite, le docteur! Il a perdu sans connaissance!»

Ovila éclata de rire. Puis, au grand étonnement de tous, il se mit à sangloter comme un enfant.

«Est-ce que quelqu'un peut le moucher? Il morve pis il saigne en même temps.»

Les hommes s'éloignèrent d'Ovila et de Crête pour laisser passer le médecin. Celui-ci, furieux, se pencha d'abord sur Crête. Il lui souleva les paupières, hocha la tête, puis lui prit le pouls.

«Mettez-lui beaucoup de neige dans le cou. Faites-le marcher.»

Les hommes s'exécutaient pendant que le médecin portait son attention sur Ovila.

«Ta femme va pas être heureuse. Tu trouves pas qu'un malheur par jour c'est assez? »

Ovila ne réagit pas, mais d'entendre parler d'Émilie lui fit plus mal que le coup de poing de Crête.

«Conduisez-les tous les deux à mon dispensaire.»

Les clients de l'hôtel transportèrent les deux plus grands hommes du village et les confièrent au médecin. Celui-ci passa la nuit auprès de ses patients à panser Ovila et à garder Joachim éveillé. À l'aube, il les reconduisit à leur domicile respectif. Émilie lui ouvrit la porte rapidement. Le médecin comprit qu'elle n'avait pas fermé l'œil de la nuit.

«Je vous attendais, docteur. Ils m'ont prévenue qu'Ovila était chez vous. Est-ce qu'il est bien magané?

— Le nez cassé, un œil pis les joues pas mal enflés. Ça va prendre une couple de semaines avant qu'il recommence à avoir l'air d'un homme.»

Émilie aida le médecin à entrer Ovila qui titubait encore d'alcool, mais surtout de fatigue et de faiblesse. Il fut conduit à sa chambre, dévêtu et couché. Le médecin quitta Émilie en lui disant qu'il repasserait pendant la journée et que d'ici là, elle devait lui couvrir la figure de glace. Émilie fit un signe d'assentiment. Elle revint au chevet d'Ovila, le regarda et l'écouta gémir avant de poser sa tête sur sa poitrine et de pleurer.

« À quoi que tu as pensé, Ovila?

— À toi.»

Émilie ne posa plus de questions. La réponse d'Ovila était claire. Elle savait qu'elle l'avait poussé à bout. Mais il aurait dû comprendre tout son chagrin. Comment avait-il cru qu'elle réagirait à la mauvaise nouvelle qu'il lui avait apportée? Puis, tout à coup, elle lui en voulut. Il l'avait abandonnée pendant toute la journée. Il n'avait pas dit un seul mot sur ce qu'il allait faire. Il lui revenait complètement ivre, le visage comme de la viande à pâté. Elle se leva et le regarda dédaigneusement.

«On dirait, Ovila, qu'à chaque fois que j'ai besoin de toi, tu es pas là. Tu te sauves. Ben là, c'est moi qui va faire comme si tu avais pas de problèmes. J'ai assez de deux bébés. J'ai pas envie de te torcher.»

Elle claqua la porte de la chambre. Ovila recommença à sangloter. Il entendit pleurer Marie-Ange que le claquement de porte avait éveillée. Il entendit ensuite Rose qui babillait comme elle le faisait à tous les matins. Il entendit la voix douce et maternelle d'Émilie puis s'endormit douloureusement.

30.

Émilie était épuisée. Rose avait encore grandi mais ne semblait pas vouloir apprendre quoi que ce fût. Marie-Ange, toujours aussi sage, faisait la fierté de ses parents et de ses grand-parents. Le ventre d'Émilie grossissait à vue d'œil. Ovila et elle n'avaient plus fait allusion aux «petits problèmes» de Rose, pas plus qu'ils n'avaient reparlé de leur querelle. Ovila avait expliqué à Émilie qu'il n'avait bu que pour noyer sa tristesse et son incapacité à la consoler. Émilie s'était excusée à plusieurs reprises de l'avoir si violemment accueilli après sa bagarre avec Crête. Ils s'étaient donc retrouvés tous les deux avec leur quotidien, Émilie dans le rang du Bourdais à laver, semer son potager, surveiller ses filles, regarder les enfants arriver à l'école et préparer les repas. Ovila, dans la rue Notre-Dame, au village, à creuser au pic et à la pelle, à travailler de longues heures pour installer la tuyauterie de l'aqueduc à venir. Tous les soirs, il rentrait fourbu et Émilie, après le souper, s'empressait de coucher les enfants et, à l'aide d'une pommade qu'elle avait fait venir de Montréal, massait les muscles d'Ovila, endoloris par le labeur et brûlés par la chaleur.

«C'est pas possible, Émilie. Je suis plus fatigué après une journée à travailler pour l'aqueduc qu'après toute une semaine dans les chantiers.

— Essaie pas, Ovila... Je sais que tu travailles dur, mais je sais surtout que c'est rassurant d'avoir quelque chose qui va durer un bout de temps. Je pense que tu as oublié combien c'était difficile dans les chantiers.

— Peut-être», disait Ovila en fermant les yeux pour bien sentir les mains de sa femme. «Pis dans les chantiers, personne me frottait le dos comme tu fais.»

La fin mai approchait quand Émilie reçut une lettre de sa mère la priant d'aller à Saint-Stanislas pour fêter le retour de son oncle Amédée Bordeleau, qui était rentré des États-Unis après y avoir vécu pendant treize ans. Elle en parla avec Ovila qui lui recommanda d'assister à la fête. Éva pourrait s'occuper des enfants. Émilie prépara donc tous ses effets, mais le matin de son départ, Rose se leva avec la petite vérole.

Émilie confia Marie-Ange à ses grands-parents afin de s'assurer qu'elle n'attrapperait pas le mal de sa sœur. Elle défit ses valises et s'arma de patience dès qu'elle eut écrit une courte lettre à sa mère, la priant d'excuser son absence. Elle lui promettait de se rendre à Saint-Stanislas dès qu'elle le pourrait.

Rose, empoisonnée par la maladie, recrachait son venin à doses si fortes qu'Émilie se demanda si elle aurait la patience d'attendre la disparition du dernier bouton. Pendant trois jours, elle s'affaira au chevet de sa fille à lui chanter des berceuses, à la couvrir de linges humides et frais, à l'empêcher de se gratter, à enduire chacune des pustules d'un onguent que le médecin lui avait fait préparer. Elle interdit à Éva et à Ovila d'entrer dans la maison. Ovila lui dit qu'elle était ridicule. Qu'il avait déjà eu la petite vérole et qu'elle savait que cela ne pouvait attaquer deux fois. Émilie s'entêta à l'empêcher d'entrer. Si lui ne pouvait être atteint, il pouvait transporter la maladie au village.

Ses précautions furent vaines. Une vraie épidémie s'attaqua au village et aux rangs, frappant une maison sur deux.
Le médecin passa voir Émilie à deux reprises, la rassurant
sur le sort de sa fille tout en lui confiant qu'il n'avait jamais
vu autant d'enfants alités. Il avait ajouté que cette petite
vérole lui semblait assez sérieuse.

«Encore quelques boutons de plus que j'aurais pensé
que ça pouvait être la variole. Mais on est chanceux.»

Rose réussit enfin à effacer ses boutons au grand soulagement d'Émilie, qui put prendre du repos et ouvrir sa
porte à Ovila et à une Marie-Ange qui rouspétait d'avoir
été éloignée de sa mère pendant trop de temps à son goût.

Émilie reprit son train-train quotidien, toujours plus
lourde, toujours plus assommée par l'adhérence de la
chaleur. Elle accueillit Henri Douville comme à chaque
année, mais cette fois il vint seul. Antoinette, enceinte elle
aussi, avait préféré rester à la maison. Henri, que les cernes
d'Émilie inquiétèrent, refusa de dormir sous leur toit et
s'empressa de poursuivre sa route vers Sainte-Thècle. Ovila
essayait d'entrer le plus tôt possible pour prendre la relève
de sa femme. Rose balbutiait encore sa mauvaise humeur
qui, au grand désespoir d'Émilie, commençait à déteindre
sur Marie-Ange. Ils avaient fêté les trois ans de leur aînée
et s'étaient tristement avoué qu'elle n'était pas tellement
plus délurée que Marie-Ange qui n'avait pas encore un an.

À la fin juillet, Émilie fut forcée de demander de l'aide
à Éva. Le médecin lui avait fortement suggéré d'essayer
de passer la majeure partie de ses journées au lit. Émilie
avait pleuré de désespoir et de fatigue. Cette troisième
grossesse lui pesait lourd. Ovila tentait bien de l'encourager
et de la rassurer, mais il ne pouvait cacher ses propres
craintes. Il lui trouvait le même air que celui qu'elle avait
montré tout le temps de sa première grossesse. Il craignait
un autre accouchement difficile. Il regrettait ce temps, si

lointain déjà, où il gageait sur le nombre d'enfants qu'ils auraient. Émilie n'avait même plus la force de lui sourire pour lui montrer que tout allait bien. Elle était couchée toute la journée et entendait Éva qui s'entêtait à être une tante parfaite avec deux nièces maintenant insupportables, toutes égarées qu'elles étaient de n'avoir accès aux bras de leur mère qu'à de rares moments.

Marie-Ange donna quand même à sa mère le plus beau cadeau pour souligner son premier anniversaire. À l'aube, elle marcha jusqu'à sa chambre. Seule. Émilie éclata de rire quand elle vit apparaître sa petite frimousse dans la porte entrebâillée. Ovila, que les éclats éveillèrent, ouvrit les bras et Marie-Ange s'y précipita en titubant, un sourire accroché aux lèvres et des excréments aux cuisses.

«C'est qu'elle est puante notre p'tite marcheuse!»

Émilie se leva pesamment et prit Marie-Ange par la main pour s'assurer qu'elle la suivrait et qu'elle n'irait pas salir quelque chose sur son passage. Elle se dirigeait vers la pompe à eau quand elle vit Rose, bien affairée à barbouiller le mur de ses propres excréments.

«Rose!»

La petite ne se tourna même pas et continua son travail malodorant.

«Ovila, viens ici tout de suite.»

Ovila entendit l'urgence dans la voix de sa femme et enfila son pantalon à la hâte. Il demeura bouche bée devant le travail de Rose. Il sentit la colère l'envahir.

«J'en ai assez de ses gâteries. C'est à matin que j'vas commencer à m'en mêler pour vrai.»

Il agrippa sa fille par les deux bras, lui mit le nez dans les excréments, lui donna une fessée puis, ne sachant plus trop que faire, il empoigna un linge qu'il mouilla et ordonna à Rose de laver tout ce qu'elle avait sali. Rose sourit, heureuse d'avoir quelque chose à faire. Ovila en prit ombrage et changea d'idée. Il la reprit par le bras et la conduisit à sa chambre. Rose commença à gémir, regardant sa mère, le regard lourd de reproches, puis sa sœur qui gargouillait de plaisir devant l'activité matinale.

«Non! dodo. Rose pas dodo!»

Ovila l'obligea à s'étendre et lui ordonna de ne pas se lever. Rose donna des coups de pieds. Ovila l'immobilisa et lui répéta que cela irait mal si elle désobéissait.

«Pas dodo, papa! Rose dehors!»

Ovila la recoucha fermement et Rose cessa ses cris. Elle suça son pouce tout en grattant sa couverture de l'autre main. Ovila revint dans la cuisine. Émilie le regardait. Il se demandait comment elle réagirait. Depuis que le médecin leur avait parlé des problèmes de Rose, il avait essayé de laisser Émilie faire comme elle l'entendait. Mais Émilie avait manqué de souffle, son air coupé par la grossesse. Ovila chercha dans ses yeux quelque marque de colère, ou un reproche. Il ne vit rien. C'est plutôt de l'amusement qu'il crut deviner.

«Pourquoi est-ce que tu ris? Me semble que des matins comme ça, ç'est pas drôle.

— C'est toi qui le dis. Moi, je trouve que c'est pas mal drôle de te voir perdre patience de même. Pis...» Elle referma l'épingle de sûreté qu'elle venait de piquer dans la couche de Marie-Ange et prit celle qu'elle tenait entre ses lèvres avant de continuer.«...je suis contente que tu te sois choqué. Au moins toi, tu te contrôles encore un peu. Si moi je m'étais choquée, Rose aurait eu des bleus sur les fesses.

— Je sais que c'est pas facile pour toi, Émilie», dit-il en l'enlaçant après qu'elle eut reposé Marie-Ange par terre.

«Rose voudrait encore être un bébé, Marie-Ange commence à faire comme elle, pis toi que le docteur laisse au lit toute la journée...

— Arrête de parler pis fais-moi un bon thé.»

Ovila lui caressa la nuque, puis le dos, puis les reins. Il les lui tint solidement d'une main pendant que de l'autre, il lui frottait le ventre. Émilie ronronna.

«C'est donc difficile les derniers mois...pis pas rien que parce que c'est pesant à porter.»

Ovila avait bien compris ce qu'elle tentait de lui dire et pressa le ventre un peu plus fortement. Lui aussi manquait la chaleur de leurs nuits. Il savait qu'il devrait se satisfaire de humer Émilie pour quelques mois encore. Jamais il ne se lasserait de son odeur.

«Je m'excuse, Émilie.

— Pourquoi?

— Ben, me semble que ça aurait été mieux si tu avais pas été enceinte tout de suite pis qu'on avait eu le temps de prendre une p'tite vacance toi pis moi.

— Tu sais que des vacances, faut pus y penser maintenant que la famille est vraiment commencée. Pis tu les as pas faits tout seul les bébés, Ovila Pronovost... Bon, tu me le fais le thé avant de partir pour le *p'tit Canada?* J'aimerais ça qu'on mange en tête-à-tête comme des amoureux avant que ta sœur arrive.»

Ovila fit du thé et des rôties pendant qu'Émilie s'amusait avec Marie-Ange sur ses genoux. Rose s'était rendormie ce qui leur donna quelques minutes de répit. Ovila servit sa femme comme un garçon de table, un torchon à vaisselle bien plié sur le bras, le geste éloquent et un sourire figé aux lèvres. Émilie éclata de rire, imitée par Marie-Ange.

«Tu es quasiment aussi bon que les garçons du Windsor.

— J'ai de l'avenir comme serveur tu penses?

— Non, tu es un peu trop grand.

— Ça a rien à voir...

— Je le sais.»

Le mois d'octobre fut accueilli par une Émilie boursouflée mais heureuse. Ovila avait terminé son engagement avec la municipalité pour la construction de l'aqueduc et il restait à la maison pour aider Éva qui commençait à peiner dans son rôle de mère. Rose avait cessé d'exercer ses talents de peintre sur les murs et Marie-Ange trottait avec assurance. Émilie écrivit à sa mère, lui disant déjà qu'elle ne croyait pas se rendre à Saint-Stanislas pour les Fêtes, ce qui fit répondre à Célina qu'elle s'inquiétait à son sujet. Émilie la rassura sur son état de santé. Elle ajouta que sous peu, elle serait probablement en mesure de lui annoncer qu'elle avait enfin un petit-fils.

Le petit-fils naquit le huit octobre et fut baptisé... Louisa! Ovila se réjouit, malgré tout, de l'arrivée d'une troisième fille. Émilie, elle, en fut quelque peu mortifiée. Il lui faudrait se hâter de donner un fils à son mari. Elle le ruinerait par tant de coffres de cèdre!

Louisa était insomniaque, pleureuse et agitée. Émilie passa de longues nuits dans la cuisine à la bercer pour permettre à Ovila de prendre un peu de sommeil. Ce fut en vain. Ovila était de plus en plus fatigué. Émilie considérait que sa fatigue à elle était normale, mais qu'un homme avait droit au sommeil. Aussi, est-ce le plus sérieusement du monde qu'elle lui demanda s'il n'avait pas envie d'aller au lac Pierre-Paul ou ailleurs jusqu'aux Fêtes.

«Es-tu folle? Penses-tu que j'vas te laisser ici avec trois p'tits aux couches?

— Il me semble justement que la maison est tellement pleine de bébés que ça te ferait du bien de te retrouver rien qu'avec des hommes.

— Pas question! Je veux pas être avec des hommes. Je veux être avec toi. Les chantiers, Émilie, c'est fini.

— Penses-y. J'ai l'impression que ça serait une bonne affaire. Pis quand tu vas revenir aux Fêtes, ça va déjà être pas mal mieux. Louisa va avoir deux mois et demi, Rose trois ans et demi, pis Marie-Ange quinze mois. Ça va être pas mal plus facile.»

Ovila s'était entêté à ne pas partir mais Émilie l'y obligea presque. Elle ne savait pas ce qui l'avait poussée à agir ainsi. Peu de temps avant, elle aurait fait la tête s'il avait parlé de s'absenter. Mais les choses étaient différentes. Elle voulait se refaire une taille et une beauté et pour ce, elle voulait prendre le temps de se reposer. Dormir sur ses deux oreilles, sans craindre qu'un enfant n'éveille Ovila. Être seule pour quelque temps. Consacrer toutes ses journées à ses enfants sans avoir le sentiment de négliger son homme. Il y avait bien assez de la nature qui la forçait à le faire la nuit. Elle avait mal de penser à son absence, mais tout à coup, elle avait envie de l'attendre. Elle avait envie de longues soirées soupirées en regardant par la fenêtre. Elle avait surtout envie de le retrouver dans deux mois, de l'accueillir et de pouvoir lui ouvrir les bras.

Ovila avait accepté à regret de s'éloigner. Il avait le sentiment aigu qu'elle le repoussait sans qu'il en connaisse les raisons. Dès qu'il fut dans le bois il comprit, à son grand étonnement, qu'il respirait mieux. Il soupira en pensant à Émilie, se disant qu'elle le devinait tellement facilement. Il passa ses journées à bûcher son attente, partagé entre son bien-être et son besoin d'Émilie.

Comme Ovila le lui avait prédit, l'hiver commença sans pitié. Émilie regardait la neige qui leur tombait sur la tête comme le sucre en poudre sur les beignes qu'elle avait cuisinés pour le réveillon. Plus que deux semaines et Ovila serait de retour. Elle avait souventes fois regretté son initiative, mais son miroir lui disait qu'elle avait eu raison. Elle reconnaissait maintenant celle qui avait séduit Ovila. Elle s'était fait une nouvelle robe fermée par un lacet qu'elle pourrait serrer davantage si elle perdait encore du poids. Félicité et Éva lui offrirent de garder les enfants pour quelques jours. Elle refusa, alléguant que les petites seraient maussades de ne pas reconnaître leur décor fami-lier.

«Si c'est rien que ça ton problème, Éva pis moi on va les garder ici même. Ovila a dit qu'il serait arrivé pour ta fête. Ça veut dire que le réveillon va être pas mal prêt déjà. Pourquoi que vous iriez pas au lac à la Perchaude pour deux jours?»

Émilie refusa avec véhémence. Leur laisser tout le travail? Jamais. Cela n'avait aucun sens. Mais la pensée de se retrouver seule avec Ovila, la pensée de dormir le matin, bien au chaud sous son aisselle, la pensée de ne pas entendre pleurer d'enfant, la pensée de regarder passer le temps au lieu d'être obligée de le chevaucher, la séduisaient. Elle accepta l'offre de sa belle-mère. Félicité se contenta de sourire et de lui rappeler que la jeunesse ne passait qu'une fois.

«Jeunesse? Vous voulez rire, madame Pronovost. J'vas avoir vingt-sept ans. Je suis pus une jeunesse.

— Toi, peut-être pas, Émilie, mais oublie pas qu'Ovila, lui, est plus jeune», ironisa Félicité.

Émilie se regarda dans le miroir encore plus déses-pérément. Elle avait plus de cheveux blancs, mais Ovila aussi en avait maintenant quelques-uns, parsemés dans son épaisse chevelure. Mais elle n'avait pas de rides. Pas une seule ride.

Ovila arriva six jours avant Noël. Émilie avait eu un pressentiment et, le matin du dix-neuf, elle avait mis beaucoup de soin à se coiffer, avait enfilé une robe qu'elle n'avait pu porter depuis deux ans et avait astiqué la maison sans relâche. Elle avait même réussi à libérer la corde à linge de toutes les couches qui y étaient suspendues. Heureusement, Rose était redevenue propre et sage. Elle donnait même le biberon à Louisa, que les coliques avaient presque abandonnée, lui permettant de dormir ses nuits.

L'instinct d'Émilie ne l'avait pas trompée. Ovila arriva au début de l'après-midi. Émilie, Rose et Marie-Ange se précipitèrent à son cou. Il ne put empêcher l'émotion de le gagner. La maison lui semblait maintenant accueillante, remplie de bonne humeur. Éva ne permit pas à son frère d'enlever son manteau. À peine eut-il déposé ses filles par terre qu'elle lui remplit les bras de provisions, lui ordonnant d'aller atteler une carriole.

«Si c'est pour les porter chez le père, je peux marcher. Pis il y a pas de *presse*. C'est quoi ces manies de me mettre à la porte quand je viens juste d'arriver?»

Éva se contenta de le pousser dehors. Dès qu'il eut franchi le seuil de la porte, Émilie enfila son manteau et prit la valise qui attendait sous le lit depuis deux jours. Elle embrassa ses enfants et sa belle-sœur et sortit rejoindre Ovila. Il sursauta quand elle lui donna une légère tape dans le dos. Il ne l'avait pas entendue venir, tout occupé à fixer le mors de la bête.

«Veux-tu me dire...»

Elle ne le laissa pas terminer sa phrase, utilisant ses lèvres pour le bâillonner. Quand ils reprirent leur souffle, elle lui indiqua leur destination.

«Les enfants?

— Bien gardés par ta mère pis ta sœur.

— Le réveillon?

— Bien prêt. Des femmes pas d'hommes, ça a les mains dans la pâte du matin jusqu'au soir.

— Mes affaires?

— Dans la valise que tu vas te dépêcher de monter dans la carriole avant que je me fâche.»

Et ils étaient partis en riant. Ovila n'avait pris qu'une minute pour embrasser ses filles pendant qu'Émilie avait tenu l'attelage. À son retour, il y avait déposé un énorme paquet mal ficelé.

«Tu es une drôle de mère toi, ma belle brume.

— Pantoute. Je serais pas une mère si j'avais pas été une femme.»

Les jeunes frères d'Ovila étaient allés au lac chauffer le poêle. À leur arrivée, Ovila et Émilie enlevèrent leurs manteaux, puis Ovila s'attaqua immédiatement à la robe d'Émilie.

«Tu as bien maigri! As-tu mangé au moins?

— Pas une miette. C'est bien connu. Quand une femme est en manque de son homme, ça lui coupe l'appétit.

— Tu m'as pas fait partir parce que tu voulais avoir l'appétit coupé?

— Non, je t'ai fait partir parce que je voulais m'ennuyer. Parce que je savais qu'il y a rien de mieux que l'ennui pour …»

Elle ne termina pas sa phrase, Ovila grognant déjà du plaisir de la retrouver plus belle qu'elle ne l'avait été depuis la naissance de Marie-Ange. Ils ne prirent pas la peine de souper et s'endormirent, bien au chaud, après qu'Ovila l'eut forcée de fermer les yeux et d'ouvrir le paquet mal ficelé qu'il avait apporté.

«Étant donné les circonstances, tu vas avoir ton cadeau de fête tout de suite.»

Le paquet contenait deux paires de raquettes. Émilie le remercia chaudement et lui promit qu'ils les étrenneraient le lendemain, immédiatement après avoir mangé.

La promesse fut tenue. Elle et Ovila passèrent plusieurs heures à marcher dans le sous-bois. Émilie avait rapidement compris le principe de la marche en raquettes et s'amusait du fait qu'elle avait l'impression d'être suspendue au-dessus de la neige.

La magie de l'isolement avait agi et ni Émilie, ni Ovila ne pensèrent aux trois petites qu'ils avaient laissées derrière. Ovila était tout à Émilie qui le lui rendait bien. Ils passèrent plus de deux jours dans un temps hors du temps. Un intermède entre des journées tellement pleines de quotidien qu'ils avaient peine à s'y retrouver. Ils étaient rentrés le lendemain de l'anniversaire d'Émilie et Éva les avait grondés parce qu'ils n'avaient pas profité plus longtemps de leur petite escapade.

Émilie et Ovila s'étaient finalement rendu compte que leurs petites leur manquaient et ils étaient rentrés à la hâte. Émilie s'inquiétait des conséquences de son absence sur Rose. Ovila avait hâte de mieux connaître Louisa.

Rose, heureusement, avait continué dans la bonne voie et ses parents osaient croire que le médecin s'était peut-être trompé ou, à tout le moins, avait exagéré les conséquences du manque d'air. Marie-Ange commençait à s'affirmer et Louisa était resplendissante.

Les Fêtes furent parfaitement réussies et Émilie se demanda si elle n'aurait pas pu aller à Saint-Stanislas. Ovila lui fit remarquer qu'elle aurait eu un long trajet à faire avec deux bébés et une Rose agitée. Émilie concéda qu'il avait raison.

«L'année prochaine, Émilie, on devrait pouvoir y aller.

— Si on n'a pas un autre p'tit d'ici là.

— Crains pas. La nature nous a bien gâtés depuis deux ans. Elle va nous laisser tranquilles un peu.»

La nature n'avait pas entendu les propos d'Ovila et Émilie lui annonça au mois de février qu'elle allait être mère, encore une fois. Heureusement, elle l'avait annoncé en riant. Ovila s'était senti terriblement coupable.

«Je comprends pas, Émilie. On passe un temps de fou à attendre notre deuxième pis après ça, on dirait qu'on en fait un par année.

— Faut croire que la nature a décidé de me donner tous les enfants qu'il me faut avant mes trente ans.»

Ovila, au grand bonheur d'Émilie, s'était trouvé du travail à la nouvelle manufacture de portes et châssis de William Dessureault. Il n'était pas retourné au chantier. Émilie, sereine dans sa nouvelle grossesse, n'avait plus ressenti le besoin de l'éloigner. Ovila, par contre, trouvait les journées et les soirées un peu longues. Aussi prit-il l'habitude, après ses heures de travail, de faire un arrêt à l'hôtel, question de parler un peu avec les hommes avant d'entrer. Émilie ne lui avait fait aucun reproche, sauf en de rares occasions où, visiblement, il avait parlé trop longtemps.

«Ça me dérange pas que tu arrêtes à l'hôtel une fois de temps en temps, mais quand tu arrives, j'aimerais ça que tu sois ici.

— Comment ça? Quand j'arrive, je suis ici.

— Des fois oui, des fois non, Ovila. Des fois tu es bien assis dans ta chaise, mais tu as pas l'esprit bien bien alerte.»

Ovila avait grimacé et, le reste de l'hiver, il avait essayé de limiter ses conversations à la durée d'un verre.

Le printemps arriva sans crier gare à la fin de mars. Au début d'avril, la neige avait fondu comme par enchantement, laissant rapidement paraître l'herbe fanée d'avoir supporté la lourde blancheur pendant de longs mois. Émilie ne semblait pas épaissir autant qu'à sa dernière grossesse. Sa santé était excellente et Ovila s'en réjouissait d'autant plus qu'Émilie n'avait pas perdu sa bonne humeur. Les trois filles étaient en grande forme et Louisa, qui allait avoir six mois le lendemain, avait déjà percé quatre dents.

Ovila était rentré à l'hôtel pour fêter l'arrivée du printemps. Il savait qu'Émilie lui avait demandé d'arriver tôt, car elle devait aller chez le médecin avec Rose et Louisa. Elle avait décidé, voyant les progrès de Rose, de confronter ce dernier. Ovila, lui, croyait qu'elle cherchait à se rassurer. Émilie consacrait une heure par jour à Rose. La petite ardoise que Charlotte leur avait donnée en cadeau de noce servait à apprendre les chiffres et les lettres. Ovila avait dit à Émilie qu'il trouvait Rose un peu jeune pour toutes ces choses, mais Émilie n'avait pas démordu. Elle soutenait que si Rose pouvait savoir ses lettres et ses chiffres avant d'aller à l'école, elle pourrait réussir une première année sans trop de problèmes. Ovila avait soulevé les épaules et n'était plus intervenu. Quand à Louisa, elle voulait la montrer au médecin pour qu'il lui dise qu'elle était en grande forme, malgré quelques problèmes de digestion.

Ovila commanda un deuxième verre après avoir regardé l'heure. Il avait encore le temps. Il pensait à son bonheur en écoutant les autres hommes se plaindre de leurs femmes.

L'une d'elles ne voulait jamais dormir si elle n'avait pas pris le temps de réciter un rosaire. Son mari riait en disant que depuis qu'elle avait pris cette habitude, ils n'avaient plus eu d'enfants étant donné que lui s'endormait toujours avant la fin des quinze dizaines.

«Je peux quand même pas l'empêcher de faire ses dévotions.

— Tu peux lui rappeler son devoir, par exemple.

— Tu veux rire, toi! Ma femme a pas trente ans pis on a huit jeunes. Son devoir est fait.»

L'autre racontait que la sienne passait son temps à lui reprocher d'avoir la barbe trop forte. Il ne pouvait plus l'approcher que fraîchement rasé, ce qui n'arrivait que le dimanche matin.

«Est-ce qu'il y en a un ici qui peut prendre le temps de servir sa femme avant la messe? Moi, j'ai jamais réussi.»

Ovila les écoutait parler sans intervenir. Il ne les comprenait pas d'étaler aussi ouvertement leur vie conjugale. Il commanda un troisième verre, curieux d'entendre tout ce qu'ils raconteraient. Émilie rirait certainement aux éclats quand il lui répéterait leurs propos.

«La mienne, elle a une nouvelle manie. Astheure, c'est une fois par mois que je peux l'approcher. Pis pas n'importe quand, non messieurs, seulement quand elle commence ses mauvais jours. Avez-vous déjà fait ça pendant les mauvais jours? Elle, elle a pour son dire que c'est mieux pour pas avoir d'enfants. Moi je pense que c'est juste mieux pour me tenir de mon bord du lit.»

Ovila ricanait. Il remerciait tous les saints de la terre de lui avoir donné une femme comme Émilie. Elle n'avait jamais fait d'histoires à ce sujet. Même que...

«C'est rien ça. La mienne est allée voir un docteur de Trois-Rivières pour qu'il lui donne un papier de dispense! Pis savez-vous quoi? Elle l'a eu son maudit papier! Astheure, chaque fois que j'essaie de lui faire des p'tits mamours, le papier sort d'en dessous de son oreiller! Ça vous coupe l'inspiration ça monsieur...»

Ovila s'amusait de plus en plus. Il commença même à se mêler à la conversation, posant une question ou se permettant un commentaire de temps à autre.

«C'est fou pareil. Le Créateur a rendu la chose plaisante pour être sûr qu'on se multiplierait. Moi, je pense qu'Il avait oublié de le dire à Ève.

— Qu'ossé que tu vois de plaisant là-dedans, toi?

— Comment? Tu trouves pas ça plaisant, toi?

— Pantoute! Je trouve même ça...euh...pas mal écœurant. Forniquer, moi, c'est pas mon fort.

— Es-tu malade, toi? Hé! les gars, il aime pas ça lui!

— Ça serait-tu parce que tu es pas capable de la lever?

— Hé, toi...je l'ai levée assez souvent pour avoir trois enfants.

— Veux-tu nous faire *accroire* que tu l'as levée rien que trois fois pour ça?

— C'est en plein ça. Je commence à penser que vous autres vous la levez pour autre chose que le devoir. Moi, je l'ai levée le soir des noces, pis deux autres fois. Ma femme a pas l'air de se plaindre d'avoir un mari à sa place. J'ai pas vos problèmes, moi. Ma femme a pas eu besoin de dispense, moi. Ma femme récite pas des rosaires à tous les soirs, moi. Quand je la sers, ma femme dit pas non, moi.

— Tu l'as servie rien que trois fois?

— Trois fois, juré sur sa tête.

— Pis vous avez eu trois jeunes?

— Oui, monsieur. Pis trois gars à part de ça.»

Ovila fronça les sourcils. Est-ce qu'il venait d'apprendre la raison pour laquelle il n'avait eu que des filles?

«Qu'ossé que tu dis de ça, toi le grand? À l'entendre, on dirait que les gars c'est les enfants du devoir pis que les filles c'est les enfants du plaisir. Si ma mémoire est bonne, tu as trois filles, toi?»

Ovila avala tranquillement les dernières gorgées de son verre et fit signe au garçon de remplir. Il s'essuya la bouche du revers de sa manche et sourit à son interlocuteur.

«Je crois pas à ça.

— Tu veux dire que tu fais ça par devoir? Fais-moi rire! Tu as pas une tête à ça, pis ta femme non plus. Vous avez encore pris des p'tites vacances au lac?

— Pis? Ça dérange-tu quelqu'un ici?

— C'est pas ça qu'on dit...mais ta femme est encore pleine.

— C'est pas de vos *ciboire* d'affaires ça.

— Ben, on va voir. Si tu as un gars, on pourra croire que tu as fait ça par devoir. Mais si tu as une autre fille, on va commencer à croire ce que l'autre a dit.

— Vous croirez ce que vous voudrez. Moi j'ai pour mon dire que c'est quasiment scandaleux de vous entendre dénigrer vos femmes de même. Vous avez des bonnes femmes. Vous avez des enfants en santé. Je vois pas pourquoi vous trouvez encore le moyen de chiâler.

— Écoute, le grand, si tu aimes pas ça des conversations d'hommes, tu as juste à rentrer chez vous pis à écouter la belle Émilie parler des couches pis de la température. Nous autres on aime ça jaser. Si tu aimes pas ça, tu as rien qu'à te taire.»

«C'est justement ça que je pensais. Bonsoir la compagnie!»

Ovila monta dans sa calèche et essaya de lire l'heure. Neuf heures! Il regarda encore une fois, certain de s'être trompé. Ce fut pire. Il lut minuit. La trotteuse qui l'avait induit en erreur avait maintenant rejoint les deux autres aiguilles. Il grimaça. Émilie ne l'accueillerait certainement pas avec le sourire. Il pressa sa bête et arriva chez lui. Émilie était assise dans la cuisine, bien endormie dans sa berceuse, tenant encore son accordéon d'une main. Ovila se rendit compte qu'il titubait légèrement. Il essaya de contrôler sa démarche. Il s'approcha d'Émilie et lui frotta un épaule.

«Hé...ma belle brume. Tu serais mieux dans le lit.»

Émilie ouvrit les yeux, sourit à Ovila puis, se rappelant qu'il l'avait empêchée d'aller chez le médecin, se rembrunit. Elle détourna les yeux. Ovila lui enleva l'accordéon des mains et fit mine d'essayer de la soulever. Elle sauta sur ses pieds.

«Touche-moi pas! Tu m'as fait poireauter comme une dinde. As-tu oublié que j'avais rendez-vous chez le docteur avec Rose pis Louisa?

— Oui, j'ai oublié. Excuse-moi, mais les hommes parlaient d'affaires tellement drôles que j'ai voulu tout entendre pour pouvoir te les répéter.

— Ça m'intéresse pas leurs maudites affaires. Ce qui m'intéresse, moi, c'est de voir mon mari avec tous ses esprits, pis de voir le docteur avec mes filles quand j'ai décidé qu'il fallait que je voie le docteur avec mes filles.»

Elle n'ajouta plus un mot et se dirigea vers sa chambre à coucher. D'un regard, elle demanda à Ovila de jeter un coup d'œil aux filles. Il acquiesça, mais décida de lui laisser le temps de s'endormir avant de la rejoindre. Il était tellement mal à l'aise de l'avoir ainsi chagrinée qu'il n'avait pas le courage d'entendre plus de reproches. Il alluma sa pipe et se berça lentement. Il irait voir les filles avant de se mettre au lit.

Il s'éveilla à trois heures du matin. La pipe était par terre et le tabac avait brûlé le plancher. Heureusement qu'il n'y avait pas de tapis à cet endroit, pensa-t-il. Il s'étira et rota. Il ouvrit la porte de la chambre puis se rappela qu'il n'avait pas vérifié le sommeil de ses filles. Laissant la lampe dans la cuisine, il se dirigea vers la chambre de Rose. Elle dormait paisiblement. Il l'embrassa tout en soupirant. Que deviendrait sa Rose? Il se dirigea ensuite à tâtons vers l'autre chambre. Marie-Ange dormait sur le dos, les bras en croix et les jambes écartées. Il sourit. Il s'approcha du berceau de Louisa. Comme toujours, elle était recroquevillée sur elle-même, la tête légèrement sur le côté, encadrée de ses deux bras et de ses petits poings fermés.

Ovila sortit de la chambre et referma la porte doucement. Il sourit à sa paternité puis grimaça en pensant à Émilie. Il lui faudrait s'excuser dès qu'elle ouvrirait les yeux. Il revint dans la cuisine, troublé par quelque chose qu'il ne réussissait pas à identifier. Il commença à déboutonner sa chemise. La cuisine était bercée par le silence que seul le tic-tac de l'horloge venait troubler. C'est le cœur de notre maison, pensa Ovila. Le cœur de notre maison remplie d'Émilie et de moi-même. Il s'assit à nouveau dans la berceuse et écouta. Il cherchait un son mais il aurait été bien incapable d'identifier le son qu'il cherchait. Il se sourit encore une fois, reconnaissant en son attitude quelque chose de semblable à ce qu'il faisait quand il chassait. Il écoutait, toujours, l'oreille tendue. Sans comprendre, il se rendit compte que sa gorge s'était nouée. Qu'est-ce qu'il y avait qui pouvait tant le troubler? Le chagrin d'Émilie? Ses yeux lourds de reproches? Non, elle n'avait pas eu les yeux si réprobateurs ce soir. Oui, un peu, mais pas assez pour qu'il ressente ce malaise étrange. Il ferma les yeux et essaya de revivre chacun de ses mouvements, chacune des phrases d'Émilie depuis son retour. Le rythme de son cœur accéléra. Il revit Émilie le quitter pour aller dormir. Puis il revit la tache noire qu'avait imprimée le tabac brûlant sur le plancher. Il revit Rose, puis Marie-Ange. Il pensa à Louisa. Louisa. Son cœur accéléra encore. Louisa. Toute recroquevillée comme d'habitude. Louisa... Il bondit sur ses pieds, empoigna la lampe et courut dans la chambre du bébé. Marie-Ange, que la lumière avait indisposée, se retourna en grognant un peu. Ovila s'approcha du berceau, sur la pointe des pieds. Il leva la lampe au-dessus de la tête de Louisa.

«Émilie! Émilie! Oh! non... Émilie!»

Marie-Ange, éveillée en sursaut, regardait son père en lui retournant ses hurlements. Rose s'était levée et s'approchait de la porte. Émilie accourait, le visage terrorisé par le cri de douleur qui venait de la tirer du sommeil dont elle avait réussi à se débarrasser en une fraction de seconde. Elle ne vit pas le trajet entre sa chambre et celle de ses deux plus jeunes. Elle repoussa Rose qui lui obstruait le chemin et pénétra dans la chambre.

Émilie figea devant l'ombre que la lampe projetait au mur. Ovila avait une poupée dans les mains, une poupée désarticulée dont la tête tombait à l'arrière et un bras ballottait au rythme qu'il lui imposait par son bercement. Puis les yeux d'Émilie quittèrent l'ombre et descendirent lentement vers Ovila. Il était prostré, la lampe posée par terre à côté de lui, Louisa dans les bras. Rose tira sur la robe de nuit de sa mère. Pour toute réponse, elle reçut une taloche. Elle s'éloigna en pleurant et se réfugia près de Marie-Ange qui n'avait pas encore cessé ses hurlements. Elle lui donna une tape, comme venait de le faire sa mère, et Marie-Ange se tut, saisie.

Émilie approcha lentement d'Ovila. Elle marcha pendant ce qui lui sembla être des heures, des jours et des nuits. Puis elle fut à côté de lui. Elle se pencha lentement, regarda son visage inondé de larmes, puis accrocha son regard au teint de Louisa. Émilie étouffait. Saisie d'une folie soudaine, elle donna un violent coup de poing à Ovila et lui arracha Louisa des bras. Elle la secoua énergiquement, la prit par les jambes en lui laissant tomber la tête tout près du plancher, la remit à l'endroit, lui tapocha le dos de plus en plus fort. Maintenant elle criait.

«Réveille, Louisa! Réveille-toi! »

Elle ouvrit toute grande sa robe de nuit et se découvrit un sein. Ovila la regardait, crispé de chagrin. Elle savait bien qu'elle n'avait jamais eu de lait. Mais elle posa un de ses mamelons séchés sur la bouche morte de son bébé. Pleurant à chaudes larmes, des pleurs venus de profondeurs jamais explorées, elle continuait à encourager Louisa à boire. Ovila s'approcha d'elle et elle lui rugit de s'éloigner. Il recula, terrifié, puis entendant Rose et Marie-Ange pleurer, il alla les trouver et les mena toutes les deux dans la chambre de Rose. Essayant de sourire, il demanda à Rose de bien protéger Marie-Ange. Rose et Marie-Ange se collèrent l'une contre l'autre et se turent. Ovila les laissa et revint vers Émilie. Elle avait enfoui Louisa sous sa robe de nuit et lui disait qu'elle allait la réchauffer. Ovila s'approcha d'elle encore une fois. Elle lui ordonna de se tenir éloigné. Il ne voulut rien entendre et continua d'avancer.

Elle recula, marchant sur les genoux, trébuchant chaque
fois qu'elle piétinait sa robe. Dans sa hâte à vouloir s'éloigner de lui, elle échappa Louisa qui tomba sur le plancher
en faisant un son mat. Ovila pleurait à chaudes larmes.

«Émilie...Émilie, donne-moi Louisa... Lève-toi,
Émilie...

— Va-t-en! Maudit toi! Va-t-en!»

Ovila recula à son tour, sortit de la chambre et ferma
la porte. Il alla voir Rose et Marie-Ange qui ne dormaient
pas. Il les leva et entreprit de les vêtir malgré ses mains
nerveuses et fébriles. Il y réussit, en même temps qu'il
reprit un peu de son sang-froid. Il leur mit un gilet de laine
et, tenant chacune de ses filles par la main, il sortit dans
la nuit encore noire et se dirigea vers la maison de son père.
Ses sanglots l'avaient rejoint à mi-chemin.

Il essaya de parler doucement pour effacer la terreur
du visage de ses filles. Il fut enfin rendu chez ses parents.
Il entra dans la cuisine et appela sa mère à son secours.
Félicité arriva, aussitôt talonnée par son mari. Éva était
descendue, suivie de tous ses frères. Elle prit ses nièces
et commença à les dévêtir. Ovila hoquetait et pleurait tant
que personne ne comprit ce qu'il racontait. Ils ne recon-
naissaient que les mots Émilie, Louisa et folie. Puis Ovila
sortit précipitamment de la maison et courut en direction
de chez lui. Félicité ne prit pas le temps de se vêtir et partit
à sa poursuite, imitée par son mari et Edmond. Éva retint
les autres.

Ovila ouvrit la porte prudemment, inquiet de ce qui
pouvait l'attendre. Émilie était là, dans la cuisine. Elle avait
déposé Louisa au milieu de la table et, assise à côté d'elle,
elle lui jouait un air d'accordéon.

«Te voilà, Ovila! J'essayais d'endormir Louisa en t'attendant. Je voudrais pas qu'on fasse patienter le docteur.»

Elle avait la voix haut perchée et traînante. Ovila la regarda, incrédule. Elle venait d'effacer les heures qui s'étaient écoulées depuis la veille. Elle l'attendait pour aller chez le médecin avec Rose et Louisa. Elle l'avait attendu pendant que lui...

Félicité le poussa légèrement. En un instant elle avait compris la scène. Elle s'approcha d'Émilie et lui parla doucement.

«Dosithée pis Edmond vont amener Louisa chez le docteur, Émilie.

— Non, c'est moi qui y vas. J'ai demandé à Ovila d'être ici pour garder Marie-Ange. Rose aussi est prête.

— Rose est déjà chez nous, avec Éva. Astheure, faut que Dosithée emmène Louisa.»

Elle s'approcha du bébé et le prit dans ses bras. Émilie se précipita vers sa chambre et revint avec du linge pour Louisa.

«Pensez-vous que j'vas la laisser partir de même? Voyons donc, madame Pronovost, on sort pas un bébé en couche pis en camisole.»

Devant le regard ahuri d'Ovila, Émilie langea Louisa, la vêtit, en ne négligeant même pas de lui mettre ses souliers. Elle lui parlait sans arrêt.

«Moman va te mettre la belle p'tite robe de dentelle anglaise qu'elle avait cousue pour Rose. Tu vas être belle comme un p'tit ange. C'est bien raisonnable de pas bouger. Rose, elle, bougeait tout le temps quand je lui mettais ses p'tits bas.»

Au grand émoi de tous, elle mouilla une débarbouillette et lava la figure et les mains de Louisa, doucement, comme si elle eût joué avec une poupée de porcelaine. Elle prit enfin Louisa dans ses bras et la remit à Félicité.

«C'est gentil à vous de vous en occuper. Oubliez pas de dire au docteur que Rose sait compter jusqu'à cinquante. C'est pas mal pour une enfant retardée.»

Ovila éclata en sanglots. Émilie le regarda, fronça les sourcils et s'approcha de lui.

«Inquiète-toi pas, Ovila, j'vas m'occuper de Rose. Je te l'ai dit. Rose va être comme tous les enfants.»

Elle accompagna Dosithée, le bourrant de recommandations.

«Faites attention. Louisa est encore p'tite. Tenez-lui la tête. Couvrez-la bien pour pas qu'elle prenne froid. Mais surtout, surveillez-la pour pas qu'elle s'étouffe. C'est bien important. Faut pas que Louisa s'étouffe.»

Dosithée, suivi d'Edmond, sortit avec le corps rigide de Louisa. Félicité fit une infusion à Émilie et la conduisit dans sa chambre. Émilie riait de faire l'objet de tant d'attentions.

«Tu as un p'tit dans ton ventre, Émilie. Faut que tu sois en forme si tu veux qu'il soit en santé.»

Émilie regarda son ventre et éclata de rire.

«J'avais complètement oublié. Merci. Viens-tu te coucher Ovila ou est-ce que tu attends les filles?

— Les filles vont dormir chez moman, Émilie.

— Ah oui? Ah, bon. J'avais oublié. Bonne nuit.»

Elle s'était endormie. Ovila, affaissé à la table de la cuisine, pleurait à chaudes larmes. Félicité l'entourait de toute son âme.

«Qu'est-ce qui s'est passé, Ovila?

— Je sais pas.

— Quand est-ce que Louisa est morte?

— Je sais pas.

— De quoi est-ce qu'elle est morte? Est-ce qu'elle faisait de la fièvre? Elle était bien bleue. On dirait qu'elle s'est étouffée.

— Je sais rien.»

Félicité avait cessé de poser des questions. Elle attendrait le retour de Dosithée.

Dosithée revint à sept heures du matin. Ovila n'avait pas dormi et avait fumé pipée après pipée. Félicité lui avait préparé du café, même si elle ne savait pas bien encore comment prendre ses mesures. Le thé était si simple comparé à cette invention.

«Pis?

— D'après le docteur, Louisa s'est étouffée en régurgitant. Il s'en vient. J'ai dit qu'Émilie était...euh...avait pas l'air dans son assiette.»

Le médecin arriva au moment où Émilie s'éveillait. Elle avait appelé Ovila, qui était entré dans la chambre. Elle regarda la boursouflure de ses yeux et comprit qu'elle n'avait pas fait de cauchemar. Tout était vrai. Elle ouvrit les bras et il s'y précipita. Ensemble ils pleurèrent comme jamais ils n'auraient cru pouvoir le faire.

Émilie et Ovila enterrèrent leur fille le lendemain de sa mort. Émilie avait tenu à assister aux funérailles, alléguant que si elle ne voyait pas la mise en terre, elle ne croirait jamais à la mort de Louisa. Ovila ne la quitta pas d'une semelle, craignant que son esprit ne dérape encore une fois sous la douleur. Mais Émilie tint le coup. Elle avait vaguement souvenir de la nuit de la mort de Louisa. Un goût d'amertume lui collait pourtant à la gorge.

De retour à la maison, elle s'isola dans sa chambre à coucher. Ovila n'eut pas à prier sa famille de les laisser seuls. Félicité avait fait la valise des enfants et lui avait dit qu'elle les amenait pour au moins une semaine, le temps que lui et sa femme se remettent de leurs émotions. Il frappa à la porte de la chambre, mais Émilie ne répondit pas. Il frappa une seconde fois. Elle se tut encore. Il ouvrit et la trouva assise sur le bord du lit, fixant la fenêtre d'un regard absent. Il s'approcha d'elle et lui posa un bras sur l'épaule. Émilie souleva son épaule brusquement, de façon à faire relâcher l'étreinte d'Ovila.

«Qu'est-ce qu'il y a, Émilie?

— C'est de ta faute, Charles Pronovost. Tout ça c'est de ta faute.»

Ovila blêmit. Depuis la mort de Louisa, il n'avait cessé de se répéter ces mêmes mots. Il s'assit à l'autre bout du lit, attendant la suite. Sans le regarder, Émilie le blâma de n'être pas rentré comme il l'avait promis. De l'avoir laissée seule, à l'attendre. Elle avait la voix sèche, cassante comme une vitre.

«Si j'avais vu le docteur avec Louisa, Louisa serait encore en vie.

— Non, Émilie, Louisa s'est étouffée en dormant.

— Laisse-moi finir!»

Ovila avala son remords et se tut.

«D'abord, si tu étais pas rentré saoul, tu aurais pu entendre quelque chose.

— Comme quoi?

— Je sais pas, moi. Tu aurais pu l'entendre tousser, ou lâcher un p'tit cri.

— Tu peux pas dire ça, Émilie. Louisa était peut-être morte quand je suis arrivé.

— Non! Non, Louisa était pas morte. Je suis sûre de ça.

— En tout cas...

— Pis si tu t'étais pas endormi d'un sommeil d'ivrogne, tu l'aurais entendue. Si tu étais allé la voir quand moi je suis allée me coucher, ça serait peut-être pas arrivé non plus.

— Si, si, si... Émilie, ça donne rien de parler de même.

— Je te pardonnerai jamais, Ovila. Jamais!»

Elle s'était enfin retournée et l'avait regardé quand elle avait prononcé son deuxième «jamais». Ovila baissa la tête, puis se leva. Il ne voulait pas discuter. Le médecin lui avait dit que Louisa avait dû mourir entre dix heures du soir et deux heures du matin. Ovila lui avait demandé comment il pouvait affirmer la chose.

«Tu me dis que le corps était froid quand tu l'as trouvé à trois heures du matin. Ça veut dire que ça faisait au moins une heure que Louisa était morte. Un p'tit bébé comme ça, ça refroidit vite.

— Est-ce que ça veut dire que Louisa vivait peut-être encore quand je suis arrivé?

— Ça, Ovila, ça va toujours être un point d'interrogation. Oui ou non? Le Bon Dieu le sait pis le diable s'en doute.»

Ovila sortit de la chambre. Il tourna en rond dans la cuisine, puis revint dans la chambre. Il essaya vainement de parler à Émilie. De lui dire qu'il l'aimait. De lui parler du destin. Émilie ne l'écoutait pas. Désespéré, il prit une valise sous le lit et l'emplit de ses effets. Émilie le regarda faire sans poser de questions. Ovila se tint devant elle, espérant qu'elle ferait un geste, un tout petit geste pour le retenir. Il ne voulait pas la laisser seule avec son chagrin. Elle ne broncha pas, se contentant de nouer et dénouer ses cheveux qu'elle avait libérés de leur prison d'épingles. Voyant qu'elle ne réagirait pas, il se dirigea vers la porte. Avant de la franchir, il se retourna une dernière fois et tenta un ultime essai.

«Tu as rien à me dire, Émilie?

— J'ai pus rien à te dire, Charles.»

Ovila marcha en direction du village. Il entendit crier sa mère et sa sœur, mais il ne se retourna pas. Il entendit ensuite le galop et le crissement des roues d'une calèche. Il ne broncha pas. Son père et son frère arrivèrent à sa hauteur.

«Où c'est que tu t'en vas de même, mon gars?»

Il ne répondit pas, continuant de marcher droit devant lui. Dosithée et Edmond se regardèrent, impuissants. Ils rebroussèrent chemin, convaincus qu'ils le retrouveraient à l'hôtel.

Le soir venu, ils allèrent tous les deux à l'hôtel Brunelle. Ovila n'y était pas. Ils se dirigèrent vers le Grand Nord. Ovila ne s'y était même pas arrêté. Ils le cherchèrent dans tout le village. Ovila n'était nulle part. Ils revinrent dans le Bourdais, bredouilles. Émilie, la mine abattue, était chez les Pronovost. Elle interrogea son beau-père des yeux. Dosithée fit «non» de la tête. Émilie souleva les épaules et se désintéressa complètement de ce qu'ils avaient à raconter. Elle berçait Rose enchantée de tant d'attentions. Émilie repartit pour sa maison, refusant de dormir chez les Pronovost. Félicité lui offrit de l'accompagner. Émilie refusa.

Elle préférait être seule, ayant à réfléchir à bien des choses. Elle ne dormit pas de la nuit, entendant sans cesse le cri d'Ovila. Elle ne dormit pas le lendemain non plus. Elle se leva même en pleine nuit pour changer les draps de son lit, encore imprégnés de l'odeur d'Ovila.

Le troisième jour, elle reçut la visite du curé à qui les Pronovost avaient demandé assistance. Elle l'écouta poliment lui parler de la vie et de la mort, mais ne retint que deux phrases: «Je viendrai comme un voleur» et «Les voies du Seigneur sont impénétrables». Elle le remercia pour ses bonnes paroles et l'accompagna à la porte avant qu'il n'ait manifesté son désir de partir. Il ne s'en formalisa pas.

Le lendemain, elle alla chercher ses enfants. Elle avait rêvé que ses petites mouraient dans un feu chez les Pronovost. Elle se sentait coupable de ne pas les avoir avec elle et les ramena en les caressant sans arrêt. Elle écrivit une longue lettre à Berthe, lui demandant de prier pour elle et Louisa. Elle écrivit aussi à Antoinette, ne se gênant pas pour blâmer Ovila pour son irresponsabilité.

Personne n'avait revu Ovila. Il avait complètement disparu de la circulation. Félicité et Dosithée étaient partagés. D'une part, ils s'inquiétaient pour leur fils. D'autre part, ils lui en voulaient d'avoir laissé sa femme seule après la tragédie. Émilie ne leur exprima jamais le fond de sa pensée et ne parla jamais des raisons du départ d'Ovila. Elle continuait sa routine quotidienne sans jamais faire allusion à son mari. Les gens jasaient. Les hommes qui avaient passé la soirée fatidique à l'hôtel avec Ovila racontèrent qu'il était parti complètement ivre. Certains paroissiens commencèrent même à penser qu'Ovila avait peut-être tué Louisa. Le médecin dut intervenir et jurer que la petite était bel et bien morte durant son sommeil, étouffée.

«Pis étouffée par des causes naturelles!» avait-il tenu à préciser.

On admira Émilie pour son courage. En deux jours, elle avait perdu son enfant et son mari. Émilie ne les écoutait plus. Elle ne souffrait même pas d'entendre Ovila se faire dénigrer comme s'il avait été un parfait criminel. Elle-même avait commencé à le penser.

Émilie était assise sur sa galerie et regardait les hommes faire les foins. À perte de vue, le foin était monté en bottes, créant l'illusion que les humains n'étaient que des petites fourmis se promenant entre des tumuli géants. Des fourmis. Étaient-ils vraiment plus importants que des fourmis? Elle se le demandait. Elle voulut se lever et se rassit aussitôt.

«Rose! Viens ici, Rose!»

Rose s'approcha de sa mère.

«Va chercher mémère. Moman a besoin de mémère. As-tu compris, Rose?

— Ben oui. Rose aller chercher mémère avec Marie-Ange?

— C'est une bonne idée ça, Rose. Emmène Marie-Ange avec toi. Pis, Rose, apporte ta *catin* pis celle de Marie-Ange aussi. As-tu compris Rose?

— Ben oui. Ma catin pis celle de Marie-Ange aussi.

— Pis tu vas dire à mémère que les sauvages sont arrivés. As-tu compris?

— Ben oui, je suis pas un bébé.

— Répète ce que tu vas dire à mémère.

— J'vas dire à mémère que les sauvages sont arrivés.

— C'est bien ça, Rose. Viens me donner un bec quand tu vas partir pour chez mémère. Astheure va chercher Marie-Ange pis les catins. À soir, il va y avoir une surprise.

— Quoi?

— Je pense que tu vas dormir chez mémère. Mais dis-le pas à Marie-Ange. C'est un secret.»

Rose et Marie-Ange étaient parties, se tenant par la main. Dix fois par jour, elles faisaient ce trajet. Dix fois par jour, Émilie les surveillait.

Félicité arriva à la hâte avec Edmond. Celui-ci la laissa près d'Émilie puis s'empressa d'aller chercher la sage-femme. Émilie rentra et se coucha. La sage-femme eut à peine le temps d'arriver qu'Émilie accouchait d'un gros garçon.

La colère grondait chez les Pronovost. Le mois de septembre s'était estompé et Ovila n'avait donné aucune nouvelle à Émilie. Dosithée et Félicité s'étaient abstenus de commentaires, certains qu'entre leur fils et sa femme, il s'était passé quelque chose qu'ils ne parvenaient pas à comprendre. Depuis les six mois de la disparition d'Ovila, Émilie avait refusé qu'on parle de lui. Elle était méconnaissable. Elle avait même refusé de faire baptiser son fils. Ne sachant plus que faire, Dosithée décida d'écrire à Caleb pour lui demander son avis. Caleb n'avait pu venir après la naissance du fils d'Émilie et Dosithée se demandait si une visite impromptue ne serait pas de quelque utilité.

Caleb arriva sans aviser. Il n'avait plus revu sa fille depuis...depuis si longtemps qu'il ne savait pas à quoi s'attendre. Il l'aperçut dehors. Elle arrachait les branches mortes de son jardin. Ses deux filles — déjà si grandes... — gambadaient à côté d'elle. Elle avait sanglé son fils tout près de sa poitrine. Caleb fronça les sourcils. Elle se serait fait des tresses qu'elle aurait eu l'air d'une parfaite Indienne. Émilie l'aperçut. Elle se redressa et déposa la binette qu'elle tenait à la main. Elle appela ses filles et leur pointa Caleb. Il eut l'impression qu'elle souriait. Les deux fillettes partirent à sa rencontre. Caleb fit de grands signes avec son chapeau.

«Faites attention à vous autres, mes bougrines. Pépère voudrait pas que le ch'val vous frappe.»

Les petites rirent et l'escortèrent jusque derrière leur maison. Caleb les étreignit distraitement, surveillant l'arrivée d'Émilie. Enfin, elle fut devant lui. Le cœur de Caleb fit une embardée. Elle était méconnaissable. Il s'avança vers elle, lui tendit les bras, mais Émilie ne s'y réfugia pas. Il les laissa retomber lourdement.

«Bonjour, pâpâ. Qu'est-ce qui vous amène? La dernière fois qu'on s'est vus, Rose devait pas avoir plus d'un an et demi.

— C'est bien parce que tu nous as toujours annoncé les mauvaises nouvelles avec du retard pis que tu as jamais pu venir à Saint-Stanislas.

— C'est pas mal plus facile pour vous de venir faire un tour à Saint-Tite que pour moi de partir avec les enfants pis de descendre à Saint-Stan'.

— On rajeunit pas, Émilie.

— On reste ici ou en rentre pour prendre un café?»

Caleb la suivit docilement, enregistrant mentalement tous les changements. Elle avait dû prendre au moins vingt livres. Elle avait plus que des pattes d'oies autour des yeux. Ses cheveux avaient perdu leur éclat si ce n'était des reflets que donnaient les cheveux blancs. Il secoua la tête, essayant de brouiller toutes les questions qui s'y bousculaient.

Caleb s'assit dans la cuisine et prit ses petites-filles sur ses genoux. Il n'avait encore jamais vu Marie-Ange.

«Tu excuseras ma mauvaise mémoire, Émilie, mais tes filles ont quel âge?

— Rose a eu quatre ans en juin, Marie-Ange, deux ans il y a deux semaines, pis le p'tit est né le cinq du mois passé. Louisa, elle…Louisa aurait eu un an cette semaine.»

Caleb dévia son regard vers l'enfant qu'elle portait encore sur sa poitrine.

«C'est quoi le nom du p'tit?

— Il a pas de nom encore. J'attends qu'Ovila revienne pour qu'on le choisisse.»

Caleb fit descendre ses petites-filles et leur dit d'aller voir dans sa calèche.

«Si vous avez été sages, vous allez pouvoir y trouver des surprises.»

Dès qu'elles furent sorties de la maison, Caleb toussota puis tenta bien malhabilement de questionner Émilie sur l'absence d'Ovila et sur la mort de Louisa. Émilie resta muette. Caleb changea de sujet.

«Tu reconnaîtrais pas tes frères pis tes sœurs telle-ment…

— Ça me serait difficile de les reconnaître, pâpâ, parce qu'on peut pas dire que je les ai vraiment connus. »

Caleb chercha un autre sujet de conversation.

«As-tu eu des nouvelles de Berthe?

— J'ai reçu une lettre après la mort de Louisa.

— Ça fait que tu as pas eu les dernières nouvelles d'abord.

— Lesquelles?

— Rapport à sa santé?»

Émilie posa sa tasse. Caleb soupira. Enfin, elle semblait réagir à quelque chose.

«Qu'est-ce qu'elle a sa santé?

— Elle a qu'on peut pus parler de santé.

— Comment ça?

— Sa sœur est allée la voir parce que la supérieure de son couvent avait écrit que Berthe était malade pis que personne, même pas les docteurs, savait ce qu'elle avait.

— Pis?

— Ça a l'air que sa sœur est revenue bien découragée.

— J'vas écrire à Berthe demain.»

Elle avait clos la discussion. Caleb se leva et se dirigea vers la fenêtre. Il aperçut ses petites-filles qui s'amusaient avec les cadeaux qu'il leur avait apportés.

«J'aurais quelque chose à te demander, Émilie. J'espère que tu vas dire oui.

— Demandez toujours. Pour la réponse, on verra.

— Ta mère est pas en forme de ce temps-là...

— Ma mère a jamais été en forme de sa vie...

— C'est pour ça qu'elle est pas venue avec moi. On s'est demandé... en fait, je me suis demandé si je pouvais pas amener tes p'tites prendre une vacance chez leur autre pépère.»

Il se tourna et lui fit face. Émilie s'approcha de la fenêtre et regarda ses filles.

«Je suis pas sûre que j'aimerais ça. Ça m'inquiète quand je suis pas avec elles depuis...

— Je le sais, Émilie. Me semble, moi, que ça te ferait du bien. Tu pourrais te reposer pis t'occuper de ton jeune. Ça permettrait à tes filles de connaître un paquet de *mon'oncles* pis de *ma'tantes.* » Il fit une pause, sans quitter Émilie des yeux. « Pis? qu'est-ce que tu en penses? »

Émilie lui répondit qu'elle réfléchirait à la question. L'idée lui plaisait. Elle avait tellement perdu sa famille de vue qu'il lui arrivait parfois d'en oublier jusqu'à l'existence. Ses filles pourraient s'amuser à Saint-Stanislas. Elle ne pouvait pas les priver de connaître leur grand-père et leur grand-mère.

Le lendemain matin, elle dit à son père qu'elle acceptait. Caleb s'en réjouit. Émilie fit la valise de ses filles et les regarda monter dans la calèche. Elle trouva Marie-Ange bien petite.

« Êtes-vous certain, pâpâ, de pouvoir vous occuper de Marie-Ange pendant le trajet? Je pense que ça serait mieux que Rose aille toute seule.

— Inquiète-toi donc pas. Avec ce que tu nous a donné pour manger j'vas avoir de quoi leur remplir la bouche jusqu'à Saint-Stan'. Si ta fille c'est la fille de sa mère, aussitôt que ça va commencer à brasser un peu, elle va dormir comme une princesse. »

Émilie se reposa à souhait. L'absence de ses filles l'aida grandement. Elle pensa à son père avec attendrissement. Il avait bien essayé de lui porter secours, mais sa maladresse proverbiale lui avait encore joué de vilains tours. Émilie avait pourtant longuement réfléchi à une toute petite phrase qu'il lui avait dite, sans intentions: « Aussitôt que ça va brasser, elle va dormir comme une princesse. Comme sa mère. »

Oui, elle s'était endormie. Depuis la mort de Louisa, elle avait refusé d'ouvrir les yeux. Elle les avait fermés. Plus que fermés. Elle les avait bouchés. L'absence d'Ovila commença à lui peser. Elle savait qu'il était à La Tuque.

Elle s'était bien gardée de le dire aux Pronovost, préférant jouer les martyres. La femme abandonnée. Les Pronovost seraient certainement furieux quand ils apprendraient qu'elle n'avait rien dit. Comment leur expliquer qu'Ovila avait fait déposer de l'argent à la banque ? Non. Oui. Elle leur dirait. Elle demanderait même à un de ses beaux-frères d'aller chercher Ovila. Ovila attendait peut-être qu'elle lui manifeste son désir de le revoir. Il attendait sûrement.

Caleb revint conduire ses filles deux semaines après leur départ. Il retrouva sa bonne vieille Émilie. Elle lui annonça même qu'Ovila arriverait sous peu. Edmond avait déjà pris le train pour La Tuque, mais Émilie avait tu ce détail à son père. Elle préférait lui laisser croire qu'elle avait eu des nouvelles de son mari.

Caleb repartit pour Saint-Stanislas en promettant à Émilie de revenir plus souvent. Maintenant qu'il connaissait ses petites-filles, il ne pourrait plus endurer de s'en sentir éloigné, avait-il ajouté.

Dosithée vint la voir pour lui dire qu'Edmond arriverait le lendemain. Émilie sauta de joie.

«J'ai dit Edmond, Émilie.»

Elle cessa de sourire.

«Pis Ovila?

— Ovila va arriver un peu plus tard.

— Combien plus tard?

— Ça va dépendre.

— Ça va dépendre de quoi? s'impatienta Émilie.

— Ça va dépendre de lui, Émilie. Ovila est pas... comment dire...est pas prêt à revenir. En tout cas, tu en parleras avec Edmond demain.»

Elle interrogea Edmond, qui fut aussi vague et discret que son père.

«Ovila va revenir au moins?

— C'est sûr, Émilie. Peut-être même plus vite que tu penses.

— Mais il veut pas revenir tout de suite?

— C'est pas parce qu'il veut pas...

— C'est pourquoi d'abord?»

Edmond ne répondit pas. Il ne voulait pas dire à Émilie qu'il avait cherché Ovila partout et qu'il l'avait trouvé, ivre mort, dans un campement d'Indiens. Il ne voulait pas qu'elle sache qu'il n'avait dessaoulé qu'en de rares occasions depuis son départ. Qu'il s'était noyé de chagrin, dans tous les sens du terme. Qu'il lui avait fallu attendre qu'Ovila reprenne ses esprits pour lui dire qu'il avait un fils sans nom. Qu'É-milie l'attendait pour le baptême. Il ne voulait pas qu'elle sache qu'il l'avait conduit au presbytère pour qu'il se fasse soigner le corps et l'âme.

«Émilie... Ovila dit que tu l'as presque accusé d'avoir tué Louisa...pis il dit que le docteur a dit que Louisa était peut-être morte avant même que lui arrive, pendant que toi tu dormais. Est-ce que c'est vrai, Émilie, que tu as dit ça à mon frère?»

Émilie cessa de refouler les larmes qui lui embrouil-laient l'esprit. Elle sanglota longtemps et Edmond tenta de la consoler, même s'il commençait à comprendre les raisons du départ de son frère. Le chagrin d'Émilie lui parut tellement mince comparé à celui qu'il avait lu dans le regard d'Ovila. Il lui raconta la version d'Ovila. Son malaise incom-préhensible le soir de la mort de Louisa.

«Ovila dit qu'il est resté assis dans la cuisine à essayer d'entendre un son. Il pense que le son qu'il attendait, c'était la respiration de Louisa.»

Émilie lui demanda de se taire. Elle n'en pouvait plus d'entendre parler de la souffrance d'Ovila. Elle ne lui avait même pas donné la chance de s'expliquer. Elle l'avait accusé et il n'avait même pas dit qu'elle était aussi responsable que lui. Non, lui l'avait épargnée.

Émilie regarda mourir l'automne et naître l'hiver sans nouvelles d'Ovila. Elle avait l'âme en attente. Ovila devait le savoir. Elle se coucha la veille de sa fête en se disant que si elle connaissait bien son homme, il arriverait pendant la nuit. Elle ne dormit que d'un œil. Ovila ne rentra pas.

Elle passa la soirée chez ses beaux-parents qui lui avaient préparé un gâteau. Ses filles s'assoupirent et Émilie les laissa dormir. Elle rentra seule avec son fils, déçue et amère. Elle le coucha et fit le tour de la maison, regardant par chacune des fenêtres. Ovila n'était nulle part. Elle se résigna à se coucher. Elle entra dans sa chambre après être retournée une dernière fois jeter un coup d'œil sur son fils.

«Ferme les yeux...»

Elle poussa un cri et échappa la lampe qu'elle tenait. Le feu commença à lécher le plancher. Ovila se précipita avec une couverture qu'il jeta sur les flammes. Elles s'étouffèrent rapidement. Émilie n'avait même pas eu le temps de réagir qu'Ovila était retourné s'asseoir sur le lit au milieu de tous les cadeaux qu'il avait rapportés.

«Ça, madame, c'est une p'tite catin pour Rose. Comme vous le remarquez, c'est fait par les Indiens. Ça, c'est un p'tit jeu de bois pour Marie-Ange. Ça aussi c'est fait par les Indiens. Ça, c'est un hochet pour le p'tit. Quand on le brasse, ça fait du bruit parce que les Indiens ont mis des graines de blé d'Inde dedans. Ça, c'est pour vous. Je sais que vous voudrez pas vous promener avec, mais si ça vous tente de la porter, moi ça me plairait de la voir. »

Il remit à Émilie une magnifique robe indienne, toute de peaux cousues et liées par de fins lacets. Émilie porta la robe jusqu'à sa figure et la renifla. Elle sourit. Elle avait toujours aimé l'odeur de la peau.

«Pis ça, dit finalement Ovila après s'être penché pour aller prendre quelque chose sous le lit, ça c'est pour nous deux. Avec ça accroché au dos, il y a jamais un de nos *papooses* qu'on va perdre de vue.

— On a pensé la même chose, Ovila. Depuis que le p'tit est né, je le porte attaché sur moi avec un châle.»

Un long silence s'immisça entre les deux. Ovila regarda le plancher; Émilie, Ovila.

«J'ai pas été juste, Ovila.

— Je veux pus qu'on en parle.»

31.

Émilie et Ovila connurent enfin des mois d'un nouveau bonheur longuement espéré. Ils baptisèrent leur fils au grand soulagement de tous. Émilie avait souhaité qu'il soit nommé Ovila, comme son père. Ovila avait résolument protesté. Il voulait que son fils soit nommé Émilien. Après quelques discussions, Émilie avait cédé, trouvant finalement assez amusant d'avoir un fils qui portait presque son nom.

Ovila resta près de sa femme et de ses enfants. Émilie ne s'en plaignit pas. Il n'y eut qu'une ombre au tableau. Depuis le choc de la mort de Louisa, Émilie se sentait incapable de laisser Ovila l'approcher. Elle en souffrit autant que lui. Ovila comprit ses réticences et ne la brusqua pas. Lui même, trop heureux de voir son fils grandir en forme et en espièglerie, s'était demandé s'il avait vraiment envie d'avoir d'autres enfants. Mais la quotidienneté de leur amour vint à bout de leurs plus douloureuses résistances. Émilie conçut à nouveau à la fin mai, pendant une nuit pleine de rires, de pleurs, de soupirs et de lune. L'arrivée prochaine d'un autre enfant les réjouit comme si cet enfant eût été leur premier. La grossesse d'Émilie se déroula normalement. Elle épaissit à nouveau et Ovila se moqua un peu d'elle. Mais malgré plusieurs livres supplémentaires, il la trouvait toujours aussi belle. Et elle l'était.

À l'automne, Ovila dut se résigner à quitter le Bourdais pour aller dans les chantiers. Émilie et lui savaient qu'ils n'avaient pas vraiment de choix. Mais cette fois, Ovila partait le cœur léger à la pensée que sa famille était bien. Rose allait à l'école et se débrouillait grâce à la persévérance de sa mère. Marie-Ange, brusque et plutôt coléreuse, n'en demeurait pas moins la plus comique des enfants qu'il lui avait été donné de connaître. Émilien grandissait à vue d'œil et Ovila s'amusait à se tirailler avec lui, même s'il avait à peine plus d'un an. Et, avec un peu de chance, il réussirait à mettre assez d'argent de côté pour être de retour à la mi-février de façon à aider Émilie à accoucher de leur prochain enfant. Ils ne pouvaient plus compter sur Éva qui quitterait la maison paternelle pour suivre son mari.

Ovila partit et Émilie lui promit de l'attendre. Il avait ri en lui demandant si elle pouvait faire autrement. Elle lui avait répondu qu'elle le pouvait. Il lui suffirait de cesser de penser à lui. Ovila avait feint de la supplier de n'en rien faire. Elle lui avait répondu qu'elle y songerait.

Émilie passa quatre mois à regarder par la fenêtre tous les soirs, feignant une attente quotidienne. Elle alimentait son ennui, certaine que le retour d'Ovila n'en serait que meilleur. Quand il lui écrivait, elle dévorait ses lettres et continuait de les enfouir sous son oreiller. Elle ne voulait pas perdre ses habitudes d'adolescente, même si son adolescence était maintenant terriblement lointaine.

L'hiver fut assez clément pour ne pas l'obliger à s'alourdir davantage sous des vêtements trop épais. Ovila lui avait dit qu'il rentrerait au plus tard le quinze février au cas où elle accoucherait plus tôt que prévu. Aussi, dès le dix, elle essaya de vaincre son impatience. Tous les jours, elle devait se faire violence pour combattre la distraction qui s'emparait d'elle, lui faisant faire les pires imprudences. Sous son emprise, elle oubliait de chauffer le poêle, ou de bien fermer la porte ou encore de laver les couches d'Émilien. Le quinze février passa sans qu'elle eut de nouvelles de son mari. Elle commença à s'inquiéter. Elle relut sa lettre des centaines de fois. Il avait bien écrit qu'il serait de retour pour le quinze.

Le vingt février découvrit une Émilie sombre et inquiète. Elle craignait qu'un accident ne fût la cause du retard d'Ovila. Ses beaux-parents tentèrent de la calmer, mais en vain. Elle était de plus en plus angoissée. Edmond, lui, se contenta de froncer les sourcils. Il avait ses craintes secrètes.

Le vingt-sept février au matin, elle ressentit les premières douleurs. Elle préféra se dire qu'elles étaient le fruit de son imagination. Les douleurs persistèrent. À la fin de l'après-midi, quand déjà la journée se confondait avec la nuit de l'hiver, elle coucha ses enfants et fit de même. Les douleurs s'accentuèrent. Elle se releva, prise de panique à l'idée d'accoucher sans aide, et décida d'aller chercher sa belle-mère. Elle regretta de n'avoir pris cette décision plus tôt. Rose aurait pu aller demander du secours. Maintenant, il était trop tard. Elle ne voulait pas que Rose sorte à la noirceur et de plus, Rose dormait. Elle tremblait à l'idée de laisser ses enfants seuls. Peut-être n'accoucherait-elle que le lendemain? Une violente contraction l'obligea à réagir. Elle devait aller chercher du secours. Elle s'emmitoufla dans son manteau, prit son manchon, cala sa toque sur ses cheveux défaits et sortit d'un pas décidé dans la noirceur remplie de rafales et de tourbillons de vent.

Elle suffoqua. Une lame de vent venait de se briser contre sa poitrine courbée. Jamais elle ne réussirait. Le vent était de plus en plus emporté. Elle jura contre son mauvais sort puis décida que tout ce qui lui arrivait était la faute d'Ovila.

«Maudit Ovila! Maudit toi! Pourquoi est-ce que tu es pas arrivé comme tu l'avais dit?»

Des larmes commencèrent à lui dessiner des sillons sur les joues. Son ventre se faisait de plus en plus pressant. Elle regarda devant elle et ne vit pas la maison des Pronovost. Elle se retourna et ne vit pas la sienne non plus. Elle se demanda si elle devait rebrousser chemin ou poursuivre sa route. Ses sanglots étaient maintenant tellement violents qu'ils réussissaient à lui taire les hurlements du vent. Elle décida de rebrousser chemin, mue par la peur qu'un de ses enfants ne s'éveille et ne la cherche. Elle revint sur ses pas déjà effacés et impossibles à distinguer. Une contraction plus violente que les autres l'obligea à s'arrêter. Elle eut le pénible sentiment que jamais elle ne pourrait retrouver sa maison. Si seulement elle avait résisté à l'envie d'aller chercher du secours.

La contraction fut immédiatement suivie d'une autre, plus violente encore. Émilie laissa échapper un cri de surprise et de douleur. Les eaux venaient de se rompre. Elle sentit leur tiédeur se changer en fraîcheur. Elle tenta d'accélérer le pas mais trébucha.

Dès qu'elle sentit la neige s'engouffrer dans son collet, elle bascula dans un abîme de désespoir. Elle cessa de se battre et, résignée, s'abandonna à sa douleur, au froid et au vent. Elle se tourna sur le côté et la neige la couvrit rapidement. Émilie cessa de pleurer. Elle avait besoin de toute son énergie pour mettre fin à cette folle naissance. La plus folle des naissances qu'elle avait créées.

Elle ahanait maintenant aussi fort que le vent. Son corps, bien à l'abri dans la fourrure de son manteau, expulsa l'enfant. Elle prit son manchon et, déboutonnant le manteau, elle réussit après plusieurs contorsions à y enfouir la petite masse chaude et gluante, encore accrochée à elle par son cordon de vie. Elle se releva péniblement, inquiète des conséquences que pourrait avoir une telle arrivée sur terre, et aperçut enfin une lueur dans la fenêtre de ce qu'elle reconnut comme sa maison. Elle s'y dirigea péniblement, perdant pied à plusieurs reprises. Elle parvint enfin à la porte, titubant et, d'une main agitée, réussit à ouvrir sans laisser de prise à la bise.

Elle se précipita dans sa chambre, courbée par son ultime effort de ne pas échapper le manchon et son précieux contenu. Elle accrocha des ciseaux et du fil au passage et referma la porte derrière elle. De nouvelles contractions l'avertissaient qu'elle était sur le point d'expulser le placenta. Elle réussit à sourire en pensant que son corps avait attendu qu'elle soit prête à le faire. Sans même prendre le temps d'enlever son manteau, elle s'étendit sur le lit et dégagea le bébé du manchon. Elle coupa le cordon après l'avoir noué.

Elle fit seule tout le travail de la mère et de la sage-femme. Elle expulsa le placenta, se lava après s'être enfin dévêtue, lava le bébé et le déposa dans le moïse qui l'attendait à côté de son lit. Elle se recoucha, ne souffla pas sa lampe et regarda pendant de longues heures cette petite fille à l'air déjà moqueur qui s'amusait à faire des bulles avec sa salive. Émilie soupira d'aise. Rien n'obstruait les poumons. Elle prit finalement le bébé dans ses bras et regretta de ne pouvoir l'allaiter. Pourquoi n'avait-elle jamais pu allaiter? Elle se leva et marcha jusqu'à la cuisine pour chauffer un biberon. Le bébé dans les bras, elle revint à sa chambre après être allée jeter un coup d'œil sur ses autres enfants. Dieu merci, ils respiraient tous.

Le bébé tétait encore goulûment quand Émilie fut rejointe par ses enfants. Elle demanda à Rose de s'habiller et d'aller chercher sa grand-mère. Elle retira la tétine de la bouche du bébé pour que Rose, Marie-Ange et Émilien puissent bien le voir.

«C'est un étalon ou une jument?» demanda Marie-Ange.

Émilie éclata de rire avant de lui dire que c'était une fille. Marie-Ange était bien la nièce d'Edmond. Elle aurait préféré penser qu'elle était d'abord la fille de son père, mais ceci lui apparût comme un vœu et non une réalité. Elle redonna la tétine à la nouvelle venue et rappela à Rose d'aller chercher sa grand-mère. Rose partit enfin, toute seule et toute petite dans des montagnes de neige.

Félicité arriva moins d'une demi-heure plus tard. Elle gronda Émilie de ne pas avoir demandé d'aide. Émilie se contenta d'émettre un petit grognement. Elle ne voulait pas raconter son aventure. Elle ne la raconterait à personne. Pas même à Ovila. Cette naissance serait une secret qui, pour quelques minutes encore, serait connu d'elle et sa fille, puis, la mémoire de la naissance s'effaçant rapidement, d'elle seule.

«On dirait, madame Pronovost, qu'Ovila pis moi on réussit juste à faire des p'tites qui vous ressemblent.

— Tu trouves?

— Oui, celle-là aussi vous ressemble.»

Félicité s'approcha de la petite tête dégarnie et l'observa longuement.

«Ça veut dire qu'elle va ressembler à Marie-Ange.

— Je pense que oui, même si en vieillissant Marie-Ange a un peu de votre mari.»

Félicité sourit à sa belle-fille et osa lui demander si elle attendrait Ovila avant de choisir le nom. Émilie lui dit qu'elle n'attendrait pas et que le nom était tout choisi.

«Celle-là, madame Pronovost, j'vas l'appeler Blanche.

— Où c'est que tu as pêché ce nom-là? Connais-tu une Blanche?

— Non, mais c'est son nom pis j'en démordrai pas.»

Félicité regarda encore une fois le bébé maintenant endormi.

«Sais-tu quoi, Émilie? Je trouve que ça lui va bien. As-tu choisi ça pour te rappeler de la tempête de neige?

— On peut rien vous cacher, madame Pronovost», répondit Émilie, un petit rire accroché aux lèvres et qu'elle était seule à entendre.

Ovila n'était arrivé qu'à la fin de mars, au grand désespoir de ses parents. Émilie, elle, avait changé sa douce attente en rage. Elle l'accueillit froidement et lui laissa à peine le temps de regarder Blanche qu'elle était affairée à langer et à coucher. Ovila ne passa aucune remarque. Il défit sa valise, seul, ce qui était nouveau. Habituellement, Émilie le faisait. Il s'était préparé de nombreuses réponses aux questions qu'elle allait lui poser. Elle n'en posa aucune, se contentant de lui demander s'il avait rapporté assez d'argent pour qu'ils puissent manger jusqu'à l'automne. Il en fut profondément blessé.

Émilie passa de longs mois à ignorer Ovila. Elle s'était levée un matin et avait décidé qu'il ne lui ferait plus mal. Elle l'en empêcherait. S'il ne pouvait tenir sa parole avec elle, alors il ne méritait pas son attention et son amour. Peu à peu, elle concentra davantage son attention sur ses enfants que sur son mari. Ovila avait essayé à maintes reprises de lui expliquer les raisons de son retard. Elle n'avait pas voulu entendre. Il n'avait donc pu lui dire qu'il y avait eu un accident au chantier. Qu'un traîneau rempli de billots s'était déversé sur une douzaine d'hommes, en tuant trois sur le coup. Que lui-même avait échappé à la mort, sauvé parce qu'il s'était absenté deux minutes pour uriner. Que trois minutes avant de mourir, une des victimes le taquinait encore en lui disant de faire attention de ne pas «geler son avenir». Il n'avait pas pu lui dire non plus qu'il avait accepté de rester trois semaines de plus au chantier pour finir le travail entrepris par son *foreman*, qui était un homme comme son père. Il n'avait pas pu lui raconter comment ils avaient dû dégager les corps coincés sous les patins de l'énorme traîneau. Il avait gardé pour lui ses cauchemars, qui ne le quittaient plus depuis que la tête d'un des hommes avait roulé jusqu'à ses pieds et qu'il s'était penché pour la ramasser.

Depuis son retour, il ne reconnaissait plus Émilie. Il avait perdu sa femme quelque part sous des billots. Il acceptait son erreur. Il aurait dû lui écrire. Mais sachant que la lettre n'arriverait probablement pas avant lui, il ne l'avait pas fait. Maintenant, il savait que la lettre, arrivée même tardivement, aurait forcé Émilie sinon à l'entendre, au moins à le lire. Il aurait ainsi prouvé qu'il n'avait pas agi par insouciance, mais bien par compassion.

Il tourna autour d'elle pendant tous ces mois qu'elle l'ignora. Désespéré. Elle continuait sa routine, était toujours aussi gentille devant les enfants, mais dès qu'ils avaient fermé les yeux, elle se murait dans son silence. Elle cousait, brodait, tissait, ou, si elle n'avait vraiment pas envie de travailler, jouait de son accordéon qu'elle maîtrisait maintenant parfaitement bien. Quand la soirée était vraiment belle, elle retournait dans son potager pour érocher, désherber ou fixer des tuteurs. Vingt fois Ovila était allé à l'hôtel étancher sa soif d'Émilie. Vingt fois il en était revenu, sobre, refusant à la dernière minute de replonger dans l'enfer qu'il avait connu. Mais quand les ombres commencèrent à s'étirer plus tôt et qu'Émilie n'avait toujours pas ouvert la bouche ou les bras, il disparut un soir. Il rompit toutes les promesses qu'il avait faites au bon curé de La Tuque et à son frère Edmond. Il se noya littéralement l'âme dans une mer de bouteilles de genièvre.

Émilie était à la fenêtre. Elle l'attendait depuis cinq jours. Depuis cinq jours elle était passée par un arc-en-ciel d'émotions, allant du rouge de la colère au rose du chagrin en passant par le vert de l'espoir. Elle aurait dû lui parler. Elle aurait dû lui raconter son accouchement et en rire avec lui, maintenant qu'elle était capable de le faire. Elle aurait dû l'écouter quand visiblement il s'apprêtait à lui parler. Elle s'en voulait de l'avoir repoussé. De l'avoir rejeté. Mais elle s'était dit qu'il lui fallait une bonne leçon. Que même s'ils étaient mariés depuis bientôt sept ans, il ne devait pas s'asseoir sur sa conquête. Elle voulait qu'il continue à lui faire la cour. Elle aurait voulu qu'il pense à l'amener, seule, au chalet. Ils auraient bien pu se débrouiller pour faire garder les enfants. Il n'avait rien proposé, rien dit. Elle enrageait de voir qu'il affichait un air de victime, un air de malheur alors que c'était elle la victime, la malheureuse.

Elle l'attendait. De plus en plus impatiemment. Elle n'en pouvait plus des journées sans soleil et des nuits sans fin. Elle entendait les derniers soupirs de l'été et se désespérait à l'idée qu'Ovila repartirait bientôt et qu'ils n'avaient même pas profité du temps qu'ils avaient eu à leur disposition.

Elle attendit pendant douze jours avant de l'apercevoir enfin, éméché et sale, titubant en direction de la maison. Elle bondit d'abord de joie puis, voyant à quel point il était ivre, elle s'empressa de verrouiller les portes. Elle lui ferait comprendre qu'elle était heureuse de le revoir mais qu'elle n'acceptait pas son état.

Ovila essaya d'ouvrir la porte mais ne réussit pas. Il comprit qu'Émilie lui en voulait toujours. Il n'insista pas et se dirigea vers son atelier. Il se laissa choir dans un coin, se recroquevilla et pleura des larmes amères. Ce fut Rose qui vint l'éveiller en lui disant que sa mère avait préparé du bon café. Il ouvrit un œil et l'aperçut, légèrement floue.

«Qu'est-ce que ta mère a dit?

— Moman a dit que vous étiez rentré de voyage, pis que vous aviez joué au «bonhomme sept heures» pis qu'elle avait barré la porte parce que vous lui faisiez trop peur pis qu'elle s'était endormie.»

Ovila se grattait la tête pour y activer la circulation sanguine. Rose avait l'air de s'amuser franchement de l'histoire qu'Émilie lui avait racontée. Émilie n'avait jamais été à court d'imagination quand il s'agissait de couvrir quelqu'un de la famille. Conquis par le sourire de sa fille, il rit avec elle et continua même l'histoire qu'Émilie avait commencée. Il se leva péniblement et marcha en direction de la maison. Il ouvrit la porte. Émilie, Marie-Ange et Émilien se précipitèrent vers lui avec des cuillers de bois.

«Bonhomme sept heures! Bonhomme sept heures!...» criaient-ils en chœur.

Ovila regarda Émilie et comprit qu'elle avait fait une belle mise en scène pour saluer son retour. Il vit aussi de la joie dans ses yeux. Il se mit alors à gronder et à feindre de griffer, courant après les enfants sans jamais les attraper.

«Je vous l'avais bien dit que le bonhomme sept heures avait dormi ici», leur cria-t-elle en riant. Blanche, réveillée par les cris, pleura pour appeler sa mère, mais c'est son père qui était venu la prendre tout doucement.

Émilie et Ovila passèrent quelques journées à essayer de rattraper le temps perdu, mais ni l'un ni l'autre ne raconta les faits qui les avaient tant troublés. Ovila fuit l'hôtel pendant quelque temps puis il y retourna pour se convaincre qu'il était redevenu maître d'une situation qui le dépassait. Émilie s'abstint de lui faire quelque remarque que ce soit, considérant qu'il n'était jamais ivre au point de mériter sa réprobation. Ce n'est que la veille de son départ qu'Ovila rentra à la nuit naissante et qu'elle se permit de le regarder lourdement.

«Regarde-moi pas comme ça, Émilie...Tu dois bien savoir que dans les chantiers il est pas question qu'on prenne un p'tit coup. J'ai juste comme fait des provisions.»

Il trouva sa remarque assez drôle pour en rire. Émilie, elle, ne rit pas.

«Faudrait que tu m'expliques ça, Ovila. Quand tu arrives, tu dis que tu as du temps à reprendre pis avant de partir, tu dis qu'il faut que tu te fasses des provisions. Si je comprends bien, quand tu es pas dans le bois, tu as toujours une bonne raison de boire.

— Voyons donc, Émilie, je bois pas tant que ça. Juste une fois de temps en temps.

— Je te trouve généreux. On dirait que la seule affaire que tu sais pas compter, c'est les verres que tu prends.

— Fais pas de drame, Émilie. J'en prends pas tant que ça.

— C'est ce que je disais, Ovila...tu sais pas compter.»

Ovila partit le lendemain, tenant sa valise d'une main et sa tête de l'autre. Il avait oublié les remarques d'Émilie. Il la regarda longuement, lui fit plusieurs signes de la main et lui promit qu'il rentrerait aussitôt qu'il aurait assez d'argent pour qu'ils survivent jusqu'au prochain chantier. Émilie lui fit un signe d'assentiment, se demandant intérieurement si, maintenant, il comptait ses dépenses d'hôtel dans l'argent qu'il leur fallait.

À la surprise générale, il rentra à la fin janvier, d'un pas alerte malgré le froid, impatient de surprendre Émilie et ses enfants. Émilie rit de plaisir quand elle l'aperçut. Ils passèrent une nuit agitée et heureuse. Une nuit comme ils les aimaient.

Le lendemain matin, Émilie lui demanda quand il devait repartir. Ovila répondit évasivement. Elle insista. Il lui avoua qu'il ne retournerait pas au chantier de coupe, mais qu'il repartirait pour la drave.

«Ça veut dire dans à peu près deux mois et demi.

— La drave? C'est trop dangereux ça, Ovila. J'aimerais mieux pas. J'vas être trop inquiète. Tu as pas d'expérience là-dedans.»

Ovila, à sa grande surprise, lui répondit assez sèchement qu'inquiète ou pas, il partirait. Qu'ils n'avaient pas assez d'argent pour subsister jusqu'à l'automne. Émilie lui demanda alors si les salaires avaient diminué et Ovila lui dit que non. Après plusieurs minutes d'interrogatoire, Ovila s'emporta, demandant à sa femme si elle travaillait pour la police et s'il devait rendre compte de chaque dollar qu'il gagnait ou dépensait. Émilie fut saisie de le voir si irritable. Jamais il ne lui avait parlé sur ce ton. Puis, elle eut une idée qu'elle tenta vainement de repousser. Mais plus elle y songeait, plus elle était certaine de ne pas se tromper.

«Dis-moi donc, Ovila, à quelle date exactement que tu es parti du chantier?

— Pourquoi tu me demandes ça?

— Pour savoir.»

Il s'empourpra et lui lança à la tête qu'il avait quitté le chantier une semaine avant son retour. Émilie attendit quelques minutes avant de lui dire, froidement, qu'elle ne le croyait pas. Offusqué, Ovila s'emporta davantage. Elle continua de piquer jusqu'au moment où, perdant tout contrôle, il lui lança qu'il avait quitté le chantier avant les Fêtes!

Émilie avala péniblement avant d'être capable de lui parler. Cette fois, c'est elle qui était furieuse.

«Charles Pronovost! Je gagerais que tu t'es fait mettre à la porte du chantier. Je gagerais aussi que tu as pas une *cenne* dans tes poches pis que c'est pour ça que tu vas aller à la drave.»

Elle continua de lui dire ce qu'elle pensait. Qu'il avait probablement bu tout ce qu'il avait gagné. Qu'il lui avait effrontément menti. Qu'elle était sagement à la maison à l'attendre pendant que lui, au lieu d'agir en homme responsable, se vautrait quelque part dans un hôtel minable. Que plus le temps passait, moins il était fiable. Qu'il était en train de lui apprendre la méfiance, le mépris et l'insécurité. Qu'elle n'avait pas envie de vivre dans la méfiance et la peur de manquer d'argent, surtout avec quatre enfants à nourrir. Qu'il compromettait sa paix d'esprit.

Ovila lui fit un signe de la main, lui indiquant par ce geste qu'elle pouvait bien aller paître et qu'il continuerait de faire à sa tête. Il se leva, s'habilla et sortit. Émilie ne le revit plus pendant deux mois. La seule gratitude qu'elle eut à ce moment fut que les enfants n'eussent pas semblé comprendre qu'il était revenu et reparti en moins de douze heures.

Durant tout le temps que dura son absence, elle se refusa à l'attendre. Elle contint sa colère et ne souffla mot de sa courte visite qu'à son beau-père, qui avait cru le voir sur la route. Il avait froncé les sourcils et noté qu'Ovila avait beaucoup changé. Émilie ne pleura que lorsque le médecin lui annonça qu'elle était bel et bien enceinte. Elle avait refusé de le croire, certaine qu'une nuit, qu'une courte nuit, n'avait pu servir de toile de fond à la création d'une nouvelle vie.

Ovila rentra. Émilie l'ignora presque complètement, se contentant de lui dire que son bagage était prêt depuis longtemps. Ovila prit un bain, s'amusa avec les enfants, puis accrocha sa valise d'une main pendant qu'il tenait la poignée de la porte de l'autre.

«J'espère que tu m'excuseras, Émilie. Il y a des choses que moi-même je comprends pas. Prends soin de toi pis des p'tits.

— Quand je t'ai marié, Ovila, c'était parce que toi tu voulais prendre soin de moi. Si c'était trop difficile, tu avais juste à rester vieux garçon. J'aurais survécu. Pour ce qui est des enfants, je voudrais quand même pas que tu partes sans savoir qu'on va en avoir un autre quelque part en novembre. Je sais que tu seras pas là, mais comme ça quand tu vas rentrer entre deux chantiers, tu seras pas étonné de me voir encore grosse.»

Ovila hocha la tête, posa sa valise et vint l'embrasser dans les cheveux.

«Je sais que tu peux pas comprendre, Émilie, mais je t'aime. Bien mal, mais je t'aime, ma belle brume.»

Émilie se leva pour le regarder par la fenêtre. Elle avait lu son chagrin dans ses grands yeux pleins de larmes. Où était son Ovila? Son beau grand fou? Et elle, où était-elle?

Ovila écrit à Émilie pour lui dire qu'il s'était trouvé du travail sur un chantier de la Laurentide Pulp. Il la rassura en lui racontant qu'il consacrait la plus grande partie de son temps à la construction d'un barrage et de quais. Le contremaître lui avait demandé de surveiller le ruisseau afin qu'il ne s'obstrue pas. Il vivait dans une tente, avec d'autres hommes. Il lui dit aussi que dès que ce travail serait terminé, il serait affecté à la *sweep*, qui consistait à remettre à l'eau les billes échouées sur les rives. Il continua sa lettre en lui disant qu'il travaillerait sept jours par semaine au moins jusqu'à la fin de l'été et qu'il espérait mettre pas mal d'argent de côté, étant donné qu'il touchait quinze cents l'heure et qu'il travaillait de cinq heures et demie du matin à huit heures et demie du soir. Il lui demanda de faire elle-même le calcul.

Émilie regarda le calendrier. Elle comprit qu'il ne reviendrait probablement qu'aux Fêtes. À la Toussaint, elle mit au monde un second fils, qu'elle baptisa Joseph Paul Ovide. Elle écrivit à Ovila pour lui demander s'il préférait appeler son fils Paul ou Ovide. Ovila lui répondit qu'il préférait Paul. Paul commença donc son existence, bien couvé par sa mère et ses sœurs, ignorant l'existence de son père qui, à ce moment précis, travaillait comme charretier dans un nouveau camp.

Ovila ne vint pas aux Fêtes. Émilie n'en fut qu'un peu attristée, commençant à reprendre goût à la solitude et à la simplicité des journées passées sans adultes dans son entourage. Avec ses cinq enfants, elle avait les mains pleines et se demandait comment elle aurait pu trouver le temps de consacrer quelques minutes de sa journée à son homme. Cette année-là, il rentra à la fin mai…sans un sou et sans emploi. Émilie pleura de désespoir. Comment allait-elle réussir à nourrir tous ses enfants?

«Tu m'as dit de calculer combien on aurait… laisse-moi te dire que dans mes calculs, on en avait pas mal plus que ce que tu rapportes.»

Ovila ne répliqua pas, se contentant de s'excuser et de lui promettre que la prochaine fois il ne dépenserait pas un seul sou avant de rentrer.

«Tu bois trop, Ovila. Tu bois tout le temps. C'est pas la première fois que ça t'arrive de perdre une jobbe. On a cinq enfants, Ovila. Faudrait que tu commences à penser à eux autres.

— Pourquoi est-ce que tu penses que je me fends le derrière hein? Pourquoi est-ce que tu penses que je me fais manger par les maringouins, les mouches noires pis les *mouches à chevreuil* si c'est pas pour vous autres?

— C'est peut-être pour nous autres quand tu pars, mais quand tu reviens, ça donne l'impression que c'était pas mal plus pour toi pis pour tes *chums* à qui tu paies la traite.»

Ovila grogna. Il savait qu'Émilie avait raison. Comment pourrait-il lui faire comprendre qu'il travaillait sans arrêt pour assurer leur confort mais que, malgré toute sa bonne volonté, il ne réussissait jamais à mettre un sou de côté?

«J'aime pas faire des règlements, Ovila, mais j'aimerais que tu m'envoies l'argent à toutes les semaines. Comme ça je serais moins inquiète.

— Tu as pus confiance en moi, ma belle brume?

— Non, Ovila, j'ai pus confiance. Mais la confiance, ça se gagne. Tu as juste à me montrer que tu veux changer. J'vas te croire.

— C'est promis.»

Ovila repartit trois semaines plus tard laissant derrière lui Émilie, enceinte d'un sixième enfant; Dosithée, furieux qu'il ait refusé de l'aider à la ferme; et cinq enfants, les trois plus vieux fort attristés par son départ.

Émilie lui posta les journaux le plus régulièrement possible, espérant qu'en retour, il penserait lui expédier quelques dollars. Il n'y pensa pas.

Elle avait repris sa routine annuelle. Une vie sans homme, au sein d'enfants qui ne cessaient de se multiplier. Une vie calquée sur les saisons. Elle regrettait les premières années de son mariage, se demandant si Ovila aurait tant changé s'il était resté sur le vieux bien, à cultiver la terre. Elle s'en voulut un peu d'avoir clamé qu'elle n'aimait pas la terre. Comment avait-elle pu penser une chose comme celle-là? La terre, presque sans efforts, apportait plus de nourriture dans les assiettes que les salaires invisibles d'un pourvoyeur absent.

À la fin février 1911, elle accoucha d'un troisième fils. Elle le fit baptiser Georges Clément. Cette fois, elle avertit Ovila qu'il s'appellerait Clément. Elle ne lui demanda pas son avis. Elle trouva que sa famille était belle à regarder. Trois fils et trois filles. Elle souhaita intérieurement s'en tenir à ce nombre.

Au début de juin, elle fut étonnée de ne pas voir Henri Douville. Il s'était trouvé un nouvel emploi à Montréal et avait abandonné celui d'inspecteur aux mains d'un jeune blond boutonneux qui, à ce qu'Émilie apprit, laissait les enfants faire ce qu'ils voulaient durant ses visites, se contentant de consacrer de longues heures à la lecture de leurs travaux, bien assis au pupitre de l'institutrice, penchée derrière lui pour lui déchiffrer les mots mal écrits. Elle reçut une longue lettre d'Antoinette qui semblait radieuse d'habiter la métropole. Antoinette l'invita à venir la visiter. Émilie sourit amèrement. Elle ne voyait pas le jour où elle retournerait à Montréal.

À la fin de juin, elle assista seule au mariage d'Edmond et de Philomène Beaulieu. Son beau-père la prit à part pour lui dire qu'Ovila, s'il le voulait, pourrait faire amende honorable maintenant qu'Edmond quittait la maison. Émilie, à son grand étonnement, se réjouit de cette perspective. Elle fut même incapable d'en dormir pendant plusieurs jours, imaginant une nouvelle vie avec Ovila qui n'aurait plus à s'éloigner. Qui n'aurait plus de raisons de s'ennuyer et de boire.

Elle rêva au printemps. À l'érochage et aux semis. Elle rêva à l'été. Aux foins et aux récoltes. Aux conserves qu'elle ferait pendant qu'Ovila engrangerait les herbes pour les bêtes. Elle rêva à l'automne. À ses couleurs et à ses odeurs. Au lin qu'Ovila couperait et qu'elle broierait. Elle rêva à l'hiver qu'elle passerait seule, à l'attendre, le cœur serré dans la poitrine chaque fois que quelqu'un mettrait la main sur la poignée de la porte de la maison. Puis aux sucres. Maintenant leurs enfants auraient du travail à faire. Rose et Marie-Ange pourraient fort bien laver les chaudières. Même Émilien pourrait suivre son père.

Elle rêva tant qu'elle crut à ses rêves. Elle y croyait encore quand Ovila revint à la fin de l'été. Elle lui en parla longuement le jour et la nuit. Ovila, subjugué, promit à son père qu'il prendrait la place d'Edmond. Dosithée, ému, le serra dans ses bras. Il demanda même à Félicité d'apprêter le veau qu'il venait d'abattre pour fêter le retour de son enfant prodigue.

Ovila rentra le foin pendant qu'Émilie, toute à sa joie, faisait des conserves de tomates, et de maïs, et de petits pois. Il faucha le lin qu'elle s'empressa de broyer avec les autres femmes. Plus tard dans l'automne, quand son ventre se fut encore alourdi d'un septième enfant, elle commença à filer son lin pendant qu'Ovila et son père réparaient tous les instruments et les entreposaient pour l'hiver. Elle fit provisions de viande dès qu'ils eurent abattu les animaux. Et quand Ovila fut parti pour bûcher pendant les mois d'hiver, elle soupira en pensant à son retour prochain.

Elle l'attendait toujours au mois de mai 1912 quand elle mit une quatrième fille au monde. Elle la nomma Emma Jeanne. Ovila, à son retour, déciderait si c'était Emma ou Jeanne qui dormait bien paisiblement, suspendue au dos de sa mère qui n'avait jamais négligé de porter la hotte indienne qu'Ovila lui avait rapportée six ans plus tôt.

Au mois de juin, elle et son beau-père passèrent une soirée presque funèbre à parler de leur attente déçue. Elle pleura longuement. Jamais plus elle ne croirait aux miracles.

Jeanne avait trois mois quand elle fut enfin présentée à son père. Celui-ci ne la vit réellement que deux jours plus tard, quand les brouillards de l'alcool se furent dissipés. Aussitôt qu'il put marcher, il alla voir son père pour lui dire qu'il ne travaillerait plus sur la terre. Dosithée soupira. C'était sa façon à lui de pleurer.

Ovila revint chez lui pour expliquer à Émilie qu'il était incapable de vivre la vie d'un cultivateur.

«J'étouffe sur la ferme, Émilie. Je manque d'air.

— Pis dans le bois, je suppose que l'air est meilleur?

— C'est juste pas le même air.»

Cet après-midi-là, Émilie lui avait demandé d'aller chez le boucher chercher pour deux dollars de bœuf. Elle lui avait remis l'argent, bien plié. Ovila lui avait dit qu'il n'en aurait que pour une demi-heure. L'heure du souper était depuis longtemps passée quand Émilie, faisant l'inventaire de ses provisions, dut se rendre à l'évidence : elle n'avait pas assez de viande pour remplir le ventre de ses enfants. Elle regarda encore une fois à la fenêtre pour voir si Ovila n'arrivait pas. À son grand soulagement, elle le vit. Elle courut lui ouvrir la porte. Ovila entra et se dirigea en titubant vers sa chambre. Émilie blêmit.

«Le bœuf, Ovila. As-tu rapporté le bœuf?

— Quel bœuf?»

Émilie essaya de contenir sa colère. Elle regarda ses enfants qui patientaient comme ils le pouvaient.

«Donne-moi les deux piastres, Ovila.

— Deux piastres?»

Émilie claqua la porte de leur chambre. Elle demanda aux aînés de l'aider à habiller les plus jeunes et de s'habiller eux-mêmes. Puis elle partit avec eux, séchant ses larmes aussi discrètement que possible, et frappa à la porte des Pronovost. Elle essaya de blaguer pour leur dire que, distraite comme toujours, elle avait oublié d'acheter la viande et qu'elle n'avait rien préparé pour le souper. Félicité lui mit une main sur l'épaule et invita les enfants à passer à table. Dosithée avait quitté sa berceuse et s'était réfugié dans sa chambre.

Émilie revint tard dans la soirée. Elle coucha ses enfants et se fit un lit d'occasion dans le salon. Le lendemain matin, Ovila s'éveilla, seul. Il alla dans la cuisine. Émilie s'y affairait déjà.

«C'est quoi ces histoires-là de pas dormir avec son mari?

— C'est pas des histoires. C'est comme ça. Remarque que quand j'vas avoir un mari, j'vas dormir avec lui.»

Ovila rit d'elle, lui disant qu'elle aurait à en trouver un qui aimait les grosses femmes. Émilie lança le torchon qu'elle tenait à la main, se retourna pour lui faire face et répondit d'une voix éteinte par la colère qu'elle n'avait de poids que le poids de ses grossesses. Ovila lui répliqua qu'elle avait perdu son sens de l'humour. Elle rétorqua qu'ils étaient plusieurs à l'avoir perdu ensemble. Elle et toute sa famille à lui, précisa-t-elle. Ovila cessa de rire et retourna se coucher. Aussitôt étendu, il bourra son oreiller de coups de poings.

Pendant les deux semaines qui suivirent, il ne quitta pas la maison. Émilie crut d'abord que cela ne durerait qu'une journée ou deux. Mais, voyant qu'il ne parlait même pas de sortir le soir, elle se laissa lentement apprivoiser. Ils passèrent de nombreuses soirées à parler des chantiers et de la petite vie de la famille. Émilie avait bien vu s'allumer l'étincelle dans les yeux d'Ovila chaque fois qu'il parlait du bois. Elle savait que dans ses veines à lui, il ne coulait pas de sang, mais de la sève.

La troisième semaine commença par une petite visite de politesse au marchand général, courte visite qui se termina par une longue visite de retrouvailles chez l'hôtelier. Émilie ne l'attendit pas. Elle savait que l'homme qui entrerait ce soir-là chez elle lui serait parfaitement étranger. Elle savait que cet homme, elle pouvait le détester. Elle avait donc bercé Jeanne. Non pas parce que Jeanne avait l'habitude de s'endormir dans les bras de sa mère, mais bien parce que sa mère avait un urgent besoin de chaleur.

Ovila repartit pour les chantiers dès l'apparition de la première feuille rouge. Émilie ne s'en étonna ni ne s'en plaignit. Ces départs n'étaient maintenant plus réglés sur les saisons mais sur la soif d'Ovila. À peine eut-il quitté la maison qu'Émilie s'empressa de changer les draps de leur lit. Ce soir-là, elle réintégra sa chambre à coucher, soulagée d'avoir au moins une certitude, celle de ne pas être enceinte.

Ovila revint neuf mois plus tard, la veille de la fête de Rose, à qui il avait apporté un cahier pour écrire. Rose le remercia poliment puis montra le cahier à sa mère. Celle-ci lui promit qu'elles le noirciraient de lettres et de chiffres. Rose avait eu dix ans et ne savait pas encore vraiment écrire, mais Émilie ne désespérait pas. Elle mettait d'ailleurs beaucoup d'énergie à lui cacher ou à minimiser les progrès de Marie-Ange ainsi que ceux d'Émilien qui, même s'il ne fréquentait pas encore l'école, connaissait toutes ses lettres et pouvait compter jusqu'à mille. Il avait d'ailleurs plus de talent pour les chiffres que les lettres.

Ovila s'abstint d'aller visiter ses parents. Émilie le lui reprocha. Il lui avoua qu'il ne s'en sentait pas la force. Émilie comprit qu'il avait du remords de ne pas avoir accepté l'offre de son père.

«Chaque fois que je vois le père, le cœur me sort de la poitrine. Je sais tout ce qu'il faudrait que je fasse pour lui faire plaisir, mais je suis pas capable de m'installer sur une terre.

— Tu pourrais au moins aller le voir.

— Demain. J'vas y aller demain.»

Le lendemain, il tint parole, mais son père était parti pour le village. Ovila dit à ses frères qu'il reviendrait. Il décida d'aller visiter Edmond et sa femme Philomène, qu'il connaissait peu. Il arriva en pleine scène de ménage. Philomène était en larmes. Dès qu'elle le vit arriver, elle se réfugia dans sa chambre.

«Elle a pas l'air de bonne humeur. Est-ce que c'est son état qui la rend de même?

— Bof! Imagine-toi qu'elle voudrait que je déménage pour vivre au village. Depuis qu'elle sait qu'on va avoir un p'tit, c'est pire. À l'entendre, on dirait qu'il y a pas moyen d'élever une famille dans l'odeur du fumier pis dans les mouches qui tournent autour. Tu me vois-tu au village? Je viendrais fou ben raide. Du monde à côté, pis devant, pis en arrière. Du monde qui *écorniffle*. Non, merci pour moi. Je bouge pas d'ici.»

Ovila ne posa plus de questions. Si Philomène détestait la vie à la ferme autant que lui, il comprenait qu'elle veuille tant déménager.

«J'ai pas encore été voir de p'tites vues à Saint-Tite. Est-ce que ça te dirait qu'on y aille?

— Si Philomène veut venir, est-ce que ça te dérange?

— Ben non. »

Philomène refusa, alléguant qu'elle était trop laide pour sortir. Edmond regarda Ovila, mine de lui faire comprendre qu'il savait qu'elle refuserait. Après avoir regardé les films, les deux frères rentrèrent bien sagement. Ovila n'avait jamais osé boire avec Edmond. Il avait encore frais à la mémoire ce que son frère avait fait pour lui et essayait de lui laisser quelques illusions.

Émilie fut tellement surprise de voir arriver Ovila, qu'elle lui sauta au cou pour embrasser sa sobriété.

«Ton père est venu. Il m'a dit que vous vous étiez manqués. Il m'a dit qu'il t'attendrait demain.

— Je le verrai demain d'abord.»

La sobriété de la veille aidant, Ovila se leva en forme et avisa Émilie qu'il allait prendre café et déjeuner avec son père. Émilie lui sourit un encouragement. Ovila partit donc d'un pas alerte et sans appréhension. Ce matin-là, il savait qu'il trouverait les mots pour faire comprendre à son père pourquoi il était incapable de vivre sur la ferme. Il savait que son père frôlait le désespoir quand il songeait à l'avenir de ses terres. Ovide travaillait comme seul un lézard pouvait le faire, passant la quasi-totalité de son temps étendu dans un hamac qu'il tendait soit entre deux poteaux de la galerie, soit entre deux arbres au lac à la Perchaude quand il trouvait la maison trop bruyante. Il avait aussi cultivé l'art de déclencher une quinte de toux apparemment fort douloureuse quand on lui demandait un service. Edmond avait quitté le vieux bien pour vivre avec sa femme dans l'ancienne maison du père Mercure, qu'il avait réussi à racheter. Il aidait bien à semer et ramasser le foin nécessaire à ses chevaux mais le reste du temps, il le passait à l'hippodrome avec les autres jeunes du village, tous piqués par la maladie des compétitions et de la gageure. Oscar, lui, avait fait savoir qu'il avait l'intention de travailler pour les chemins de fer, d'y utiliser l'anglais qu'il avait appris au *Business College* et de faire carrière. Il préférait la télégraphie sans fil aux fils barbelés. Émile, lui, était intéressé à prendre la terre, mais il était encore trop jeune et si court que Dosithée s'était demandé s'il aurait jamais la force de transporter ses ballots de foin. Télesphore n'avait qu'une passion: les bijoux, les montres, les horloges et tout ce qui s'y rapportait. Il rêvait d'avoir, un jour, sa propre bijouterie et de passer de longues journées, l'œil caché derrière une loupe, à changer des ressorts, visser des vis presque invisibles, écoutant sans cesse les tic-tac de toutes les horloges qui l'entoureraient. Il rêvait aussi d'avoir un trousseau garni de dizaines de clés sonnantes, chacune ouvrant un tiroir bourré de pierres et de métaux précieux posés sur du velours.

Ovila fronça les sourcils. Il comprenait de façon très aiguë les craintes de son père. Peut-être qu'Ovide reprendrait des forces. Peut-être qu'Edmond reviendrait travailler sur les terres de son père. Peut-être qu'Oscar se lasserait de passer ses journées assis à déchiffrer des messages, à remplir et à vider des wagons-poste, à vendre des billets et à porter des valises. Peut-être qu'Émile grandirait encore d'un pouce ou deux. Peut-être que Télesphore rêvait en couleurs, aux couleurs du saphir et de l'émeraude. Peut-être même que Lazare, ce frère mort depuis plus de dix ans, ressusciterait? Ovila ne savait qu'une chose: jamais il ne pourrait abandonner la liberté que lui offrait le bois.

Ce matin, il ferait comprendre à son père qu'il aimait la terre mais la terre sauvage, grouillante de vie, remplie d'humus, de roches et de broussailles. Belle de mauvaises herbes. Il lui expliquerait qu'il en avait fini pour toujours avec l'alcool et que jamais, plus jamais, il ne laisserait Émilie sans ressources. Jamais, non plus, il ne l'obligerait lui, son père, à nourrir les bouches que son fils avait engendrées. Il lui dirait à quel point il le respectait et combien il était fier de répéter aux hommes du chantier que tout ce qu'il connaissait du bois, c'était de son père qu'il l'avait appris. Que son père avait été et serait toujours à ses yeux le meilleur bûcheron du monde.

Il arriva devant la porte. Il inspecta rapidement la maison et sourit de fierté. Pas une seule planche, pas un seul clou n'avaient bougé depuis onze ans. Déjà onze ans. Onze ans depuis qu'il s'était tué au travail pour surprendre sa belle brume. Un papillon lui chatouilla le ventre. Émilie méritait mieux que lui. Il lui prouverait qu'elle n'avait pas eu tort. Dès aujourd'hui. Dès que la brouille entre lui et son père se serait levée comme une brume matinale, sans laisser de trace.

Il frotta ses pieds sur le tapis que sa mère laissait toujours à l'entrée et mit la main sur la poignée. Celle-ci tourna seule et lui échappa. Sa mère était devant lui, livide.

«Ton père vient de mourir, Ovila.»

Il appuya toute la ligne de son corps sur le cadre de la porte et gémit.

****

Chapitre quatrième

1913-1918

32.

Ovila vécut les funérailles de son père. Jamais funérailles ne furent plus douloureuses. Il avait longuement cru que la mort de Louisa était la pire mort qu'il aurait à affronter. La mort de Louisa avait goûté la révolte et l'absurde. Celle de son père était aussi amère que le regret, le remords, l'impuissance et la certitude de vivre le reste de sa vie avec un immense besoin de pardon. La mort de son père avait déterré tous les «si»: si j'étais venu la veille...si j'avais pu être autre chose que sa déception...s'il avait pu compter sur moi...si...

Avec sa famille il quitta le cimetière pour se rendre directement chez le notaire. Là, il connut la honte. L'humiliation. De chez les morts, son père lui avait crié son rejet. Ti-Ton, le petit Émile, héritait de la totalité du patrimoine et devait assumer la garde de sa mère jusqu'à la fin des jours de celle-ci. À Ti-Ton aussi la responsabilité d'Ovide. Edmond, Oscar et Télesphore touchaient chacun de l'argent. Et à Émilie revenait tout l'argent qu'Ovila n'avait jamais mérité.

Le visage d'Émilie s'était empourpré au même rythme que celui d'Ovila s'était décoloré. Ovila se leva et les pria tous de l'excuser. Émilie, pas encore remise de ses émotions, partit derrière lui. Pendant leur triste sortie, le notaire avait toussoté pour essayer de se donner une contenance. Félicité, la première, parvint à se ressaisir.

«Vous êtes sûr que vous avez bien lu?

— Certain, madame Pronovost. Il y a pas d'erreur.

— On vous remercie.

— Il y aurait un p'tit détail...»le notaire se racla la gorge. «Feu votre mari a fait des arrangements avec moi, qui suis comme vous le savez, son exécuteur testamentaire, pour que l'argent déposé au nom de sa bru ne puisse être touché par ...euh...personne d'autre qu'elle.

— Il a rien laissé à Rosée pis à Éva?

— Non, rien.»

Félicité se leva, imitée par ses fils. Elle remercia froidement le notaire, plus mal à l'aise de le voir mêlé à des histoires de famille que choquée ou même étonnée par le testament, et sortit précipitamment. Aussitôt dehors, elle remarqua que la calèche d'Ovila était partie. Elle corrigea aussitôt ses pensées. La calèche d'Émilie était partie. Ovila l'avait toujours considérée comme sienne, mais tout le monde savait que c'était la calèche d'Émilie. Défraîchie, mais bien à elle.

Émilie pleura durant tout le trajet. Ovila n'avait pas desserré les dents. Sa petite veine bleue lui battait à la tempe. Il regardait devant lui, conduisant à peine plus rapidement qu'habituellement. Émilie craignait qu'il pense qu'elle avait fomenté cette «punition» — parce que c'en était vraiment une — avec son beau-père. Ovila lui demanda de cesser de pleurer, à moins évidemment qu'elle pleure la mort d'un homme qui l'avait beaucoup aimée, elle. Émilie ne répondit pas, se contentant de se moucher bruyamment.

«Écoute, ma belle brume, le père a suivi sa conscience. C'est dur à avaler, mais le père a suivi sa conscience.»

Il n'ajouta rien, visiblement trop ému. Émilie lui dit enfin qu'il y avait quelque chose d'injuste dans ce testament. Qu'elle lui remettrait la part qui lui revenait. Ovila leva le ton et lui défendit de le faire.

«J'ai pas besoin de cet argent-là. J'vas en gagner assez pour faire vivre ma famille.»

Rendus dans la rang du Bourdais, Ovila, au lieu de se diriger vers leur maison, prit le chemin du lac. Émilie ne fit aucun commentaire. Elle irait où il voulait la conduire. S'il avait besoin d'être au lac, alors elle l'y suivrait.

«Émilie, faut que je te parle.»

Ils étaient bien assis dans le chalet. Émilie s'était installée près de la fenêtre. Elle fit comprendre à Ovila qu'elle l'écoutait. À travers de lourds sanglots, il lui dit que c'en était fini de la vie de chantiers. Qu'il avait maintenant plus de trente ans et qu'il devait cesser de jouer aux Indiens. Qu'il avait sept enfants qu'il adorait, quoi qu'elle en pensât, et qu'il avait bien l'intention de rester près d'eux et de leur mère. Il lui jura, sur la tête de son père, qu'il redeviendrait comme avant... Qu'elle devait lui faire confiance. Il redeviendrait comme il l'était avant... Il ajouta qu'à cause de lui, Émilie n'avait plus revu sa famille depuis des années.

Émilie se rembrunit. Comme son père lui manquait. Depuis qu'il avait compris que le mariage de sa fille était un purgatoire — il n'avait jamais osé dire enfer — il n'avait su comment la consoler. À défaut de mots, il l'avait ignorée. Émilie en avait souffert et lui avait écrit une longue lettre, où elle lui parlait de son besoin de le voir. Par la plume de Célina, Caleb lui avait répondu un peu froidement que jamais elle ne s'était déplacée. Émilie ne lui avait pas pardonné ce reproche. Elle s'était donc abstenue de lui écrire, adressant ses lettres à sa mère. Elle avait vu ses frères, Hedwidge, Émilien et Jean-Baptiste. Ils s'étaient arrêtés à Saint-Tite en route pour l'Abitibi. Ils s'y étaient loué des terres et avaient décidé de partir à l'aventure. Leur rencontre avait été brève, mais pas assez pour cacher les limites de la misère sur lesquelles Émilie se tenait souvent en équilibre. Ses frères avaient été tellement troublés de voir leur aînée contrainte de vivre ainsi qu'à partir de ce jour, ils lui avaient régulièrement expédié un peu d'argent. Émilie, pour la première fois depuis quinze ans, s'était découvert des liens avec sa famille.

Ovila continuait de parler et de sangloter, lui disant qu'il savait qu'il lui avait fait énormément de chagrin. Qu'elle commençait à avoir d'autres rides que ses rides de sourire autour des yeux et beaucoup plus qu'un cheveu blanc. Il la gâterait. Comme il le faisait avant...

Ils passèrent tout l'après-midi au lac. Ils rentrèrent à la maison et Ovila, en cours de route, lui expliqua qu'il avait perdu le courage de faire face à la vie, la nuit de la mort de Louisa.

«T'es-tu rendu compte, Émilie, que sur trois enfants, il y avait juste Marie-Ange qui pouvait nous laisser voir qu'on avait un futur?

— Oui, Ovila, mais après Marie-Ange, ça s'est pas arrêté. On a eu Émilien, Blanche, Paul, Clément pis Jeanne. Si on n'a pas de futur avec nos trois beaux fils pis nos quatre filles, qu'est-ce que tu veux de plus?»

Il ne parla plus. Elle venait, par cette petite phrase, de lui mettre un miroir en face de l'âme. Il n'aimait pas ce qu'il y voyait.

Ce soir-là, pour la première fois depuis des années, Émilie dormit dans sa chambre, avec Ovila. Elle l'avait bercé comme elle avait bercé chacun de ses enfants. Elle lui avait chuchoté tous les espoirs qu'ils devaient avoir. Elle lui avait juré qu'elle l'aimait encore et toujours.

«J'ai pas encore donné grand-chose à mes enfants, Émilie, mais au moins je peux dire que je leur ai donné une maudite bonne mère.»

Ovila passa l'été à Saint-Tite. Il aida son frère Émile. Télesphore les quitta pour aller apprendre son métier de bijoutier à Grand-Mère. Oscar, lui, continua à recevoir et à expédier ses messages par TSF. À l'automne, Ovila trouva du travail, rue du Moulin, chez Massicotte qui était embouteilleur. Émilie s'était réjouie de son «retour à l'équilibre».

L'année 1914 commença merveilleusement. Émilie et Ovila conçurent leur huitième enfant. Le village avait été électrifié et le travail ne manquait plus. Les manufactures de cuir poussaient comme des champignons. Ils furent invités à l'ouverture de la Acme Glove Work Limited. Le village prospérait. Le Conseil avait même voté un budget spécial pour paver les rues. Les femmes disaient qu'il n'y avait pas de comparaison possible: on pouvait maintenant épousseter une seule fois par semaine.

Edmond et Philomène ne réussirent jamais à s'entendre. Philomène lui avait lancé un ultimatum. Edmond n'avait pas bronché. Et à la surprise de tous, Philomène était partie. Un matin, Edmond s'était levé et Philomène n'était plus là. Félicité avait grondé son fils. Il aurait pu faire preuve de plus de compréhension. Edmond ne remua toujours pas. Ovila était allé voir Philomène au village, pour essayer de la raisonner. Elle ne pouvait partir au huitième mois de sa grossesse. Edmond ne pouvait vivre dans le Bourdais et elle au village. Philomène lui avait répondu qu'elle ne retournerait jamais à la campagne et que si Edmond voulait voir son enfant, il n'avait qu'à venir la rejoindre. Ovila avait fait le message à son frère. Edmond avait ricané de dépit. Il avait ajouté qu'il était certain que Philomène reviendrait.

Dès que Philomène connut la réponse de son mari, elle décida de donner le grand coup. Elle partit retrouver sa mère à Shawinigan. Et c'est à Shawinigan qu'elle accoucha de sa fille Marguerite, dont Edmond apprit la naissance plusieurs semaines plus tard. Pendant la durée de la brouille, personne, hormis la famille, n'avait été mis au courant. Les gens trouvaient même normal que Philomène ait voulu accoucher près de sa mère. Mais, voyant qu'elle ne revenait pas, ils commencèrent à murmurer. Edmond, plus beau que jamais, était inattaquable. Mais elle...

Leurs murmures furent enterrés par les grondements lointains des canons qui déchiraient l'air et la chair de l'Europe. Plusieurs jeunes de Saint-Tite s'engagèrent dans l'armée canadienne, attirés par la solde, mais aussi par le goût du voyage et de l'aventure. Oscar, lui, se porta volontaire dans l'armée américaine, comme télégraphiste. Il partit de Saint-Tite, arrosé par les larmes de sa mère qu'Ovila avait consolée tant qu'il avait pu.

«Faut pas vous en faire, sa mère. Oscar est pas mal plus fin que ça. Pensez-y deux minutes. Le danger, c'est pas dans l'armée américaine. Les Américains seront jamais impliqués dans cette guerre-là. Le danger, c'est dans l'armée canadienne. Oscar se serait jamais porté volontaire dans notre armée. Oscar est bien plus fin que ça.»

Le quatre mars, le Conseil de ville vota la prohibition. Les gens bougonnèrent tellement qu'il amenda aussitôt son règlement et permit la vente «sous tolérance».

Émilie était inquiète. Elle craignait que la guerre n'ait des répercussions fâcheuses au Canada. Elle craignait pour ses enfants, surtout pour celui qui n'était pas encore né. Un enfant de la guerre! Ovila l'avait rassurée. Si lui ne voyait aucune raison de s'inquiéter, alors elle devait faire de même. Émilie n'avait plus parlé de ses angoisses de guerre. Pas plus qu'elle n'avait parlé de ses angoisses de mère. Depuis la mort de son beau-père, elle avait eu le sentiment de perdre son protecteur. Depuis sa mort aussi, elle avait réappris à sourire de la présence d'Ovila. À presque endormir sa peur de le revoir succomber à son étrange soif impossible à étancher. Elle n'aurait jamais plus la force ou le courage de revivre des années comme celles qu'elle avait connues.

Ovila était redevenu aussi charmeur et aussi charmant qu'il l'avait été. À nouveau, il l'avait séduite. Il avait repris le droit de propriété qu'il avait toujours eu sur son cœur, son âme et son corps. Et elle l'avait laissé faire. Elle avait même fermé les yeux sur quelques soirées qu'il avait fêtées un peu plus allègrement qu'il ne l'aurait dû. Il buvait maintenant beaucoup moins souvent qu'avant. Il ne découchait plus et elle s'était habituée aux odeurs d'alcool fermenté qu'il exhalait durant son sommeil. Ces soirs-là, pourtant, elle fermait son corps.

Leur vie s'était remise sur la bonne voie. Ils allaient tous ensemble, lui, elle et les enfants, à la messe du dimanche. Les gens disaient à nouveau qu'ils étaient le plus beau couple de Saint-Tite. Émilie avait recommencé à porter haut sa tête pour sa grande fierté et celle d'Ovila. Le curé Grenier, lors de sa visite paroissiale, leur avait dit qu'il les admirait. Qu'ils avaient surmonté bien des épreuves et que leur amour s'en était trouvé grandi. Il leur avait redit que les «voies du Seigneur étaient impénétrables». Émilie avait acquiescé. Ovila avait souri. Toutes les dettes qu'elle avait contractées à l'épicerie de monsieur Léveillée étaient payées et Émilie ne sentait plus la gêne l'envahir lorsqu'elle allait faire ses achats. Elle écrivit même à son père pour lui dire qu'elle était très heureuse. Que Dieu avait fait un miracle. Caleb lui avait répondu qu'il viendrait la voir, intrigué par la soudaine religiosité de sa fille. Jamais, de mémoire, Émilie n'avait mêlé Dieu à son mariage.

À la mi-octobre, elle donna naissance à Alice. Son accouchement fut extrêmement pénible. Elle dit à Ovila qu'elle espérait qu'Alice serait leur dernier enfant. Elle n'avait plus l'âge de mettre des enfants au monde. Ovila, ayant toujours à la mémoire la pénible naissance de Marie-Anne, approuva. Alice serait la naissance de leur renaissance.

Pour les Fêtes, ils décidèrent d'aller à Saint-Stanislas. Retenu par la maladie de Célina, Caleb n'avait pu venir à Saint-Tite. Émilie s'était bien gardée d'avertir ses parents. Elle voulait les surprendre. Ils passèrent Noël à Saint-Tite et arrivèrent à Saint-Stanislas la veille du Jour de l'An. Avec toute la famille, y compris Alice. Célina leur ouvrit la porte et faillit s'évanouir.

«Tu parles d'une idée, Émilie. Tu aurais dû me prévenir. J'ai même pas assez de manger.»

Émilie fut blessée.

«Entrez! Entrez!» Caleb venait de pénétrer dans la cuisine. «On pensait qu'on aurait des Fêtes tranquilles rapport à la santé de ta mère pis rapport que Napoléon était le seul qui pouvait venir. Ça, c'est une maudite belle surprise! Pis on va tout de suite tuer une grosse oie.»

Il regarda longuement sa fille et l'enserra dans ses bras.

«Qu'est-ce qui t'amène, ma fille?

— Ovila pis moi, on avait juste envie de recevoir la bénédiction paternelle.

— J'vas vous bénir, moi, j'vas vous bénir. Au moins dix fois pour toutes les années que j'ai manquées.»

Célina s'étendit pendant qu'Ovila et Caleb allèrent abattre l'oie. Émilien suivit. Caleb lui avait confié l'énorme responsabilité de s'asseoir sur l'oiseau à la gorge tranchée pour l'empêcher de courir partout. Émilien détesta sentir l'agitation de la volaille qui agonisait sous son poids.

De retour à la maison, Caleb invita chacun de ses petits-enfants sur ses genoux.

«Toi, tu es la plus grande. Tu dois être Rose.

— Non, moi c'est Marie-Ange.

— Marie-Ange. Es-tu aussi sage que ton nom?

— Non. J'ai jamais été sage.»

Caleb éclata de rire. Émilie, qui avait les mains pleines de sang et de plumes, se retourna et acquiesça.

«Celle-là, pâpâ, on peut dire que son nom est pas mal menteur. Marie-Ange a bien changé depuis qu'elle était p'tite. Elle a déjà été sage. Mais ça a changé quand Louisa est morte.»

«D'abord, toi tu dois être Rose.

— Oui.

— Pis tu as quel âge Rose?

— Douze et demi.

— Tu es pas bien grande pour ton âge. Vas-tu encore à l'école?

— Oui.

— Tu dois être savante astheure. Veux-tu faire une maîtresse d'école comme ta mère?»

Émilie posa son couteau assez violemment sur le comptoir pour attirer l'attention de son père. Il semblait avoir oublié les problèmes de Rose. Caleb la regarda, étonné, puis il se souvint.

«Euh… ma belle Rose, peux-tu aider ton vieux pépère? J'ai pas la mémoire des noms pis j'ai pas la mémoire des âges. Marie-Ange, elle, elle a quel âge?

— Presque onze. Pis lui, tu le connais. C'est Émilien. Il a huit. Pis la p'tite gênée, c'est Blanche. Elle, elle a six.

— Presque sept, répliqua Blanche, offusquée.

— Moi, j'ai cinq ans plus deux mois moins un jour, dit Paul. Je suis né le premier novembre en neuf.»

Caleb, Émilie et Ovila éclatèrent de rire. Paul les regarda et se demanda s'il avait dit quelque chose de drôle. Caleb l'attira à lui et le jucha sur ses genoux.

«Tu es fort en calcul, toi, mon bonhomme. Je gagerais que tu vas travailler dans une banque quand tu vas être grand.

— Non, pépère. J'vas être un prêtre.

— C'est une bien bonne idée ça. Tu auras pas de problèmes pour compter les hosties, pis pour compter l'argent de la quête, pis pour compter les indulgences.

— Pis Paul, pâpâ, est bon en dessin. Il sait déjà écrire toutes ses lettres pis même des mots.

— Tu es comme ta mère était. Même p'tite, ta mère disait qu'elle serait maîtresse d'école. Es-tu aussi têtu qu'elle?

— Je suis pas têtu, mais moman dit toujours que je fais à ma tête.

— Moi aussi, moman me dit ça, renchérit Blanche.

— Pis moi aussi, dit Marie-Ange, d'un air nonchalant.

— Pis l'autre jour, Paul pis moi on a été dans la rue, enchaîna Blanche. Tu vois pépère, Paul pis moi, on a fait à notre tête. Moman nous avait dit de pas y aller.»

Caleb fronça les sourcils et les regarda sévèrement tous les deux. Il prit une voix caverneuse.

«Vous désobéissez à votre mère?»

Paul regarda Blanche, furieux. Puis il se tourna vers ses parents qui semblaient plongés dans leurs pensées.

«Pas besoin de nous parler comme ça, pépère. La grenouille nous l'a dit avant vous.

— La grenouille?...

— Ben oui, la grenouille, répondit Blanche. Paul pis moi on l'a vue la grenouille. Pauvre p'tite grenouille toute écrasée parce qu'elle avait été dans la rue. Paul pis moi, on est revenus en courant pour dire à moman qu'on désobéirait pus jamais.»

Jeanne s'était approchée de son grand-père. Il déposa l'enfant qu'il avait sur les genoux et la prit. Il prit aussi Clément.

«Toi, tu dois être Clément.»

Clément fit oui de la tête.

«Le chat a-tu mangé ta langue?»

Clément fit non de la tête.

«Tu as quel âge, toi? »

Clément montra trois doigts puis deux doigts en pointant Jeanne.

«Parles-tu des fois?»

Clément prit un air renfrogné et montra du poing à son grand-père. Puis, au grand étonnement de Caleb, d'Ovila et d'Émilie, il lui donna un bon coup, juste dans l'œil. Caleb fut tellement saisi qu'il le poussa et Clément tomba par terre, sur ses fesses. Il se releva aussitôt et donna un bon coup de pied dans le tibia droit de son grand-père. Ovila se leva rapidement et prit Clément par le bras. Il lui donna une taloche derrière la tête. Clément hurla. Ce fut assez pour permettre à Caleb de se ressaisir.

«Bon! je suis bien content d'entendre que tu as une voix. Je commençais à me demander.»

Émilie prépara seule tout le repas du Nouvel An, sa mère étant trop fatiguée pour l'aider. Mais Émilie le fit avec joie. Elle s'étonnait de ne plus rien trouver dans cette maison qu'elle avait habitée pendant seize ans. Mais depuis vingt ans qu'elle l'avait quittée, ses mains, qui autrefois allaient chercher ce qu'elle leur demandait, ouvraient maintenant plusieurs portes et tiroirs avant de trouver un couteau, une fourchette ou même les assiettes et les verres.

Le repas se déroula dans la sérénité. Caleb profita de quelques minutes de solitude avec sa fille pour lui dire combien elle lui avait toujours manqué. Combien il avait été imbécile de ne pas l'aider quand il avait su qu'elle aurait eu besoin de lui. Combien il regrettait d'être intervenu dans son projet de mariage avec Douville. Émilie lui sourit en lui disant qu'elle était plus heureuse avec son Ovila qu'elle l'aurait été avec un trop sage et trop parfait Douville.

«C'est difficile à expliquer, pâpâ, mais Ovila, j'ai toujours essayé de l'attirer. Ovila, c'est un grand indépendant. Chaque fois que je suis avec lui, même astheure, j'ai l'impression que je viens de gagner une p'tite bataille…ou bien, des fois, une grande guerre.»

Ovila, Émilie et les enfants revinrent à Saint-Tite en chantant des cantiques de Noël. Alice avait dormi pendant presque tout le trajet, bien au chaud sur sa mère. En passant à Saint-Séverin, ils avaient fait une halte chez la cousine Lucie mais la maison était vide. Lucie et Phonse avaient dû aller fêter quelque part. Émilie en fut attristée.

«Ça fait tellement longtemps que Lucie m'a pas fait rire. Dans ses lettres, je l'entends pas bégayer, pis c'est moins drôle.»

Ils arrivèrent à Saint-Tite tard dans la nuit et Paul trouva quand même le temps de compter tout l'argent que son grand-père Bordeleau leur avait donné. Le lendemain matin, il réussit à convaincre son père de les conduire, lui et Blanche, à la nouvelle Banque Provinciale pour qu'ils puissent, avec toute leur fortune, ouvrir chacun un compte de banque. Ovila céda et c'est le sourire aux lèvres qu'il avait regardé son fils serrer la main de J.B. Lebrun, le gérant, et signer le bordereau de son premier dépôt. De retour à la maison, il dut accepter de conduire Émilien qui, lui aussi, voulut faire son premier dépôt. Paul avait dit qu'avec tout l'argent qu'il mettrait à la banque, il paierait ses études. Blanche, elle, avait déposé son argent pour se payer un voyage à Montréal. Émilien, lui, avait promis que cet argent servirait à l'achat du magasin qu'il aurait plus tard.

En voyant le télégramme, Émilie sut. Il contenait certainement une mauvaise nouvelle. Elle prit des ciseaux pour ouvrir l'enveloppe au lieu d'en déchirer un côté. Les mots se brouillèrent sous ses yeux Le message était laconique et sans appel. Sa mère avait passé une nuit troublée à lutter contre le poids du corps de son père qui n'avait cessé d'envahir «son côté du lit». Elle avait passé la nuit à lui dire de se déplacer. Mais il n'avait pas bougé. Au matin, elle s'était rendu compte qu'elle avait dormi avec la mort. Que son corps chaud de vie avait vainement chauffé la grande froidure qui avait pris possession de celui de son mari.

Émilie ne lut pas le message une seconde fois. Elle demanda à Marie-Ange d'atteler sa carriole. Marie-Ange obéit, aidée d'Émilien. Émilie endossa son manteau et partit au village chercher Ovila. Elle glissa dangereusement sur une neige glacée par la pluie qui était tombée la veille. Ses larmes coulaient tellement de ses yeux qu'elle eut l'impression d'inonder un chemin déjà saturé d'eau gelée.

Elle ne dit qu'une phrase à Ovila. Il enleva son tablier graisseux, s'essuya les mains avec du papier journal, la quitta pour dire un mot à son patron et revint pour l'accompagner. Elle lui passa les commandes de la carriole et se réfugia sous la peau d'ours. Dans ses pensées.

«Je fais les valises.

— Les chemins sont trop glissants, Émilie. On pourra jamais se rendre tout d'un morceau.

— Si tu as peur, Ovila, reste ici. Moi, rien va m'arrêter.»

Ovila connaissait assez bien sa femme pour savoir que tous les arguments qu'il pourrait trouver ne réussiraient pas à la fléchir. Elle irait à l'enterrement de son père, dût-elle marcher la distance qui séparait les deux villages.

«Va voir Edmond. Demande-lui de nous prêter sa Ford à *coups de pied*. Avec des sacs de cendre, des briques pis des bonnes pelles, on pourrait se rendre.»

Ovila n'avait pas pensé à cette solution. Jamais il n'aurait osé demander la belle *machine* que son frère avait achetée. Jamais il n'aurait pensé qu'on pouvait emprunter une machine. Mais il le ferait.

Edmond accepta, à condition de conduire lui-même. Ovila en fut presque soulagé. Au moins, s'ils capotaient dans un fossé, il ne serait responsable de rien.

Ils furent à Saint-Stanislas en la moitié moins de temps que s'ils avaient pris une carriole. Les sœurs d'Émilie et ses frères Rosaire et Napoléon étaient déjà aux côtés de leur mère, qui sanglotait l'horreur de sa dernière nuit d'épouse. Caleb reposait paisiblement dans le salon que Célina n'avait même pas épousseté tant elle avait été accablée par la soudaineté de la disparition de son mari. Émilie se précipita dans les bras de sa mère puis elle s'approcha de son père, le regarda longuement, incapable d'empêcher un sourire de se faufiler à travers les larmes de sa peine. Elle resta là, immobile pendant une éternité, à repenser à son père, ce père qu'elle avait tant craint et tant aimé. Ce père ambitieux et timide. Ce père qui lui avait toujours reproché son entêtement, comme s'il n'avait pu souffrir de se reconnaître sous ce trait de caractère qu'elle avait hérité de lui.

Elle se rapprocha encore du corps inanimé et sans même s'en rendre compte, elle lui lissa cette mèche qui, même dans la mort, demeurait rebelle. Elle alla à la cuisine se mouiller les doigts et les enduire de savon. Elle revint et colla la mèche, comme elle l'avait fait le matin de ses noces. Elle sortit un peigne de son sac à main et entreprit de refaire la raie dans les cheveux gris et gras de son père. Elle centra son nœud de cravate, épousseta le revers de son col d'habit et replaça le chapelet dans ses doigts figés. Il portait au majeur de sa main droite la marque de sa dernière maladresse. Elle pensa qu'il avait dû se couper. Elle plissa les yeux pour bien regarder si elle n'avait rien négligé. Rassurée quant à l'apparence de son père pour son arrivée dans l'au-delà, elle lui posa un baiser sur le front en lui demandant silencieusement de ne pas trop jurer, de ne pas trop faire rire et de l'aider, elle, sa grande mule, pendant ces jours et ces jours qu'il lui restait à vivre. Elle eut l'impression qu'il avait souri. Mais c'était ses larmes à elle qui avaient animé la fixité des lèvres de Caleb.

Elzéar Veillette entra dans le salon, se tenant faiblement sur une canne. Célina trouva la force de se lever pour l'accueillir. Veillette venait visiter Caleb pour la première

442

fois de sa vie. Il s'agenouilla devant le corps de son plus vieil et plus cher ennemi. Il sanglota comme un enfant dont le jouet préféré vient de se briser. Célina s'éloigna, pensant que Veillette n'avait pas besoin de témoins. Émilie, elle, s'approcha, lui posa une main sur l'épaule et lui murmura que son père devait être bien triste d'avoir, le premier, mis fin à ce jeu de la petite guerre qui durait depuis près d'un demi-siècle. Veillette souleva les épaules puis commença à ricaner à travers ses sanglots.

«Ce maudit-là va rire quand il va voir que je braille comme un veau. On a passé notre vie à nous haïr, parce que si le monde avait su qu'on se haïssait pas, le monde aurait pas eu d'histoires à raconter. Mais, entre vous pis moi, madame, votre père pis moi, on s'est toujours donné un coup de main. Ça, personne l'a jamais su.»

Caleb fut déposé dans le caveau du cimetière, la terre trop gelée refusant de laisser ouvrir ses entrailles pour l'accueillir. Émilie demanda au bedeau de la paroisse, un de ses cousins, de lui faire savoir la date de la mise en terre, même si elle n'avait lieu que dans plusieurs mois. Le bedeau lui répondit qu'il ferait son possible, ce qu'il oublia complètement le moment venu.

Le retour fut presque aussi silencieux que l'aller. Tantôt Émilie éclatait en sanglots, berçant sa tristesse d'avoir si peu vu son père depuis son départ de la maison. Tantôt elle éclatait de rire, racontant alors à Edmond et à Ovila quelque souvenir cocasse. Puis elle se taisait, revivant des instants, des émotions, des images, des sons et même des conversations. Son père lui manquerait. Son père lui manquerait terriblement. Malgré la brouille si opaque qui les avait éloignés l'un de l'autre. Malgré leur incompréhension mutuelle. Malgré tout ce qui n'avait pas été parfait, son père venait de rejoindre ses bons souvenirs. Ceux de la liberté qu'il lui avait permis d'avoir. Ceux du respect et de la fierté qu'il lui avait témoignés, même à travers un grincement de dents. Ceux de ses innombrables surprises emballées dans des petites ou des grandes joies.

Émilie remercia le ciel des centaines de fois de l'avoir amenée à Saint-Stanislas au début de cette nouvelle année pour recevoir la bénédiction des retrouvailles, qui était finalement devenue celle des adieux. Le premier janvier, Caleb s'était servi de ses mains pour former une croix sur ses enfants et sa descendance. Le premier janvier, Caleb avait utilisé ses yeux en guise de goupillon, pour les asperger de son émoi et de sa reconnaissance. Le cinq janvier, Caleb les avait quittés sans avoir eu le temps de revivre toutes les précieuses minutes passées en leur présence.

Ovila et Émilie apprirent ensemble à battre d'une seule aile. En dix-huit mois, tous les deux s'étaient retrouvés orphelins de père. Ovila pensa qu'Émilie et lui avaient pu éviter de vivre deux morts semblables. Leur courte visite à Saint-Stanislas leur avait permis à tous deux d'éliminer la lourdeur d'un second remords. Ovila envia quand même un peu sa femme. À lui, cette chance n'avait pas été donnée. Quand Émilie hérita à nouveau, il s'abstint de commentaires. Il savait qu'elle avait maintenant quinze cents dollars à la banque. Il savait aussi qu'elle ne lui en donnerait jamais, même s'il continuait d'être ce qu'il était depuis la mort de Dosithée. Il avait semé la méfiance et la méfiance avait envahi l'âme de sa femme comme la teigne.

Au début d'avril, Télesphore arriva sans tambours ni trompettes fêter Pâques avec sa famille. Félicité fit cuire une fesse de jambon bien dodue et bien fumée qu'elle piqua de clous de girofle. Elle regarda ses enfants qui mangeaient de bon appétit et sourit à la vie. Dosithée ne l'avait pas laissée seule.

«Pis, mon Télesphore, ton cours, ça va bien?

— Si ça va bien? Ça va mieux que ça. J'en sais assez astheure pour ouvrir ma bijouterie à moi!

— Ici à Saint-Tite? demanda sa mère.

— Non, je penserais pas. C'est pas que ça me tenterait pas, mais il y a pas assez de monde qui a les moyens d'acheter des bijoux par ici. J'vas plutôt ouvrir ça à Shawinigan. Avec toutes les usines de *pulp and paper*, il y a bien des familles, bien des salaires...ce qui veut dire bien des *acheteux*.»

Le lundi de Pâques, Télesphore passa la soirée chez Ovila et Émilie à discuter d'un travail qu'il voulait confier à son frère. Il sortit un papier froissé d'une de ses poches et le déplia sur la table. C'était un meuble de bijoutier. Pipe aux lèvres, Ovila étudia le dessin longuement, puis prit un autre papier et un crayon. À partir du croquis ébauché maladroitement par Télesphore, il dessina un autre meuble, magnifique, à la devanture vitrée. À l'arrière, une mosaïque de tiroirs de toutes dimensions.

«Maudit, Ovila, j'en reviendrai jamais. Tu as dessiné le plus beau meuble de bijoutier que j'ai jamais vu. Pis ce qui m'écœure, c'est que je sais que tu vas le faire encore plus beau que sur le dessin. C'est écœurant d'avoir du talent de même! Tu trouves pas, Émilie?

— Le talent d'Ovila, c'est un puits sans fond. Moi, j'ai jamais essayé de comprendre.»

Longtemps, ils parlèrent du meuble. Ovila demanda à Télesphore quel bois il préférait.

«Du pin blond pas de nœuds, ça serait pas beau?

— Jamais! Un meuble de bijoutier, faut que ça fasse riche! Pour ça, faut prendre du chêne ou de l'érable. Du bois dur. Pas du bois mou. Voyons, Télesphore! Veux-tu avoir l'air d'un bijoutier ou d'un fermier?

— Prends donc le bois que tu voudras, Ovila. D'ailleurs, je vois pas pantoute pourquoi tu m'as demandé mon avis.»

Émilie s'amusa de l'étonnement réel qui était apparu au front d'Ovila. Il se racla la gorge, avant de reprendre la parole d'un ton adouci.

«C'est que... je sais pas combien tu veux le payer ton meuble. C'est vrai que le pin, ça coûte rien. Astheure, quand on parle de l'érable, c'est pus la même histoire. On en a de coupé depuis des années. Je pourrais le faire tailler pis planer. Le chêne, c'est encore plus cher. Mais...si tu me demandes mon avis, je dirais que tu veux un meuble qui dure toute ta vie. Non? Le pin, ça va *poquer* pas mal plus vite que l'érable. Pis l'érable, moi, il y a un p'tit quelque chose dans la couleur du bois qui, à la longue, me fatiguerait. Je veux pas dire par là que c'est pas un beau bois. Non, c'est pas ça que je veux dire pantoute. Mais, le grain du chêne...

— Laisse faire, Ovila. Le chêne, je peux pas payer ça.»

Les frères convinrent donc que le meuble serait en érable. Télesphore promit de revenir pour voir les travaux vers le dix mai. Ovila compta mentalement le temps qu'il avait devant lui et promit que le meuble serait presque fini. Le lendemain matin, il se leva très tôt pour commencer le nettoyage de son atelier avant de partir pour le travail. Émilie fut émue de voir son mari reprendre ses outils. Dès qu'il eut quitté la maison, elle s'empressa d'aller dans l'atelier. Elle n'avait jamais voulu y remettre les pieds tout le temps qu'il avait symbolisé pour elle l'image d'un bonheur longtemps évanoui. Ovila avait travaillé pendant une heure et presque rien ne paraissait. Elle revint à la maison.

«Rose, Marie-Ange, Émilien, Blanche pis Paul, venez ici. Toi aussi, Clément, tu peux venir.»

Les six enfants répondirent à l'appel de leur mère. Ils savaient que ce ton n'acceptait aucun retard.

«Aujourd'hui, on va faire le plus beau cadeau de Pâques que votre père a jamais eu.

— C'est passé, Pâques...

— Je le sais, Paul, mais des fois, les fêtes ça dure longtemps. La preuve, c'est que l'école est encore fermée. Bon. Marie-Ange, tu vas t'occuper de Jeanne pis d'Alice. Pis tu vas faire les repas.

— Je veux pas. Je veux faire le cadeau, moi avec.

— Ça fait partie du cadeau. Les autres, même toi Clément, vous allez venir avec moi dans l'atelier. Apportez tous les balais, toutes les vadrouilles, toutes les vieilles boîtes vides, toutes les guenilles pis les chaudières que vous allez trouver. Vous allez mettre votre plus vieux linge pis vous autres, les filles, vous allez vous attacher un foulard sur la tête pour pas vous salir les cheveux.

— Moi aussi?

— Fais pas exprès, Marie-Ange! Tu sais que c'est pas nécessaire dans la maison.»

Émilie tapa dans ses mains et les enfants s'agitèrent comme des lutins. En dix minutes ils étaient au garde-à-vous dans l'atelier. Émilie confia une tâche à chacun et leur dit qu'ils n'avaient qu'une journée pour tout nettoyer. Les enfants, excités à l'idée de faire le plus beau cadeau pour leur père, retroussèrent leurs manches et travaillèrent d'arrache-pied jusqu'à ce que Marie-Ange vînt les chercher pour la soupe du midi. Ils mangèrent à toute vitesse et reprirent leur travail. Clément, le plus jeune, remplit de clous et de vis tous les pots que sa mère lui avait donnés. Il les ramassa soigneusement, un à un, et s'amusa de les entendre tinter au contact du verre ou du métal. Paul rangea

sur les tablettes fixées au dessus de l'établi tous les contenants qui s'y trouvaient, par ordre de grandeur. Blanche
lava les fenêtres et les essuya avec de vieux journaux.
Émilien porta toutes les ordures à l'extérieur. Tout ce qui
pouvait brûler fut entassé dans le baril métallique servant
à cette fin et tout ce qui ne pouvait pas être détruit était
empilé derrière le bâtiment. Rose balaya le local à trois
reprises puis épousseta tout ce qu'elle pouvait épousseter.
Émilie sortit chacun des outils des tiroirs où ils avaient été
lancés en vrac, brossa à la laine d'acier tous ceux qui avaient
rouillé, les huila et entreprit d'aiguiser scies, rabots et
ciseaux à bois sur la meule débarrassée de ses toiles d'arai-
gnées.

Marie-Ange vint les avertir que le souper était prêt.
En entrant, elle poussa un grand cri de joie.

«On dirait que tout est neuf ici!»

Émilie et les enfants s'essuyèrent le front et revinrent
tous à la maison, chancelants de fatigue, portant chaudières, guenilles et Clément en se traînant les pieds. Ils
mangèrent comme des ogres et prirent un bain. Émilie se
lava la première puis revêtit sa robe de chambre. Elle céda
la cuve à Rose. Marie-Ange passa, soutenant qu'elle n'était
pas aussi sale que les autres. Émilien et Paul s'arrosèrent
ensemble. Blanche accepta de se baigner avec Clément et
de lui frotter le dos et les oreilles. Émilie, pendant ce temps,
prépara Jeanne et Alice pour la nuit et les coucha. Clément
les suivit sans se faire prier.

Tous les autres s'assirent au salon, attendant leur père
avec impatience. Émilie autorisa Paul et Blanche à veiller
jusqu'à sept heures et demie.

«Si votre père est pas arrivé à cette heure-là, vous
monterez vous coucher. Mais il devrait être arrivé. Émilien,
toi, tu pourras attendre jusqu'à huit heures. Rose pis Marie-
Ange, jusqu'à neuf heures.»

Les enfants étaient tellement fatigués qu'ils ne discutèrent pas. Ils étaient assis, en silence, regardant l'horloge. Émilie pria qu'Ovila ne choisisse pas ce soir-là pour retarder.

L'horloge sonna les sept heures, puis le quart d'heure suivant. Paul et Blanche échangèrent un regard d'inquiétude. Ils voulaient être de la fête. À sept heures et demie, Émilie, la gorge nouée par leur déconfiture, leur demanda de monter.

«Je le savais», dit Paul, tristement.

Blanche, elle, se contenta de refouler ses larmes. Émilien, Marie-Ange et Rose montèrent à leur tour. Émilie tenta de diminuer leur déception en leur disant que leur père avait dû être retenu par quelque chose de très important.

«Ouais, on se doute de quoi», avait dit Marie-Ange en mordant dans ses mots pour être certaine que sa mère comprendrait son sous-entendu.

«Marie-Ange, j'aime pas ce que tu penses!

— Moi non plus, j'aime pas ce que je pense. Bonsoir, moman.»

Émilie avait été tellement étonnée par la réplique de sa fille qu'elle n'ajouta pas un seul mot, se contentant de froncer les sourcils et de lui indiquer la direction de sa chambre. Quand elle fut certaine que les enfants dormaient, elle commença à faire les cent pas. Puis les mille pas. Elle rageait. Elle rageait tellement qu'elle imagina toute la conversation qui suivrait le retour d'Ovila. Oh! qu'elle lui dirait! Elle lui dirait toute la peine qu'il avait faite aux enfants. Elle lui dirait qu'il venait de perdre six amis, sept avec elle. Oh! qu'elle lui dirait!

Elle marchait encore d'un pas si lourd de rage qu'elle ne l'entendit pas arriver. Il ouvrit la porte. Elle sursauta.

Elle se retourna, la colère collée aux lèvres, les yeux rouges de fatigue et du chagrin de tous ses enfants. Elle inspira profondément car elle savait que la première phrase qu'elle dirait serait aussi longue que toute son attente.

«Émilie, viens voir! Viens voir ce que j'ai acheté pour Télesphore!»

Elle gela sur place.

«Comment ça, ce que tu as acheté pour Télesphore?

— Viens voir! J'ai tout mis ça dans la voiture.» Il s'approcha d'elle, la tira par la manche et prit un fanal. Ils sortirent.

«Regarde-moi ça, Émilie. Il y a pas une planche avec un nœud. Il y a pas une craque. Sont toutes de la même couleur. Pis le bois a été séché avec des pesées.»

Émilie regarda le bois, incrédule, hochant lentement la tête.

«C'est pas de l'érable ça. C'est du chêne!

— Oui, madame. Du beau chêne solide. Du chêne comme il faut pour mon frère, le bijoutier!

— Il voulait de l'érable, Ovila. Il peut pas payer le chêne.

— C'est là qu'il faut connaître mon frère. Je suis sûr qu'il peut pas payer le chêne parce qu'il veut me payer, moi. Il est pas question que mon frère me paie. Pis à part de ça, son chêne, je l'ai *barguigné* au prix de l'érable! Pis même moins cher.»

Émilie s'était effondrée sur les marches de la galerie. Ovila lui raconta qu'un de ses collègues de travail lui avait dit qu'il avait abattu un chêne et qu'il l'avait porté au moulin pour le faire scier en planches qu'il avait fait sécher chez son beau-père, à Sainte-Thècle.

«Émilie, tu le croiras pas, mais ça fait trois ans que ce bois-là sèche. Il y a pas une planche de pas droite. Le bois est un peu noirci, mais rien qui partira pas avec un bon *sablage*. Pis, ça m'a pas coûté cher, parce qu'avec les restes, il m'a demandé de faire des tablettes pour sa cuisine. Des tablettes pour mettre les pots au-dessus de son meuble à boulanger. Tu dis rien?

— Je sais pas quoi dire. Tu me prends vraiment de court.

— Je mettrais ma main au feu que tu pensais que j'étais à l'hôtel! Je t'ai eue!...Bon ben moi, je m'en vas rentrer ça dans le p'tit coin que j'ai nettoyé à matin.

— Non! Tu vas rentrer dans la maison. Tu vas t'asseoir dans la chambre, pis tu vas attendre.

— Es-tu folle?

— Non. Tu vas faire comme je viens de te dire.»

Toute sa joie transpirait dans chacun de ses mots. Ovila! Oh! mon Ovila au grand cœur. Elle l'installa dans la chambre et lui demanda de se boucher les oreilles avec un oreiller.

«Les oreilles? Pas les yeux?

— Les oreilles!»

Elle alla réveiller chacun des enfants, même Clément. Ils étaient tous cireux et ne comprenaient pas ce qui se passait. Elle leur fit signe de se taire et de la suivre. Ils marchèrent doucement, n'ayant enfilé que des gros bas et portant leurs chaussures à la main. Elle les dirigea dehors et les installa devant la voiture pleine de bois, puis leur donna à chacun une chandelle qu'elle alluma. Elle leur chuchota la suite des événements. Elle sortirait de la maison avec leur père qui aurait les yeux bandés. Ils ne devaient pas dire un seul mot. Elle conduirait la voiture jusqu'à l'atelier et ils suivraient, toujours en se taisant. Il ne fallait pas que leur père sache qu'ils étaient levés. Elle le ferait entrer dans l'atelier.

«Pis comme je le connais, votre père va me demander qui a fait ça. Là, j'vas vous faire un signe pis vous allez rentrer. Ça fait que votre cadeau de Pâques, ça va quasiment être comme un cadeau de réveillon. Êtes-vous contents?»

Les enfants, maintenant parfaitement éveillés, trépignaient d'impatience. Tout se déroula comme Émilie le leur avait décrit. Ils suivirent la voiture en silence, s'amusant des propos que le grincement des essieux alourdis leur permettait d'entendre. Émilie avait toutefois sous-estimé la surprise de leur père. Au signe de leur mère, ils entrèrent en criant de plaisir. Ovila fut saisi et les enfants virent dans ses yeux que deux autres chandelles s'étaient allumées et fondaient doucement sur ses joues.

Ovila china comme un forcené pendant les quatre semaines qui suivirent. Tous les soirs, dès qu'il entrait du village, il mangeait à la hâte et se précipitait dans son atelier pour travailler au meuble de Télesphore. Émilie, dès qu'elle avait couché les enfants — Alice dans la chambre des grandes, par prudence — se couvrait d'un châle et allait voir Ovila à l'œuvre. Elle s'extasiait et s'émerveillait devant la finesse du travail qu'il effectuait. Elle lui disait qu'elle ne comprendrait jamais comment ses mains durcies et marquées par le maniement de lourdes billes de bois pouvaient travailler avec tant de minutie. Ovila souriait et se taisait, absorbé par ses mesures, par un coup de ciseau, par l'ajustement d'une languette de bois. Le meuble était vraiment un chef-d'œuvre et Ovila commença à penser qu'il pourrait gagner sa vie comme ébéniste.

«Si on restait à Shawinigan, Émilie, pis que les *grosses poches* allaient chez Télesphore pour acheter leurs montres à chaînes pis les diamants pour leurs femmes, pis qu'ils voyaient mon meuble, j'aurais peut-être des *engagements*. J'haïrais pas ça faire des beaux *sets* de salle à manger, pis des meubles de notaires pis de docteurs.»

Ovila, comme l'avait prévu Télesphore, modifia le plan qu'il avait dessiné. Il ne se contenta pas de vitrer le haut de la devanture, mais en vitra aussi le dessus. Émilie avait froncé les sourcils, lui disant qu'à son avis ce serait trop fragile. Ovila s'était tapoté le front et dit qu'il y avait pensé. Il y aurait trois vitres superposées. Elle avait alors ajouté qu'elle craignait que tout s'érafle. Il lui avait répondu qu'il trouvait plus simple de changer une seule vitre que de sabler et refinir un dessus en bois.

«Avec le temps, Émilie, le bois ça change de couleur. Pis comme j'ai pas l'intention de le teindre, en mettant un *top* en bois qu'y faudrait sabler à tous les ans, le meuble serait toutes sortes de couleurs. Avec une vitre, Télesphore aura jamais de problèmes, sauf pour changer la troisième vitre. Mais, si tu regardes ici, j'ai creusé des lignes pour que les vitres glissent, pis ici, un genre de p'tite barrure en bois qui les tient en place. Télesphore va juste avoir à l'ouvrir pour sortir les vitres pour les changer ou les épous- setter de temps en temps. En tout cas, j'espère que dans un beau meuble de même, mon frère sera pas obligé d'avoir des montres en *gun metal*.»

Ovila n'avait pas cessé d'inventer toutes sortes de petits trucs pour faciliter le travail de son frère: petites cloisons dans les tiroirs ou orifices pour insérer les bagues. Il avait même pensé à faire des trous minuscules pour les boucles d'oreilles.

«On dirait que tu as fait des meubles de bijoutier toute ta vie, Ovila.

— Non, madame, mais pour faire un meuble de bijou- tier, faut se mettre dans la peau d'un bijoutier! Faut penser à ce qu'il va vendre, pis faire une place. Si mon frère était docteur, j'aurais fait un autre meuble. Si mon frère vendait de la viande, ça aurait été encore différent.»

Émilie en apprit plus sur le travail du bois qu'elle ne l'avait cru possible. Elle osa même suggérer à Ovila de couvrir des bouts de bois ronds avec du velours pour que Télesphore puisse y glisser des bracelets. Ovila l'avait regardée et l'avait embrassée en la remerciant.

«On voit que tu es ma femme. Il y a juste un p'tit problème, Émilie, on n'a pas de velours. Pis le velours, ça coûte une fortune.»

Émilie baissa la tête et plissa les yeux, cherchant une solution à ce problème. Le lendemain, elle alla au village, passa à la banque et courut chez le marchand général pour acheter le précieux tissu.

«Pauvre madame, tout le velours que j'ai eu, je l'ai vendu avant Noël. Vous êtes pas dans la bonne saison pantoute. C'est le temps de la toile, du coton pis de la batiste.»

Émilie rentra et monta à sa chambre. Elle grimpa sur une chaise et prit une boîte bien scellée, poussiéreuse, qui dormait sur la dernière tablette d'un de ses placards. Elle l'ouvrit et sortit la robe qui y était bien pliée, couleur de la Batiscan en septembre, et l'étendit sur son lit. Elle la regarda longuement, indécise, puis la replaça dans sa boîte. Elle la ressortit et commença à l'examiner de plus près.

Ce soir-là, elle pénétra dans l'atelier armée de ciseaux, de fil, d'aiguilles, de colle, de punaises et... de sa robe de mariée. Elle posa tous les accessoires, sauf la robe, la déplia devant elle, tenant le col de sa main droite et la taille de sa main gauche.

«Regarde, Ovila.»

454

Ovila se retourna et leva les yeux. Il mit quelques secondes avant de reconnaître la robe.

«C'est ta robe de mariée ça, Émilie!

— Oui, pis si tu veux mon avis, est passée de mode pis en plus, je pourrais juste rentrer un bras pis une cuisse là-dedans.

— Pourquoi que tu me montres ça?

— Si on fait un meuble de bijoutier, on fait un meuble de bijoutier! J'ai fait comme toi sauf que moi je me suis mise dans la peau d'une acheteuse. Moi, voir de l'or ou de l'argent sur un beau velours de cette couleur-là, ça me donnerait le goût d'acheter.

— Es-tu folle? Tu m'as dit que tu garderais ta robe toute ta vie, ou que tu la donnerais à une de tes filles pour son mariage.

— La robe est démodée pis j'ai tellement de filles que je saurais pas à qui la donner.»

Émilie refusa de discuter et commença son travail, installée sur une chaise bancale, à côté de son mari. Elle préférait cet endroit à la cuisine. Elle pensa qu'à part les enfants, c'était la première fois, depuis la crèche de Noël construite presque vingt ans plus tôt, qu'elle et Ovila faisaient quelque chose ensemble. Grâce à sa robe, le présentoir du meuble respirait l'espoir qu'ils avaient tous les deux dans la prometteuse carrière de Télesphore, le «bébé» de la famille.

Télesphore arriva le soir du onze mai et il courut chez son frère sans prendre la peine de déposer sa valise chez sa mère. Voyant la lumière dans l'atelier, il s'y dirigea immédiatement. La porte n'était pas fermée. Il entra. Émilie et Ovila étaient occupés à poncer le meuble à la laine d'acier avec de la vaseline. Ils étaient si affairés qu'ils ne le virent pas. Télesphore posa sa valise, lentement, les yeux rivés sur le meuble. Il était ébloui. La beauté du meuble surpassait au moins vingt fois celle du croquis qu'Ovila avait esquissé. Puis il remarqua que le meuble était en chêne. Il déglutit péniblement et tripota inconsciemment son argent dans sa poche. Il s'assit dans un coin sombre de l'atelier, s'amusant du fait que son frère et sa belle-sœur n'avaient pas encore remarqué sa présence. Émilie et Ovila terminèrent le ponçage. Puis ils frottèrent énergiquement le meuble avec de vieilles guenilles de flanelle. Ensuite, Ovila tira chacun des tiroirs, le retenant pendant qu'Émilie passait un savon sur les côtés.

«Tu vas voir, Émilie, comme avec un peu de savon, ça va bien glisser. Quand Télesphore va ouvrir un tiroir, il y aura pas un *grichement*. As-tu les clés?»

Émilie sortit deux douzaines de petites clés de sa poche, toutes identifiées, et elle les jumela aux différentes serrures du meuble. Son travail terminé, elle et Ovila, se tenant par la taille, reculèrent et regardèrent le meuble en silence. Puis, lentement, ils en firent le tour. Ovila caressait le bois tout en marchant.

«Il y a pas une *écharpe* là-dedans. Pas une. C'est aussi doux que la vitre. Mais c'est plus chaud à toucher. La vitre c'est froid. Maudit! que j'ai hâte de voir la face que Télesphore va faire! Penses-tu qu'il va l'aimer?

— Je suis sûre, même si c'est rare qu'on voie du chêne pas teint. Le chêne, c'est toujours foncé. Tu vas rire de moi, Ovila, mais j'ai toujours pensé que le chêne c'était foncé. J'ai jamais pensé que ça pouvait être à peu près de la même couleur que le pin. Mais c'est tellement plus riche.»

Émilie prit deux couvertures et couvrit le meuble, en disant à Ovila qu'ils auraient le plaisir de faire patienter Télesphore.

456

«On va le faire patienter, Ovila. On va dire que tu viens juste de commencer. On va lui faire accroire que c'est pas mal difficile à faire, que ça va prendre bien du temps...

— Pis là, j'vas faire une face de même pis j'vas dire que ça, c'est rien que la carcasse pis que j'ai pas pu en faire plus parce que j'attends mon bois.

— Pis là, Télesphore va nous dire que c'est pas grave, pis il va demander de voir ce que tu as de fait!

— Pis là, on va enlever les couvertes. Télesphore va tomber dans les pommes!»

Télesphore, de son coin, se demandait comment il pouvait faire pour sortir sans attirer l'attention. Il ne voulait pas les décevoir. Il ne voulait surtout pas les priver du plaisir de la surprise. Profitant du fait qu'ils lui tournaient le dos, il sortit à pas de loup, ramassant sa valise en grimaçant sa crainte de faire du bruit, et il s'éloigna de l'atelier. Il recula encore, fit un pas dans le vide pour se donner un élan et revint résolument vers le bâtiment en sifflant à tue-tête.

Le lendemain de l'arrivée de Télesphore, Félicité, Ovide, Edmond et Émile vinrent voir le meuble. Félicité en avait fait le tour à plusieurs reprises, et avait ouvert chacun des tiroirs, s'extasiant sur tout ce qu'Ovila avait fait.

«Tu peux pas savoir, Ovila, ce que ça fait au cœur d'une mère de voir le talent d'un de ses enfants comme ça. C'est une affaire, le talent, que je comprendrai jamais. On peut pas dire que Dosithée pis moi on a eu bien du talent, pis là, on a un fils qui en est bourré. On a toujours su que tu aimais le bois, mais on n'a jamais pensé que le bois, lui, se laisserait aimer comme ça par toi.»

Ovila jubilait. Comme le temps était généreux. Comme le temps lui avait donné la chance de redevenir un fils qui faisait sourire sa mère et sa femme. Ovide toussotait son admiration, mais en bon frère aîné, il se sentit obligé de critiquer un peu.

«Tu as pas pensé le teindre, ton meuble?

— J'ai pas voulu le teindre. Ce qui fait la beauté du bois, c'est son grain. Si je l'avais teint, comment est-ce qu'on aurait pu voir la différence? Je l'aurais fait en pin ou en érable que ça aurait été pareil.

— En tout cas, Télesphore est pas remis de ses émotions parce qu'à matin, il a jamais voulu se lever. Il nous a dit qu'il viendrait cet après-midi pour commencer à préparer le meuble pour le voyage.»

Télesphore n'avait pu se déplacer, souffrant d'une indisposition. Félicité lui avait mis une main sur le front et lui avait confirmé qu'il faisait un peu de fièvre.

«Ça doit être parce que j'ai attrapé la pluie. Pour moi, je fais une grippe.»

Le lendemain, au grand soulagement d'Ovila, il vint l'aider à bien emballer chacun des petits tiroirs. Il découvrit d'autres merveilles sur son meuble. Il ne tarissait plus d'éloges. Ils réglèrent leurs comptes, Ovila acceptant, après d'interminables discussions, un léger dédommagement.

«J'aime pas ça, Télesphore. Quarante piastres, c'est trop.

— Si je pouvais te donner cinq cents, ou mille piastres, Ovila, c'est ça que je te donnerais. Un meuble de même, ça a pas de prix. Jamais de ma vie j'vas m'en séparer. Jamais!»

Ovila travaillait, tôt le lendemain matin, à fixer le meuble dans une voiture. Ils s'étaient organisés pour le faire transporter par train. Télesphore n'avait pas voulu

458

prendre le risque de l'abîmer sur les routes cahoteuses. Le train était ce qu'il y avait de plus sûr. Ovila vit passer la voiture du médecin et lui fit un grand signe de la main. Le médecin ne lui répondit pas. Au même moment, Ti-Ton était arrivé à la course. Ovila déposa le câble qu'il s'apprêtait à serrer autour du meuble. D'un coup d'œil, il avait reconnu la mauvaise nouvelle dans le visage de son jeune frère.

«Qu'est-ce qui se passe le Ton, Télesphore est trop grippé pour partir aujourd'hui?

— C'est pas une grippe, Ovila. On sait pas ce que c'est. Mais il est trop mal en point pour voyager aujourd'hui. Moman a fait venir le docteur. Elle dit qu'il y a quelque chose qu'elle aime pas.»

Ovila rentra la voiture dans son atelier, craignant que le meuble ne soit endommagé par la pluie qui commençait à tomber tout doucement.

«J'vas aller le voir. Donne-moi juste deux minutes pour que j'avertisse Émilie pis je te suis.»

Ils étaient arrivés au moment où Félicité s'affaissait dans une chaise du salon. Inquiète. Elle les regarda tous les deux puis, d'une voix chevrotante, leur dit que le médecin était avec Télesphore et qu'avant de lui demander de quitter la chambre, il lui avait dit qu'elle avait bien fait de le faire venir. Ovila ne put en entendre davantage. Il monta à la chambre de son frère, frappa et entra. Le médecin tirait le drap sur le visage de Télesphore. Il se signa puis se retourna et aperçut Ovila.

«Je sais pas pourquoi pis comment ça arrive, Ovila. Mais, quand ça arrive, on peut rien faire.

— Ça, quoi?

— C'est les poumons qui viennent pleins de sang. Le patient s'étouffe, exactement comme s'il se noyait...euh...dans son sang. Ça arrive rarement, mais c'est comme s'il se noyait dans son sang.»

Le médecin lui-même était bouleversé. Il détestait cette médecine qui ne savait pas encore éloigner la mort. Il la détestait encore plus quand la mort aspirait un jeune comme Télesphore. En pleine jeunesse. Au seuil de la vie. La tête remplie de projets et de promesses de succès. Ovila ne dit pas un mot. Il sortit de la chambre et descendit l'escalier. Il se dirigea vers la porte, sans même parler à sa mère. Elle s'était levée et avait compris que dans le visage d'Ovila, il y avait ce chagrin gris. Cette douleur couleur de terre.

Ovila courut jusqu'à son atelier. Il déballa, seul, le meuble lourd, en le faisant glisser sur les planches. Puis, doucement, avec de multiples précautions, il commença à le défaire. Planche par planche. Joint par joint. Clou par clou. Émilie entra. Elle regarda Ovila qui travaillait en reniflant et en émettant des petits gémissements tellement discrets qu'ils faisaient plus mal à entendre qu'un grand cri. Elle ressortit et demanda à Rose et Marie-Ange de s'occuper des autres enfants. Elle leur demanda aussi de veiller à ce que leur père ne soit dérangé sous aucun prétexte. Puis elle marcha en direction de la maison de Félicité.

Ovila n'avait conservé que le fond et les premiers montants.

«Un meuble de six pieds par deux pieds et demi. Maudit fou Ovila! Maudit fou! Tu aurais dû faire un meuble de cinq pieds, ou deux meubles de quatre pieds. Comme ça, Télesphore aurait pas été tenté d'entrer dedans. Maudit fou! »

Télesphore fut placé dans un cercueil comme jamais on n'en avait vu à Saint-Tite. Un cercueil de chêne blond avec, sur les côtés, deux douzaines de ce qui ressemblait à des petits tiroirs. Scellés. Sans côtés et sans fond. On avait mis à Télesphore son costume de zouave. Il portait même ses chaussures parce que le cercueil était fermé par trois vitres bien claires sur lesquelles Télesphore ne fit aucune marque de doigt. Sur la vitre, il ne fit pas de buée non plus.

C'est quand il entendit la vitre éclater sous les cailloux de la première pelletée de terre qu'Ovila ouvrit enfin la bouche.

«Je pars, Émilie. Je m'en vas. Je veux pus rester dans ce maudit village de malheur. Viens-t-en avec moi. On va déménager à Shawinigan. On va tout apporter, Émilie, sauf mes outils. Je veux pus jamais les voir! Je veux pus jamais leur toucher!»

Leur départ fut rapide. Ovila avait quitté Saint-Tite pour Shawinigan le jour même de l'enterrement de son frère et c'est lui qui avait vidé sa chambre de son contenu. En deux jours, il avait réussi à résilier le bail de Télesphore pour la bijouterie et avait trouvé acheteur pour tout l'équipement qui s'y trouvait déjà. Il avait ensuite marché dans les rues de la ville et trouvé un logement neuf. Grand et bien éclairé. Il l'avait loué pour sa famille. Bail en poche et argent de Télesphore — deux cents dollars — bien plié dans ses bas, il était revenu à Saint-Tite pour aider Émilie. Il avait remis l'argent à sa mère mais elle n'avait voulu prendre que ce qui couvrait les frais des funérailles et de l'enterrement. Elle avait forcé Ovila à prendre la différence.

«Cet argent-là, Ovila, c'est l'argent de ton père. Je pense que ton père aurait voulu que tu le prennes. Astheure que tu as l'air décidé à partir d'ici...», elle s'était interrompue pour se moucher, «tu vas en avoir besoin. Si tu changeais d'idée, je voudrais pas que tu te gênes pour revenir. Ta maison va rester vide. Je permettrai pas qu'on la vende.»

Le premier mai, Ovila, Émilie et leurs huit enfants s'installaient à Shawinigan.

33.

Émilie n'avait jamais pris le temps de réfléchir à ce brusque déménagement. Elle avait suivi Ovila et tous ses tourments. Elle avait retiré les enfants de l'école, promettant à l'institutrice de terminer elle-même la matière avec eux si elle ne pouvait pas les inscrire à une autre école si tard dans l'année.

Elle arriva à Shawinigan en train, avec sept des huit enfants, Émilien et Ovila ayant fait le trajet en voiture et les ayant précédés pour placer leurs meubles dans le logement. Ils allèrent les accueillir à la gare. Émilie, pendant quelques secondes, eut l'impression qu'elle partait en vacances. Cette impression s'évanouit dès qu'Émilien et Ovila commencèrent à lui décrire tout le travail qu'ils avaient fait dans le logement.

«Vous allez trouver ça beau, moman. C'est pas aussi grand que la maison de Saint-Tite, mais on a grand en masse. Pis c'est tout neuf. Ça sent le bois, le plâtre frais pis la peinture.

— Pis, Émilie, le propriétaire nous a dit que si tu aimais pas la couleur, tu avais le droit de la changer.»

Émilie sourit. Le propriétaire, gentillesse suprême, l'autorisait à faire des changements. Elle se demanda si elle pourrait s'habituer à demander la permission à quelqu'un pour vivre à sa guise chez elle. Elle avait toujours habité dans «sa» maison sauf quand elle était à l'école, mais là encore, elle n'avait jamais eu à demander pour quoi que ce fût, sauf pour la salle de toilette.

Elle entra dans le logement et soupira de soulagement. Ovila avait vraiment choisi quelque chose de bien. Elle fit le tour des pièces avec lui, vérifiant d'abord la direction du soleil, ouvrant ensuite chacun des placards pour en supputer la grandeur. Ovila la regarda en souriant. Pas une seule fois, elle n'avait pensé allumer les ampoules qui pendaient du plafond.

«Tu as rien remarqué de spécial, Émilie?»

Elle énuméra tout ce qui l'avait frappée, nommant d'abord la toilette puis l'évier et le robinet de la cuisine mais jamais elle ne mentionna l'électricité. Ovila, finalement, la prit par la main et, refaisant le tour du logement, appuya sur tous les commutateurs. Comprenant le jeu, Émilie appela les enfants pour qu'ils voient «la lumière». Ceux qui étaient assez grands se postèrent chacun près d'un commutateur et firent clignoter les lumières jusqu'à ce qu'ils s'en désintéressent. En moins de cinq minutes, cette nouveauté n'avait déjà plus d'attrait ou de mystère pour eux.

Émilie s'empressa de trouver une épicerie et acheta les éléments de base dont elle garnit son nouveau et petit garde-manger. Ils soupèrent autour de leur table qui, au grand étonnement d'Ovila, avait semblé prendre des proportions insoupçonnées durant la journée. Il se dit qu'il lui faudrait en faire une nouvelle, ronde, avec deux panneaux de rallonge puis, se rappelant sa promesse de ne jamais plus toucher à des outils, balaya cette idée de son esprit. Leur table resterait comme elle l'était. Encombrante.

Émilie ne ferma qu'un œil durant sa première nuit. Elle se tourna et se retourna, se demandant si un jour elle s'ha-

464

bituerait aux bruits incessants de cette ville. Elle se sentit bien loin de son Bourdais, là où seuls le beuglement des vaches, le hennissement occasionnel d'un cheval, le cri des oiseaux nocturnes, le chant des criquets et le coassement des grenouilles se permettaient de troubler le silence de la nuit. Elle pensa que cette symphonie de la nature avait toujours bercé ses rêves. Ce n'était pas comme ce grondement lointain des usines de pâtes et papier, ces éclats de voix ponctués de cris qui entraient par sa fenêtre, ce bruit des machines qui roulaient sans arrêt, ces portes qu'elle entendait claquer si fort qu'à deux reprises elle avait eu l'impression qu'il s'était agi de la porte de sa chambre, ce gargouillis de tuyauterie qui envahissait la maison chaque fois que ses voisins du dessus ouvraient un robinet dans la cuisine ou tiraient la chasse de la toilette.

Elle se tourna vers Ovila. Il respirait si légèrement qu'elle sut qu'il ne dormait pas.

«Ovila?

— Hum...

— Tu dors pas non plus?

— Je peux pas dormir parce que ma femme a la *pitourne*.

— Est-ce qu'il va toujours y avoir autant de bruit?

— Quel bruit, Émilie?»

Elle ne répondit pas. Ovila, lui, avait connu autre chose que la tranquillité de la nuit à la campagne. Il avait dormi des nuits et des nuits dans les chantiers, entouré de dizaines de ronfleurs probablement tous plus bruyants les uns que les autres. Il avait l'habitude des toux étrangères, des raclements de gorge, des gaz de fèves au lard, des rots de digestions difficiles, des craquements rythmés de lits accompagnés de respirations saccadées. Il avait l'habitude d'entendre les plus jeunes hommes étouffer les sanglots de leur ennui sous des couvertures malodorantes ou les plus sensibles appeler leurs douces dans leur sommeil, crier leur crainte d'un surveillant ou leur peur d'un accident.

Elle s'endormit enfin, ratant de justesse l'arrivée des premières lueurs du soleil sur Shawinigan. Ovila l'embrassa et lui dit que les jeunes faisaient le *raveau*. Elle se leva et se dirigea vers la cuisine, chauffer le poêle pour faire du gruau et des rôties. Elle alla chercher Alice et lui prépara sa purée. Ovila vint la retrouver en riant.

«Ça fait´cinq minutes que j'attends pour pisser. Les jeunes passent leur temps à se pendre après la chaîne de la toilette.»

Émilie sourit, se rappelant sa fascination dans la salle de toilette de l'hôtel Windsor.

«Qu'est-ce que tu dirais de ça, Émilie, si je restais avec les jeunes pendant que toi tu vas faire le tour du quartier pour leur trouver une école?

— Tu voulais pas aller à la Belgo?

— J'irai demain. L'école ça presse plus. Si tu peux les inscrire, ils vont pouvoir y aller après-midi.»

Émilie accepta l'offre d'Ovila. Elle s'habilla, mettant une de ses robes les plus convenables, un chapeau de paille et des gants de dentelle. Elle ne voulait surtout pas avoir l'air d'une «femme de la campagne qui arrive en ville».

Elle trouva l'école à deux coins de rues. Une religieuse l'accueillit et lui demanda si elle venait pour inscrire ses enfants. Émilie répondit par l'affirmative. La religieuse la dirigea alors vers une petite salle. Émilie y entra et fut étonnée de voir qu'elle était bondée. Elle dut attendre, debout, qu'on l'appelle. L'assistante de la directrice n'avait pas l'air dépassée par l'arrivée de tant de nouveaux élèves.

Cela était coutumier au début de mai. Elle expliqua à Émilie qu'il y en avait à peu près autant qui quittaient à cause d'un déménagement.

«Pour mai et juin, madame, on a à peu près le même nombre d'élèves, compte tenu des départs et des arrivées.

— Est-ce que mes enfants peuvent venir cet après-midi?

— Bien sûr, s'ils ont tout ce qu'il leur faut. Sous quel nom?

— Pronovost.

— Quel prénom?

— Il y en a plusieurs.

— Si vous voulez bien, on va commencer par le premier.

— Rose, treize ans, en quatrième année.»

L'assistante leva les yeux de son cahier et regarda Émilie. Émilie n'ajouta pas un mot. Elle n'avait pas envie d'expliquer, ici, les difficultés de Rose. Elle vit l'assistante faire un point d'interrogation à côté du nom de Rose.

«Ensuite...

— Marie-Ange, onze ans, sixième année.

— Ensuite...

— Émilien, neuf ans, quatrième année. Si vous avez deux quatrièmes, j'aimerais mieux que lui et Rose ne soient pas dans la même classe.

— Nous n'avons qu'une quatrième année. Ensuite...

— Blanche, sept ans, deuxième année.

— Ensuite...»

Émilie décida de prendre un risque. Paul n'avait pas fait sa première, mais elle savait qu'il pourrait suivre. Ayant fait ses preuves, il leur serait difficile, l'année suivante, de le retourner en première.

«Paul, presque six ans, première année.»

L'assistante leva les yeux encore une fois.

«Il a bien commencé tôt?

— Oui. Paul est plein de talent et comme j'ai moi-même été institutrice pendant six ans...

— Dans une école de rang?

— Oui, à Saint-Tite-de-Champlain.

— C'est que, madame, les programmes sont beaucoup plus difficiles ici... Paul devrait peut-être attendre et reprendre sa première l'an prochain. Vous savez, nous reculons les enfants d'une année quand ils viennent de la campagne.»

Émilie inspira profondément. Elle ne devait pas faire d'éclat à sa première visite. Elle connaissait les programmes et savait que ses enfants étaient parfaitement préparés.

«Ma sœur, en permettant à Paul de terminer sa première, vous serez à même de juger s'il pourra faire sa deuxième l'an prochain. Et si vous n'y voyez pas d'objection, je vous demanderais de laisser chacun de mes enfants dans le niveau que je vous ai indiqué.»

Elle avait parlé sèchement, remerciant silencieusement Henri Douville de lui avoir appris à parler lentement en articulant chacun de ses mots. La religieuse souleva les épaules, jeta un coup d'œil derrière Émilie, vit le nombre de personnes qui attendaient et décida de ne pas discuter. Cette mère, comme toutes les mères venant de la campagne, comprendrait bien assez vite qu'il était inutile de s'entêter.

Rarement, les enfants de la campagne pouvaient rivaliser avec ceux de la ville.

«Une dernière chose, madame. L'an prochain, il n'y aura que des filles ici sauf une première année pour les petits garçons. Il vous faudra inscrire Paul et...» elle chercha le nom dans son registre «...Émilien chez les frères.

— Ça aussi c'est une politique?» Émilie se mordit aussitôt les lèvres.

«Non, madame, ce n'est pas une politique. Nous croyons qu'il est préférable de séparer les garçons des filles. L'an prochain, le nombre d'élèves inscrits nous permettra enfin de le faire.

— Où est le collège?

— Un peu plus loin. Mais j'imagine que des petits garçons de la campagne n'auront pas peur d'une marche matin, midi et soir.»

Émilie tiqua. Cette religieuse lui portait sur les nerfs. Qui était-elle pour décider arbitrairement de faire perdre une année d'école à tous les nouveaux venus? À ses enfants qui étaient parmi les premiers de leur classe?

«Je vous remercie, ma sœur, de votre gentillesse, et je serai ici cet après-midi avec mes enfants. À quelle heure devrons-nous nous présenter?

— Pour une heure.

— Nous serons là.»

La religieuse regarda Émilie sortir. Elle leva les yeux au plafond. Toutes les mêmes, ces mères de la campagne. Et sur dix mères, il y en avait au moins huit qui affirmaient avoir été elles-mêmes des institutrices. La religieuse hocha la tête. La majorité de ces «institutrices» savaient à peine signer les registres. Elle regarda la signature d'Émilie et grimaça. Celle-ci, quand même, avait une «belle main d'écriture».

Toute à ses pensées, Émilie s'était égarée. Mortifiée, elle s'était vue forcée de demander à une dame de la remettre sur la bonne route. Arrivée chez elle, elle s'empressa d'enlever son chapeau et ses gants et d'appeler les enfants. Elle les réunit tous dans le salon.

«J'ai vu votre école. C'est grand, plein d'élèves, pis, d'après ce que m'a dit l'assistante de la directrice, ça travaille fort là-dedans. Les élèves, ici à Shawinigan, sont studieux pis à leur affaire.»

Elle leur raconta qu'elle s'était entêtée à les inscrire dans le même niveau qu'ils avaient à Saint-Tite mais que la chose ne se faisait pas à Shawinigan. Ovila l'avait regardée, étonné. Elle s'était contentée de lui faire une signe entendu.

«D'ici la fin de l'année, je veux pas en voir un paresser. Si vous êtes pas aussi bons que les autres, vous allez être obligés de doubler. Ici à Shawinigan, c'est comme ça. À partir d'aujourd'hui, on va avoir un secret de famille.» Elle baissa le ton pour être certaine qu'ils feraient bien attention à ce qu'elle leur dirait. Même Ovila était intrigué. «J'ai inscrit Paul en première.

— Youppiiiii...» Paul sautait sur place, épanoui et excité.

«J'vas être...

— Ici à Shawinigan, Paul, on dit, *je vais être...*»

Paul se tut, repensa à sa phrase et recommença.

«Moman, est-ce que je vais être dans une vraie première?

— Oui, Paul. Le secret, c'est que j'ai dit que t'a... que tu avais commencé depuis septembre. Je suis certaine que tu vas pouvoir finir l'année sans problèmes. Maintenant, vous autres...», elle regarda les autres enfants, l'air sévère, «...j'ai trois choses à vous demander. La première, c'est que jamais vous allez dire que Paul a pas...n'a pas fait sa première à Saint-Tite. La deuxième...je veux que vous répondiez que vous venez de Saint-Tite-de-Champlain et non pas de Saint-Tite. Est-ce que jusque-là vous comprenez?» Les enfants répondirent tous que oui, même Clément. «La troisième, c'est que je demanderais que chacun donne un crayon à Paul. Un crayon usé. Pas un crayon neuf. Pour ce qui est des cahiers, j'vas...

— Je vais, moman. Ici à Shawinigan, on dit je vais.

— C'est vrai, Paul, je te remercie de me corriger. Donc, je vais en acheter des neufs pour tout le monde. Maintenant, je vous demanderais de vous préparer pendant que je vais chercher un magasin pour les cahiers.»

Les enfants la quittèrent dans l'excitation la plus totale. Elle raconta à Ovila la rencontre qu'elle avait eue avec l'assistante de la directrice.

«C'est quoi cette manie de baisser les enfants de la campagne?

— J'imagine, Ovila, que c'est parce que les sœurs ont l'impression que les enfants de la campagne vont à l'école seulement quand ça leur tente. Entre toi pis moi, tu sais que c'est comme ça dans bien des familles. Bon, astheure, j'vas...je vais aller chercher un magasin.»

C'est en vain qu'Émilie arpenta les rues. Lasse, elle se renseigna et on lui dit que le matériel scolaire était vendu à l'école. Elle grimaça devant la perspective d'être forcée d'inventer une histoire pour justifier un tel achat au mois de mai. Elle revint à la maison, prépara le repas puis, tenant Paul et Blanche par la main, elle prit la direction de l'école, obligeant les enfants à remarquer le trajet, à le mémoriser, à regarder plusieurs fois avant de traverser la rue.

«Ici, à Shawinigan, il y a pas mal plus de machines qu'à Saint-Tite. À Saint-Tite...de-Champlain, il y avait celle de mon'oncle Edmond pis deux autres. Je voudrais surtout pas, ici à Shawinigan, être changée en moman grenouille. C'est clair ça les enfants?

— Oui, moman.»

Blanche se mit à sangloter. Sans laisser la main de sa mère, elle commença à ralentir le pas.

«Je veux voir *mémère* Pronovost. J'aime pas ça, ici à Shawinigan...

— Tu vas t'habituer, Blanche.»

Ils étaient arrivés à l'école. Émilie les laissa, regroupés, leur demandant de ne pas se séparer, pendant qu'elle irait dans l'école acheter les cahiers dont ils avaient besoin. Elle entra dans l'école et tomba nez à nez avec l'assistante de la directrice.

«Madame, madame euh...

— Pronovost.

— Pronovost. Ce matin, j'ai complètement oublié de vous dire que votre mari devait signer les inscriptions. J'ai aussi oublié de vous demander les baptistères des enfants.

— Les baptistères sont à Saint-Tite-de-Champlain, ma sœur.

— C'est bien embêtant...

— Est-ce que vous voulez dire que les enfants...

— La règle veut que nous ayons une copie du baptistère. Mais étant donné que vos enfants arrivent presque à la fin de l'année, nous pourrons faire une exception. La directrice vous demanderait de les avoir pour leur inscription de l'année prochaine.

— C'est bien aimable. Vous pouvez compter sur moi. Nous les aurons.»

Elle était furieuse contre elle-même. Comment avait-elle pu négliger ce détail?

«Au fait, ma sœur, pourriez-vous me dire où acheter les cahiers pour les enfants?

— C'est pas nécessaire d'acheter de nouveaux cahiers. Ils pourront utiliser les cahiers qu'ils avaient cette année.»

Émilie se força de sourire d'un air entendu. Elle devait absolument et rapidement inventer quelque chose.

«C'est que, voyez-vous, ma belle-mère m'a demandé les cahiers des enfants. Ce sont ses premiers petits-enfants et notre départ la chagrinait. Alors, je lui ai laissé tous les cahiers pour qu'elle puisse les feuilleter en pensant à eux.»

Elle se demanda si la religieuse avait avalé ce prétexte. Aussi, elle continua de sourire, s'efforçant d'imprégner son sourire de tendresse.

«Pauvre femme! Ça doit être bien difficile de voir partir un fils et ses petits-enfants.» Émilie tiqua devant la pointe de la religieuse qui venait de l'exclure de sa famille. «Dans ce cas-là, suivez-moi. Je vais vous montrer notre petit "magasin".»

Émilie revint vers ses enfants et leur remit à chacun un cahier neuf. Paul embrassa le sien comme s'il venait tout juste de recevoir le plus beau des cadeaux. Émilie leur demanda ensuite de lui remettre ceux qu'ils avaient apportés.

«J'ai complètement oublié, mais mémère m'avait demandé de les avoir...pour moins s'ennuyer.»

Ils acceptèrent cette explication sans problèmes et remirent leurs vieux cahiers. Émilie les enfouit dans son grand sac à main. On appela les enfants. Elle leur recommanda une dernière fois d'être sages et attentifs, de lever la main avant de parler, de ne pas se mettre les doigts dans le nez, de ne pas répondre à toutes les questions et d'attendre leur tour, de ne pas discuter, de ne pas parler de Saint-Tite sans dire comté de Champlain, de ne pas se tirailler, de ne pas se battre, de s'asseoir bien droits, de bien prendre en note les devoirs et les leçons qu'ils auraient à faire et d'essayer de donner le bon exemple. Presque essoufflée, elle les regarda partir, souriant et faisant des clins d'œil, surtout à Paul qui se dandinait allègrement.

Elle demanda à Ovila d'aller à l'école signer les inscriptions. Il s'était donc rasé et habillé proprement et avait attendu la fin de l'après-midi de façon à pouvoir revenir à la maison avec les enfants. Ils rentrèrent tous, heureux et jubilants. Émilie les attendait dehors, sur le trottoir, Alice dans les bras, Jeanne et Clément jouant à ses côtés. En l'apercevant, Paul courut à toute vitesse, le visage illuminé d'un grand sourire.

«C'est facile-bébé, moman. J'ai tout su! La sœur m'a posé beaucoup de questions pis j'ai tout su! La sœur m'a demandé de compter. J'ai compté. Moi, je pensais que la sœur voulait que je compte lentement, ça fait que j'ai compté lentement, pis après la sœur m'a demandé d'aller plus vite, ça fait que là, moman, j'ai compté bien vite. La sœur m'a dit d'arrêter pis j'étais juste rendu à cent. La sœur m'a demandé si je savais toutes mes centaines, pis j'ai dit oui. Pis j'ai dit que je savais mes millaines aussi.

— Tes quoi?

— Ben, mes mille! J'ai dit que je savais mes mille. Pis que je savais même mes millionnaines! En tout cas, la sœur avait l'air bien découragée que je sache autant de chiffres.

Ici à Shawinigan, les enfants savent pas autant de chiffres qu'à Saint-Tite-de-Champlain.»

Émilie se mordit les lèvres pour ne pas rire. Elle pouvait imaginer l'expression de la religieuse devant l'assurance de Paul.

Ils entrèrent dans la maison. Ovila et Émilie écoutèrent les histoires du premier après-midi d'école pendant près d'une heure. Paul prit la parole, répétant à tous ce qu'il avait déjà raconté à sa mère. Au grand soulagement d'Émilie, personne ne rit. Blanche interrompit Paul.

«La sœur m'a demandé ce que faisait mon père. Comme je savais pus si pâpâ était toujours menuisier ébéniste, j'ai répondu que pâpâ était déménageur. De ce temps-là, c'est ce qu'il fait. Il déménage. Mais j'ai fait attention de dire qu'on venait de Saint-Tite-de-Champlain. Pis la sœur m'a demandé dans quelle ville j'étais maintenant. Je l'ai regardée pis j'avais envie de lui dire que franchement, c'était une question pas mal niaiseuse. Mais je me suis rappelé que vous nous aviez dit d'être polis, ça fait que j'ai répondu.

— Qu'est-ce que tu as répondu, Blanche?» demanda Émilie tout à coup inquiète.

«Ben voyons, moman, j'ai dit qu'on restait à *Icias-hawinigan.*» Émilie ferma les yeux deux secondes et les rouvrit. Elle demanda à Émilien s'il avait rencontré quelques difficultés.

«Non, c'était aussi facile que chez nous. Les élèves sont juste plus sages. C'est dans la dictée que j'ai eu de la misère. Je savais pas écrire Shawinigan. Astheure, je le sais.

— Comme est-ce que tu l'avais écrit?

— C-h-a-t-o-u-i-n-i-g-a-n-e.»

Émilie fit épeler Shawinigan à tous ses enfants pour être certaine qu'ils le sauraient tous. Blanche répéta et comprit qu'elle n'avait pas bien répondu à la question qui lui avait été posée en classe. Elle s'enfonça la tête dans les épaules. Rose et Marie-Ange n'avaient rien de spécial à raconter. Marie-Ange se borna à dire que la plupart des filles avaient des robes plus belles que la sienne et Rose, qu'elle était assise à l'arrière de la classe et que la religieuse ne lui avait pas posé de questions. Quant à la dictée, elle n'avait eu que trois fautes.

Ovila entra en trombe. Il avait la figure rouge et le souffle court. Émilie avait sursauté. Elle ne connaissait pas encore tous les bruits de sa nouvelle maison.

«Tu m'as fait peur, mon *maususse*. Arrive moins vite la prochaine fois. Regarde Alice, même elle a l'air inquiète.

— Je l'ai! Je l'ai, Émilie! Une journée pis je l'ai! Ah! la ville, Émilie, c'est pas la place pour quêter pis attendre. Je l'ai!

— Tu l'as?

— Je l'ai! Je l'ai! Pis pas pour des *pinottes*. Pour un bon salaire.

— Tu l'as!»

Émilie déposa Alice par terre, se jeta dans les bras d'Ovila qui la fit valser, la frappant sans arrêt sur les coins de la table.

«Ouch! Ovila! Fais-moi pas tourner si vite.

— Si tu penses que nous autres on tourne, c'est parce que tu as rien vu. Moi, à matin, j'ai vu les *breast rolls*, pis les *guide rolls* pis ça, madame, ça tourne.»

Tous les matins, Émilie préparait le repas d'Ovila. Il partait tôt, marchait jusqu'à la Belgo et commençait une longue journée. Il était aussi fasciné par le fonctionnement des installations de l'usine que par le bois. Il s'en était presque excusé en disant à sa femme que l'usine sentait le bois à plein nez.

«Ça sent presque aussi bon que mon atelier. Mais ici, c'est la pâte de bois qu'on respire. C'est pas possible, Émilie, mais pour faire du papier ordinaire, ça prend quatre-vingt-dix-neuf point cinq pour cent d'eau pis juste un demi pour cent de pâte de bois. Nous autres on appelle ça de la fibre.

— De l'eau?

— Oui, madame, c'est avec l'eau qu'on fait le papier. Pis un p'tit peu de bois, bien sûr.»

Un mois après leur arrivée à Shawinigan, Ovila n'avait pas encore cessé de s'émerveiller. Émilie avait découvert tous les magasins qui pouvaient lui être utiles et avait enfin trouvé le sommeil. Les enfants avaient rapporté un bulletin à la maison et tous, sauf Rose qui connaissait de réelles difficultés, avaient réussi au-delà des espérances de leur mère. Même Paul était parvenu à rafler deux premières places.

Si Émilie avait retrouvé le sommeil, elle n'avait pas pour autant trouvé la paix. Elle détestait voir les enfants jouer dans leur minuscule cour ou courir sur les trottoirs. Ils étaient tellement étroits qu'elle devait se raisonner pour ne pas leur dire qu'elle mourait de peur de les voir faire un faux pas et tomber dans la rue. La tranquillité de Saint-Tite, les visages familiers, les potins et petites nouvelles quotidiennes lui manquaient terriblement. Elle passait la majeure partie de sa journée à écrire. À Félicité, à Célina, à la bonne Antoinette, à Berthe, qui ne lui répondait jamais, à la cousine Lucie qui lui promit de convaincre Phonse de venir lui faire une visite, au curé Grenier, pour lui donner des nouvelles fraîches de ses ouailles, à l'institutrice de l'école du Bourdais, et elle recommençait à écrire d'autres lettres sans attendre les réponses.

Ovila entrait toujours tard. Il travaillait sans cesse. En juin, il lui annonça qu'il aurait une sorte de promotion. Maintenant, il s'occuperait des séchoirs. Émilie s'en réjouit, sans vraiment comprendre ce qui différenciait ce travail du précédent. Quand Ovila travaillait aux chantiers, elle avait toujours exactement compris ce qu'il faisait. Quand il avait travaillé à Saint-Tite, à la maison ou au village, elle avait pu le voir à l'œuvre. Ici, elle n'avait aucune idée de ce qu'il faisait. Elle savait simplement qu'il mettrait une ardeur insoupçonnée à faire fonctionner des séchoirs. Elle n'avait jamais même vu un séchoir et elle dut s'avouer qu'elle n'avait pas non plus envie d'en voir. Elle étouffait dans ses sept pièces, neuves, belles, fraîches peintes. Sept belles pièces identiques aux sept pièces des voisins, et de leurs voisins et des gens de la rue d'en face, de la rue voisine et de la rue d'en arrière. Le temps lui manquait où sa maison respirait un passé, un présent et un avenir. Ici, sa maison respirait l'air que le propriétaire lui avait donné.

L'été torride arriva sans qu'Émilie ne le voie venir. Ici, elle avait perdu tous ses repères saisonniers. À Saint-Tite, elle sentait l'été des semaines et des semaines à l'avance. Elle voyait le vert s'approfondir dans chacune des feuilles nouvelles. Ici, elle apercevait bien un arbre perdu, mais un arbre ne pouvait lui donner le pouls de la saison. À Saint-Tite, elle aurait su qu'il lui fallait attendre un été chaud, par le chant des cigales, par la position des feuilles dans les arbres, par la couleur des levers et des couchers de soleil, par la façon dont les légumes poussaient dans son potager. Ici, la chaleur l'avait prise par surprise, un beau matin, comme la surprenait encore le bruit d'un klaxon ou le cri qu'une mère adressait à son enfant qui courait derrière une balle ou un cerceau dans la rue.

Dès la fin des classes, les sept pièces bien grandes et bien éclairées de soleil s'étaient assombries par le nombre de têtes qui envahissaient les fenêtres. Émilie se vit contrainte d'expédier les enfants dehors et dès qu'ils avaient franchi le seuil de la porte, elle accourait pour s'assurer qu'ils ne jouaient pas dans la rue. Le plus souvent, elle empoignait Alice sous un bras et sortait à la hâte pour rappeler un de ses enfants à l'ordre.

Ovila était absent pendant toute la journée et ne rentrait que tard le soir. Il avait avoué, en termes à la fois clairs et doux, que la présence des enfants, la promiscuité, la nouveauté de la ville étaient à blâmer pour ses multiples absences. Émilie l'avait écouté et lui avait proposé une solution à son problème. Elle lui offrit de partir pour le lac à la Perchaude avec tous les enfants. Ovila l'avait remerciée, lui disant qu'il ne pourrait se séparer d'eux. Émilie s'était enflammée.

«Tu dis qu'on prend trop de place! Je t'offre de *clairer* le plancher pis tu veux rien entendre.

— Émilie, j'ai juste dit que j'étais pas capable de toujours être dans la maison. Rien d'autre.

— T'es-tu demandé si moi ça me tentait d'être dans la maison toute la journée? J'aimerais mieux être au lac.»

La Belgo vint au secours d'Émilie. Moyennant une augmentation de salaire et le paiement de l'installation d'un téléphone, on proposa à Ovila de travailler de jour et d'être de garde la nuit. Il s'empressa d'accepter. Grâce à ce nouvel arrangement, Émilie put passer ses soirées avec Ovila, mais les talents de ce dernier venant à être connus, elle commença à dormir seule une grande partie de la nuit. Elle ne comprenait pas qu'une grosse compagnie comme la Belgo ait toujours quelque appareil qui brisait, surtout pendant la nuit.

Ovila lui proposa enfin de quitter Shawinigan pour le reste de l'été. Elle partit avec armes, bagages et enfants pour cinq semaines. Elle logea au lac avec les plus jeunes, Alice, Jeanne et Clément, pendant que les plus vieux dormaient chez la grand-mère Pronovost et venaient la rejoindre pendant la journée.

Elle revint à Shawinigan pour le début des classes. La seule bonne nouvelle qui l'accueillit fut que les garçons et les filles fréquenteraient encore la même école. Les religieuses et les frères avaient sous-estimé le nombre de déménagements. Les enfants retournèrent donc tous à la même école. Paul entra en deuxième, mais Rose dut demeurer en quatrième.

Ovila souligna en grandes pompes leur retour, les invitant tous à manger au restaurant. Il déplia ostensiblement la liasse d'argent qu'il avait apportée pour impressionner Émilie et les enfants certes, mais aussi pour se convaincre qu'il ne rêvait pas, que cet argent était bien à lui et que si tout allait comme il le souhaitait, il serait en mesure d'acheter une maison à Émilie dès l'année suivante.

Émilie s'apprêtait à passer son premier hiver à Shawinigan. Elle avait confectionné de nouveaux vêtements pour les enfants, l'orgueil lui ayant fait refuser de leur faire porter ceux qui lui avaient paru fort convenables à Saint-Tite. Clément usa le manteau trop grand qui lui avait été refilé par Paul et le manteau de Jeanne fut porté par Alice.

L'hiver attaqua Émilie par toutes les issues possibles. Il la prit d'assaut en recouvrant Célina, sa mère, de la grande froidure. Émilie ne put même pas assister à ses funérailles, incapable de trouver une gardienne qui aurait pu prendre maison et maisonnée en charge. Elle en voulut à Ovila de n'avoir pas réussi à prendre congé pour les trois jours qu'aurait duré son absence. L'hiver, ensuite, s'infiltra par

toutes les portes et les fenêtres de son logement, au point
que la plomberie gela et éclata. Émilie et les enfants durent,
pendant des semaines, aller emplir des chaudrons de neige
pour avoir de l'eau. Émilie s'en plaignit amèrement à Ovila
qui, furieux, défit un mur de la chambre d'Alice, pour
découvrir que le propriétaire n'avait fait poser aucun isolant.
Le propriétaire joua d'innocence, menaçant de poursuivre
Ovila d'avoir détruit le logement et le força à réparer tous
les dégâts qu'il avait faits. Émilie fut donc prise avec le
propriétaire, Ovila ne trouvant jamais le temps de travailler au mur blessé. Émilie, enfin, frissonna son premier hiver
à Shawinigan dans la solitude de ses draps, Ovila ayant eu
une promotion. Il travaillait maintenant de nuit, dormant
le jour, le téléphone sonnant à toute heure pour réclamer
ses services. Émilie se précipitait à la première sonnerie,
craignant qu'Ovila ne soit réveillé inutilement. Mais l'appel
était toujours pour lui, de la Belgo. Ovila se levait comme
un ours, se hâtait de s'habiller sans même s'éveiller complètement et courait à l'usine pour dépanner un ingénieur
dépassé par la complexité d'un problème nouveau. Parfois,
Ovila ne revenait plus de la journée. Parfois il entrait, encore
plus épuisé qu'à son coucher précédent, et tombait dans le
lit dont Émilie venait de lisser les couvertures.

L'année 1916 commença dans la glace. Glace dans les
éviers, glace dans la cuvette des toilettes et glace dans le
cœur d'Émilie. Ovila se ruinait en bois de chauffage. Les
enfants dormaient habillés de chandails de laine, les pieds
dans des chaussettes, les mains dans des mitaines. Si l'un
d'eux se plaignait, Émilie lui répondait en riant que la ville
c'était la ville et qu'il fallait s'en accommoder. En une des
rares occasions qu'elle put parler avec Ovila, ils convinrent
qu'ils déménageraient à l'expiration de leur bail. Émilie lui
dit qu'elle refusait de passer un autre hiver à geler.

«On n'est pas venus en ville pour être dans la misère.

— Il fait froid, c'est vrai. Mais jamais on n'a eu un bon salaire de même.

— Tu passes ton temps à faire la jobbe des ingénieurs, mais c'est eux autres qui ont la grosse paie. Pas toi.

— J'ai pas leurs diplômes. Pis je parle pas anglais!

— Ils ont pas ton intelligence! Tu devrais demander une augmentation.

— Je viens juste d'en avoir une.

— C'est vrai. Mais combien est-ce qu'il y a d'ingénieurs qui travaillent la nuit pis qui sont en *stand-by* le jour?»

Ovila ne répondit pas. Émilie connaissait la réponse aussi bien que lui. Il était le seul employé à faire ce travail. Mais comment pouvait-il expliquer à Émilie qu'il était aussi le seul Canadien français à être responsable d'un quart de travail?

L'hiver desserra enfin ses griffes de froid qui avaient emprisonné Émilie à Shawinigan. Elle commença à patrouiller les rues avec ses trois plus jeunes, espérant trouver un logement plus convenable. Ses recherches durèrent deux semaines. Ovila lui avait laissé entendre qu'ils pouvaient acheter une maison, mais après y avoir réfléchi pendant des nuits et des nuits, elle lui confia qu'elle préférait habiter un logement pendant une autre année. Ovila comprit qu'elle ne lui faisait pas encore confiance. Elle attendait d'être certaine qu'il pourrait conserver son emploi, sans s'en lasser, avant de prendre une hypothèque. En mai, Émilie fit transporter tout leur avoir dans un nouveau logement, encore plus grand, encore plus clair, encore plus cher, encore plus près de la rivière et de la Belgo et encore plus haut. Elle s'était résignée à habiter un deuxième étage. C'était le seul logement qu'elle avait pu trouver, muni d'un chauffage central. Les enfants durent changer d'école, ce qui lui déplut, mais elle n'avait rien trouvé dans le quartier qu'ils avaient habité depuis leur arrivée à Shawinigan. Elle subit à nouveau les questions de l'inscription, la nouvelle assistante directrice ressemblant à l'ancienne comme une goutte d'eau à une autre. Même si Émilie habitait Shawinigan depuis un an, elle ressentit encore le léger mépris qui lui était réservé, comme si elle avait été coupable de ne pas être née en ville.

Ovila avait promis de s'occuper du déménagement, mais son travail l'avait sans cesse retenu. Aussi, les enfants et Émilie transportèrent seuls tout ce que les déménageurs avaient laissé derrière. C'est en faisant le trajet reliant leurs deux maisons qu'Émilie aperçut les premiers bourgeons dans les arbres. Elle décida que cette année, c'est un été complet qu'elle passerait au lac.

Ovila ne discuta pas sa décision. Il savait qu'Émilie ne changeait jamais d'idée. Elle n'aurait pas compris qu'il avait besoin d'elle et il ne pouvait l'en blâmer. Il était absent si souvent.

Émilie passa donc l'été au lac, faisant cette fois une courte visite à ses frères et sœurs à Saint-Stanislas. Elle s'était aussi arrêtée à Saint-Séverin, faire provision de rires chez Lucie.

«Quand j'ai vu arriver une grosse p-poule avec huit poussins accrochés à ses jupes, j'ai pensé que ça p-pouvait pas être personne d'autre que m-ma cousine Émilie.»

L'été la réchauffa quelque peu, mais pas autant que si Ovila avait pu venir passer quelques jours avec eux. Il lui manquait terriblement. Peut-être qu'à Saint-Tite, ils auraient eu le temps de se parler, de se retrouver. Ils auraient pu faire de longues promenades le soir, au clair de lune, écouter le chant du lac et chercher un grand duc dans le ciel. Il ne lui avait écrit qu'une lettre, pour lui dire qu'il avait officiellement été nommé contremaître de nuit. Cette lettre avait fait prendre conscience à Émilie qu'elle avait toujours sous-estimé l'ambition d'Ovila.

En septembre, elle revint à Shawinigan, bien décidée à essayer de comprendre tous les détails du travail d'Ovila. Bien décidée aussi à mieux le soutenir. Il l'attendait à la gare, courant à côté du train jusqu'à ce que la lourde loco- motive s'immobilise. Devant sa mine radieuse, Émilie ne lui parla pas des nouvelles de guerre qui avaient touché le village. Elle préféra reporter à plus tard l'annonce du décès d'Amédée Trépanier et du transport en Europe d'Armand Gignac et de Jean-Baptiste Marchand. Mais elle lui dit qu'Henri Davidson s'était porté volontaire dans le corps médical et qu'aux dernières nouvelles, il se dirigeait vers la Sibérie.

Elle acheva l'aménagement du nouveau logement et occupa une grande partie de son temps à coudre pour elle et les enfants, à repriser les habits tachés d'huile d'Ovila, regrettant souvent de ne plus trouver de sciure de bois dans le fond de ses poches, à préparer des travaux spéciaux pour Rose, à faire taire les enfants pendant le sommeil de leur père. Heureusement, Clément avait joint le rang des écoliers. Elle écrivit à Berthe à quelques reprises mais ne recevant jamais de réponse, elle abandonna sa correspon- dance, comme Berthe l'avait laissée tomber, elle. Jamais de sa vie la solitude ne lui avait pesé aussi lourd. Elle n'avait plus vu Antoinette, qui s'était fait une vie active à Montréal et n'était jamais plus appelée à suivre Henri en Mauricie, Henri n'y venant plus. Ses parents étaient tous les deux morts. Sortant peu de la maison, elle n'avait pas réussi à se faire d'amies à Shawinigan. Elle n'avait jamais même vu Philomène.

Ovila avait changé. Dès que l'euphorie du retour de sa famille fut tombée comme de la poussière derrière une calèche, il avait repris vaillamment son rythme de travail, quittant la maison sitôt sa dernière bouchée de souper avalée, ne revenant que le lendemain matin, après le départ des enfants pour l'école. Émilie prit l'habitude de dormir en tenant un oreiller dans ses bras. Si, par chance, Ovila avait une vraie journée de congé, il la dormait, toujours fourbu. Émilie, profitant parfois du fait que les grands jouaient dehors et que les deux petites se reposaient, venait s'étendre à côté de lui, simplement pour le sentir, pour lui passer un doigt sur les sourcils, l'entendre respirer et lui chuchoter à l'oreille qu'elle l'aimait. Si son mal de lui se faisait aigu, elle lui passait les doigts sur la braguette, mais le plus souvent, il se retournait vivement, comme si une mouche l'avait chatouillé.

34.

Émilie se consolait comme elle le pouvait. Par le travail d'Ovila, par le succès des enfants. Elle refusait de penser à l'époque où elle avait connu des raisons d'être fière d'elle-même. Ce temps était révolu et elle avait choisi d'aimer. Mais cet amour, s'il la comblait presque en totalité, la laissait sur un appétit d'apprendre que l'incessante lecture de journaux et de livres ne réussissait pas à satisfaire.

L'hiver était revenu, encore une fois sans qu'elle le pressente. Elle demeurait incapable de s'accrocher aux saisons de Shawinigan. Heureusement, elle n'eut point froid et les enfants purent dormir dans leurs vêtements de nuit et non dans leurs habits de neige.

Elle reçut des nouvelles de sa belle-mère, qui lui racontait que la rumeur d'une conscription se faisait de plus en plus persistante. Émilie sourit. À Shawinigan aussi, cette rumeur galopait dans les rues. Félicité leur parlait toujours comme si, à Shawinigan, ils avaient été à l'autre bout du monde, plaçant Saint-Tite au centre de l'univers.

Noël aurait été d'une tristesse à mourir si elle ne s'était pas ressaisie à temps. Elle avait fêté le réveillon, seule avec les enfants, Ovila ayant accepté de travailler.

«Tu peux pas faire ça, Ovila! C'est Noël!

—Je le sais, ma belle brume, mais dis-toi que l'argent que j'vas gagner va payer les cadeaux des enfants.»

Émilie se prit à détester tous ces dollars qui tenaient Ovila éloigné d'elle et des enfants. Elle aurait apprécié qu'ils en eussent moins. Elle aurait bien payé six dollars par semaine pour avoir Ovila à ses côtés pendant cinq ou sept heures. Mais Ovila n'aurait pas compris qu'elle lui parle du temps où ils «faisaient des sacrifices» comme d'un temps où ils avaient été heureux. Ovila avait tant de choses à prouver. Il n'avait pas encore oublié l'humiliation d'avoir été déshérité et voulait montrer à Émilie qu'elle avait toutes les raisons de marcher la tête haute.

Au début de 1917, la rumeur du recrutement devint réalité. Partout, sur tous les murs des endroits publics, des affiches aux armoiries canadiennes invitaient les jeunes à «l'aventure» outre-mer. Émilie avait frissonné. On recrutait des hommes âgés de 18 à 45 ans, mesurant au moins cinq pieds et deux pouces. On faisait miroiter la solde et la pension. Les conditions étaient si faciles. La signature était valable pour la durée de la guerre et pour les six mois suivant la fin des hostilités.

Émilie se consolait en pensant qu'il n'y avait heureusement personne de ses deux familles qui irait au front. Cette guerre qui ne devait durer que le temps de quelques crachats de canons n'en finissait plus. À défaut de s'intégrer à Shawinigan, Émilie eut l'impression de vivre au rythme de l'Europe. Elle lisait les comptes rendus quotidiens, épluchait les noms de toutes les victimes, craignant d'en trouver un qui lui serait familier. Elle en parlait peu avec Ovila, sachant qu'il était beaucoup plus préoccupé par ses rouleaux troués, ses boîtes de succion et leurs filtres et ses centaines d'engrenages.

Un mois de mars très doux vint enfin éclairer ses fenêtres maculées de giboulée et de gadoue. Elle commença à compter les jours qu'elle aurait à attendre avant de partir pour Saint-Tite. Plus que trois mois...

Les enfants rentrèrent de l'école, surexcités.

«Moman! moman! Devinez quoi?

— Quoi?

— Demain, on va à la cabane à sucre!

— Tous les élèves de l'école?

— Oui! Avec des parents qui ont des machines pis des voitures assez grandes pour monter tout le monde.

— Pis il faut qu'on porte du vieux linge.

— Pis des bottes!

— Pis qu'on apporte des œufs!

— Pis une collation!»

Émilie consacra sa soirée à la préparation de cette journée. Elle sortit les vieux vêtements qu'elle avait autorisé les enfants à porter en de rares occasions, surtout pour jouer dehors. Le lendemain matin, elle les regarda partir à la queue leu leu et ne put s'empêcher de sourire à leur allure de petits campagnards. Elle reconnaissait ses enfants de Saint-Tite qui traînaient leurs «bottes à vaches» dans la neige tachée de sable, de cendre, de cailloux et de crottin.

Elle referma la porte, se planta devant une fenêtre et n'abandonna son poste d'observation que lorsque Clément eut rejoint les plus grands et tourné le coin de la rue.

Elle vit Ovila arriver de la direction opposée, les mains dans les poches. Sa fenêtre aurait été ouverte qu'elle l'eût entendu siffler. Elle le regarda venir, l'air heureux, l'œil injecté d'une insouciance qui lui allait à ravir. Elle retourna à la cuisine et l'entendit fermer la porte du rez-de-chaussée, monter les escaliers trois marches à la fois, tourner la poignée et entrer.

«Émilie?

— Ici, Ovila, dans la cuisine.»

Il s'approcha derrière elle, déposa sur la table les contenants dans lesquels, la veille, elle avait mis une salade de pommes de terre et des marinades, l'enlaça et lui mordilla le lobe de l'oreille droite.

«Tu as bien l'air joyeux ce matin.

— J'ai toutes les raisons du monde de l'être!»

Émilie se dégagea, se tourna et le regarda bien en face.

«Une autre promotion?

— Non!

— Une augmentation?

— Non!»

Elle eut peur. Elle espérait qu'il n'avait pas fait de folie.

«Tu as pas acheté une maison j'espère...

— Non!

— Cesse de me faire fatiguer, pis dis-moi ...

— Est-ce que les enfants sont à la cabane?

— Bien oui, tu le sais.

— Ils viendront pas dîner comme ça?

— Tu le sais!

— Penses-tu que la fille de la voisine pourrait garder Jeanne pis Alice jusqu'à deux, trois heures?

— Où est-ce que tu veux m'amener?

— C'est un secret! Va conduire les p'tites. Tu vas le savoir quand tu vas revenir.»

Émilie voyait luire dans ses yeux son air amusé des grandes surprises. Elle ne posa plus de questions, lui demanda de jeter un coup d'œil aux fillettes pendant qu'elle allait chez la voisine, fut de retour après huit minutes d'absence, mit le manteau à ses filles et repartit. Elle revint, essoufflée. Ovila n'était plus dans la cuisine.

«Ovila?»

Il ne répondit pas. Elle se dirigea vers le salon.

«Ovila?»

Toujours pas de réponse. Elle fronça les sourcils puis se dirigea vers la chambre à coucher. Ovila était au lit, bien appuyé sur les oreillers, les deux mains derrière la tête, la figure illuminée d'un sourire blanc qui sentait le dentifrice. La minceur du drap ne réussissait à voiler ni sa nudité, ni son désir.

«J'ai une journée de congé!»

Émilie éclata de rire, regarda l'heure, calcula mentalement qu'ils avaient sept heures de solitude devant eux, défit son chignon et commença à déboutonner sa robe.

«Nananana, madame, pas comme ça. Approchez un peu. J'vas vous montrer comment une grande personne est supposée déboutonner une robe...»

Ils eurent six heures collantes de solitude. Ils rirent aux éclats des grincements du sommier. Ils inventèrent une nuit harassante qui expliquerait à la fille de la voisine qu'Ovila avait eu besoin d'une journée d'un sommeil profond, non perturbé par les cris des petites.

Émilie sa hâta de s'habiller pour les prendre à deux heures, mais la fille de la voisine lui apprit qu'elles venaient toutes les deux de s'endormir. Émilie feignit une légère contrariété.

« Vous m'excuserez, madame Pronovost, mais je les ai amenées dans les magasins. Est-ce que vous voulez que je les réveille?

— Non! non. J'vas repasser dans une heure et demie. C'est mieux de les laisser dormir. »

Elle retourna chez elle à la hâte et empêcha Ovila de s'endormir pendant une autre heure à goût de Saint-Tite.

35.

Émilie et Ovila furent renversés d'apprendre qu'elle avait conçu un neuvième enfant, malgré ses trente-sept ans. Au grand soulagement d'Ovila, Émilie s'en était réjouie.

«Au moins celui-là se fera jamais reprocher de pas être né en ville.

— Tu es vraiment contente, Émilie?

— Oui. Quand Alice est née, j'avais juré que j'aurais pus jamais d'enfants. Mais celui-là, ça sera pas pareil. Celui-là, Ovila, ça va être le vrai p'tit dernier. Celui-là, j'vas avoir le temps de le chouchouter. Ça me tente. C'est tout.»

Ovila ne fit aucun commentaire. Émilie avait à peu près l'âge de sa mère à la naissance de Marie-Anne. Il priait en silence de ne jamais avoir à regretter sa journée de congé du mois de mars.

À la Belgo, il continuait de travailler d'arrache-pied. Il était dur avec ses hommes, lui disait-on, mais les hommes ne semblaient pas s'en plaindre. Le travail avançait rondement. Il eut la chance incroyable d'avoir une autre promotion. Il s'occuperait de l'entretien, de jour. Cette nouvelle fit encore plus plaisir à Émilie et aux enfants, qui pouvaient voir leur père un peu plus longuement le soir. Mais la Belgo apporta aussi une autre nouveauté à Ovila: la camaraderie.

Pendant les premières semaines de travail de jour, il se hâtait d'entrer à la maison. Puis un jour, il accepta de s'arrêter en route. Il savait qu'il était toujours fragile à l'alcool. Aussi refusa-t-il les verres qui lui étaient offerts. Pour occuper les minutes puis les heures qu'il passait avec ses compagnons de travail, pour la plupart des hommes de son équipe, il commença à jouer aux cartes. Heureusement, la chance lui souriait. Seule Émilie se plaignit de ces absences toujours plus longues. Il essaya de lui faire comprendre que ces quelques parties de cartes étaient importantes pour le moral de ses hommes. Émilie, croyant à une passade, cessa ses commentaires, se préoccupant davantage de l'enfant qui grandissait en elle que de reproches vains et épuisants.

Sa dixième grossesse se passait tellement facilement qu'elle décida de passer l'été au lac. Ovila la conduisit à la gare. Il lui fit promettre d'être prudente.

«Je serai pas là pour te surveiller, ma belle brume. Ça fait que fais ça comme une grande fille.»

Émilie ne put s'interdire de lui répondre que de toute façon, depuis le début de cette grossesse, il ne la surveillait pas tellement, «trop pris par ses flush, ses *straight*, pis ses royales». Il eut un mouvement d'impatience.

«Je te comprendrai jamais, Émilie. On a des beaux enfants. J'ai une jobbe que pas un autre Canadien français a. J'ai des hommes à mener, moi! Je vis dans une ville sans que personne me traite de maudit *farmer*. On a de l'argent que ça nous sort par les oreilles. Pis tu es pas contente! Tu es jamais contente! Tu as jamais été contente!

— Tu as menti, Charles Pronovost! J'ai été contente bien des fois.

— À Saint-Tite! Quand j'étais pas parti dans les chantiers! Quand je faisais des jobbes plates pour un salaire de crève-faim! Quand mon père te gâtait! Quand tu avais ta p'tite maison, pis ton p'tit jardin, pis tes p'tites affaires qui changeaient jamais de place!

— As-tu bu, Ovila?

— Non, j'ai pas bu! Pis cesse de me demander si j'ai bu chaque fois que je dis ma façon de penser!»

Les enfants, pressés de s'asseoir dans le train, n'avaient pas été témoins de l'altercation entre leurs parents. Seuls Émilien et Marie-Ange avaient pressenti que quelque chose n'allait pas lorsqu'ils s'étaient penchés à la fenêtre pour saluer leur père une dernière fois et inviter leur mère à se hâter de les rejoindre.

Émilie avait tourné les talons et monté les quelques marches avant d'entrer dans le wagon rempli de vacanciers tous plus laids les uns que les autres. Elle s'engouffra dans la salle de toilette et s'aspergea la figure pour noyer ses larmes brûlantes sous l'eau fraîche du robinet. Elle sortit enfin, rejoignit ses enfants qui lui avaient gardé deux places, une pour elle et une pour les sacs de provisions, et pencha la tête à la fenêtre. Ovila n'était plus sur le quai de la gare.

«Est-ce qu'il y a quelque chose qui va pas, moman?» demanda Émilien sur un ton qu'il essaya d'imprégner de toute la virilité de ses onze ans.

«Non. Pourquoi?

— On dirait que vous avez pleuré.»

Émilie se mit à rire. Elle lui tapota la figure, lui pinça la joue entre le pouce et l'index, lui dit qu'il avait l'imagination fertile. Elle n'avait qu'aspergé sa figure de bonne eau fraîche à cause de la chaleur. Émilien ne dit pas un mot et regarda le chandail que sa mère portait pour se protéger de la fraîcheur.

Cet été-là, elle ne reçut aucune lettre d'Ovila. Elle lui écrivit à plusieurs reprises, passant sous silence les minutes qui avaient précédé son départ, préférant lui décrire les faits anodins qui assaisonnaient ses journées et celles des enfants. Elle lui raconta, entre autres, qu'elle avait rencontré Alma, cette jeune pensionnaire qu'elle avait hébergée avec Antoinette après l'incendie du couvent. Elle ajouta qu'il ne l'avait jamais rencontrée, puisqu'à ce moment, il était parti aux chantiers. Elle lui parla de Félicité qui semblait de plus en plus décidée à quitter le vieux bien pour que Ti-Ton et sa nouvelle épouse puissent y élever leurs enfants sans la présence d'une vieille toute craquante de rhumatismes. Elle terminait chacune de ses lettres en lui disant que sa grossesse allait toujours aussi rondement — ce qui n'était pas une figure de style — et qu'elle croyait bien que l'été de 1917 serait le dernier qu'elle passerait à Saint-Tite, surtout si sa mère allait habiter chez Éva au lac à la Tortue. Elle écrivit enfin sa dernière lettre pour lui indiquer la date de leur retour et lui dire qu'elle et les enfants avaient terriblement hâte de le voir.

Ils attendirent une heure à la gare avant qu'Émilie ne décide de rentrer à la maison par les transports en commun. Ovila avait dû avoir un empêchement.

«Je suis donc dans la lune! Votre père m'avait dit aussi qu'il pourrait pas être là. On va lui faire la surprise de rentrer tout seuls comme des grands.»

Elle cacha ses grimaces d'angoisse à chaque fois qu'un cahot les faisait sursauter. Elle tenait Alice sur ses genoux.

«Boum en l'air!» et Alice riait de ses yeux bleu turquoise et de sa bouche illuminée de petites dents blanches, bien droites.

Ils arrivèrent à la maison. Les enfants se précipitèrent dans les escaliers. Émilie fermait la marche, essoufflée par le poids des bagages et celui de ses six mois de grossesse. Elle n'avait pas encore atteint le palier que les enfants redescendaient pour jouer dehors. Marie-Ange fut la dernière à la croiser, ne se permettant pas, à presque quatorze ans, de montrer autant d'enthousiasme.

Émilie poussa la porte et soupira de soulagement. Elle ne s'habituerait jamais à vivre au deuxième étage. Maintenant qu'Ovila semblait heureux à Shawinigan, le moment était venu d'acheter cette maison qu'il lui avait promise. Elle entra dans sa chambre et gela. Elle n'avait pas eu besoin d'yeux pour s'expliquer l'absence d'Ovila. Son nez avait suffi. Il était étendu sur le dos, les bras en croix, la bouche ouverte, la barbe longue, les cheveux défaits. Un sommeil lourd le clouait au lit.

«Oh! non!... Oh! non!... Oh! non!...»

Plus elle refusait le spectacle qui s'offrait à ses yeux, plus elle s'affaissait, se retrouvant bientôt accroupie sur le plancher, les mains devant ses yeux. Elle demeura là jusqu'à ce qu'elle entende claquer la porte du rez-de-chaussée. Giflée par le bruit, elle se releva, sortit précipitamment de la chambre, en ferma la porte et s'enferma à double tour dans la salle de toilette. Elle entendit Blanche qui l'appelait et s'empressa de répondre avant que sa fille ne décide d'aller voir dans la chambre à coucher.

«Moman est ici, Blanche.

— Avez-vous bientôt fini? J'ai envie.

— Donne-moi deux minutes. Peux-tu attendre deux minutes?

— Seulement si je me serre les cuisses.

— Serre tes cuisses!»

Elle se moucha rapidement, s'essuya aussi les yeux, actionna la chasse d'eau et sortit en regardant en direction de la cuisine pour éviter de croiser le regard de sa fille. Blanche se précipita dans la salle de toilette sans remarquer les boursouflures qui avaient labouré le visage de sa mère.

Ovila ne s'éveilla pas de la soirée et les enfants ne songèrent jamais à le trouver, convaincus qu'il était au travail. Le lendemain matin, Émilie le secoua.

«Ovila...Ovila...réveille-toi. Faut que tu ailles travailler.»

Il ouvrit un œil, se prit la tête à deux mains en grognant de douleur, regarda Émilie, ferma les yeux, les rouvrit, de plus en plus étonné de la voir à ses côtés.

«Qu'est-ce que tu fais ici?

— On est rentrés hier...comme je te l'avais écrit.

— Tu m'avais écrit ça?»

Émilie ne répondit pas, sortit de la chambre et se dirigea vers le meuble sur lequel ils avaient l'habitude de poser le courrier. Elle fouilla à travers la paperasse et trouva trois de ses lettres, toujours cachetées, dont la dernière annonçant la date du retour. Elle la prit et revint dans la chambre. La colère avait rapidement pris le pas sur sa déception et son chagrin. Elle lui lança la lettre. Ovila fit une grimace d'incompréhension en prenant l'enveloppe dans ses mains.

«J'ai pas dû la remarquer quand je suis allé au bureau de poste.

— Il y en a deux autres aussi que tu as pas vues. Tu ferais mieux de te grouiller parce que tu vas être en retard.

— C'est pas grave. J'ai un bon *boss*.

— Comment ça, tu as un bon *boss?* Me semblait que c'était toi *le boss!*

— Un jour on est un p'tit *boss* français, pis un jour on est pus un p'tit *boss*. Pis à part de ça, aujourd'hui, je travaille pas. Demain? Non plus. Le jour d'après? Non plus. La semaine prochaine? Non plus. Le mois prochain?... pour le mois prochain, on verra. Je dirais que le mois prochain, ils vont commencer à avoir pas mal de machines de *pétées* pis ils vont m'appeler...Non. Ils vont pas m'appeler parce que le téléphone est parti, mais ils vont envoyer quelqu'un me chercher. Est-ce qu'il y a d'autre chose que tu voudrais savoir?»

Émilie comprit rapidement qu'Ovila n'avait pas encore cuvé tout l'alcool qu'il avait ingurgité. Elle lui dit sèchement de continuer à dormir. Il la remercia d'une courbette et d'un grand signe de la main, se retourna et s'endormit aussitôt.

Émilie mit une bonne semaine à comprendre qu'Ovila n'avait pas menti. Les comptes n'avaient pas été payés depuis la mi-juillet. Il lui confirma qu'il avait été congédié de la Belgo, deux semaines après son départ pour Saint-Tite.

«Les Anglais ont pas le sens de l'humour, Émilie. Je suis juste rentré un peu *gorlot* un matin, pis ils m'ont dit: *Bye bye mister Prénovo. Don't call us, we'll call you if somet'ing really wrong 'appens and if our* ingeneers *cannot control it. Bye Bye mister Prénovo.*

— Je dois avoir quelque ancêtre anglais, Ovila, parce que j'ai pas le sens de l'humour pantoute.

— Ça, ma belle brume, ça fait longtemps que je le sais. Tu m'apprends rien.»

Comme Ovila l'avait prévu, la Belgo le contacta pour qu'il aille régler quelques problèmes de mécanique. Émilie se prit à espérer que toute leur infernale machinerie rende

l'âme. Entre ses quelques heures de travail hebdoma-
daires, Ovila continuait à fréquenter ses amis et tous
faisaient des gorges chaudes de l'incapacité des «savants
ingénieurs de l'Université McGill de Montréal» à régler des
problèmes moins compliqués que des problèmes de ménage.

À la fin d'octobre, Émilie dut faire face à une dure
réalité. Jamais ils n'auraient de maison, Ovila en ayant bu
ou joué les fondations, les murs et la toiture. Ce fait aurait
été acceptable s'il n'avait été jumelé à de graves problèmes
d'argent. Ovila ne rapportait plus un sou à la maison —
quand il y venait — et Émilie, en secret, se résigna à faire
venir son héritage, qui avait dormi à l'abri des tempêtes,
à Saint-Tite.

Plus son enfant grandissait en elle, plus son amour
pour Ovila rapetissait. Il rejoignit ce coin de son cœur qu'elle
avait bourré de cendres et de poussières. Mais chaque fois
qu'elle le voyait entrer, en perte d'équilibre, elle pinçait les
narines, non pas tant à cause de l'odeur qu'il dégageait qu'à
cause de sa beauté, que l'alcool ne réussissait pas à effacer.
Elle apprit à respirer sans l'oxygène qu'il lui avait apporté
depuis cinq ans, mais elle étouffa dans son corps, qui ne
cessait de le réclamer malgré la vie qu'il y avait, une dernière
fois, fait naître.

Au mois de novembre, le froid attaqua violemment et
elle dut se résigner à mettre en marche le chauffage central.
La maison se réchauffa, mais pas son cœur ni celui des
enfants qui avaient compris que leur père avait été remplacé
par une espèce de fantoche désarticulé, soutenu par des
ficelles invisibles.

Au mois de décembre, Émilie accoucha de sa sixième
fille. Ovila avait bien essayé de lui tenir compagnie mais il
s'était endormi dans un fauteuil avant d'avoir vu cette
enfant, véritable portrait de sa mère. Le lendemain, il s'était
approché du berceau et l'avait longuement regardée.

«Jamais vu ça, Émilie! Si j'avais bu, je dirais que tu t'es déguisée en bébé pis que tu es rentrée dans le berceau. Si j'avais pas souvenir d'avoir été avec toi au mois de mars, je jurerais que tu l'as fait toute seule.»

Émilie lui sourit, presque dédaigneusement, et répondit qu'il n'y avait mis que quelques petites heures. Rien de plus. Rien de moins.

Au mois de janvier 1918, Émilie se promenait sur les rives du Saint-Maurice, Rolande emmitouflée dans le traîneau rouge qui avait maintenant seize ans, Alice à ses côtés, s'amusant à faire des boules de neige. Les remous de la centrale de Shawinigan empêchaient l'eau de geler et Émilie regardait la vapeur qui s'élevait des bouillons d'eau comme si sous cette eau glacée il y avait eu un enfer de feu. Elle regardait le manteau élimé d'Alice et se demandait comment, en quelques mois, elle et Ovila avaient pu rejoindre les rangs des pauvres et des presque affamés. Elle s'immobilisa quelques instants, attirée par le flottement d'un morceau de tissu. Elle demanda à Alice de surveiller le bébé et s'approcha de la rive. Elle prit une branche morte et réussit à attirer le lourd tissu jusqu'à elle. Elle le tira partiellement de l'eau et l'examina. Une épaisse laine feutrée aux couleurs du coton jaune. Elle regarda à nouveau les remous et vit un autre tissu qui flottait à la dérive, puis un troisième. Elle reprit la poignée du traîneau et rentra chez elle. Ovila était assis dans la cuisine, pipe au bec, couteau à la main, occupé à taillader un bout de bois.

«Ovila, c'est quoi les espèces de couvertes qui flottent sur la rivière?

— C'est les couvertes de la Belgo.

— Les couvertes de la Belgo?

— Ben oui, les couvertes qu'on met sur les rouleaux quand on fait la finition du papier. Quand on a trop de pâte de collée dessus, on les enlève pis on les maudit à l'eau.

— Ovila, tu vas trouver une chaloupe, pis ce soir, demain soir, pis tous les soirs que tu vas rien avoir à faire, tu vas aller me chercher toutes les couvertes qui flottent.

— Es-tu folle? J'vas me tuer dans les remous. Ça pèse une tonne les couvertes mouillées. As-tu envie que je chavire pis que je me noie?

— Non. Tu vas apporter un bon fanal, pis tu vas y aller. J'vas être capable de faire des manteaux aux enfants là-dedans. Pis des couvertes pour les tenir au chaud. Tu y vas ce soir. Ça fait que pour aujourd'hui, pas une goutte, mon vieux. Pas une goutte! Parce que c'est celle-là qui va te noyer. Pas la rivière.»

Ovila trouva une chaloupe et partit, terrifié par le grondement de l'eau, à la pêche aux couvertures de la Belgo. Il avait attendu que la noirceur ait envahi les rives, de façon à pouvoir pêcher sans risquer d'être vu. Il revint quelques heures plus tard avec deux couvertures. Il les déposa dans une grande cuve et se coucha, transi, à côté d'Émilie. Il tenta de se coller à elle pour absorber un peu de sa chaleur. Elle le repoussa. Il soupira et s'endormit en claquant des dents.

Il recommença le même manège pendant trois nuits. Il avertit enfin Émilie qu'il leur faudrait attendre une dizaine de jours, le temps que les nouvelles couvertures soient inutilisables sur les rouleaux. Émilie n'en crut pas un mot, sachant fort bien qu'il brûlait de son froid intérieur. Elle ne s'était pas trompée et pendant sept jours, il brilla par son absence, meublant ses journées de râlements et de morosité et ses nuits de fumée, d'alcool et de dettes.

Émilie consacra tout son temps à travailler sur les couvertures de la Belgo. Elle passa des heures, assise à sa table de cuisine, à gratter tous les morceaux de pâte de papier qui adhéraient à la laine. Le travail exigeait patience et concentration. Elle utilisait un petit couteau pour venir à bout des miettes les plus incrustées. Quand elle eut enfin terminé sa première couverture, les ongles brisés, les doigts rougis et des cloques sur son pouce et son index, elle en entreprit une seconde, puis une troisième. Les enfants lui avaient demandé ce qu'elle faisait et elle leur avait répondu qu'elle préparait des manteaux. Ils ne posèrent plus de questions, sa réponse ne les ayant ni éclairés ni convaincus. Elle compta son argent et acheta de la teinture. De la bleue, de la rouge vin, de la brune et de la beige. Pour les garçons, elle tailla des pantalons et des vestons dans les couvertures brunes et beiges. Pour les filles, elle coupa des manteaux dans les autres couvertures. Marie-Ange la regarda faire, une moue de dédain aux lèvres.

«Franchement, moman, avez-vous l'impression qu'on va aller à l'école habillés avec ça?

— Fais aller ton imagination un peu. Oublie les couvertes pis contente-toi de regarder le tissu. Tu le trouves pas beau?

— Ben...oui. C'est du beau tissu, mais ici à Shawinigan, tout le monde va le reconnaître.

— Fais-moi confiance, Marie-Ange. Vous allez avoir les plus beaux manteaux que vous avez jamais eus.»

Et elle tint parole, travaillant jusque tard dans la nuit à coudre, doubler, piquer les collets, faire des ceintures, poser des boutons vis-à-vis des boutonnières toutes de la même grosseur.

Au début de février, tous ses écoliers purent étrenner leurs nouveaux vêtements. Elle avait mis quatre semaines entières à essayer de les habiller du peu de fierté qui lui restait.

Ovila avait été appelé à la Belgo à raison de trois ou quatre fois par semaine. Il était arrivé qu'Émilie soit obligée de mentir au messager, parce qu'Ovila avait été incapable de se lever. Ces jours-là, elle lui faisait la tête et Ovila, ne pouvant supporter son regard, lui promettait une nouvelle pêche nocturne. Quand elle eut nettoyé cinq bonnes douzaines de couvertures, Émilie lui dit qu'il ne serait plus nécessaire d'aller pêcher.

Au début de mars, Émilie compta l'argent qui leur restait et additionna le montant de leurs dettes. Ovila n'étant pas entré depuis deux jours et deux nuits, elle lui laissa donc un message sur la cuvette de la salle de toilette, certaine qu'à cet endroit, il ne pouvait lui échapper.

Elle ouvrit les yeux sur un matin ensoleillé et sentit la présence d'Ovila à ses côtés. Elle le regarda, soupira et se leva pour préparer le petit déjeuner des écoliers: du pain durci, trempé dans du lait et généreusement recouvert de cassonade. Elle avait présenté ce menu comme un menu spécial, que peu d'enfants avaient goûté. Les enfants, que l'exclusivité mettait toujours en appétit, se léchaient les babines tant ce petit déjeuner de roi leur plaisait. Émilie les regardait manger en berçant Rolande. Elle lui fredonnait toutes les chansons qui faisaient sourire le bébé, particulièrement *J'ai du bon tabac*.

Ovila se leva en grande forme, faisant un signe de main à Émilie pour la faire taire avant même qu'elle n'ouvre la bouche.

«Oui, je le sais. Je t'ai pas donné de nouvelles depuis deux jours. Mais c'est pour une bonne raison. Faut que je te parle.

— Parle toujours, Ovila, je peux pas aller bien loin.

— Émilie, je veux pus rien savoir de la ville.»

Émilie leva les yeux, incrédule, puis comprit qu'il ne mentait pas et qu'il avait même l'air très sérieux.

«Tu as pas bu, Ovila?

— Non, j'ai pas bu. Pis j'ai pas bu depuis deux jours. J'ai passé ces deux jours-là à marcher...dans le bois. Je m'ennuie du bois, Émilie. Je suis pus capable de m'en passer.

— Je le savais.

— Comment ça?

— Tu as recommencé à gosser une p'tite branche.»

Ovila éclata de rire. Il s'approcha d'Émilie et lui posa une main sur l'épaule.

«J'aimerais mieux que tu me touches pas, Ovila.»

Ovila retira sa main, hocha la tête et continua à parler. Il lui redit qu'il n'avait pas bu depuis deux jours et que, quant à lui, il n'avait plus l'intention de retoucher à l'alcool de sa vie. Chaque fois que je bois, disait-il, je rends tout le monde malheureux. Il lui rappela la déception de son père et sa déception à elle. Il insista sur le fait que lui-même n'en pouvait plus de se décevoir aussi. Émilie l'écouta sans cesser de fredonner. Si cela agaça Ovila, il n'en laissa rien paraître. Il enchaîna en lui disant qu'il était certain qu'elle avait toujours été plus heureuse à la campagne. Que les enfants eux-mêmes parlaient sans cesse de la campagne. Émilie se berçait toujours, mais plus Ovila parlait, plus son cœur lui tambourinait aux oreilles. Il lui avoua qu'il l'aimait toujours autant et elle leva un sourcil.

«Fais pas cet air-là. C'est vrai. J'ai presque toujours bu parce que je voyais bien que tu étais pas heureuse pis que je savais pus quoi faire pour que tu souries.

— Rends-moi pas responsable de ton vice, Ovila.»

Ovila quitta la cuisine et Émilie l'entendit fouiller dans ses poches de manteau. Elle ferma les yeux tout en se frottant les lèvres sur le duvet qui recouvrait la tête de Rolande.

Elle inspira profondément pour se convaincre qu'elle était bien vivante et pour se donner la force de croire à ce qu'Ovila, son Ovila qu'elle ne pouvait regarder sans ramollir, lui racontait. Se pouvait-il que ces derniers mois d'enfer fussent les derniers qu'elle connaîtrait? Une toute petite rechute? Une curiosité d'Ovila de retourner voir dans son âme ce qu'il avait quitté depuis tellement d'années? Rolande gargouillait sous les chatouillis du souffle de sa mère. Émilie ouvrit les yeux et replaça le bébé qui glissait. Ovila revint dans la cuisine, une liasse de papiers dans les mains.

«La semaine prochaine, Émilie, je pars pour Barraute...

— C'est où ça?

— En Abitibi.

— Qu'est-ce que tu vas aller faire là?

— Acheter des terres... en fait, louer des terres, pour les déboiser pis les défricher. L'aventure, ça te tente toujours?»

Émilie avait cessé de se bercer. Elle le regardait bien en face, essayant de lire quelque part dans son expression qu'il était atteint d'une nouvelle folie. Elle ne vit rien d'autre que des yeux de plaidoirie et un sourire d'espoir.

«Ovila, j'ai pas envie d'aller vivre dans ce pays de maringouins! Il y pas un chat là-bas! C'est tout juste s'il y a des écoles. Pis nos enfants ont du talent, Ovila. Faut que nos enfants fassent des études pour...pour...

— ...pour pas devenir comme leur père?

— C'est pas ça que je voulais dire.

— Non, mais tu l'as pensé par exemple.»

Émilie se leva, coucha Rolande sur la table, la retint d'une main pendant que de l'autre elle fouillait dans un tiroir pour prendre une couche, changea la couche souillée en ne cessant pas de parler au bébé.

«Tu la gâtes trop, celle-là.»

Émilie haussa les épaules, prit Rolande sous son bras et se dirigea vers le poêle. Ovila la suivait des yeux.

«Vas-tu passer ton temps à tournailler pour pas être obligée de me répondre?»

Émilie prit le canard et versa de l'eau dans un pot. Elle y trempa un biberon et Rolande s'agita.

«Regarde donc par la fenêtre voir si Jeanne pis Alice sont toujours dans la cour.»

Ovila regarda et fit signe que oui. Émilie se rassit et donna le biberon à Rolande après avoir vérifié la température du lait sur les veines de son poignet gauche.

«Pis? Tu as rien à dire?

— Pas pour le moment, Ovila... Tu changeras jamais. Quand tu m'as demandée en mariage, tu avais tout organisé dans ta tête, sans même me demander mon avis. Aujourd'hui, tu fais pareil. Tu as organisé toute ma vie, sans me demander si ça me tentait.

— Qu'est-ce que tu penses que je fais, là?

— Tu me demandes pas mon avis...tu veux ma bénédiction. Me demander mon avis, Ovila, ça aurait voulu dire que tu m'aurais parlé des possibilités d'aller en Abitibi, avant d'arriver avec toute la paperasse. Tu passes ton temps à me placer devant des faits accomplis.

— Ben non, Émilie! Ça fait une heure que je me fends le derrière à te demander ton avis.

— Pourquoi Barraute, Ovila?

— Parce qu'à Barraute il y a de l'avenir.

— Si moi je disais que Barraute, j'aime pas ça, est-ce que ça changerait quelque chose?

— Ben..

— Ben... non! Parce que toi, tu rêves de Barraute. Il doit y avoir quelqu'un quelque part qui t'en a parlé. C'est pas ton genre, Ovila, de regarder bien des solutions. Tu t'enlignes toujours sur une affaire, pis il faut qu'on suive. Barraute, Ovila, ça me dit rien pantoute. Je pourrais même pas te dire où c'est...pis j'ai toujours été forte en géographie.»

Ovila se versa un grand verre d'eau pendant qu'Émilie se levait pour coucher Rolande. Elle revint dans la cuisine.

«Tu compliques toujours tout, Émilie. J'essaie de te dire depuis tantôt que je veux partir de Shawinigan. Pis, ma belle, tu viendras pas me dire que là-dessus, on n'est pas d'accord.

— C'est vrai. On pourra pas dire que je partirai d'ici la larme à l'œil.

— La deuxième affaire que je te dis, c'est que je veux retourner vivre à campagne. Pis ça avec, c'est ce que tu veux.

— Je regrette, Ovila. C'est pas de la campagne que tu parles. Tu parles du fond des bois.

— Exagère pas, Émilie. Trois de tes frères vivent en Abitibi pis ils t'envoient de l'argent. Si c'était si dans le fond du bois, il y aurait pas une cenne là-bas.

— Mes frères sont pas à Barraute!

— Pis? Un village ou l'autre, c'est du pareil au même.

— Pas pour moi pis les enfants, Ovila.

— J'vas leur en parler, moi, aux enfants. Peut-être qu'ils ont le sens de l'aventure comme leur père.

— Mêle pas les enfants à ça! Ces enfants-là t'ont presque pas vu depuis un an, ça fait que viens pas les mêler à nos histoires!»

Pendant des semaines, Ovila discuta avec Émilie. Pendant autant de temps, elle ne voulut pas entendre parler de l'Abitibi et de Barraute. La seule toute petite chose qui l'ébranla un peu fut le fait qu'aucune de ces journées n'avait été arrosée d'alcool. À la mi-avril, elle commençait à se demander si Ovila n'avait pas raison. Peut-être leur offrait-il la possibilité d'oublier toutes leurs discordes et de recommencer à neuf.

Les événements vinrent l'aider à démêler ses émotions. Tout commença par la visite inopinée d'inconnus. Ils arrivèrent en pleine nuit et frappèrent à la porte. Son premier réflexe fut d'ouvrir, pensant qu'il s'agissait d'un messager de la Belgo. Puis, se rappelant qu'elle n'avait plus vu de messager depuis des jours et des jours, elle s'était méfiée.

«Qui c'est?

— Des *chums* d'Ovila.

— Il est pas ici, Ovila.

— On veut voir ça avec nos yeux...

— Vous reviendrez demain.

— Non, ma p'tite madame. On veut voir ça tout de suite!»

Un des hommes commença à marteler la porte et Émilie, affolée, s'empressa d'ouvrir de crainte que le bruit n'éveille les enfants et les voisins. Quatre hommes se précipitèrent dans le logement, en firent rapidement le tour, regardant même dans la salle de toilette. L'un deux, celui qui avait parlé derrière la porte et qu'Émilie reconnut à sa voix, s'approcha d'elle et lui prit le menton entre ses gros doigts sales.

508

«Écoute-moi bien, la p'tite madame Ovila. Tu vas faire un message de la part de Ben, de Bob pis de leur *gang*. Tu vas dire au grand que l'argent qu'il nous doit, c'est pas dans trois mois qu'on le veut, c'est avant la fin de la semaine. As-tu compris?»

Émilie le regarda bien en face, espérant qu'il ne sentait pas ses tremblements, leva une main et exigea, à la force du poignet, qu'il retire la sienne.

«Combien est-ce qu'il vous doit, mon mari?

— Trois cents piastres!»

Émilie se demanda s'ils perçurent que ses yeux s'étaient ouverts, que son pouls s'était accéléré, que ses jambes avaient ramolli et que sa gorge s'était déshydratée.

«Venez demain soir. J'vas avoir deux cents piastres pour vous autres.

— C'est trois cents!

— Vous allez vous contenter de deux cents!»

Bob regarda Ben qui fit un signe d'assentiment.

«On va être ici demain à midi.

— Deux heures!

— Midi!

— Si vous venez à midi, j'vas être en train de faire manger les enfants. J'aurai pas le temps de m'occuper de vous autres.

— Fais-nous pas de farce. On va être ici à deux heures.»

Les quatre hommes repartirent aussi bruyamment qu'ils étaient venus. Émilie fit trois fois le tour de sa chambre, enragée et humiliée. Comment pourrait-elle, une journée de plus, être la femme d'Ovila à Shawinigan?

Comment Ovila pourrait-il y rester? Elle courut à son placard, en sortit une valise et y jeta en vrac tous les vêtements d'Ovila. Elle fit le tour du logement, ramassant tout ce qu'elle y voyait qui lui appartenait. Elle regarda l'heure. Il était une heure et Ovila n'était toujours pas arrivé. Elle plaça tous ses effets devant la porte d'entrée et retourna dans sa chambre. Elle sortit une seconde valise qu'elle emplit de ses effets à elle. Elle n'avait plus de choix.

Ovila entra au moment où elle emballait toutes ses couvertures de la Belgo. Émilie ne le regarda qu'une fraction de seconde pour comprendre que sa toute nouvelle sobriété l'avait quitté.

«Qu'est-ce que tu fais là, Émilie?

— Tu pars, Ovila. Tu t'en vas à la gare, pis de là, tu prends le premier train qui va en Abitibi. Va-t-en à Barraute!»

Ovila essayait de se placer les idées vis-à-vis de l'orbite de ses yeux.

«Qu'est-ce qui te prend, Émilie? J'ai juste passé la soirée à faire mes adieux aux gars de la Belgo. Je suis pas saoul, Émilie, j'ai juste pris un verre.

— Un de trop, Ovila. Envoye, file!

— As-tu le feu?

— Oui! J'ai le feu! File!»

Elle lui chargeait les bras de tous ses effets et le poussait en direction de l'escalier. Elle n'avait pas le choix. Ovila la regardait, incrédule, essayant de comprendre ce qui se passait. Émilie perdit patience.

«File, ou c'est Bob pis Ben pis leur *gang* qui vont s'occuper de toi.»

Ovila blêmit. Il regarda Émilie puis, penaud, lui demanda si elle pouvait lui avancer quelques dollars.

«J'vas t'avancer ce que tu leur dois demain, Ovila.

— Je peux même pas prendre le train, Émilie.»

Elle expira bruyamment par les narines, se dirigea vers son sac à main, en sortit quelques dollars froissés et les lui mit dans une poche.

«Astheure, va-t'en!

— Pis vous autres?

— Crains pas pour nous autres. Ça t'a jamais tellement tracassé. C'est pas le moment de commencer à y penser. File, Ovila, pis arrête-toi nulle part. Parle à personne si tu tiens à tes dents pis à ton nez.

— Émilie, j...

— On n'a pas le temps de parler. File!»

Ovila descendit les escaliers et Émilie écouta la porte qu'il refermait doucement derrière lui. Elle s'appuya le front sur un des murs de sa chambre et sanglota toute sa peur de la nuit. Elle sanglota le départ d'Ovila. Elle n'avait plus de choix.

Elle sécha ses larmes et regarda l'heure. Il était quatre heures. Elle avança sur la pointe des pieds dans la chambre des garçons et les réveilla. Attendrie par leur surprise et leurs jérémiades, elle les consola en leur disant que finalement ils ne se levaient qu'une heure plus tôt qu'ils ne le faisaient quand ils trayaient les vaches, à la campagne. Elle leur demanda de s'habiller à la hâte et de faire leurs valises. Elle ajouta que, dès qu'ils auraient terminé, ils devaient prendre toutes les taies d'oreiller qu'ils pouvaient trouver et y mettre tout ce qu'ils verraient dans la cuisine, «sauf ce qui est cassant.» Elle fit de même avec les filles, laissant dormir Jeanne, Alice et Rolande. À sept heures, elle demanda aux aînés de défaire les lits.

«Ce que je veux, c'est que vous les démontiez.»

Les enfants sentaient l'urgence, mais ils n'auraient pas osé poser de questions. À huit heures, elle les avait tous nourris, avait habillé les trois petites et, Rolande dans les bras, s'était dirigée vers la banque, remerciant le ciel que les banquiers fussent derrière leurs guichets de si tôt matin. Elle retira tout l'argent qui restait dans son compte: douze cents dollars. Elle n'en garda que cinquante dans son sac et enfouit le reste dans ses bottes. Elle sortait de la banque lorsqu'elle tomba nez à nez avec Alma.

«Alma!

— Émilie! Tu parles d'une surprise. J'ai pas eu de tes nouvelles depuis l'été passé. C'est pas ta p'tite dernière? Est bien belle!

— C'est Rolande. Pis toi? Toujours à Saint-Tite?

— Non. On est arrivés à Shawinigan hier, ma chère.

— En visite?

— Non. Pour rester. Moi, la campagne, c'est pas mon fort, pis mon mari s'est trouvé un bon emploi à la Belgo.

— La Belgo...

— Dans la comptabilité. Mais pour un comptable, il est pas fort. Il a même pas réussi à louer notre maison de Saint-Tite.» Alma éclata de rire.

Émilie n'avait pas le choix. Son cœur se mit à battre à tout rompre.

«Pas votre maison à côté de la voie ferrée?

— Oui. On espère la louer en septembre. On va mettre des annonces, ici à Shawinigan. On sait jamais.

— Nous autres on part aujourd'hui pour Saint-Tite!

— Ton mari veut retourner là?

— Pas... exactement. Notre projet, c'est de rester à Saint-Tite pendant à peu près... un an, pis après ça, de probablement aller à l'aventure... En Abitibi ou ailleurs. C'est le temps ou jamais, astheure que la famille est presque élevée.

— Tu parles d'une nouvelle! Tu changeras donc jamais, Émilie. Te rappelles-tu quand tu me racontais comment tu étais partie de chez ton père quand tu avais juste seize ans...

— Si je m'en rappelle? Alma, c'est comme si c'était hier. Pis toi, te rappelles-tu quand tu avais brûlé le gruau?

— Moi? Brûler du gruau? C'était pas Antoinette?

— Essaie pas, Alma...c'était toi.

— Mon Dieu, j'ai dû changer parce qu'astheure, du gruau, j'en brûle pus. Astheure, du gruau, j'en mange pus non plus. C'est pour ça que je le brûle pus.»

Émilie éclata de rire et se demanda comment quitter Alma poliment avec...les clés de la maison de Saint-Tite. Elle n'avait pas le choix.

«Alma, c'est dommage que tu arrives la journée de notre départ. On aurait pu se voisiner. Parler du bon vieux temps. Faire des p'tites sorties ensemble...Bon il va falloir que tu m'excuses parce que je suis attendue à la maison. Les déménageurs vont être là d'une minute à l'autre.»

Elle se pencha et frôla la joue d'Alma de ses lèvres desséchées.

«Salue ton mari pour moi, Alma.

— Pis toi le tien, Émilie.»

Émilie tourna les talons et serra Rolande près de son cou. Elle marcha lentement, priant son père et tous ceux qui l'avaient quittée de souffler sur l'esprit d'Alma. Elle avança encore, refusant de se retourner et de feindre un soudain intérêt pour la maison près de la voie ferrée. Elle regarda à gauche puis à droite, sachant que dès qu'elle mettrait un pied dans la rue, elle se retrouverait sans maison. Elle embrassa le dessus de la tête de son bébé comme si elle lui demandait pardon d'avoir à traverser la rue.

«Émilie! Émilie!»

Elle s'arrêta, ferma les yeux, les rouvrit et regarda au ciel pour remercier son père. Elle se retourna.

«Oui, Alma? Veux-tu que je fasse un message à quelqu'un?»

Alma se dirigeait rapidement vers elle, la langue placée à droite dans sa bouche, gonflant sa joue comme si elle y avait oublié une des bouchées de son petit déjeuner.

«Coudon, Émilie, où c'est que vous allez rester à Saint-Tite?

— Chez ma belle-mère, Alma. C'est tout arrangé. Elle nous attend impatiemment.

— C'est que... oh! pis non, ça tient pas debout.

— C'est que quoi, Alma?

— Ben, notre maison est vide pis j'ai pensé que vous pourriez rester là pendant quelque temps. C'est mieux qu'une maison soit habitée...

— Oh! je sais pas, Alma. Ma belle-mère serait déçue si on arrivait avec d'autres plans.

— C'est ce que je me disais aussi.» Alma pinça la bouche et fronça les sourcils. Émilie ne broncha pas. Elle attendait, espérant qu'Alma tombe dans son piège.

514

«Écoute, Émilie, penses-tu que tu pourrais en discuter avec ton mari? Peut-être que vous pourriez nous rendre ce service-là? Ta belle-mère serait pas trop déçue de vous avoir pas loin, pis elle a probablement oublié ce que c'est qu'une maison pleine d'enfants. Si vous pouviez rester dans la maison jusqu'au mois de septembre, pis vous habituer, après ça, peut-être que vous voudriez rester un an? Si vous vous habituez pas, en septembre, nous autres, on va essayer de trouver un autre locataire ou bien de vendre.

— Tu nous demandes de changer tous nos plans, Alma.

— Si on vous faisait pas payer de loyer jusqu'en septembre?

— Voyons, Alma! Tu y penses pas!

— Mon mari m'a dit qu'une maison habitée, ça s'use moins vite.»

Émilie sentit que Rolande commençait à s'agiter. Il lui fallait clore cette discussion le plus rapidement possible.

«Émilie, faites ça pour nous autres...Tu m'as déjà rendu service une fois... tu peux peut-être me rendre service une deuxième fois...

— Bon! si c'est comme ça, donne-moi la clé. J'vas m'en occuper de ta maison. Compte sur moi. J'vas la nettoyer comme si c'était à moi. Pis en septembre, si tu veux la vendre, elle va être propre comme un sou neuf.»

Alma sauta de joie, fouilla dans son sac à main, sortit la clé et la remit à Émilie en la remerciant cent fois. Elle l'assura qu'elle et son mari lui seraient éternellement reconnaissants. Elles se quittèrent, toutes les deux heureuses de l'affaire qu'elles venaient de conclure. Émilie, toutefois, n'en laissa rien paraître. Elle avait déjà d'autres préoccupations en tête.

Elle se hâtait. Elle savait qu'un de leurs voisins faisait des déménagements. Elle frappa à sa porte et l'éveilla. Elle lui expliqua qu'une urgence et une offre d'emploi très alléchante les forçait à quitter Shawinigan le jour même. Le voisin se frotta les yeux, essayant de démêler ce qu'elle lui demandait. Il comprit qu'elle voulait qu'il soit chez elle à onze heures précises, qu'il devait monter tous ses meubles dans son camion, filer à Saint-Tite, demander la maison de madame Alma Bonenfant et les attendre. Son mari serait retardé, mais elle y serait le lendemain matin, préférant voyager de nuit avec tous ses enfants. En digne fille de son père, elle sortit trente dollars de son porte-monnaie pour appuyer sa demande, sachant que ce prix était plus qu'honorable. Le voisin empocha la moitié de l'argent et elle lui promit de lui remettre la différence à Saint-Tite. Le déménagement réglé, elle alla chez son propriétaire raconter la même histoire et lui donna l'équivalent d'un mois de loyer, afin qu'il leur pardonne ce départ imprévu.

À neuf heures et quart, elle était de retour et demanda aux enfants s'il y avait eu des visiteurs durant son absence. Ils lui répondirent que non. Elle les félicita de ce qu'ils avaient réussi à faire. Sans qu'elle le leur dise, ils étaient allés chercher des boîtes chez l'épicier. Émilie leur demanda d'accélérer un tout petit peu. Ils devaient tout avoir terminé pour onze heures. Les enfants s'agitèrent. Émilie les remercia secrètement de ne pas avoir posé de questions ni sur le déménagement, ni sur l'absence de leur père.

Tout se déroula comme elle l'avait prévu. Le voisin et son aide arrivèrent à onze heures; à midi, Émilie quittait un logement presque vide pour aller conduire ses enfants au restaurant le plus près de la gare. Elle s'attabla avec eux, fit manger son bébé, puis les quitta en leur demandant de se rendre à la gare et de l'attendre. Elle y serait au plus tard à trois heures. Elle confia Rolande à Marie-Ange, Jeanne à Rose, Alice à Blanche, Clément et Paul à Émilien.

Elle paya le restaurateur et prit, luxe suprême, un taxi. Elle se fit conduire chez elle.

Elle aida les camionneurs à ramasser les dernières traî-neries, celles qui n'entraient jamais dans les boîtes, et les remercia. Elle leur souhaita bonne route après leur avoir remis un plan de Saint-Tite leur indiquant où ils devaient attendre. Les camionneurs partirent à une heure quarante.

Elle entra dans la cuisine, sortit un mouchoir de son sac et s'épongea la figure. Elle regarda l'heure et recom-mença à trembler. Elle s'assit sur le bord du comptoir et attendit. Cinq minutes avant deux heures, elle sortit deux billets de cent dollars puis, se ravisant, elle n'en prit qu'un et glissa le second dans son soulier. Elle n'avait plus le choix. Elle n'avait plus rien à perdre.

À deux heures précises, elle les entendit monter l'es-calier. Elle sauta sur ses pieds, ajusta ses cheveux et son chapeau et se dirigea vers la porte d'entrée. Elle y arriva en même temps qu'eux et ne leur laissa pas le temps de frapper. Elle ouvrit et descendit sur la première marche, refermant la porte derrière elle.

«Je vous attendais, messieurs.» Elle était soulagée de voir que seuls Bob et Ben s'étaient déplacés.

Elle ouvrit la main et leur tendit le billet de cent dollars.

«Une minute, la p'tite. On a dit deux cents.

— J'y ai repensé et je me suis dit que cent, c'était assez.

— Tu veux rire de nous autres, toi?

— Ton grand est-tu là?

— Mon mari dort. Je vous serais reconnaissante de le laisser dormir. Écoutez, messieurs, si vous n'êtes pas satis-faits, prenez tout ce que vous voudrez dans la maison. Nous autres on peut pas donner un sou de plus.»

Elle ouvrit la porte, invitant Bob et Ben à entrer. Les deux hommes le firent, la bousculant au passage. Émilie ferma les yeux.

«*Câlice!*

— *Tabarnak!* On s'est fait avoir, Ben.»

Ils revinrent sur leurs pas, regardèrent Émilie qui n'avait pas bougé d'un pouce.

«Le grand est mieux de jamais se repointer à Shawi'.

— Le grand est rendu pas mal loin déjà, messieurs.»

Les deux hommes se regardèrent, ne sachant plus que faire. Ben prit finalement la parole.

«Viens-t-en, Bob. Cent piastres, c'est mieux qu'un coup de pied au cul.»

Ils partirent. Émilie attendit cinq minutes, fit le tour de son logement trois fois, essayant surtout de ne pas penser aux bons moments qu'elle y avait vécus, poussa le verrou de la porte du devant et sortit par la porte arrière, plaçant, comme elle l'avait promis, la clé sous une vieille catalogne délavée et remplie de sable.

36.

Le train filait lentement dans la nuit. Émilie était épuisée. Ils avaient dû attendre pendant des heures et des heures avant de pouvoir monter. Ce n'est qu'à son retour qu'elle avait annoncé aux enfants, sur le ton qu'elle utilisait pour les grandes surprises, qu'ils partaient pour Saint-Tite. Pour y vivre. Quand la locomotive avait traîné sa carcasse de fer devant la gare, elle avait secoué les plus jeunes qui s'étaient assoupis. Les aînés veillaient avec elle. Il y avait si peu de passagers qu'elle put prendre dix banquettes. Elle les installa, un par un, et promit qu'elle les réveillerait avant qu'ils ne soient à Saint-Tite, à l'aube. Elle regretta de ne pas avoir apporté les couvertures de la Belgo avec elle. Elle les couvrit de leurs manteaux.

Elle avait installé Rolande sur la banquette devant elle. Pour être certaine qu'elle ne se blesserait pas si le train freinait brusquement, elle avait enlevé ses chaussures et retenait le bébé avec ses pieds. Ses enfants clignaient des yeux, inquiets. Elle sortit son accordéon et joua des berceuses. Vingt minutes après leur départ, les neuf enfants dormaient d'un sommeil bien mérité. Elle posa son instrument.

Elle regardait dehors en se laissant bercer par le train, la nuit noire reflétant ses pensées. Où était Ovila? Avait-il pu monter à bord d'un autre train? Elle sortit un mouchoir de son sac et se moucha. Maintenant que les enfants dormaient, maintenant qu'ils étaient en sécurité, elle pouvait pleurer. Elle ferma les yeux quelques instants et se revit dans un autre train, celui qui les conduisait, elle et Ovila, à Montréal. Dix-sept ans plus tôt... Pour leur premier anniversaire de mariage. Leur anniversaire de papier. *Maudite Belgo qui fait tout ce papier!* Elle tourna la tête, ouvrit les yeux et regarda Rose. Sa pauvre tête remplie de misères et de difficultés ballottait au même rythme qu'une de ses mains.

Une main qui ballotte. *Louisa!* Depuis combien d'années Louisa les avait-elle abandonnés?...*Presque treize ans, Louisa. Et ton père a été le premier à bercer ton dernier sommeil. C'est là, Louisa, que ton père et moi nous nous sommes heurtés pour la première fois. Est-ce que tu te souviens, toi Louisa, si c'était lui, ou si c'était moi qui avais dormi pendant que tu t'étouffais avec ce lait qui devait te nourrir et qui t'a fait mourir? Pardonne-nous, Louisa.*

Le train tourna et Émilie suivit son mouvement. Elle aperçut Marie-Ange qui essayait de combattre la gravité en s'accrochant sur le bord de sa banquette. *Marie-Ange... Même en dormant, ma grande mule, tu te bats contre quelque chose. Laisse-toi donc aller, ma Marie-Ange. Laisse-toi donc sourire. Commence donc à avaler un peu de ton orgueil. Tu vas voir, ce n'est pas plus mauvais à avaler qu'un sirop. Ma grande mule...Pâpâ. Est-ce que vous la voyez, votre grande mule ce soir. Votre grande mule vient, toute seule, d'arrêter un train qui roulait sur une voie sans gare. Votre grande mule, pâpâ, roule dans la nuit, les larmes aux yeux, la peur dans l'âme. Votre grande mule roule dans une nuit noire sans fin. Votre grande mule roule avec neuf petits qui commencent à peine à grandir. Pâpâ, donnez-lui donc un peu de courage à votre grande mule. Bonne nuit, pâpâ. J'espère que vous avez été heureux de retrouver Elzéar Veillette. Je suis certaine que vous devez*

520

encore vous prendre aux cheveux. Mais maintenant, vous devez avoir des cheveux d'anges...sans mèches rebelles.

Le train siffla trois fois. Émilie fronça les sourcils. *Le coq, Berthe. Te souviens-tu du coq qui avait chanté trois fois? J'avais eu peur, Berthe, parce que je m'étais dit qu'un coq qui chante trois fois, c'est un coq qui annonce une mauvaise nouvelle. Le coq n'avait pas menti, Berthe. La mauvaise nouvelle est arrivée hier, à peu près à la même heure que maintenant. Berthe, j'ai fait partir Ovila pour le protéger. J'ai fait partir Ovila pour me protéger. Toi, Berthe, est-ce que c'est pour te protéger aussi que tu as décidé de ne plus m'écrire? Es-tu heureuse dans ton monde de silence, Berthe? Il me semble que ton monde doit ressembler à cette nuit qui nous aspire tous les dix vers quelque chose qui me fait peur. Pense quand même à moi, Berthe...*

Le train ralentit lentement et s'arrêta nulle part. Émilie retint Rolande, regarda autour d'elle et ne vit pas une seule lumière. Elle frissonna, tout à coup craintive. Profitant de l'accalmie, elle se leva pour jeter un coup d'œil aux enfants qu'elle ne pouvait apercevoir de sa place, remonta les manteaux et s'attarda à chacun des visages qu'elle ne prenait plus vraiment le temps de regarder tant ils lui étaient devenus familiers. *Bonne nuit, mon grand Émilien. Bientôt je vais te parler. Je vais t'expliquer que ton père nous cherche une nouvelle maison. Je vais te dire combien il a toujours été fier de toi. Je vais te mentir un tout petit peu, en te disant qu'il va revenir. Je n'en sais rien, Émilien. Ton père reviendra quand il aura appris à être fier de lui. Ton père va revenir s'il apprend à se pardonner le mal qu'il s'est fait. C'est sûr, Émilien, que ton père nous fait mal à nous aussi. Mais ce mal-là, Émilien, n'est rien comparé à son mal à lui. Quand tu seras grand, Émilien, si tu n'es pas satisfait de mes réponses, tu iras le voir et tu lui demanderas.*

Le train ne bougeait toujours pas. Émilie sentit l'angoisse lui serrer la poitrine. Elle aperçut le conducteur et se dirigea vers lui pour lui demander la raison de l'arrêt. Elle eut conscience qu'elle n'avait pas remis ses souliers, mais continua de marcher sur ses bas. *Pas besoin d'avoir des gros sabots, Émilie, pour faire ton chemin. Même sur la pointe des pieds tu peux te rendre d'un endroit à l'autre. Même sur la pointe des pieds tu peux marcher d'un pas ferme. Même sur la pointe des pieds...* Elle était à la hauteur du conducteur. Il lui expliqua que le train s'était arrêté pour attendre qu'un convoi de marchandises prenne une voie de côté pour les laisser passer. Ce deuxième train venait de l'Abitibi et accusait un retard. Dès qu'ils le pourraient, ils repartiraient. Émilie le remercia et revint près de ses enfants. Rassurée. Elle replaça une mèche sur le front de Paul. *Paulo, toi qui es toujours sérieux, qui réfléchis toujours, penses-tu que ton père, lui aussi, a eu le temps de voir ce train-là? Penses-tu que ton père aussi a eu le temps de penser que lui et nous, nous croiserions le même train? Dors, Paulo. Je te pose des questions trop compliquées.*

Mon gros Clément...avec des poings aussi gros que ta tête. Tu es comme ton père, Clément, quand ton père réglait tous ses problèmes avec ses poings. Un jour, Clément, je vais te raconter comment il avait assommé un de mes anciens élèves. J'ai déjà dit que Marie-Ange avait un nom mensonger, parce qu'elle est loin d'être un ange. Toi aussi, Clément, tu as un nom mensonger. La clémence, Clément, c'est de la douceur. Peut-être qu'en vieillissant, Clément, tu vas apprendre la douceur. La paix.

Émilie retourna à son banc après avoir vérifié si Blanche dormait paisiblement. Blanche souriait. *Tu peux bien sourire, ma Blanche. Je le sais que tu n'as jamais aimé Shawinigan. Tu souris parce que tu retournes à Saint-Tite. Pour rire avec tes oncles Ovide et Edmond. Pour te jeter*

522

à l'eau au lac. *Pour être en classe, sage comme une image. Pour continuer à faire croire que tu es docile. Mais moi, Blanche, je sais. Je sais que derrière tes grands yeux bleus, se cache le bleu de la volonté d'acier. Ta douceur est presque apeurante, Blanche, quand on sait toute la force qu'elle cache. Dors bien, ma belle petite Blanche. Je suis certaine que tu as toute une vie devant toi et que tu as déjà besoin de sommeil.*

Émilie regarda Jeanne et Alice par leur reflet dans la fenêtre. Elle sourit doucement. *Si je faisais le trio des sourcils froncés, Jeanne, je serais obligée de t'inclure. Avec Marie-Ange. Avec Clément. Mais c'est tellement normal. Tu passes des heures et des heures à suivre Clément. Tu l'as même respiré dans mon ventre, toi, celle qui l'a suivi. On verra, Jeanne. On verra bien. C'est vrai que la vie nous fait froncer les sourcils. Mais la vie nous les fait soulever aussi. Tu as les sourcils soulevés, Jeanne. Des sourcils pour rire.*

Alice...aux yeux de la même couleur que na robe de mariée. Aux yeux de la couleur de la Batiscan, quand le soleil la rend coquette. Tu as sa clarté dans les yeux, Alice. Et son murmure dans la voix. Fais-moi penser, Alice, de te raconter l'histoire de ma robe de mariée que ton père et moi on a enterrée.

Le train eut un hoquet. Émilie regarda Rose reprendre possession de sa main et la glisser sous sa cuisse. *Rose, ma fleur. Petite de cœur dans ton grand corps. C'est difficile, je le sais, d'être à la frontière de deux mondes. Celui de l'innocence et celui de la peur. Mais je suis là, Rose. Je te tiendrai toujours la main. Ensemble, toi et moi, on va découvrir que le monde n'est pas rempli uniquement de livres et de savants. Dans le monde, Rose, il y a des gens de cœur, comme toi.* Le train eut un second hoquet. Il commença à rouler, doucement d'abord, puis de plus en plus rapidement. Émilie chercha à voir ce train qui arrivait d'Abitibi. Elle ne vit qu'une ombre tapie le long de la voie. Elle referma les yeux et chantonna au rythme que lui dictaient les essieux et les joints de la voie. *Venez divin Messie...*Puis, ce sont ses pensées qu'elle rythma. *Demain, le soleil va se lever. Demain, le soleil va briller. Demain...Je n'avais pas le choix. Je n'avais plus le choix... Pâpâ, je trouve qu'il y a quelque chose de pas juste...Le diable! Le diable! Lazare est un diable!...Charles? Tu t'appelles Charles?...Le Windsor...Émilie, je vous trouve sans pareille...J'ai toujours été jalouse de toi, Émilie...Et moi de toi, Antoinette... Penses-tu, ma belle brume, que Télesphore va l'aimer, son meuble?...J'en ai assez de ce village maudit!... Tu peux être sûr, Ovila, que je ne quitterai pas Shawinigan la larme à l'œil...Bonne nuit, ma belle brume... ma belle brume... belle... brume... brume... brume... brume... brume... brume... brume... br...*

Le train siffla trois fois et l'accordéon tomba par terre. Émilie n'entendit rien. Elle venait d'endormir son brouillard.

****

Saint-Lambert, Québec
8 octobre 1984

À paraître en 1986
LE CRI DE L'OIE BLANCHE
(suite et fin de *Les Filles de Caleb*)

GLOSSAIRE

A

Accroire: croire
Acheteux: acheteur
Astheure: maintenant (de: à cette heure)
Avec: aussi

B

Balance: reste
Balancigne: balancement
Baptême: juron
Bardasser: brasser, secouer
Barguigner: marchander (anglicisme de "to bargain")
Batêche: juron
Bedon (ou): ou bien
Beurrer: tartiner
Bienvenu: il n'y a pas de quoi
Bine: haricot; «crier bine»: expression équivalente à «crier lapin»
Bonyenne: bon Dieu
Bonyeu: idem
Boss: patron (mot anglais)
Boucane: fumée
Bouillon à la reine: lait chaud battu avec un œuf, du sucre et de l'essence de vanille
Breast rolls (guide rolls): mots anglais, rouleaux dans les usines de pâte et papier
Bretter: flâner
Bricade: briqueterie
Buggy: voiture (mot anglais)

C

Câlice: juron
Caneçon: caleçon
Capine: chapeau
Capot: manteau
Catalogne: tissage de guenilles sur trame de corde
Catin: poupée
Cenne: sou, de l'anglais cent
Chesser: sécher
Chicoter: chipoter, agacer
Chum: ami, compagnon (mot anglais)
Ciboire: juron
Clairer: évacuer, vider, nettoyer (anglicisme de "clear")
Coudon: au fait
Couette: mèche (de cheveux)
Coup de pieds (Ford à): Ford Model T
Couverte: couverture
Crigne: crinière; chevelure *Search*

E

Écharpe: éclisse, aspérité
Écorniffler: épier
Écriveux: portés sur la plume
Égrandir: agrandir
Élève (en): sous tutelle, sous la garde de, pupille
Emmanché: foutu
Engagement: contrat (anglicisme)
Envoye: Allez!
Étamper: assommer
Érocher: enlever roches et cailloux
Épivarder(s'): s'exciter, s'énerver

F

Faire du lard: prendre du poids
Farmer: fermier, sens péjoratif, idiot, imbécile (anglicisme)
Foreman: contremaître (mot anglais)
Futur: soupirant, fiancé

G

Gang: groupe (anglicisme)
Gorlot: éméché
Gosser: tailler
Goût de tinette (prendre): rapidement; c'est dans la tinette (sorte de baril) que se faisait le beurre que l'on s'empressait de sortir avant qu'il ne goûte le bois ou le métal

Gréer: se préparer, se vêtir, enfiler son manteau
Grichement: grincement
Grosse poche: bourgeois, personne financièrement à l'aise
Gun metal: acier oxydé, servant à la fabrication des montres
durant la Première Guerre

H
Haït: hait; prononcé a-i

I
Itou: aussi

J
Jasage: placotage
J'm'ai: je me suis

L
Léontine: montre de poche pour femmes

M
Machine: automobile
Maganer: abîmer, user, briser, défigurer
Maisé: difficile (de malaisé)
Marieux: attirés par le mariage
Masse (en): beaucoup, énormément, assez
Maususse: juron, de l'anglais Moses (Moïse)
Mémère: grand-mère
Méné: petit poisson qui sert d'appât
Minouchage: minauderie
Mitons: bottines de feutre, lacées, que l'on recouvrait de caout-
choucs
Mon'oncle (ma'tante): oncle, tante
Mouche à chevreuil: grosse mouche noire qui pique et pince en
arrachant un petit morceau de chair
Mouche de moutarde: cataplasme à la moutarde que l'on mettait
sur la poitrine pour faciliter la respiration

N
Niaiseux: niais
Nordais: vent du nord-est

O
Ordinaire: tâches quotidiennes
Ouaouaron: mot onomatopéique, gros crapaud

P

Pantoute: du tout
Papoose: bébé (de l'amérindien)
Pinotte: arachide, de l'anglais "peanuts". «Travailler pour des
   pinottes»: travailler pour un maigre salaire
Pépère: grand-père
Pété: brisé
Piano box: calèche à quatre places (mot anglais)
Pied de vent: rayon de soleil qui réussit à passer à travers
   plusieurs nuages comme une colonne de lumière
Piqué: superposition de tissus, piqués ensemble, destinés à
   protéger le matelas
Pi-tourne: bougeotte, dérivé de "puis tourne",
Pogner: coincer, prendre
Poquer: marquer, abîmer
Pourdre: poudre
Presse: hâte
P'tit blanc: alcool pur
P'tit Canada: rue Notre-Dame, à Saint-Tite
P'tit char: tramway
Pulp and paper: pâte et papier (anglicisme)

Q

Quêteux: mendiant
Qu'ossé: qu'est-ce que

R

Rapailler: réunir, rassembler
Ratoureux: roublard
Raveau: désordre, déformation de ravage
Reel: rigodon (mot anglais)

S

Sablage: ponçage
Savonnier: porte-savon, fait de broche, avec une poignée, dans
   lequel on mettait le savon et que l'on agitait dans l'eau
Set: ensemble, mobilier de (anglicisme)
Sleigh: traîneau ou carriole (mot anglais)
Sparage: simagrée
Stand-by: être de garde, être prêt à (anglicisme)
Straight: une suite (aux cartes)
Suisse: tamara à rayures, petit rongeur qui ressemble à l'écureuil
Sweep: remise à l'eau des billes échouées sur les rives (mot
   anglais)

528

T

Tabarnak: juron
Tapé: froissé, écrasé
Thébord: cabaret pour le thé, déformation de "tea board"
Top: dessus (anglicisme)
Torhieu: juron (de: tort de Dieu)
Train: traite des vaches
Traînerie: objet en désordre, à la traîne
Trimbaler: transporter
Truie: petite fournaise de plancher alimentée au bois

V

Vaisseaux: chaudrons, plats de cuisson
Vieux bien: terre ancestrale ou paternelle

Achevé   Imprimerie
d'imprimer Gagné Ltée
au Canada Louiseville

Anna smiled wanly. 'You're too sharp by half, Nurse Jessop.'

'It's me job, ducky,' the nurse grinned. 'Besides, I'm a nosy owd beezum. Everyone in the village ses so.'

Yes, Anna wanted to say, *but they all know too that their secrets are safe with you.* She sighed. 'It's Tony,' she began and found herself confiding in the friendly woman. 'He's begun to believe his mother's vicious lies. He can't understand why I can't talk about the – the past. I just can't. Not to anyone.'

Pat touched her hand. 'Not even to me?' she asked softly.

Anna pressed her lips together and tears welled as she shook her head. 'No, not even to you,' she said huskily. 'But if I – ever did – you'd be the first. Even before Eddie.'

Pat nodded. 'Well, you know I'm always ready to listen if you ever decide you do want to unburden yourself. And I use that word purposely, 'cos it is a burden you're carrying. I can see that. A very heavy burden. And you know I'd never tell a soul—'

Now Anna smiled. 'I know.'

Pat stood up. 'I'll have to be on my way, but I'll take a look at Buster first.' She wagged her forefinger at Anna playfully. 'Just so long as you remember to tell Maisie I did so.'

A few moments later the nurse said, 'He's doing fine.' She stood up again. 'I wouldn't have wished for any of this to happen, but I have to say I'm glad you're not going.'

Anna's eyes clouded. 'We – we'll have to go this summer. Maisie will have to start school and – and they'll start asking to see her birth certificate and—'

187

'Listen, ducky. The headmistress of the village school is a friend of mine. And there's only her and her assistant teacher. Why don't you let me have a word with her?'

Anna opened her mouth to protest but Pat hurried on. 'No one else will ever hear about Maisie's birth certificate not having her father's name on it. Only she and her assistant need to know and I suppose the Education Offices at Lincoln—'

'Lincoln?' Anna's head shot up and her eyes widened.

Pat stared at her, her mind working quickly. Anna, realizing she might have given away far more than she intended, floundered. 'What I mean is, why does anyone have to know anywhere else but at the school?'

'That's where the County Offices are. They're a sort of headquarters, if you like, for all the schools. But,' she hurried on, trying to reassure Anna, 'to them you're just a name on a piece of paper. But there'll be plenty of other bits of paper with only the mother's name on, believe you me.'

Anna still looked doubtful.

'It'll be the same in every county. It'd be the same wherever you went,' Pat said and was immediately sorry to see the defeated, haunted look in Anna's eyes that had been there when she had first met her return; a look that had been banished during her years of safety in the little white cottage.

Now the fear was back.

'So you're going to stay?'

Anna couldn't fail to hear the eagerness in Eddie's tone. She sighed and said dully, 'It seems there's nowhere any better.'

188

He put his head on one side. 'Is that a compliment? 'Cos it doesn't quite sound like one.'

Anna smiled apologetically and repeated what Pat had told her. 'So it seems it'll be the same wherever I go. But I just felt I wanted to be further away.'

'From where?' Eddie asked very gently, but Anna would not allow herself to be caught off guard. 'You mentioned Lincoln once. Is that where you lived?'

'Just further away from this area, that's all,' Anna answered evasively.

They were silent for a moment before Eddie said, 'But you think now that it might be all right to stay here?'

'Well, for a while anyway. Pat's going to talk to her friend at the school, so maybe—' She sighed. 'Oh I don't know. Now there's Tony—'

'What do you mean?'

'He – he read the wrong meaning into you comforting me the night the dogs attacked the sheep and – and poor Buster. When I – I ran to you and you – you hugged me.'

'Ah,' Eddie breathed. 'So that's what's up with him. I'll have a word. You leave it with me. I'll put him straight.'

Anna never learned what Eddie said to Tony – if indeed he said anything. Over the following weeks and months, the boy did not visit the cottage, and if he came to the sheep, he skirted their home and was brusque with Maisie when she ran to him, lifting up her arms to be swung round.

'Tony won't play with me any more,' she told her mother tearfully. 'Is he cross with me?'

Anna shook her head. 'No, darling. It's me he's cross with. Not you.'

'Then why won't he play with me? That's not fair.'

'No, it isn't, but then I'm afraid a lot of things aren't fair.'

It isn't fair, Anna thought resentfully, *that I have to hide myself and my daughter in the back of beyond just because . . .*

Her mind shied away from the bitter memories. She forced a smile onto her face. 'Don't cry, Maisie. I know, let's go and play hide-and-seek in the woods.'

The child pouted and shook her head. 'You don't do it properly. Tony plays hide-and-seek better than you do.'

Anna sighed. 'Oh well, in that case you'd better come and help me round up the sheep. And bring Buster. He's well enough now to be getting back to work. I think he's malingering.'

Maisie, always intrigued by big words, said, 'What's that mean?'

'Pretending he's still poorly when he's not.'

Diverted from her distress over Tony, Maisie fetched the dog from the kitchen. 'Come on, boy,' Anna heard her daughter say sternly to the dog. 'No more mal'gring.'

Anna smiled.

Twenty-Two

The summer passed uneventfully and it was time for Maisie to start school.

'I know she's not five until next February,' Pat said, 'but Miss Drury says she can take her at the start of the autumn term this September, if you like. I told her she's a bright little thing and—' Pat stopped, unwilling to say that she had also indicated to the head teacher that the child needed to begin to mix with other children of her own age. 'She's been well brought up,' the nurse had confided in the teacher. 'She's a credit to her mother, but she's been forced to live the life of a recluse.'

'Why?' the thin, grey-haired woman, who had devoted her life to the education of other people's children, had asked.

Pat had sighed. 'That's all part of the great secret – whatever that is. I can only guess because Anna won't trust anyone enough to divulge anything about herself or her past.' She shrugged her plump shoulders. 'That's her privilege, of course, and I respect it, but it can't be good for the child, can it?'

Edna Drury shook her head. 'No, it can't.' She pondered a moment and then said, 'Well, I can take the child in September if the mother agrees.'

Pat beamed. 'I'll make sure she does.' Now, to Anna, she finished the sentence she had begun, 'I told her she's a bright little thing and Miss Drury respects your desire for privacy. Betty Cussons will be Maisie's teacher, by the way.'

'Is she nice?'

'Lovely. She's only young and the little ones all adore her.'

So Maisie started at the village school at the beginning of September. For the first few weeks Anna met Maisie in the lane just outside the village and listened to her chatter about her day. They always walked the long way round the wood, alongside the brook and up the track to the cottage to avoid going near the farm.

'Why don't you come through the yard and up the hill?' Eddie asked Anna. 'It's much shorter and the little lass must be tired after all day at school.'

'No,' Anna replied shortly. 'I don't want her to think she can come that way. She might be tempted to try to see your wife again.' She forbore to say that Tony's offhandedness was still causing heartache to the child – to them both, if she was truthful.

But it wasn't many weeks later that Maisie said, 'I can walk home on me own, Mammy. I can walk with Geoffrey Johnson. He lives just down the lane from Mr Eddie's farm.' She leant forward as if imparting a confidence. 'He hasn't got a dad either. His dad was killed in the war. That's what Geoffrey said.' There was a loaded pause whilst Anna held her breath. She knew, even before the child opened her mouth again, what was coming. 'Was my daddy killed in the war?'

Her heart was beating rapidly, but Anna replied carefully, 'No. You haven't got a daddy.'

'Not at all? You mean, I've never had a daddy?'

Anna avoided her small daughter's trusting gaze and shook her head. 'No. There's only ever been just you and me.'

The child looked crestfallen and said in a wistful voice, 'Meg's got a daddy. He made her a swing in their garden. She said she'll let me have a go on it if I'll be her friend. She ses I can go to her house for tea. Can I go, Mam?'

'We'll see,' Anna said, but silently determined that she would have to think up an excuse. She didn't want Maisie visiting people's houses in the village. Questions might be asked. 'Now come along, we must fetch the water from the stream. It's bath night.'

Maisie jumped up and down and clapped her hands. She loved bath night on a Friday when her mother put the tin bath in front of the fire and filled it with hot water and then knelt beside it to soap Maisie's sturdy little body and wash her bright copper curls. Afterwards, dressed in a clean nightgown, she would cuddle up with her mother in the big, old armchair and Anna would tell her stories.

Her mother needed no book to read from. Anna had enough imagination to weave a magical world for the child.

'Tell me "Mr Mumble's Gold Walking Stick",' Maisie would plead and Anna would begin, making the story different each time. 'That's not right,' the child would say laughing.

'Isn't it?' Anna would pretend innocence.

'No, last time he lost it on the beach and the sea came and washed it away, but a mermaid brought it back.'

'Oh yes, well, this is a different time. This time he lost it in a snowstorm and . . .' And off Anna's imagination would lead them into another adventure.

*

It was just before Maisie's fifth birthday, when they were already busy with the lambing that Anna rose early to see the red sky of an ominous dawn. The sight unsettled her. She believed in the country sayings and feared the onset of stormy weather. But for Anna there was more to it than that. She tried to quell the memories, tried to forget her own superstition that it was not only troubled weather that such a sky foretold but something more.

She shook herself and told herself she was being silly and fanciful.

'I can't spare the time to take you to school, so you're to walk on your own, but you come straight home,' Anna told Maisie. 'No dawdling and no going to anyone's house. You hear me?'

To Anna's relief the burgeoning friendship between Maisie and Meg had withered and died. As little girls do, they had fallen out the very next day after Maisie's conversation with her mother, but Anna was still not convinced that Maisie would be able to resist another invitation.

'And you're to come round by the wood. You're not to go through Mr Eddie's yard.'

For a brief moment, Maisie eyed her mother and then said meekly, 'Yes, Mam.'

She skipped away towards the brook, the little satchel carrying her lunch swinging from her shoulder. But if Anna had known what was already going through the child's scheming mind she would have felt even more agitated.

Later that morning, Eddie climbed down from his tractor, his face solemn. 'I don't suppose you've heard . . . ?' he began and Anna's heart seemed to leap in her chest and then began to thud painfully.

She'd known by the sky that morning that something awful was going to happen.

'What?' Her face was white, her voice a strangled whisper.

'The King's died – poor chap – in his sleep.'

Anna felt a rush of relief flood through her. She almost said aloud, 'Is that all?' but bit the words back.

'He was a good man,' Eddie was saying solemnly. 'And the poor lass that's to follow him is so young.' He shook his head. 'So very young for such an awesome task.'

Now Anna could not prevent the words spilling out. 'But she's got a husband at her side to help her. She's not alone. Not like—' She bit her lip and dropped her gaze. Guilt flooded through her that she could have been so caught up in her own fears that she had not spared a sympathetic thought for the poor man and his family. She turned away, uncomfortably aware that Eddie was staring at her, shocked and disappointed.

Her words were not only lacking in compassion for the bereaved family, but were insulting to Eddie, who had done everything he could to help her.

And that, Anna thought with shame, was how she repaid him.

Maisie obeyed her mother's instruction for a week. Each morning she walked down the track, turned to the right and walked towards the lane with the stream on her left and the woodland on her right. Turning to the right again, she passed the wood and came to the gate leading into the yard of Cackle Hill Farm. And each evening she returned the same way. It was a long way for the little girl. She had already walked more than twice the distance it would have been if she had taken the short cut through the farmyard.

As Maisie reached the farm gate late in the afternoon of her birthday on her return from school, it was raining hard. Her footsteps slowed and she lingered in the lane near the gate. She could hear clanking sounds from inside the cowshed and wondered if Mr Eddie was in there. She glanced up the hill. Her mother couldn't see her. The cold, wet winter's afternoon was already growing dark as she glanced at the back door of the farmhouse, imagining the warm kitchen and the smell of freshly baked bread and pies and those delicious scones with jam and cream.

It was really Mrs Bertha she wanted to see, but maybe if she pretended to see Mr Eddie in the cowshed first . . .

The little girl pushed open the gate and marched boldly into the yard.

'Mr Eddie, are you in here?' she shouted, knocking on the lower part of the door into the shed. The upper part was open and fastened back to the wall, but the lower part was shut. The noise from inside stopped and she heard footsteps. Then Eddie's head peered over the half door.

'Well, well, and what are you doing here, Maisie?' His welcoming smile faded as he remembered the reason Maisie had been sent to fetch him last time. 'Has your mam sent you to fetch me? Is something wrong?'

Her curls danced as she shook her head. 'No, she doesn't know I'm here.' She pulled a face and then smiled impishly. 'I'll be in trouble if she finds out.'

Eddie chuckled. 'Ah well, I'll not tell her, eh?'

'Is Mrs Bertha at home?'

Now Eddie could not prevent the surprise from showing on his face. 'Why, yes. She is.'

'Can I see her?'

Eddie took off his cap and ran his hand through his thinning hair. 'I don't rightly know, love. I mean . . .' He faltered, not liking to intimate that the older woman might not want to see the little girl against whom she still held such resentment.

'I'm all wet,' Maisie said plaintively.

'I know, but . . .' He sighed and muttered. 'I suppose it can't do any harm. Come on then, let's go and see if she's got the kettle on.'

As they walked across the yard, Maisie put her tiny hand into Eddie's large one and skipped along at his side. And that was how Bertha saw them from her scullery window.

'So you've come to see me again, 'ave ya?' Bertha said as the child perched herself on the stool near the table. 'After my scones, I bet.' And she ruffled the child's curls affectionately.

Eddie stared in amazement. He couldn't believe what was happening before his eyes. Bertha was actually being civil to the child. More than civil, she was being nice to her. Very nice.

Bertha's tone sharpened. 'Well, Eddie Appleyard, ain't you got work to do?'

'Yes, but—' Eddie glanced helplessly from one to the other, not knowing what to make of it. He turned and left the house, shaking his head in bewilderment. He knew his wife was a funny mixture, but this beat all.

As he crossed the yard, he passed Tony returning from the school bus. Seeing the puzzled look on his father's face, the boy said, 'Summat up, Dad?'

Still mesmerized by what he had just witnessed, Eddie shook his head. 'No, lad. At least – I don't think so.' He did not stop to enlighten his son any further and carried on walking towards the cowshed. Tony watched him go, then shrugged and went into the house.

The moment he stepped into the kitchen, he saw the reason for his father's bafflement. Tony stood in the doorway and stared. There was Maisie sitting at the table, munching a scone and chattering to his mother as if they were bosom pals.

'It's my birthday today, y'know,' she was telling Bertha. 'I'm five.'

Bertha looked up and smiled at Tony. 'We've got a visitor,' she said. 'But I don't think I need to introduce you, do I?' There was a hint of sarcasm in her tone that was lost on the little girl, but not on Bertha's son.

Tony's face coloured as he muttered, 'What's she doing here?'

'Just visiting a neighbour, aren't you, lovey?'

Maisie nodded happily, completely unaware of the undercurrent of tension in the room. 'Why don't you come and play with me any more?' she asked Tony, her brown eyes staring candidly at him.

Tony scowled and, embarrassed, glanced at his mother. But she answered Maisie. 'Tony's getting a big boy now. He's at the grammar school in the town. He has ever such a lot of homework and then, of course, he has to help his dad.'

'Oh.' The child looked crestfallen.

'But you can come and visit me whenever you like.'

'You'd best go home now, Maisie,' Tony butted in. 'Your mam'll be wondering where you've got to. She'll be worried.'

Maisie nodded and jumped down from the stool. ''Bye, 'bye, Mrs Bertha and thank you for the scone.'

As the child let herself out of the back door, Tony turned on his mother. 'Mam, what are you up to?'

Bertha adopted her most innocent expression. 'Whatever do you mean, Tony? What should I be up to?'

'I don't know,' he said slowly, 'but it's summat.'

'Don't talk nonsense,' Bertha said, but as she turned her back on her son she was smiling to herself.

'I think it's time you left,' Tony said bluntly. He found Anna busy trying to cope with a ewe and a difficult birth. It was obvious she had not noticed that Maisie had been later home than usual or that she had appeared from the direction of the farm instead of round by the wood.

Her mind still occupied with the sheep, Anna said, 'Fetch your father, Tony. I think he might need the vet to this ewe. The lamb's all right, but the mother—'

'Yes, yes, I'll get him, but did you hear what I said?'

Anna looked at him and blinked, dragging his words to the forefront of her mind. 'Leave? Now? Why?'

'Maisie was down at the farm, sitting in me mam's kitchen as large as life and twice as cheeky.'

'The wilful little—'

'Please, don't punish her. I'm only telling tales – I don't reckon to – because it's for your own good. I – I—' He hesitated, not wanting to sound disloyal to his mother, yet he had this awful feeling that something was not right. 'Me mam's being nice to her and I don't

199

know why. It's – it's not natural. Not when you know what she thinks of *you*.' His brow puckered and he muttered, 'I can't understand it. I'd've thought she'd be horrible to Maisie an' all.'

'Mm.' Anna was thoughtful too. 'So would I. Or at the very least, make it so obvious she wasn't welcome that she didn't visit again.' She eyed Tony speculatively. He was fifteen now and, in a lot of ways, mature for his age.

'Is there anything else you're not telling me?' she asked bluntly.

Tony shook his head. 'Not really. But—' Again he hesitated and Anna probed gently. 'But what, Tony? Tell me. Please.'

The words tumbled over each other in a rush. 'If she – wants to get at you, the easiest way is through Maisie, isn't it?' He ran his hand through his hair, with an action so like his father's that Anna almost smiled – would have done if their conversation had not been so serious. 'Oh, I shouldn't be saying this,' he anguished. 'Not about me own mam. She wouldn't hurt Maisie. I know she wouldn't do that but – but . . . oh I don't know what to think.'

'It's all right,' Anna said huskily. 'Don't worry. I won't be angry with Maisie, but I must impress upon her that she is not to visit the farm. And come the better weather, this year we really *will* go.'

But at the end of the month, Eddie slipped on an icy patch in the yard and broke his leg and even Tony was now forced to ask Anna to stay a while longer.

'He can't work for six weeks and I'd have to stay off school.' He pulled a face. 'And me mam doesn't want that. She'll see to the dairy work if you'd go down and milk the cows—'

200

'You mean she's agreed for me to do that?'

Unsmiling, Tony nodded and there was bitter sarcasm to his tone. 'Oh yes. Even me mam'll swallow her pride if it gets her out of doing the milking.'

The weeks passed. Eddie's leg mended and then it was almost haymaking, followed by harvest and then another winter was upon them. Although the passage of time did not diminish her fear, Anna began to feel secure in her little cottage haven near the woods and gradually her need to move on lessened. She knew Eddie wanted her to stay. Of Tony's feelings, she was less certain. Sometimes he would be as friendly and caring as ever. But at others he ignored their presence in the cottage for days. He was brusque with Maisie and offhand with Anna. No doubt, Anna thought grimly, his mother had been pouring vicious lies into his young ears and turning him against them. Anna couldn't blame the lad: it was natural that he would believe his mother. She no longer cared what Bertha thought about her. She rarely saw her and, for the most part, she managed to ignore the woman's malevolent presence over the hill.

But, unbeknown to her mother and even to Eddie and Tony, Maisie's visits to see Bertha continued. Not often, but now and again when there was no one about to see, the growing child would skip into the yard and knock on the back door of the farmhouse.

And Bertha would smile to herself and welcome the child into her home, content to bide her time. Bitter though Bertha was, she was a patient woman.

Twenty-Three

On the last day of January 1953, Eddie said, 'I didn't like the look of the sky this morning, lass. Did you see it? A real shepherd's warning. I reckon we're in for some stormy weather.'

Anna glanced skywards and pulled a wry face. 'The wind was rattling round the cottage last night and through the trees in the wood. You should have heard it.' She smiled. 'I could almost imagine it was the sea.'

Though she could not have known it, Anna's words were prophetic.

The wind howled all day. By nightfall it had risen to gale force. Anna sat by the fire in the white cottage, a half-finished peg rug on her knee. She worked calmly at it, pulling the pieces of rag through the hessian, trying to blot out the sound of the raging storm outside. Maisie sat close to her, her brown eyes wide with fear.

'Time you went up to bed,' Anna said, but her daughter only drew closer.

'Can't we sleep down here tonight, Mam? I don't like the wind. It sounds as if it's trying to blow the thatch off the roof.'

'We're safe enough here, darling,' Anna murmured and a small, wistful smile played around her mouth. How could she explain to her young daughter that the elements had never held any fears for her; it was only at times like these, when other people shuddered and

202

shut their doors against the weather, that she felt safer than at any other time.

No one would venture to seek her out in this kind of weather. Anna sighed. Perhaps it was time she stopped being quite so fearful. Six years had passed and, though she had had one or two frightening moments, they had all been in her imagination. She had not been found. No one had come looking for her. Since the early days after her arrival no one had challenged her or asked an awkward question. Eddie no longer tried to probe gently. And Tony, now a tall, thin, sixteen-year-old, due to sit his O level examinations this coming summer, rarely made reference to her past life. Even Pat Jessop, still a good friend, had stopped asking. The village gossip had died down, although, on the rare occasions that Anna ventured into the village, she was still aware of the curious glances.

Maisie broke into her thoughts. 'Buster doesn't like this weather either.'

The dog, now fully grown and already a good sheep-dog, huddled against their feet, whining every so often to remind them that he was there and that he needed a friendly stroke of reassurance. As Anna was bending forward to pat his head, a loud banging sounded at the back door, making Anna and Maisie jump and Buster leap to his feet and begin barking.

In an instant all Anna's resolution fled and her fear was back as strongly as ever. Maisie ran to the window and peered out into the wild, black night. Even she, young as she was, knew that her mother did not like the door opened until they knew who was standing on the other side.

'It's Mr Eddie.'

'You're – you're sure?' Anna persisted.

Maisie nodded vigorously. 'Let him in, Mam.'

Still a little reluctant, Anna shot back the bolt and opened the door, letting the storm into the warm kitchen. Eddie almost tumbled into the room and Anna had to fight the wind to shut the door. He leant against the table, bending over it to regain his breath.

'It's the sea, lass.'

'What do you mean?'

'It's breached the sea wall at Mablethorpe and other places down the coast. People's homes are flooded. There'll be a lot of folk needing help.'

'How do you know?'

'Pat told me.'

'Pat? When have you seen Pat?'

For a moment, Eddie looked shamefaced. 'I was in the village and I just called to see if she needed any help. Don't like to think of her struggling about on her bike in this weather. You know, if there was a babby bein' born somewhere—'

'I know,' Anna said softly.

'She'd got a call to go into Ludthorpe and help set up a rescue centre in the town hall.'

'You're taking her there?'

Eddie shook his head. 'No, someone's picking her up.'

Maisie was tugging at Eddie's sleeve. 'How far will the sea come? Will – will it get here?'

Despite the gravity of the news, Eddie smiled. 'I hope not, love,' he said. 'If it did, then—'

Though the young child did not understand, Anna realized what Eddie meant. If the sea reached Cackle Hill Farm, then half the county would be under water. She put her arm round her daughter's shoulders and pulled her close. 'There's a hill or two between us and the sea. It won't reach us.'

Maisie's lip trembled. 'Are you sure?'

'Sorry, love.' Eddie put his hand on the little girl's shoulder. 'I should have realized you wouldn't understand. No, the sea won't get here. But there is something you can do – ' his gaze found Anna's face – 'that we can all do to help them poor folks whose homes have been invaded by the water.'

'What?' the child asked whilst Anna's heart stood still. Before Eddie put his suggestion into words, she knew what he was going to say and her fear was back one hundredfold.

Oblivious to her feelings, Eddie said, 'There'll be hundreds being evacuated. They'll need somewhere to stay. I was wondering—?'

'What about the farmhouse?' Anna's tone was sharper than she intended. 'You've plenty of room there.'

Eddie's mouth tightened. 'Bertha won't have strangers in the house—'

Anna opened her mouth to retort that, for once, she understood how his wife felt and that she too didn't want strangers in her home. Then she saw the look of disgust on Eddie's face as he spoke of Bertha. Anna closed her mouth, the words unspoken as shame swept through her.

She remembered the night he had found her, soaked to the skin, exhausted and homeless. He had brought her to his own home, given her shelter, fed and clothed her – all against the wishes of his wife. He had done all this for her and now he was asking for that same compassion from her.

Anna touched his arm. 'What do you want us to do?'

Eddie smiled. 'I knew you'd do it, lass,' he said, hoarsely. 'I knew – that whatever it cost you – you wouldn't turn your back on those poor folks.'

Anna glanced away, unable to meet his trusting gaze, feeling very guilty that she had almost allowed herself to be every bit as selfish as Bertha.

Eddie, mercifully unaware of her inner turmoil, said, 'Tony's coming with me. We're taking the tractor and trailer. We should be able to get through the water to rescue folks.'

'Can I come?' Maisie piped up. 'I want to go with Tony.'

Eddie rested his hand briefly on the child's curls. 'No, you stay and help your mammy get ready for some visitors.' He turned back to Anna. 'They'll be cold and hungry. Can you make some soup or a stew?' Anna nodded as he went on, 'And you'll need blankets. I'll see if I can get some more. I must go—'

'Eddie – ' Anna grasped his arm briefly – 'be – be careful.'

With a brief smile and a swift nod of the head, he was gone out into the wild night.

In the early hours of the morning, Anna, who had not been to bed at all, though she had at last persuaded Maisie to go, heard the sound of Eddie's tractor chugging along the track around the wood and towards her cottage. As she opened the door, the blustery wind caught her skirt and tore at her hair. On the back of the trailer, she could see Tony with a woman and two children. One was only a baby, the other a little boy about Maisie's age. As the vehicle drew to a halt, Anna reached up with welcoming hands to help down the refugees.

'Oh, you're soaked through. Come in, come in. There's a good fire and hot food.'

The little boy held out his arms to be helped down, but the woman sat still on the trailer, clutching her crying infant to her but staring straight ahead as if she was unaware of Anna's presence.

Eddie jumped down from the tractor and came to stand beside Anna.

'Poor thing,' he murmured. 'She's in shock, I reckon. Her husband's missing.'

'How terrible,' Anna said and then raised her voice, 'Come along, love. Let's get you and the little one inside.'

At last, with Tony's urging, the woman allowed him to take the baby from her and hand it gently down to Anna. Then, woodenly, the woman climbed down from the trailer and moved into the cottage. But it was as if she was unaware of anything around her. She didn't seem to be aware of her own discomfort or even to notice the crying of her baby.

Anna sat the forlorn little family before her fire, wrapped them in blankets and ladled out hot soup, thick with pieces of meat and sliced vegetables.

'I call this "full-up soup",' Anna said, trying to raise a smile from the little boy. But he was white-faced and silent, the shock and terror showing in his eyes.

Maisie appeared in the doorway, a shawl over her nightdress, her bare feet sticking out below the uneven hem. She rubbed sleep from her eyes and stared at the strangers sitting in their kitchen. Then she sidled across the room to stand beside Tony, but stared wordlessly at the young boy, who was now eating the soup hungrily.

'We're going back—' Eddie said, making for the door.

'Not before you've had a warm and something hot to eat,' Anna said firmly. 'Come on, sit down at the table. You too, Tony.'

'But—'

'No "buts". You can't help folks if you're exhausted yourselves.'

'By heck.' Tony grinned, sitting down. 'She's getting to be a right bossy boots.'

Despite the tragedy that was unfolding all the way down the east coast of Britain, Eddie managed a brief smile. 'Aye, but she's right, lad.'

They tucked into a large bowl of soup and crusty fresh bread, but within minutes they were both rising and leaving the cottage. 'We'll have to go back, lass.'

Anna nodded. 'Take care then. Both of you.'

When they had gone, it was strangely quiet in the cottage. Only the wind, still howling outside, disturbed the silence.

'What's your name, love?' Anna asked the woman, who had scarcely touched the soup. She sat clutching the blanket around her and rocking to and fro. Then she began a strange keening, a kind of dry-eyed crying.

'Don't, Mam.' The young boy stood up and put his arm about his mother. 'Dad'll be all right. The mester said he'd go back and look for him.'

But his mother just shook her head in a hopeless gesture. 'He's gone. I know he's gone.'

The boy glanced helplessly at Anna, who was nursing the baby and trying to spoon some warm milk into the little mouth, all the while wishing that Pat Jessop would walk through the door and take charge.

'What's your name?' Now Anna addressed the boy, who seemed to be recovering from their ordeal more quickly than his mother.

'Peter Warren.'

'And your mam's?'

'Clare. And the babby's called Susie.'

Without warning, the woman suddenly stood up, threw off the blanket from around her shoulders and stumbled towards the door. 'If Bill's gone, I don't want to live—'

Before Anna could reach her, Clare pulled open the door and rushed out into the wild early morning. 'I don't want to live any more,' she wailed, her words caught and tossed callously away by the gale.

'Here, hold the baby, Peter,' Anna said. 'Don't worry. I'll get her back. Stay here.'

Snatching her coat from the peg behind the door and pulling it on, Anna hurried out into the storm leaving the two children and the baby. The woman was stumbling down the slope towards the stream, her arms stretched wide, her lament carried on the wind. A loud, hopeless wailing that chilled Anna's heart.

If she reaches the water, Anna thought, *I'll lose her*.

The stream was a rushing torrent from recent rain and a smattering of snow. The woman could be swept away. She was teetering on the bank when Anna grabbed her around the waist and unceremoniously pulled her to the ground. They rolled over and over, locked together in a desperate struggle, the one determined to end her misery, the other stubbornly refusing to let her throw her life away. They rolled over the edge of the bank and slithered into the icy torrent. The breath was knocked from Anna's body, the water gurgled in her ears, but she held on fast, her arms around the woman's waist. Suddenly Clare stopped struggling and went limp in Anna's grasp. Together, they were carried a few yards, bumping along stones and rocks on the bed of the stream.

Then Anna surfaced, gulping in air. Somehow she gained a foothold and dragged herself to the edge, lugging the dead weight of the woman with her. Panting, she lay on the sloping bank, half in, half out of the water. And still Anna held on to her burden. Gasping, she struggled to heave herself up, but all the time she refused to let go, not even for a second, in case Clare was feigning weakness in an effort to break free when she felt Anna's hold relax. But Anna was determined not to let go.

Just as she had once been saved, now she vowed to haul this distraught and desperate woman back from the brink.

At last they lay side by side on the grass beside the stream. For a moment Anna knelt beside the prone form, bending double to regain her breath. The woman was still and silent.

'Oh no,' Anna breathed and then she screamed and grasped Clare, shaking her. 'No! You can't die. You can't leave your bairns. Think of your children.'

And now, in that instant as she shrieked at the woman, dragging her back to life by the sheer force of her own spirit, Anna realized just what Eddie had done for her. He had saved her life – and Maisie's. And now she had the chance to save someone in return.

'I won't let you die. I won't *let* you!' But there was no spark of life. Anna felt utterly helpless. Again she shook Clare hard. Miraculously, the woman stirred and began to cough, spewing out stream water, and Anna felt tears of thankfulness.

It was several minutes before Clare was sufficiently recovered to allow Anna to half drag, half carry her across the field and back to the cottage. Maisie was watching out of the window and opened the door for them. By the look on her daughter's face, Anna knew that Maisie had witnessed the struggle near the stream.

Much later, when the boy was asleep in Maisie's bed and Clare, washed and resting in Anna's, the little girl confided, 'I didn't tell the boy, Mam. He was by the fire, holding the baby, so he didn't see. And I didn't tell him.'

Anna drew her close and buried her face in the child's copper-coloured curls. 'Oh Maisie, my precious darling,' she murmured huskily. Whilst Maisie returned her mother's hug fiercely, she had no understanding of the tumult of emotions in Anna's heart. Guilt, thankfulness and an overwhelming gratitude to Eddie Appleyard that words could never express.

A shivering Eddie and Tony sat wrapped in blankets before the fire and sipped Anna's hot soup gratefully. A restless daybreak had shown them the full extent of the disaster.

'A lot of the folks that had to be evacuated have been brought to Ludthorpe or other official rescue centres,' Eddie told her, 'but they're trying to find homes willing to take some of them in. Give them a bit more comfort, like. Poor devils.'

'There's lots of families got split up,' Tony put in. 'One poor chap couldn't find his little lad. He was – he was six.' Tony's voice broke as he glanced at Maisie and then, wordlessly, he reached out and touched her cheek. He said no more but his gesture spoke volumes.

'Is there any news of Clare's husband?' Anna asked softly.

Sadly, Eddie shook his head. Then, more briskly, he stood up and shook off the blanket. 'Well, this won't do. There's still more to be fetched to safety. To say nothing of taking feed to stranded animals.'

'You're not going back?' Anna said, before she could stop herself. 'You're out on your feet, Eddie.'

'I've got to, lass. Whilst there's folks still needing help—'

Tony began to stand up too, but Eddie put his hand on his shoulder. 'No, lad, you go home. You've done enough.'

Tony straightened up and met his father's gaze steadily. Quietly, he said, 'If you're going back, Dad, then so am I.'

Anna watched father and son standing together and marvelled at the likeness between them. Tony was so like his father in appearance; brown hair and eyes, tall and thin, but without the slight stoop that years of hard work had brought Eddie. And now the son was showing that same kindness and concern for others.

'Come on then, lad, though what your mam's going to say, I don't know.'

Later that night Bertha had plenty to say.

'You've done what?' she shrieked.

'Lost me tractor and trailer.'

'How on earth can you lose a tractor and trailer?'

Eddie sighed. 'It got stuck in the sand and the mud and now it's been bulldozed into the sea wall.'

'Whatever for?'

'Because they're desperate to shore up the defences and—'

'And they thought they'd use your tractor and trailer, eh?'

'No, Bertha, just listen, will you? We got stuck and they haven't time to be pulling stuff out. It's a race against time. There's an army of lorries bringing stone and slag – anything they can find to shore up the defences. And any vehicle that got stuck has ended up as part of the sea wall.'

'Just think, Dad.' Tony was laughing. 'You'll be able to walk along the sea wall and say: my tractor's somewhere under this lot.'

'You think it funny, d'ya?' For once Bertha rounded on Tony, venting her anger. 'You've not had a thought for me, 'ave ya, whilst you've been busy playing the heroes. Well, I've been worried sick about you.' Her gaze rested on her son and Eddie knew that her anxiety had not included him. Now she turned to her husband. 'You'd no right to take him with you. Owt could have happened to him—'

Tony put his arm around her quivering shoulders. 'Well, it didn't. And Dad couldn't have stopped me going to help. And you'd much rather I'd've been with him, wouldn't you?'

'Yes, but—'

'Oh, Mam, don't be like this. You should have seen all those poor folks. Their homes flooded, washed away in some cases. Some of 'em had only got the clothes they stood up in.'

Bertha sniffed. 'Huh. Next thing they'll be coming round for a collection for 'em, I shouldn't wonder. Well, they'll get short shrift here now we've got a new

213

tractor and trailer to buy.' She shrugged Tony's arm away. 'I'll get your supper. That's unless you're both off out again with the pony and trap.'

Father and son exchanged a glance. 'No,' Eddie said wearily, 'there's nothing more we can do.'

'There is one thing I'd like to do, Dad,' Tony said softly as his mother disappeared into the scullery.

Bone weary, Eddie leant back in his chair and closed his eyes. 'What's that, lad?'

'Go round all the rescue centres. See if we can find that poor woman's husband.'

Eddie opened his eyes and lifted his head. 'Clare's, you mean?'

Tony nodded. 'It's the least we can do, specially after what – ' he glanced quickly towards the scullery and lowered his voice even more – 'Anna did.'

'Taking her in, you mean?'

'Oh no. She did more than that. Maisie told me.' Swiftly, before his mother returned, Tony explained. 'Anna saved that woman's life.'

For a moment, Eddie stared at his son and then slowly began to smile. 'Then the least we can do, son, is what you suggest.' As Bertha came back into the room, Eddie winked slyly at Tony and then raised his voice, 'D'you know, Bertha love, that was a very good idea of yours. Tomorrow we will take the pony and trap.'

His wife stared at him for a moment as if she thought he had gone completely mad. Then with a scornful snort, she banged the plates down onto the table. She turned and stormed out of the room, leaving father and son trying hard to stifle their laughter.

Twenty-Four

The following morning, after milking and feeding all the animals, Eddie harnessed Duke into the shafts of the trap.

'We'll go and see Anna and the woman – what's her name, Tony?'

'Clare. Clare Warren and her husband's name is Bill.'

'Aye, that's right. We'll go and see them first and make sure there's nothing they want.'

'The only thing that poor woman wants is her husband back.'

Eddie's face was sober. 'Aye, aye.' He sighed. 'We'll do our best, but I don't hold out much hope. I reckon, if they'd found him, they'd have let us know.'

Tony was more optimistic. 'Oh, I don't know, Dad. They're all that busy. It's a nightmare for the authorities.'

'I suppose you're right. He might have slipped through the net and be somewhere just as desperate about his family. I wonder if that other feller found his little lad.' Eddie was suddenly still. 'He said his lad was about six, didn't he? And that little lad up yonder is about that age. You don't suppose it was him – the father, do you?'

Reluctantly, Tony shook his head. 'Too much of a coincidence, I reckon. Besides, he'd have mentioned his wife and baby, wouldn't he?'

Eddie sighed. 'Aye, I suppose so. I'm just clutching at straws, I reckon.'

Tony grinned. 'Well, just you keep clutching at 'em, Dad. Keep hoping.'

They visited the town hall in Ludthorpe and were appalled at the number of people made homeless by the disaster. Several families were frantic with worry over a missing loved one. Eddie tried to speak to the organizers about Bill Warren, but they too were now exhausted and overwhelmed.

'He's not here. That's all I can tell you, but you could try all the villages just inland from the coast. They've opened up schools and village halls to help out,' one harassed WVS lady suggested. 'But he could be anywhere. Do you know him?'

'Not exactly, but his wife's given us a good description. Tall, broad, fair hair and a little scar under his left eye from an accident when he was a kid.'

'Well, good luck. Sorry I can't be of more help.'

'You have been. You've given us more places to look for the feller. Thanks. Come on, Tony. We've a long day ahead.'

By milking time that evening Eddie and Tony had still not returned and, of their own accord, the cows were gathering down near the yard, their udders full and uncomfortable.

Anna, standing at the top of the rise and looking down towards the farmyard, chewed her lip worriedly. Ought she to go down to the yard and begin the milking? Two things stopped her. Bertha, of course, and the fact that Anna was uneasy around cows. In the six years she had been here, she had only helped with the milking once or twice. And even then she had scuttled into the byre and out again as quickly as she could, afraid of being kicked by a restless cow, but even more afraid of Bertha finding her. Only when Eddie had broken his leg had she felt comfortable being there.

Above the wind, she heard a distant sound and glanced to the left to see the pony turning in at the gate. She strained her eyes through the dusk of the winter's evening.

There were three figures sitting in the trap. Anna's heart leapt with hope as the three figures alighted and two – Tony and a tall, broad stranger – hurried up the path towards her. Tony spotted her and waved excitedly.

Anna felt a lump rise in her throat and tears prickle behind her eyes. 'Oh thank you, thank you,' she breathed. Then she turned and ran down the track towards the little cottage, stumbling and almost falling in her urgency. 'Clare, oh Clare, come quickly.'

The door opened before she reached it, but it was Maisie who ran out. 'Mam, Mam. She's not here. I couldn't stop her. She's gone out. Into the woods, I think—'

'No, oh no!' Anna was panic-stricken and blaming herself. She shouldn't have left Clare alone.

She caught hold of Maisie. 'Tony's coming up the track with a man and I think it's Clare's husband. Peter's daddy. Now, you stay here, darling, and tell Tony and the man to come into the woods.'

Without waiting for a response from her daughter, for Anna knew Maisie would do as she had asked, Anna ran into the wood. It was dark and cold and the wind tore through the branches overhead, making a sound like rushing water.

'This is the worst place she could have come,' Anna muttered to herself. Maybe, she thought, in her confused state poor Clare had thought the noise was the sound of the sea and she had gone towards it to search for her man.

'Clare,' she cried out. 'Clare. Come back. He's here. Bill's here.'

She was taking a chance on this being the truth, but moments later Tony and the stranger came crashing into the woods behind her. Breathlessly, Tony said. 'We found him. This is Bill. Where is she?'

'I don't know. She can't have been gone long. I only went to the top of the hill. I wasn't away more than a few minutes. Oh, I'm so sorry—'

The big man gripped her arm briefly. 'Not your fault, lass. From what this young feller tells me, you've already saved her life once. Don't blame yourself.'

Tony moved ahead shouting her name and then Bill cupped his big hands around his mouth and let out such a roar that Anna felt her ears ring.

'Clare. It's me, Bill. *Claaaare.*'

They waited a moment, listening. Bill shouted again and then they listened again.

'I heard something,' Tony said, pushing his way through the trees and undergrowth. 'I'm sure I did. This way.'

Bill and Anna followed eagerly. Bill shouted again and this time they all heard a faint cry.

'She's here,' Tony, still leading the way, shouted jubilantly, but then he stood aside as Bill rushed forward to gather his wife into his arms.

'Oh, my darling girl. I thought you were lost. I thought I'd lost all of you.'

Clare was clinging to him as if she would never let

him out of her sight again. 'I thought you'd drowned. I thought you were dead. I didn't want to live. Oh, Bill, I'm sorry.'

He smoothed back her hair and between showering kisses on her face, murmured reassuring endearments. 'It's all right. I'm here now. We're all safe . . .'

Anna was standing transfixed, staring at the tender scene and feeling a mixture of thankfulness and joy for them, yet, for herself, an acute longing.

If only . . .

She felt Tony touch her arm. 'Come on,' he said softly. 'Let's leave 'em to it. They're all right now.'

'Yes,' Anna murmured. 'They're all right now.'

It wasn't until Bertha saw the reports in the local papers that she realized exactly what her husband and son had done. Eddie Appleyard was hailed as a hero for his rescue work.

Throughout the night he and his sixteen-year-old son, Tony [one of the newspapers reported], ferried people stranded by the rising water to safety. Time and again Mr Appleyard waded through icy sea water, which was sometimes up to his chest, to reach young and old and carry them out of their flooded homes. Then he drove his tractor and trailer all the way to Ludthorpe to the centre there before returning to continue the rescue. Together father and son worked tirelessly to bring people and animals to safety. It wasn't until their tractor and trailer became stranded in the sand and had to be abandoned that this courageous and unselfish pair were forced to give up and accept help themselves.

All Bertha could say was, 'And how do you think you're going to do the ploughing now?'

'I'll think of something, Bertha,' was all Eddie would say. 'I'll think of something.'

But Bertha, keeping herself to herself, had no idea what the locals thought of her husband.

'You wouldn't believe it,' a beaming Pat told Anna. 'They're falling over themselves to help. Mrs Arnold at the village shop has got a collection box on her counter for the flood victims and she ses she has to empty it twice a day. And as for Eddie, he's had the offer of three tractors and five trailers to borrow whenever he wants that I know about. And,' she added triumphantly, 'they're all talking about your brave rescue of that poor woman.'

Anna stared at her. 'How does anyone know about that?'

For a moment, Pat could have bitten her tongue off. It wasn't like her to let herself chatter so much that she was in danger of letting out secrets. But, for once, she had been so excited that Eddie's kind-heartedness had at last been recognized and then at hearing the villagers speak kindly of Anna, that she had let her tongue run away with itself. She knew very well how the news had got out. Maisie had told Tony and he had deliberately spoken of it, hoping it would cast Anna in a good light amongst the locals.

Pat wrinkled her forehead and pretended vagueness. 'Don't really know, ducky. I expect Mrs Warren is singing your praises from the rooftops. And so she should.'

'Mmm,' Anna said, eyeing the nurse suspiciously. 'Maybe.'

'Anyway,' Pat said, turning the topic of conversation, 'all's well that ends well, as they say.'

Now Anna smiled, thinking of the little family who had stayed with her and who were now happily reunited.

If only her own story could have had such a happy ending.

Twenty-Five

'I've passed. I've passed the scholarship. I'm going to the grammar school in town. The same one Tony went to.'

Maisie danced around the table in Bertha's kitchen clapping her hands. She caught hold of Bertha and tried to make her dance too, but the woman, who had grown even larger in the last few years, flapped her hands. 'Oh go on with ya. My dancing days are over.' She sniffed and added wryly, 'If I ever had any.' Then she smiled, 'But I'm real pleased at your news, lovey. And Tony will be too.' There was a slight pause. This was the moment she had waited eleven years for. Bertha's eyes gleamed as she added, with deceptive casualness, 'To think that his sister is following in his footsteps—'

Maisie stopped, her dancing suddenly stilled. She stared at Bertha. 'What – what did you say?'

Bertha shrugged her fat shoulders. 'Surely you know you're his sister, don't you? Well, half-sister.'

As if she had been pole-axed, Maisie shook her head. 'I – I don't know what you mean? How can I be?'

'Mr Eddie's your dad, that's how.'

'But – but I haven't got a dad. Mam ses so.'

Bertha couldn't prevent her mouth twisting scathingly. 'Everyone's got a dad. Hasn't your mother even told you the facts of life yet?'

Dumbly, Maisie shook her head.

'Well, you're a big girl now and it's high time you knew. You'll be going to the big school soon and you'll be laughed at if you don't know. Besides, if you learn it in the playground, you'll learn it wrong. You ought to know the truth. The whole truth. Sit down . . .' She took the girl firmly by the shoulder and pressed her onto the stool near the table. 'Let's get us a cup of tea.' Bertha's thin mouth, almost lost now between the folds of fat, smiled, and her eyes were glittering with a strange excitement. 'And one of your favourite scones. Then we'll have a little chat, eh?'

Maisie walked slowly up the track and over the hill, her head spinning. She forgot completely to go out of the farmyard gate and into the lane to walk the long way home, as she usually did after a visit to Mrs Bertha. This time she didn't care if her mother saw her and guessed where she had been. She didn't even care if her mother shouted at her. She would shout back. And if Anna hit her, she'd probably hit her back the way she was feeling at this minute.

Bertha had spared the young girl nothing in the end. She had begun gently enough, as if she was doing Maisie a favour. 'You know how animals are born, don't you?'

Maisie had nodded. She'd witnessed sheep and cows giving birth and had accepted it as the most natural thing in the world. 'Well, it's the same with human beings.' And then Bertha launched into an explanation of all the facts of life in the most intimate detail. By the end Maisie felt sick, but Bertha was not done yet.

'You want to be careful of men, young Maisie.' She wagged her finger at the girl. 'They're only after one thing and they'll tell you all sorts to get it. Tell you they love you and that they'll marry you. But they'll never be faithful just to you. They're like animals. Like a ram amongst the ewes.'

The vivid pictures Bertha aroused in the young girl's mind made her scramble up from the table and rush outside. She had leant against the wall, breathing deeply, her eyes closed.

Inside the house Bertha cleared away the cups and saucers, smiling as she did so.

Maisie reached the cottage and entered by the back door. To her relief the kitchen was empty, so she climbed the ladder to her bedroom and lay on her bed, staring at the ceiling.

Was it really true what Mrs Bertha had told her? Was Mr Eddie really her father and Tony her half-brother? Had her mother, her pretty mother, done *that* with Mr Eddie? He was an old man in the young girl's eyes. It was disgusting. And the way that Bertha had explained it to her, it was all disgusting. Maisie groaned and turned over, burying her head in the pillow, trying to blot out the images in her mind's eye.

She couldn't ask her mother about it because Anna would then know she had been visiting Bertha and had been doing for years. And she certainly wasn't going to ask Mr Eddie. She couldn't even ask Tony. He was away at agricultural college in his final year there. He would be coming home to stay then, to work on the farm. But he wouldn't be here until the end of June or so.

Maisie sat up suddenly. There was one person she could talk to, who would understand. Nurse Pat.

*

'Hello, ducky. This is a nice surprise. Come in.'

Pat Jessop had hardly altered in the eleven years since Maisie's birth and to the young girl she had always been Auntie Pat.

As Pat ushered her visitor into her cosy sitting room and fetched her a glass of lemonade and a chocolate biscuit, she eyed the girl worriedly. She could see at once that something was troubling Maisie.

The girl sat on the old sofa, twisting her handkerchief in her fingers, leaving her drink and biscuit untouched.

Pat sat down beside her and took the girl's agitated hands into her own. 'What is it, love? Come on, you can tell me.'

Maisie raised tearful brown eyes. 'You won't tell anyone? Not my mam? Not anyone? Promise?'

Pat's mind worked quickly. If the girl had been older she'd've guessed she was in trouble. Pregnant and scared to death. But Maisie was only eleven. It was almost impossible. Not entirely, but most unlikely. But Pat was an honest woman. Carefully she said, 'I won't tell a soul, but I might have to encourage you to tell someone else. I don't know till you do tell me. It depends what it is, but I'm trying to be truthful with you, Maisie.'

The girl nodded. Then the words came out in a rush, all jumbled up and making little sense at first. When at last Maisie fell silent, Pat swiftly pieced the sorry tale together. Her mouth was a hard line, her kind eyes unusually angry. Her wrath was not directed at Maisie but at the unthinking woman who had imparted nature's most beautiful facts to a naive child in such a cruel manner. It could warp the young girl's mind for life, Pat thought, incensed by Bertha's callousness.

She sighed, knowing that she must do what she could to minimize the damage. And she must do it now.

'Now listen to me, Maisie,' Pat began in a kind but firm tone. 'Bertha Appleyard is a bitter, twisted woman.' Over the next half-hour, Pat's gentle voice eased away the girl's horror. She explained that Bertha had had an unhappy childhood because of the kind of man that her father was.

'A father is a big influence, specially on a girl and—'

Maisie raised her eyes to look steadily into Pat's. 'Auntie Pat, is Mr Eddie my father?'

'Only your mother or Mr Eddie could answer you that, but I don't believe he is. Both he and your mother always say that he found her in the marketplace in Ludthorpe just before Christmas with nowhere to go. He brought her home and gave her shelter in his little cottage. And you've lived there ever since.'

'Then – then who is my father?'

Pat took a deep breath. 'I don't know. I'm guessing that your mother wasn't married to him and that she ran away. But why she did I don't know either. Maybe one day she'll tell you. All I do know is that over the years she has tried to remain hidden away. She's terrified of being found, presumably by her family or – or your father. Several times she's talked about leaving. About getting further away.' Pat smiled gently. 'But always something's happened to stop her going.'

Maisie nodded, remembering one or two of those occasions for herself.

'You mustn't believe everything that Bertha told you. There are kind men in the world. I was married to a wonderful man, but he was killed in the war. But we were happy together and – and what happens between a man and a woman who truly love each other is

226

beautiful. Remember that, Maisie, because what I'm telling you is true. What Bertha told you is true from a – a factual point of view, but she made it sound dirty and horrible. And it isn't. Believe me, ducky, it isn't.'

'You evil, wicked, owd beezum.' Pat shouted and actually shook her fist in Bertha's face when the woman opened the door to Pat's banging on it. Before Bertha had time to close it again, Pat had stepped inside. 'You've bided your time all these years. Waited for an opportunity to stick the knife in, haven't you? And now you've done it.'

With troubled eyes, Pat had watched Maisie leave. She hoped she had done enough to minimize the damage to the young girl, but she doubted that Maisie would ever quite forget Bertha's tales. Pat's anger had boiled over and, before she knew what she was doing, the district nurse was pedalling furiously towards Cackle Hill Farm.

'I don't know what you're talking about and you can get out of my kitchen, Pat Jessop.' Bertha glowered at her. 'I don't want your sort in my house. You're no better than you should be. No better than that little trollop over the hill.'

'You're sick, Bertha. Do you know that? Sick and twisted. Oh, I know your dad gave you and your poor mam a rough time, but you've let him wreck your life. And you needn't have done because somehow, Bertha, and God alone knows how, you managed to hook yourself a decent man. A lovely man. And yet you still can't put the past behind you, can you? You've let it blight your life with Eddie and now you're trying to twist an innocent girl's mind and wreck her life an' all.'

'It's not the girl so much,' Bertha muttered and jerked her thumb over her shoulder, 'as her trollop of a mother.' She glared at Pat, her eyes full of bitterness and hatred. 'I'll swing for her one day. You mark my words. I'll swing for her.'

Pat shook her head slowly, more sad now than angry. 'Oh Bertha, why? You don't really believe that Maisie is Eddie's child, do you? He's just a kind and gentle man who helped a young lass in trouble. Look how he was in the floods. He was a hero. Can't you understand? That's just how Eddie is. He puts others afore himself.'

'He's a fool. Look after Number One, that's what I say.'

Pat nodded and glanced around her. 'Well, you've done all right for Number One, haven't you, Bertha? Got your feet well under the Appleyard table years ago.'

'Get out! Get out of my kitchen right now,' Bertha shouted, waving her arms.

'Oh I'm going. I've said what I came to say. Except,' she added pointedly, 'that I need to see Eddie and tell him what's been going on.'

Bertha's reaction was not what she had expected or hoped for. The woman merely shrugged her shoulders and muttered, 'Meks no odds to me. Tell him what you like.'

Pat's anger seethed once more. She thrust her face close to Bertha's. 'And what about Tony? Do you want him to know just what a horrible woman you really are.'

Again Bertha shrugged. 'Tony thinks same as me. He hates 'em. Both of 'em.'

'Well, there, Bertha, I think you're wrong. I think

your Tony is very fond of them. Specially,' she added
and she could not prevent a little thrill of malicious
triumph, 'Maisie. I think he's very fond of Maisie. And
I don't think for a minute that he'll like what you've
done. He's got a lot of his dad in him, has Tony.'

Now the look on Bertha's face was exactly what Pat
had hoped to see.

Twenty-Six

'Has the busybody nurse told you then?' was Bertha's greeting when Eddie came into the house for his dinner.

Wearily he said, 'Why, Bertha? Just tell me why you want to hurt that kiddie? You must know it's not true. She's not mine and you know it. And then to take the job upon yourself of telling her what her mother should tell her, well – ' he shook his head in disbelief – 'that beats all. It really does.'

Bertha turned away. For once she had no answer. She didn't care what Eddie thought of her, but her son was a different matter.

'It isn't true, love,' Eddie said gently.

He had waited in the lane, watching for Maisie to come home from school.

Maisie didn't pretend that she didn't know what he was talking about. Instead, she returned his steady gaze with her soft brown eyes that, to his sorrow, now held a more worldly look. 'Do you swear it? On – on Tony's life?' Tony was the only person that Maisie could think of on whose life Eddie would not risk tempting a cruel Fate.

Without hesitation Eddie nodded. 'I swear on Tony's life that I am not your father.' Then he smiled gently. 'Though I'd be lying if I didn't say I wished I was.'

For a moment Maisie stared at him. Then she let out a deep sigh and seemed to relax.

'There's never been anything – like that – between your mother and me.' His voice deepened. 'I am very fond of your mam, as I am of you. But I'm nearly old enough to be your *mam's* father, let alone yours. No, lass, I promise you that what my wife said is not true.'

'Some of it is, though, isn't it?' Maisie said in a small voice.

'What?'

'About – about what men – well, some men,' Maisie, remembering Pat's words, amended the sweeping statement, 'are like.'

'Ah,' Eddie said, understanding. 'That.' He paused a moment then went on. 'Well, love, I can't deny that there are some men in the world just like Mrs Bertha told you, but she made it sound as if all men are like that. You see, she was unlucky. Her father was a wrong 'un, so she thinks all men are bad. And they're not. Your difficulty, lass, is going to be recognizing a wrong 'un when you see one. But a good sort will respect you as well as love you.' He glanced down at her worriedly. She was very young to be taking all this in. Silently he cursed his wife for her vicious tongue. 'Do you understand what I'm trying to tell you, Maisie?'

'I – think so.'

'Well, when you're older and the boys start flocking round, you just come and ask me if you've any doubts about 'em.' He patted her shoulder. 'I'll sort 'em out for you.'

Maisie smiled thinly, but said nothing. How could she, an eleven-year-old child in his eyes – in everyone's eyes – tell him that she didn't want a flock of young men, as he put it, round her. There was only one boy she wanted. Only one boy she had ever wanted or would ever want.

Tony.

That was why Mrs Bertha's words had hurt her so much. The last thing that Maisie wanted in the whole wide world was for Tony to be her half-brother.

If Anna had known about Bertha's nastiness, more than likely she would have started to pack their belongings and threatened to leave. And this time she might have really meant it.

But for some reason that was never discussed, no one told Anna what had happened. And, unfortunately, no one thought to tell Tony either when he next came home from college.

If they had, it might have settled the turmoil in his mind about the truth of Maisie's parentage. It was something that had plagued the boy from the night that Anna had first appeared in the kitchen. A story perpetuated in his mind by his mother yet denied by his father.

Tony had never been able to decide whom he believed, and in the meantime Anna and Maisie continued to live in the little white thatched cottage near the woods.

But now Maisie never called at the farm to see Mrs Bertha.

In the September of 1958 Maisie started at the grammar school in Ludthorpe, travelling on the bus that trundled through the narrow lanes gathering up the children from the outlying district. As it had for Tony before her, the bus stopped for her at the bridge over the stream and she walked alongside the wood to her home.

Tony had completed his course at agricultural college and was now working on the farm that would one day belong to him. He bought himself a motorbike and even from their isolated cottage Anna and Maisie could hear the machine roaring through the country lanes, sometimes late at night. When she heard it, Anna could not resist the urge to smile. *That'll not best please Bertha*, she thought.

Maisie grew tall, slim and leggy. Coltish was the word that Pat used. The district nurse still visited the cottage as a friend. In fact, she was Anna's only female friend.

'She's going to be a real beauty,' Pat would say, laughing. 'A few more curves in the right places, Anna, and you'll have 'em queuing down the track as far as the lane.'

'Not if I have anything to do with it,' Anna said darkly.

'Aw, ducky, you've got to let her grow and flourish.' Pat sighed. 'You've kept her hidden away all these years. Never let her have any friends to speak of.'

'She hasn't wanted them,' Anna retorted swiftly. 'She's quite happy with the animals. That's all she needs. We don't need people.'

'Ta very much, I'm sure.' Pat pretended to be offended.

Anna smiled and said, 'You know I don't mean you. You're not people.'

Pat laughed. 'I'm not sure if that's a compliment, but I'll take it as one.' Then she sighed again. 'But you ought to let her mix a bit more. Go to her friends' birthday parties. And as she gets older, you ought to let her go out and enjoy herself a bit. This rock and roll that's all the rage amongst the youngsters now. I wouldn't mind a bit of jiving myself.'

'And what would happen then? She'd get in with the wrong crowd and get herself into trouble.'

Pat put her head on one side and regarded Anna thoughtfully. 'Is that what happened to you?'

Over all the years, Anna had never confided in anyone about her past. And again she turned away, muttering, 'Never mind about that. It's Maisie we've to worry about.'

'Aye.' Pat nodded sagely. 'We have.' But her meaning was not quite the same as Anna's. The kindly Pat Jessop was concerned that the girl was going to be kept as a virtual recluse all her young life. It was bad enough that a lovely young woman like Anna should have chosen such an existence for herself, but to inflict it upon her daughter was little short of criminal. The youngsters of today were a different breed. They had no memory of the austerity of the war. As the Prime Minister said, they'd never had it so good. They demanded, and got, a better standard of living. As well as working, they wanted to play too. *And why shouldn't they?* Pat thought. *Why shouldn't they have a bit of fun in their youth? They'll be a long time grown up.*

She got up to leave. There was time yet for her to work on the problem, but if Anna wasn't very careful, when she was older Maisie would rebel.

And then Anna would know what trouble was.

On Maisie's fifteenth birthday Eddie presented her with a battery-operated radio. Maisie was ecstatic.

'Will it tune into Radio Luxembourg? I heard it at Sally's once. They play all the latest songs.'

'Oh, I reckon it will.' Eddie laughed and winked at Anna. 'She'll probably drive you mad playing all this rock and roll, but I thought you wouldn't mind.'

Anna did not join in. She frowned at the machine and murmured, 'Just so long as that's all she does.'

'What do you mean?'

'I don't mind her listening to the music, but she needn't think she's going to the village dances.'

The previous year the local Young Farmers' Club had started a Friday-night dance for their members. Maisie had begged to go. 'Everyone's going from school, Mam.'

'I very much doubt it,' Anna had replied shortly. 'The village hall wouldn't hold everyone from your school.'

'You know what I mean,' Maisie snapped back impatiently. 'I didn't mean it literally.' For once her soft brown eyes were sparkling with resentment. 'Why can't I go?'

'We keep ourselves to ourselves.'

'But why?' the girl cried passionately. 'Why do we have to live like this?' When her mother didn't answer, Maisie said, 'Do you know what they call you in the village? A witch.'

Anna smiled. 'I can think of worse names they could call me.'

Maisie gasped. 'But it's awful. Years ago they'd have burned you alive.'

Anna chuckled. 'But they won't, will they? And if it keeps them away from here – all the better.'

The girl stared at her. Over the last two or three years she had begun to realize that she lived a very different life from most of her schoolfriends. All her friends, if she was honest. It hadn't seemed as noticeable when she had been at the village school. Several of her classmates lived on isolated farms and the difference had not seemed so great. But now she was older and mixing with youngsters from the town, she had begun to see how odd her own life was compared with theirs.

'Ask your mam if you can stay the night at mine,' her best friend Sally had asked Maisie more than once. 'We could go to the pictures and all meet up in the coffee bar. You'd love it. It's what we do most Saturday nights.'

Maisie had shaken her head. 'She won't let me. I don't even have to ask her. I know what the answer'll be.'

'Well, try.' Sally, a good-natured plump girl with mischievous eyes and curly brown hair, had linked her arm through Maisie's. 'We'd have such fun.'

But Maisie had been right. Anna's answer was 'No'.

Late in the afternoon of her birthday, when she arrived home from school, Tony was waiting for her at the cottage.

'I've brought you these,' he said, handing over two magazines. 'There's some pictures of all those fellers you're always going on about. Elvis Presley, Cliff Richard and Adam Faith, is it?'

Maisie opened the pages. 'Oh, look,' she exclaimed over one of a handsome, dark-haired, moody-looking young man.

'Who on earth is that?' Anna asked.

'Elvis,' Maisie breathed. 'Oh, it's Elvis.'

Tony grinned. 'Reckon I look a bit like him, don't you?'

Maisie laughed. 'Well, a bit, but can you sing like him?'

Tony dropped the magazine onto the table. He adopted the pose of the guitar-playing idol and began to sing 'Are You Lonesome Tonight?'

Maisie laughed and clapped her hands. 'Oh you can, you can. You sound just like him.'

Tony laughed. 'I don't know about that, but I wish I had his money.'

'You wouldn't be any happier,' Anna said quietly. 'Now, Maisie, take these upstairs to your room. I must get the tea.'

Maisie pulled a face, but did as her mother asked. Tony made to leave, but at the door he turned and said, 'Tell you what, I'll take you for a spin on me motorbike on Saturday afternoon.'

Before Maisie could answer, Anna said swiftly, 'Oh no. She's not going on that. Not at the speeds you go. And don't deny it, Tony, 'cos we can hear you from here roaring through the lanes. One of these day's you'll come a real cropper off that bike.'

'Oh mam, please . . .'

'No.'

'I'll be very careful,' Tony said. 'I promise.'

'Please, mam. Just once. Just for my birthday.'

Anna still looked doubtful, but relented. 'All right then. But you're not to take her far. You promise not to go too fast?'

'I promise.'

Maisie clapped her hands and rushed to hug her mother. 'Oh, thank you, Mam. Thank you, Tony.' She

237

turned from her mother and flung her arms about his neck and kissed his cheek. Tony's face flamed and he pushed her away, but in her excitement Maisie did not notice. 'What time shall I be ready and what shall I wear?'

'Er – oh – whatever you like.' His face like thunder, Tony dragged open the door and was gone, slamming it behind him.

For a moment both Maisie and Anna stared at the closed door. Then the girl turned and looked at her mother, with wide, troubled eyes. 'What did I do, Mam? What did I do?'

Slowly, Anna shook her head. 'I don't know, love. I really don't know.'

On the Saturday afternoon, dressed in trousers, a thick jumper and warm coat and scarf, Maisie waited for Tony. And she waited and waited. As dusk fell, she said tearfully, 'He's not coming, is he?'

'Doesn't look like it, love.'

'Have you said anything to him? Have you put him off?'

Anna shook her head. 'No, I haven't. I admit I did think about it, 'cos I'm a bit worried about him taking you . . .'

'That's it, then,' Maisie snapped, pulling off her gloves. 'That'll be why he hasn't come. He knows you're not for it.' Then she added bitterly, 'And *she* won't be either.'

'No, she won't,' Anna said, her tone surprisingly mild. 'But I wouldn't have thought he'd've told her.'

Maisie climbed the ladder to her room and tore off her clothes. She switched on her wireless to play as loudly as possible. Then she threw herself on her bed and lay staring up, dry-eyed, at the wooden rafters of her ceiling.

I won't cry, she vowed. *I won't let him hurt me.* But with Elvis's deep tones singing 'Wooden Heart', she felt the tears welling and trickling down her temples as she lay on her back.

Twenty-Seven

Maisie was out in the fields early the next morning. Two ewes had gone into labour at the same time and Anna could not cope alone.

'You'll have to fetch Mr Eddie, Maisie. Go down to the farm and fetch him.' She paused and added, 'Or Tony.'

'I'm not fetching *him*,' the girl replied moodily, 'but I'll go for Mr Eddie.'

'Just go, Maisie. Get someone, else we'll likely lose one of them.'

Maisie ran.

Tony was in the yard, swilling out the pigsty.

'Where's your dad?' Maisie asked, panting hard from running all the way up the track and down to the farmyard.

'He's taken Mam into town. You've heard of her sister, Lucy, haven't you?'

Anna nodded.

'Well, her sister's husband's very ill. He's had a seizure, Mam calls it, so she's gone to stay for a few days.'

When Duke had got too old to pull the trap any more he'd been 'retired' to the meadow and Eddie had invested in a small truck. But Bertha could not drive, so Eddie now had to take her wherever she wanted to go.

''Cos you needn't think I'm going on them buses. Not with all them nosy parkers. You can take me, Eddie. Every Thursday.'

'Course I will, love,' Eddie had agreed readily. He quite enjoyed a day's peace at home when Bertha visited her sister, even if he did have to make two trips into town, to take her in the morning and fetch her home at night.

Today, however, there was an emergency and Lucy had sent a telegram asking Bertha to go at once.

'You'll have to come then,' Maisie said now. 'Two ewes have gone into labour and Mam needs some help.'

Tony dropped the yard brush. 'Right. Come on then.'

They hurried back up the track, Tony loping alongside her with easy strides. 'I don't know why me dad doesn't bring as many as he can down into the big barn. He did in forty-seven.' He glanced at her. 'The year you were born in all that snow. But he likes sticking to the old-fashioned way. Now, if it was me, I'd build a big barn to house 'em all every lambing time. But no. "What was good enough for me dad is good enough for me," he ses.'

Maisie glanced at Tony. He was back to his usual self this morning. 'What happened yesterday? Why didn't you come and take me out on the bike like you promised?'

Immediately, there was a wary look on his face. 'Sorry,' he said curtly. 'It – it was getting the telegram from me auntie.'

She recognized it for what it was. An excuse.

'How very convenient.' Maisie could not stop the remark and when Tony did not answer, she knew that

241

she had hit the mark. They hurried on side by side, but now neither of them spoke.

With Tony's help, there were no problems and two healthy lambs came into the world. Anna, Maisie and Tony were standing together in the field watching the new mothers when they heard the sound of Eddie's truck drawing into the yard.

'Come on,' Tony said. 'Come down to the farm. Mam's left enough food to feed an army for a week. Come and have dinner with us.'

Anna shook her head. 'Oh no. It wouldn't be right. Knowing how your mother feels about me. About us.'

'Well, I'm going,' Maisie said, beginning to walk away. 'I want to tell Mr Eddie he's got two lambs.'

'Come on,' Tony coaxed. 'It'll be all right. And then I'll take Maisie out on me bike this afternoon.'

Anna eyed him speculatively, said nothing, but began to follow him down to the farm.

'Now, isn't this grand?'

Eddie was beaming from ear to ear as he spread the table with a snowy cloth and got out the cutlery from the drawer. 'She left a joint of beef in the oven that we can cut at for the week. It'll be done now. And there's veg to heat up. Isn't this grand?'

Anna had stepped nervously into the kitchen. This was the first time she had been inside the farmhouse since the night of her arrival. It had taken her a few moments to feel that she could even stay. She still wasn't quite comfortable being in Bertha's home, but she was smiling now as she helped to lay the table, guessing that this was probably the first time Eddie Appleyard had played host in his own home. Bertha never invited guests. As far as Anna was aware, even Lucy and her husband had never visited the farm. As they all sat down together, Anna said, 'Well, this is a feast and no mistake.'

'Tuck in, Maisie lass, tuck in. If you're off out on that moteybike this afternoon, you'll need summat to warm you up.'

Maisie glanced at Tony, who smiled and nodded. 'Yeah. Sorry about yesterday, but we'll go after dinner.'

Maisie, ready to forgive him anything, grinned back.

The wind whipped through her hair and stung her cheeks as Maisie wrapped her arms around Tony's waist and clung to him.

Looking over his shoulder, she watched the lane rushing towards them and disappearing beneath the bike's wheels. Laughing, she shouted in his ear, 'Faster, Tony, faster.'

On a perfectly straight piece of lane, Tony opened up the throttle and the bike leapt forward. Maisie screamed with delight.

At the end of the lane, he slowed, turned round and roared off again back the way they had come. When they returned to the farm, they were both red-faced and laughing. But Anna was waiting for them in the yard, her arms akimbo.

'So much for your promises, Tony Appleyard. We could hear you from here. I might not know much about motorbikes, but I know when one's going too fast.'

'It was only on Long Lane. On the straight.'

'Mebbe. But there's hills and dips in the lane. What if something had been coming the other way?'

'There wasn't.' Tony was getting angry now as Maisie climbed off the pillion and he flung his leg over the bike and propped it up on its stand. He faced Anna squarely. His voice was quiet, but deadly serious. 'Do you really think I'd risk hurting her? Maisie? Of all people?' Then, slapping his gloves together he marched away from them and into the house, leaving both Anna and Maisie staring after him. The one with growing dread in her heart, the other feeling as if she was about to burst with happiness.

In the summer of the following year, Maisie sat her O levels and, as a special treat, Anna allowed her to attend one of the village dances with her friends to celebrate the end of the exams.

'But don't think this is a regular thing because it isn't.'

Maisie hugged her. 'No, Mam. I won't.'

Pat, who had been canvassing relentlessly on the girl's behalf for the past year, listened to the exchange. 'I'll take you into town on Saturday on the bus and buy you a pretty skirt, Maisie. You know, one of those wide ones with lots of petticoats underneath. And some nice shoes for you to dance in.'

'Oh now, I don't know about that,' Anna began. 'It'd be a waste. Like I say, this is a one off . . .'

'Oh please, Mam,' Maisie begged.

Anna sighed. 'We'll see. Now, take Buster out and round up the lambs. The lorry's coming for them tomorrow.'

Maisie's face fell. She hated it when the lambs were taken to market.

As the girl closed the door behind her, Anna said, 'It's very generous of you, Pat but, honestly, she won't get the chance to wear such clothes.'

'She'll get plenty of chance when she goes away to college.'

'What?' Anna screeched. 'She's not going anywhere. She'll stay here with me and work on the farm. Eddie has already said . . .'

Pat sat down at the table without waiting for an invitation. 'Eddie will say anything to keep you here. To keep you *both* here.'

Anna stared at her and sank slowly into the chair opposite. 'Oh Pat,' she said sadly, 'not you too. You don't think there's something between me and Eddie.'

'No, I don't. I believe you. But have you ever stopped to think that Eddie maybe feels very differently? That maybe he would like there to be something between you? He doesn't have a very happy home life, y'know.'

Anna was silent, remembering the scratches on Eddie's face when she had first come here and, over the years, the odd bruise on his cheek. Even a black eye once or twice. And when these happened, Tony would stay away from the cottage for days, even weeks sometimes. Anna would guess that there had been a row between Eddie and his wife, and doubtless the cause had been her continued presence in the cottage. If so, it would throw Tony once more into a conflict of emotions – torn between his parents.

'I know,' she said flatly, 'and it's my fault. I should have gone years ago. I – we – shouldn't have stayed.'

'It's nobody's fault but Bertha's. It's certainly not

245

yours, ducky, so don't even think it. He'd've had a rough time with her whether you were here or not.'

'Do you think so?'

'I know so. Anyway, we were talking about Maisie and her career.'

'*You* were.'

'She's a bright lass and ought to be given a chance. She wants to be a teacher and—'

Anna stared at Pat incredulously. 'She's told you that?'

Pat nodded. 'Well, yes. I thought you knew.'

Anna shook her head and said slowly and thoughtfully. 'No. She's said nothing to me.'

'I don't suppose you've given her the chance. You've just decided that she's got to bury herself away here and—'

Anna sprang up and began to pace about the room. 'You don't understand. I've got to keep her safe.'

'She's a sensible girl. She – she knows the facts of life,' Pat said, carefully avoiding referring to the unfortunate way in which the girl had learnt them. 'If I had to put money on any of the youngsters around here *not* going off the rails, it would be your Maisie.'

The compliment did not ease Anna's agitation. 'You don't understand,' she repeated. 'It's not *Maisie* herself that's the problem. It's – it's other people.'

'What other people? Her peers, you mean?'

Anna shook her head. 'I can't risk us – being – found.' Then, as always when the conversation came close to matters from the past, Anna clamped her mouth shut and refused to say more.

Pat heaved herself up. 'Well, if you won't confide in me, I can't help you. But after all these years, surely you've nothing to fear now. It's sixteen years, for heaven's sake. You can't still be frightened about your family – or whoever it was – coming after you? You're not still hiding from the past, are you? Not after all this time. Surely, they'll forgive and forget by now?'

Anna swung round, her magnificent eyes sparkling with bitterness and hatred. She almost spat the words out. 'Oh, you don't know the half of it. It's me that can't forgive and forget. Me! Don't you understand?'

'How can I, ducky,' Pat said sadly, 'when you won't even tell me what happened?'

Anna turned away from her and, through gritted teeth, all she said was, 'No, and I don't intend to either. So leave it, Pat, will you? Else you and me are going to fall out.'

Twenty-Eight

'Well, you've been and now you know what it's like. Not all it's cracked up to be, I bet. I expect you were a wallflower for most of the evening. So don't be asking to go any more.'

Maisie gaped at her mother. She had never heard Anna speak so scathingly. Not all it'd been cracked up to be! The village dance had been everything and more that Maisie could have possibly imagined.

Tony had taken her into the village, not on his motorbike but in his father's truck. When they arrived outside the hall, he got out and opened the door for her, just as if she was royalty. 'In you go then. Have a good time. I'll pick you up at eleven.'

'Aren't you coming in?' Her disappointment was obvious.

Through the darkness she heard his chuckle. 'I reckon I'm a bit old for the village hop now. I'll leave it to you youngsters.'

'Don't be silly. Of course you're not old. Auntie Pat still goes sometimes. She told me.' Maisie put her hand through his arm and tried to pull him towards the door. 'Please come in, Tony. You can go if you don't like it. But – but please just come in with me.'

Tony glanced down at the girl. In the light from the doorway, he could see that she was biting her lip nervously.

'All right then. Just for a bit, eh? But I can't do all this fancy jiving stuff.'

Maisie giggled. 'Neither can I.'

'Wait while I park the truck.'

She stood near the doorway whilst Tony moved the vehicle a little way down the road and parked it on the grass verge.

'You goin' to stand out here all night?' Chris Wainwright, Joe's son, swaggered past her on his way in. He was dressed in tight trousers – drainpipes – and a long jacket, which almost reached his knees, and thick-soled suede shoes. His black hair was greased into a hairstyle like Elvis's. But there, sadly, the resemblance ended. Chris had a large, almost hooked nose and a spotty face. But he had other redeeming features. He was nice. He wasn't a bully or unkind and Maisie liked him. She grinned at him. 'I'm waiting for Tony.'

Chris's smile wavered as he said, 'Oh. He's coming, is he?'

'He wasn't. It's – only 'cos I asked him to come in with me.'

'You could have come in with me if I'd known you were coming. Anyway, I'll save you a dance.' Clowning, he said, 'Course me card's full, you know, but I'll squeeze you in somewhere.'

Maisie laughed and gave a mock curtsy. 'Thank you, kind sir.'

Chris went into the hall as Maisie turned to see Tony coming towards her.

'Who was that?' Tony asked, frowning after the disappearing youth.

'Chris Wainwright.'

'What did he want?'

'A dance later on.' Maisie laughed. 'Least I've got one.'

Maisie had more than one dance. A lot more. In fact, she hardly missed one and then only because she was completely out of breath.

Tony stood leaning on the temporary bar at the end of the big room. They were serving soft drinks only and Tony would dearly have loved to go across the road to the King's Head, but he had no intention of leaving Maisie to the tender mercies of this lot. He glanced around morosely, half envious of their youth, half disgusted at their style of dress. Fashions reached the countryside much later than in the city and the village lads were now heavily into the Teddy boy look, complete, in some cases, with bicycle chains and knuckle-dusters. One or two even carried flick knives, but it was all for show – just bravado, Tony believed. He knew most of the kids here and that they would run a mile if anyone raised an 'offensive weapon' in anger. He almost laughed as he watched the boys congregating on one side of the room, the girls on the other. Every so often a brave male would leave the pack and venture across to the female herd to pick a partner. And most of them seemed to make a beeline for Maisie, he thought morosely.

Tony had attended one or two of the dances in his teens, but it had never really been his scene. He was much happier with his own company or about the farm with the animals or going over the hill to see Anna and Maisie . . .

He sighed now as his eyes still followed the whirling, laughing figure of the girl who filled his thoughts and disturbed his dreams.

If only, he thought for the umpteenth time, *I knew the truth about her.*

Maisie did not answer her mother, but turned away before Anna could see the defiance in her eyes. The girl had had a wonderful time, and best of all had been driving home through the July night with Tony. He'd parked the truck in the farmyard and insisted on walking with her up the track, right to the door of the cottage.

'Mam's still up,' Maisie had said as they reached the top of the rise and saw the light glowing in the cottage window.'

Tony laughed. 'Well, of course she will be. It's the first time you've been out as late as this and to a dance. What can you expect?'

'Does your mam still wait up for you?' It had been a long time since Maisie had spoken of Mrs Bertha, so deep went the hurt that his mother had inflicted.

'No, not now. But she used to until I got to twenty-one.'

Maisie sighed. 'It must be nice to be older and be able to do what you want.' She was silent for a moment as they descended the slope. Then, after a pause, she said, 'I wish Mam would let me go out a bit more.'

Carefully, Tony said, 'She's worried you might get into the – the wrong company.' Silently, he sympathized with Anna. He had never experienced such a mixture of emotions as he had watching Maisie dance with one lad after another. Concern, envy and, yes, he had to admit it, jealousy. And yet he didn't agree with Anna keeping her daughter shut away from the world like a hermit.

'They're only lads from the village and one or two

251

from town,' Maisie interrupted his thoughts, answering his comment. 'I go to school with most of them. Oh, I know they dress a bit daft. All this Teddy boy stuff. But they're harmless.'

'I know,' he had to admit, 'but your mam doesn't know that, does she?'

'Suppose not,' Maisie admitted grudgingly. She sighed heavily. 'I don't suppose she'd let me go to a show in Lincoln. Sal says Billy Fury and some other stars are coming to do a live show at one of the cinemas there in October. I'd love to go.'

In the darkness Tony grinned and, feigning ignorance, asked, 'Who's Billy Fury?'

'Oh he's smashing. Ever so good-looking. He's a singer. Sal gave me a picture of him. I've got it beside my bed.'

'Huh!' Tony feigned indignation. 'I thought you'd've had my picture on your bedside table.'

Maisie grinned. 'I would – if you gave me one.'

After a moment's pause, Tony asked, 'Would you really like to go to see this chap then?'

'Oh yes,' Maisie breathed and even through the darkness he could hear the longing in her voice.

'Then I'll take you.'

'Will you? Oh Tony, will you? Really?'

And before he realized what she was doing, she had flung her arms round his neck and kissed him firmly on the lips. 'Oh thank you, thank you.'

'S'all right,' he said gruffly. 'You'd better get inside now. And don't tell your mam. She'll not let you go if you tell her. We'll just go. Right?'

With breathless excitement, Maisie said, 'Yes, yes. All right.' As she broke into a run down the last few yards to the cottage, she shouted through the night.

'Thank you, Tony. You're the best. Oh thank you. I love you.'

'I've told Mam I'm going home with Sal after school on Wednesday,' Maisie told Tony as they planned their outing.

'And I've told Dad that I can't help with the evening milking 'cos I've got to take me bike into a garage in Ludthorpe.'

Maisie's eyes clouded for a moment. 'Have you?' If there was something wrong with Tony's motorbike, the whole trip might be off.

'Course not,' Tony was saying cheerfully, 'but if you can get out of school at dinnertime, we can get to Lincoln in the afternoon. You'd like a look round the shops, wouldn't you?'

Maisie's eyes shone. 'Ooh, yes, please.'

Her childlike excitement at the thought of such a simple pleasure touched Tony. Anna had no right to keep a young girl like Maisie shut away. Their life was little better than a hermit's. No wonder Maisie had rebelled at last.

'Mind you wear something warm,' he reminded her.

'I'll take my clothes to school with my games kit and hide them in my locker in the changing room.'

They grinned at each other, enjoying their secret. Now Tony had no qualms about helping the girl deceive her mother. Maisie deserved a bit of fun.

The following Wednesday afternoon Maisie was waiting round the corner from the school. As she climbed onto the back of his motorbike, she said resentfully, 'I thought I wasn't going to make it. Mam didn't even want to let me go to Sal's tonight.'

'How does she think you're going to get home from there?'

Maisie giggled. 'I told her I'd asked you to fetch me home.'

Tony chuckled. 'You crafty monkey. Well, I will be, won't I? We should make it back home by eleven and she need be none the wiser. Hold tight, off we go.'

For the first time in her life, Maisie was on her way to see the city of Lincoln.

The shops and the hustle and bustle of the High Street entranced Maisie.

'Just look at all these people,' she marvelled, standing almost open-mouthed on the pavement. 'Wherever have they all come from?'

Tony chuckled as he held on tightly to her arm. He was afraid that she would be swept off the pavement and under the wheels of a bus, unused to crowds as she was.

'Oh, and look at the swans.' The excited girl leant over the parapet of High Bridge.

'Come on, it's time we were making for the cinema.'

As they walked along the street, Maisie saw the queue of young people, mostly girls, outside the building. Her face fell in disappointment. 'We'll never get in. Oh, Tony . . .'

'Don't worry.' Tony patted his pocket. 'I got the tickets two weeks ago. Our seats are reserved.'

Feeling important, they marched to the head of the queue. Standing on the steps outside the doors was a man who appeared to be marshalling the queue.

'Now, now, ladies,' he was saying jovially. 'No need to push. You'll all get in.' He pretended to glance down the length of the line snaking along the pavement. 'Oh I don't know, though.' He laughed loudly. 'It might be standing room only by the time we get to the end.'

'Don't matter, Mister,' someone shouted. 'Long as we see Billy.'

'Oh you'll see him. You'll see him,' the man promised. He was tall, in his fifties, and he was dressed flamboyantly like an old-fashioned music-hall star. His eyes were dark brown and the hair that showed from beneath his trilby was grey with a tinge of the ginger colour it had once been. He sported a pencil-thin moustache, which he kept stroking with the fourth finger of his right hand.

Maisie heard Tony's soft chuckle. 'He looks like Max Miller, 'cept for the 'tache.'

'Who's Max Miller?' Maisie asked innocently. The man must have heard her remark, for he smiled down at her from the top step. 'Max Miller, young lady, was one of the greatest comedians this country's ever seen. Now I could tell you a thing or two about the great Max Miller . . .'

'Ne'er mind about 'im,' a girl at the front of the queue shouted. 'When are we going to get inside? It's draughty standing out here.'

'All in good time, miss. All in good time. The doors will open in five minutes.'

''Ere—' The girl was still not satisfied. 'What about them? They're queue jumping.'

Tony fished in his pocket and produced the tickets and waved them. 'No, we're not.'

'What a sensible fellow,' the big man boomed and,

putting his hand on Maisie's shoulder, he ushered them towards the door. As she passed him, the man touched Maisie's curls and murmured, 'What pretty hair you've got, my dear. What a lovely colour.'

Maisie smiled up at him and then followed Tony through the door and into the cinema, excitement bubbling just below her ribs.

As they climbed the steps to the circle, Maisie giggled. 'Did you hear what that man said to me? He said, "What pretty hair you've got, my dear." He sounded like the wolf out of "Little Red Riding Hood".'

Tony laughed with her, but he glanced back over his shoulder to see the man watching them climb the stairs and his gaze seemed to be fastened on Maisie.

'Well,' Tony murmured, 'I wouldn't be too sure he isn't.'

The show wasn't quite what Tony would have chosen to see. One of the few males sitting amidst a crowd of screaming girls, he felt very out of place. But Maisie's delight was obvious. She screamed with the rest until she was hoarse and even Tony was forced to admit that Billy Fury was charismatic. Suddenly, at twenty-six, Tony felt an old fuddy-duddy.

At the end of the performance, Maisie pleaded, 'Do let's go round to the stage door and get his autograph. I've brought a book specially.'

'Oh I don't know. It's late now—'

'Please, please, please, Tony.'

'All right then, but we mustn't stay too long.'

Outside, special police patrols and even a police dog were waiting in case of trouble from hysterical fans. But the queue in the yard outside the stage door was orderly. This time, though, Maisie and Tony were obliged to tag on at the end of it and wait with everyone else. The minutes dragged by and no one came out of the stage door. Then there was a sudden flurry and the man who had been at the front of the building before the show emerged. A photographer was with him and at the man's direction he began to move down the queue taking pictures. 'For the *Echo*. Like to see your name in the paper, wouldn't you?' He paused every so often and jotted down a few names.

'I don't want me face in the paper,' Tony muttered. 'Come on, Maisie. It's time we were going. He's not going to come out. You can't blame him, love. He worked hard on that stage, I'll give him that.'

'Just another minute, Tony,' she begged. 'Please.'

The photographer was moving closer. 'What'll your mam say if she sees your name in the paper. She'll go spare.'

Maisie grinned. 'She'll not see it. She never takes a paper. You know that.'

'Aye, but someone might see it who knows you. What then?'

But at that moment the camera flashed and Maisie and Tony blinked. 'Now, love, what's your name,' the photographer asked, pencil poised above his notepad. 'And where are you from?'

'Maisie Woods,' she blurted out, answering his question automatically. 'From near Ludthorpe.'

'And yours, sir?'

'Nowt to do with you,' Tony growled. 'And don't you print that picture in the paper else I'll bust your camera for you. Come on, Maisie, we're going.'

Maisie smiled quickly at the young photographer. 'Sorry,' she said. 'We've got to go.'

As they began to move away, the photographer beckoned to the big man still standing in the stage door. They heard a shout and saw 'Max Miller' striding towards them. 'Wait a minute, I want a word with you—'

'Come on, Maisie,' Tony grabbed her arm. 'Run for it.'

By the time they rode into the farmyard at a quarter to twelve all hell had broken loose.

Anxiety had driven Anna to come down to the farm. The three of them – Anna, Eddie and Bertha – were standing outside the back door. It was the first time that Anna had come face to face with Bertha in sixteen years.

'Where are they? Where's Tony taken her?'

'My Tony wouldn't take that little trollop anywhere. Like mother, like daughter, I say. I heard about her at that dance in the village.' Bertha nodded sagely, her jowls wobbling. 'Making an exhibition of 'ersen. Dancing with every Tom, Dick and Harry.'

'He was taking her to Sally's house in Ludthorpe. But she should have been back hours ago. Where is he? Is he here?' Anna was close to hysteria. 'I've been on edge all day. There was a funny sky this morning. I don't like it. Something bad's going to happen. I know it is.'

'Now, now, love. Calm down.' Eddie tried to pour oil on what were becoming very troubled waters. 'Tony wouldn't let any harm come to Maisie—'

Bertha's mouth twisted. 'Oh "love", is it? Oh well, now we know, don't we?' She turned to face Anna, adding sarcastically, 'Of course he wouldn't let any harm come to his *sister*, now would he?'

Anna gasped. 'His – his sister?'

'Well, half-sister?'

Anna stared at the woman for a moment and then began to laugh, but it was hysterical laughter. 'After all this time you still think that?'

Bertha thrust her face close to Anna's. 'Why else would you stay here all these years? Why else would you bury yourself away in the back o' beyond. Unless you were where you wanted to be. With 'im.' At this she jabbed her husband in the chest.

Anna, her anxiety over Maisie forgotten for the minute, shook her head sadly. 'You're mad. Eddie's just a kind man who deserves better than you—'

'Now, now.' Eddie tried to placate the two women again. 'Don't let's get into all that. It's Maisie we should be thinking about—'

At that moment they heard the distant roar of the bike and turned towards the yard expectantly as the sound grew closer and at last turned in through the gate.

Anna flew across the yard. She dragged Maisie off the pillion and fired questions at her so fast that the girl had no time to answer. Then Anna rounded on Tony.

'And as for you, don't you come near her again. Do you hear me? Not ever.'

As Anna dragged her daughter away, Maisie glanced back over her shoulder. Tony was watching her. Their eyes met and held in a gaze until, through the darkness, they could no longer see each other's face.

Eddie ran his hand through his hair and muttered, 'Eh, lad, what trouble have you caused now?'

In the doorway of the farmhouse, Bertha smiled.

Twenty-Nine

'I have my reasons.'

'What? What reasons?'

'You don't need to know.'

'Yes, Mam, I do.' Maisie tried to calm the hysteria in her tone. She was trying very hard to act like an adult. 'I know I'm not a grown-up yet, but I'm not a child any longer either. Why can't you trust me?'

'Trust you? Trust you? When you do what you've done today? Deliberately disobeyed me and deceived me. How do you expect me to trust you after that?'

'Because I can't see why I have to stay shut away from leading a normal life unless you tell me why.'

Anna sat down heavily at the table and laid her head on her arms. She groaned. She was tired, very tired. All the long years of loneliness, the constant fear, which despite the passage of time seemed as sharp as ever. Bringing up Maisie alone with only Eddie and Pat Jessop to turn to for help. And living in the isolated cottage with none of the amenities that most people now enjoyed. It hadn't seemed so bad at first, when Maisie was tiny, but now she was forced to acknowledge the unfairness of their life for her daughter. It was one thing for Anna to choose to hide herself away. It was quite another for her to inflict that same seclusion on the young girl.

Her voice trembling, Maisie said, 'I'm sorry, Mam.

I – I promise I won't do anything again. At least – not without telling you. But will *you* promise *me* something?'

Anna lifted her head slowly. 'Depends what it is,' she said guardedly.

Maisie licked her lips. 'Well, if I promise to tell you exactly where I'm going, who with and what time I'll be home, will you let me go out a bit more? I'm not asking to be out every night, not even every week. I've got my school work to do, specially now I'm in the Lower Sixth.' Then the words came tumbling out in a rush of confidence. 'Mam – I – I want to go to teacher-training college.'

'I can't afford—' Anna began, but Maisie interrupted eagerly.

'You don't have to. There's grants and things we can apply for. The careers teacher said so. And I do so want to be a teacher. The little ones, you know. At a village school like the one I went to here.' She reached across and gripped her mother's hands. 'Please try to understand, Mam.'

'We ought to go away. Get as far away as possible,' Anna murmured. 'We should have gone years ago, but . . .'

'Why, Mam? What is it you're so afraid of?'

Anna pressed her lips together and shook her head. 'I can't tell you,' she said huskily. 'Please don't ask me.' Then hesitantly she said, 'All right. If you do your best to keep your promise, you can go out now and again. But if you want to go to teacher-training college, you'll have to work hard at school.'

'That's why I wanted to stay on and do A levels.'

Maisie could have left school long before now, but Anna had agreed to her staying on into the sixth form.

It had been her way of ensuring that Maisie was at home for another two years.

As if reading her thoughts, Maisie said, 'And even then I needn't go very far away. There's a very good teacher-training college at Lincoln—'

Anna sprang to her feet. '*No, no*,' she shouted. 'You'll not go there. Anywhere but there. Anywhere.'

Maisie gaped at her. 'All right, Mam. All right. There's another year before I have to decide anyway—'

'Get to bed. It's very late. I'll never be up in the morning.'

Submissively, Maisie got up, kissed her mother's cheek and then climbed the ladder to her room, still shocked by her mother's reaction to the mention of the college in Lincoln.

Maisie fell asleep almost at once, but in the other bedroom Anna lay awake until the first fingers of dawn crept in through the window.

'Everything all right?' Eddie asked.

'Sort of,' Anna replied guardedly and then allowed herself a wry smile. 'You?'

'Bertha's giving Tony a hard time. She hit him. First time I've ever seen her go for him.' There was wonder in his tone.

'Oh, Eddie, I'm sorry.'

Eddie shrugged. 'Not your fault, lass.'

'No, but it is Maisie's.'

'Not really. It seems it was Tony who suggested the trip.'

'Yes, but it was for Maisie, wasn't it?' Anna insisted.

'Well, yes.' Eddie was obliged to agree.

'Has she hurt him?'

'Who?'

'Tony? Has Bertha hurt him?'

Eddie laughed. 'Oh that. No.' He chuckled. 'You should have seen it, lass. He's a strong lad, you know, and whilst I've never stood up to her – ' he wrinkled his brow and rubbed his nose – 'never thought about it, really. But he just caught hold of her wrists and held her. She was screaming like a banshee, but she couldn't move. And he held her like that till she calmed down. He told her, quite calmly, that he was a grown man and that he'd do what he liked and that it was nothing to do with her. I don't reckon she'll tangle with him again in a hurry.'

Eddie said no more. He did not want to tell Anna about the rest of the row that had gone on in the farmhouse the previous night.

'You'll keep away from that little slut,' Bertha had screamed at her son. 'You'll have the law on you, if you don't. You could be put in prison.'

'She's sixteen. Old enough,' Tony had goaded her.

'Don't you understand?' Bertha had screeched. 'She's your sister.'

'That's what you say.' He nodded across to where Eddie was standing in the corner of the room. 'But me dad ses different. And he should know.'

'He'd deny it. Course he would. I'm surprised that trollop over the hill hasn't had a brood of his bastards by now. All men are the same.'

'No, we're not, Mam.' Tony's voice was gentle. Now he was older he understood more about his parents' unhappy marriage, though there was nothing he could do about it. A few years earlier Eddie had explained to him about Bertha's father, about his philandering and his lawless ways that had finally landed him in prison. 'We've just got news that he's died in there,' Eddie had

263

said, 'but it won't alter how ya mam feels about him and how it's twisted her view of all men. It's something you'll have to cope with, lad, as you get older. You're all she's ever had to pour her love into and it's going to be hard for you.'

And now Tony was facing his mother's warped reasoning. 'We're not all the same, mam. There's nowt between me and Maisie, I promise you.'

He had not added that he wished with all his heart that there could be. But always there was the spectre of their relationship hanging over him. Just which of his parents was telling him the truth?

He wanted to believe Eddie, but dare he?

'Well, I'm truly sorry,' Anna said now, dragging Eddie's thoughts back from the previous night.

'No harm done, lass,' Eddie said, managing to lie cheerfully and convincingly. 'No harm done.'

That evening, thirty miles away in a terraced house in Lincoln, the big man dressed like Max Miller sat staring at a picture in the local paper. 'Damn,' he muttered. 'They haven't printed the picture I hoped they would. They've put one in of the audience arriving.'

'What are you on about, Dad?' The younger man stood in front of the mirror over the fireplace, combing his hair into an Elvis Presley look-alike style.

The older man smiled. 'Good job I thought to call at the *Echo* offices and get the originals of all the photos taken that night, wasn't it?'

'Whatever do you want them for?'

'I'll show you,' the man answered as he pulled several black and white photographs from an envelope and sorted though them. 'Come and look at this.'

'I'm off out. Can't it wait? I'm meeting someone.' He was dressed in a bright pink Teddy boy suit with a bootlace tie and crepe-soled shoes.

His father glanced at him. 'Bit old for dressing like that now, aren't you?'

'Huh,' the other laughed. 'You're a fine one to talk. Always dressed like something from an old music hall bill.'

'Well, that's me job, son. Got to look the part of the theatre promoter, now ain't I?'

'All right. What is it?'

'Here, look at that. Remind you of anyone?' He jabbed at one of the pictures with his forefinger. 'Her. That girl there.'

His son stared at the photograph. He glanced at his father and then his gaze went to a faded photograph on the mantelpiece of himself as a child of about twelve. He looked again at the newspaper picture as the older man said softly, 'She's got bright red hair, an' all. *Just like you.*'

They stared at each other. 'Could it be?' the son asked.

'It's possible.' He pointed again at the paper. 'And do you see what her name is? Maisie. Now that's a bit like May, isn't it?'

The younger man nodded. 'What are you going to do?'

The big man heaved himself out of his chair. 'A bit of detective work first. Then we'll see. Oh yes, we'll see all right then.'

The two men grinned at each other.

If Anna had known what was happening in that terraced house in the city, she would have packed their things immediately and fled for her life.

Thirty

Two men in a red sports car drove into the yard at Cackle Hill Farm, scattering hens and sending up a spray of slurry. The big man unwound himself from the seat and the younger man jumped out agilely. They looked around them.

'Hello there,' the big man's voice boomed. 'Anyone at home?'

The yard was deserted, except for the hens and three geese that waddled away quickly. 'Knock on the door,' the older man suggested and his son strode towards the back door of the house and rapped sharply.

A moment passed and then the door opened framing the ample figure of the farmer's wife. Visitors to the farm were rare and Bertha eyed them with suspicion. 'What d'you want?'

The older man moved closer and doffed his trilby with an exaggerated show of courtesy. He fingered his moustache. 'Good day to you, ma'am.'

The younger man too made a little bow towards her, though shrewdly Bertha felt it was all an act. An act to charm her. Well, there was no man living who could charm Bertha Appleyard.

She began to close the door. 'Not today, thank you.'

'Oh now, wait a minute, love,' the older of the two began and even had the temerity to put his foot in the door. Bertha glared at him and opened the door wider,

intending to slam it against his foot. Guessing her
intention, he withdrew his foot hastily. Instead, he
put up his hand, palm outwards as if to defend himself. 'Wait minute, Missis. Not so hasty. We only want
to ask you a few questions. We reckon you can help
us.'

Intrigued in spite of herself, Bertha wavered. 'Go
on.'

'We're looking for someone. A girl. Well' – he
glanced sideways at his companion – 'she'd be a young
woman now. And she'd probably have a youngster.
Anna. That's her name. Anna Milton. Do you know
anyone living hereabouts with that name?'

Bertha opened the door wider and smiled. Like a
spider inviting a fly into its web, she said, 'Come in,
why don't you?'

Out on the hillside, Anna wandered amongst the sheep
checking them. From time to time she paused and
looked back to watch Buster trailing after her, valiantly
trying to keep up.

'Poor old feller,' she murmured, bending down to
stroke him. 'You're so weary now, aren't you?'

The dog, who had been their faithful companion
since just before Maisie's birth, was old and worn out.
Both Anna and Maisie knew he could not last many
more years. Maybe he had only months.

'If he starts to suffer,' Anna had explained carefully
to Maisie, 'we'll have to let him be put down. It's the
kindest.'

With tears in her eyes, Maisie had nodded and buried
her face in the dog's coat.

Today Buster seemed slower than ever, but his heart

267

was 'as big as a bucket', as Eddie said, and the dog was still trying to do his job.

'Come on,' Anna said, 'let's get you back inside near the fire and you can rest.'

As they made their way steadily back towards the cottage, Anna saw two men crest the top of the hill and begin to walk down the slope towards them. She shaded her eyes watching them.

Suddenly, her heart began to pound. No, it wasn't possible. No, no, *no*!

She began to run towards the cottage. If she could just get inside before they reached her . . .

'Come on, Buster. Come *on*!' But the dog was too weak. His running days were over. She stopped and picked him up. Despite his frailty, he was still heavy. Clutching him tightly, she struggled and stumbled towards the cottage, desperate to reach its safety. She was almost there, a few yards more and . . .

But the younger of the two men had broken into a run. He was gaining on her. She wasn't going to reach the door. If she had dropped the dog to the ground and run, she could have made it. But, remembering that other time, she held onto him. She couldn't – wouldn't – let the same thing happen to this Buster.

'Now, now, Anna. What's all this? Aren't you pleased to see us?'

He had reached her and was standing between her and her haven. And now the older man was near and he was barring her escape to the side door.

Anna lay Buster on the ground and stood up to face the two men. 'Leave me alone,' she spat at them.

'That's no way to greet us, Anna,' the older man said, 'after all this time. We've been worried about you. Running off like that.'

Anna's eyes narrowed with hatred. The younger man moved towards the dog, lying panting on the ground. He touched it with his foot and Buster growled.

'Still got your brave little protector, eh, Anna?' he sneered. He drew his foot back and aimed a vicious kick at the defenceless animal. Buster's yelp galvanized Anna. She flung herself at the man and began to pummel him.

'Get away. Leave me alone. I hate you. I hate you.'

He was strong and stocky and, whilst Anna was no weakling, she was no match for his strength. He held her by the wrists quite easily. She kicked his shins, but he only laughed. That awful, cruel laugh she remembered so vividly in all her dreams.

Anna began to scream, but he only laughed louder. 'There's no one to hear you, Anna.'

And all the time his father just stood watching.

At the moment when Anna almost gave up the struggle, she heard a shout from the top of the hill and saw Eddie and Maisie running towards her. The man, still holding Anna, turned.

'You get the girl,' he muttered to his father. 'I'll take care of him.'

He turned back and, raising his hand, dealt Anna a vicious blow on the side of her face, knocking her down. The blow had not quite knocked her out, but when she tried to rise she found she was so dizzy that she sank back to the ground.

'Mam!' Through the mists she heard Maisie's cry, but the girl never reached her. She was caught and held fast. 'Now, now, lass. We only want to talk to your mam and you.'

Dimly, Anna was aware that the younger of the two men and Eddie were facing each other like two fighting cocks, circling warily around each other.

The man reached into his pocket and flicked open a knife. 'No!' Maisie cried and struggled, but the big man held her fast. 'Mr Eddie, he's got a knife.'

Dully, her words registered with Anna and she tried to drag herself up. 'No,' she gasped. 'No. Please, no more.' She stumbled towards the one holding Maisie and clung to his arm. 'I'll do whatever you want. I swear it, but make them stop. Don't – don't let him hurt Eddie.'

He looked down at her upturned face, the bruise on her cheek swelling already. His lip curled sarcastically. 'Oh, so the woman was right, was she? You are his fancy piece.'

Anna shook her head, then winced as the pain stabbed. 'No – no, you've got it wrong. I—'

Her words were cut short by a terrifying yell from behind her as the younger man leapt forward, stabbing with the knife.

'No!' The cry came from both Anna's and Maisie's lips at once.

But his blood was up. There was murder in his eyes. Even Eddie, quiet, gentle Eddie Appleyard's face was thunderous. 'I don't know who you are, but you're not going to come here and treat her like that—'

Sudden realization was filtering through Eddie's mind, even in this moment of danger. This, then, was what Anna had been afraid of. One glance at the face and red hair of the man facing him told Eddie all he needed to know. This was the man Anna had run from and, by the look of it, she had had good reason.

There was no denying the likeness. The man threatening him with a knife was undoubtedly Maisie's father.

'Put the knife away, lad, and let's talk this through,' Eddie said, trying desperately to instil calm into his tone, though he would dearly have liked to knock this feller into the middle of next week.

'Talk?' was the scathing answer. 'Talk? What she needs is a damn good hiding. Show her who's boss. By, I've waited years to catch up with that little madam. And now I've found her. Well, she won't escape me again.'

Suddenly he lunged forward, his knife thrusting towards Eddie. It found its mark, entering deep into Eddie's body just below the ribs. Eddie gave a low grunt and his eyes stared in shocked surprise before he crumpled to the ground.

Anna and Maisie cried out together and even the big man shouted, 'No,' as the knife went home. They heard him mutter, 'You damned fool. What do you want to go and do that for?'

His attacker was standing over the still figure, holding the knife covered in blood. Anna and Maisie tore themselves free and flung themselves down beside Eddie. Maisie cradled Eddie's head in her arms, whilst Anna tore open his clothing to see how bad the wound was. Blood spilled out drenching his clothes and hers.

'Oh Eddie, Eddie,' Anna moaned and closed her eyes.

Dimly, she heard one of them say, 'Come on, we'd better get out of here. You're a fool. You've wrecked everything.'

'He was coming for me. It was self-defence.'

'Don't talk daft. He was unarmed.' He nodded towards Anna. 'She'll tell 'em that. And the girl. Come on. Let's get out of here.'

They ran up the hill and down into the farmyard

and scrambled into the car. Bertha came out of the back door. 'Find her, did you? I hope you've come to take the little trollop away—'

'Sorry, Missis. Can't stay.'

The engine burst into life. The older man reversed the car erratically and, turning it, drove at speed towards the gate. Driving out into the lane without stopping to see if the way was clear, the car clipped Tony returning on his motorbike, knocking him off balance. As the sports car roared off up the lane, Tony was thrown off his bike and onto the grass verge. His landing was soft and he was unhurt but very angry. Swearing, he gained his feet in time to memorize the number plate.

'Road hog,' Tony shouted as he stood in the lane, shaking his fist after the disappearing vehicle.

Whilst over the hill, now cradled in Anna's arms, Eddie Appleyard fought for his life.

1939

Thirty-One

'Higher, Daddy, push me higher.'

The child on the swing, petticoats flying, swooped through the air.

Her father laughed. 'You're quite big enough to work it yourself now, Anna.' But the ten-year-old smiled winningly and the man capitulated. 'Hold tight, then.'

'Oh, Ken, do be careful,' May called anxiously, nibbling agitatedly at her thumbnail. 'What if the branch breaks?'

Ken laughed. His tall frame was a little stooped, giving the deceptive appearance of frailty. His long face was thin, with hollowed cheeks, but his grey eyes were kind and gentle. He worked in an office in the city of Lincoln and perhaps that was why his skin had a sallow look. Ken stepped back from the swing, letting it slow down of its own accord.

'Daddy?' Anna cried plaintively, but her father only laughed. 'Enough now, love. Your gran will have tea ready and then we must catch the bus back home.'

Anna pouted, but then her sunny nature drove away the brief moment of petulance. She put her feet to the ground and slowed the swing even more. Jumping up, she ran to her parents, pushing her way between them, and linked her arms in theirs.

Mother and daughter were remarkably alike, with

black, curling hair and smooth skin. But their most outstanding feature was the colour of their eyes: a dark blue, almost violet. Most people, meeting them for the first time, could not help remarking on the unusual, yet beautiful, colour.

As they arrived at the back door of the farmhouse, May's mother, Rosa, met them.

'Perfect timing.' The plump, placid-faced woman beamed. 'Tea's ready.'

They sat down at the huge kitchen table, with Luke Clayton at the head whilst his wife sat at the opposite end.

'The news isn't good,' he began as he carved a huge piece of boiled ham and passed plates around the table.

'Help yourselves to potatoes,' Rosa said. 'Now, Luke, I don't want any talk of war round my table, thank you. And certainly not in front of the child.'

'I thought everything was all right now, Dad,' May put in, 'since Mr Chamberlain came back from Munich last year.'

The two men exchanged a sober look.

'That agreement, or whatever it was, wasn't worth the paper it was written on,' Luke grunted. He turned to smile at his granddaughter. 'That enough ham for you, lass?'

'Yes thank you, Grandpa.' Anna smiled at the weather-beaten face with its deep lines, at the snowy white, bristly moustache that tickled her when she kissed his cheek.

Ken turned towards his wife and touched her hand lightly. 'It was in all the papers yesterday. Hitler has marched into Czechoslovakia.'

May gasped and the colour fled from her face. 'You mean there's going to be a war?'

Again the two men glanced at each other.

May's voice rose. 'Tell me. I want to know.'

'Now, now, love,' Rosa said, passing the vegetables. 'Don't get all het up about things that don't concern us.'

May rounded on her mother, anxiety making her speak sharply. 'Of course it concerns us, Mam. If there's a war, Ken might have to go.' Then, as if contradicting herself, May grasped her husband's arm. 'You won't, will you?' Clinging to any hope she could think of, she said, 'Besides, you're too old, aren't you?'

Ken cleared his throat and glanced round the table in embarrassment, wishing that his father-in-law had not raised the subject. 'There's talk of more recruits being sought to join the Territorials. I – I thought I might volunteer.'

May gave a little squeak and covered her mouth with her hand, staring with wide-eyed disbelief at her husband. 'Whatever for?' she whispered. 'Why do you want to go and do something like that?'

Luke sniffed. 'Well, if you'd take a bit of advice from an old soldier who was daft enough to volunteer for the last lot—'

'Aye, off you went to war and left me with May to bring up. She was only six when you went,' Rosa began, wagging her finger across the table at her husband. Then she smiled. 'Mind you, I was that proud of you the day we came to wave you off. Marching away to serve your country.' She shook her head, remembering. Tears filled her eyes as she murmured, 'And then, all them medals you got—'

'Well, I don't care about uniforms and medals,' May declared. 'I don't want Ken to go. He might not be as lucky as Dad.'

The unspoken words lay heavily in the air.

'Aye,' Luke said softly. 'I was lucky to come back and without serious injury, an' all. I know that.' He turned towards his son-in-law. When Ken had first started courting his daughter, Luke had not been at all keen on the young man. Ken Milton was a city lad, with no interest in the country or the farm. With an only daughter, it had been Luke's dearest wish that May would marry a local farmer who would take on Clayton's Farm in the future. But May had been drawn to city life, though how she could enjoy living in those crowded streets, which were never quiet day or night, beat Luke. Yet now, as he looked at his son-in-law, Luke felt a fondness for the lad he had not known before. Ken was a good husband to May, Luke acknowledged that. And together they were bringing up a lovely daughter, Anna, who was Luke's pride and joy.

'Don't volunteer, lad. That's my advice.' Grandpa Luke's face was unusually grim. 'Patriotism is all very well and I'd be the first to defend me country from attack – even at my age.' He shook his head. 'But volunteering gets a lot of good fellers killed. Wait till you 'ave to go and not afore. Wait till they send for you.' His tone was grim as he added, ''Cos believe me, they will. If it really comes to war, they'll have to bring in conscription – just like they had to last time.'

Anna's wide-eyed glance went at once to her father's solemn face as he rose from the table. 'I'm sorry, but I'm afraid if it does come to war, I shall go.'

At the sound of May's startled gasp, Anna turned to see that her mother's face had turned deathly white.

On the bus home, her parents scarcely spoke to each other. Her mother looked out of the window and her father stared straight ahead. Sitting on the seat in front of them, Anna shivered. The pleasure of the day had turned suddenly cold.

Throughout the summer, preparations for war continued in earnest. Plans to evacuate children from the cities into the countryside threw May into turmoil again. 'Not from Lincoln. Surely they won't bomb us?'

Ken shrugged. 'It's a possibility we'll have to face. There's a lot of industry in Lincoln that'll be involved in war production, I don't doubt. We could easily be a target. But promise me, Maisie darling, that you'll go out to the farm. You and Anna.' Maisie was Ken's affectionate pet name for his wife, used only in their private moments together or when, as now, he was trying to win her round to his way of thinking.

May pulled a face. 'I suppose so,' she agreed reluctantly. 'But I thought I'd got away from all that when I married you. Wearing wellies all day and mucking out the hen house. To say nothing of milking those horrible cows.'

Despite his anxiety, Ken smiled. 'Is that all you married me for? To get away from the farm?'

May laughed and teased him. 'Of course it was. Didn't you know?'

They were sitting on the battered sofa in front of the plopping gas fire, their arms around each other. Anna was safely asleep upstairs and the two adults could talk freely without fear of frightening her.

Ken's arm tightened about May's waist. 'If I do go, I just want to be sure you and Anna are safe, that's all,' he said.

'Well, there'll be plenty of work for us all to do,' May said wryly. 'Dad was saying only last weekend that the government are offering to pay farmers two pounds an acre to plough up grazing pastures to grow more crops.'

Ken nodded. 'They're worried that food imports will be at risk if there is a war.'

'But two pounds an acre, Ken. That's a lot of money.'

Ken laughed softly. 'Like your dad always says, "It's an ill wind—"'

May was not to be diverted so easily. 'Why don't we all go? If you work on the farm, you'll not have to go to fight.'

Ken shook his head. 'May, please try to understand. I want to do my bit.'

People in Britain tried to carry on life as normally as possible, yet everywhere they were reminded of the threat hanging over them all. Houses continued to be built, the King and Queen embarked on a tour of North America and people still went on their summer holidays. Yet news filtered through of Hitler's treatment of the Jews in Germany and rumours began that he had set his sights on Poland. By the end of August war seemed inevitable. Clutching their gas masks and perhaps a favourite toy, thousands of tearful children began to be evacuated from the cities and towns into the safety of the country.

When the day came for Ken to leave, the railway platform teemed with men in khaki. Dotted amongst them were women in flowery dresses, wiping tears from their eyes and clinging to their menfolk's arms.

Anna stood with her parents, holding tightly on to

her mother's hand. She was afraid of getting separated from them and being lost amongst the crowds.

'You do understand, May, why I have to go?'

'I still can't understand why you won't at least wait for your call-up papers – like Dad said.'

Anna heard her father sigh. 'We've been through all that,' he said, sounding weary. And they had. Even Anna knew that because she'd heard them arguing in their bedroom at night, trying to keep their voices low so that she would not hear. But always the arguments would end with the sound of her mother crying.

May was trying to be brave now. Her mouth was trembling and tears brimmed in her eyes and threatened to spill down her cheeks, yet she was still trying her best to smile. 'It's just – just – I don't know how I'm going to cope without you.'

'I know, love. But you must be strong for Anna's sake too.'

'But I'm not strong, am I?' Her voice was muffled against him. He did not answer but drew her close and then held out his arm to Anna to enfold her in a bear hug too. 'You must look after each other. And promise me, May, if we get any bombing in Lincoln, you'll go out to the farm? Go and stay with your parents. Anna can go to the village school. They take them right up to leaving age there.'

May nodded.

'Oh, Daddy.' Anna turned her dark, violet eyes up to look at her father. 'Are there going to be bombs?'

'I'll not lie to you, love. There might be. But we might be lucky in Lincoln. They'll be making for the bigger cities rather than here.'

It seemed a forlorn hope and the two adults both

knew it. Ken was trying to make light of it for Anna's sake. He didn't want to frighten their ten-year-old daughter. The fact that he was leaving them and that they might have to leave their home in the city had been enough to give the imaginative child nightmares already.

As the train whistle blew, May clung to Ken. He bent and kissed her hard, murmuring, 'Oh, Maisie, my darling Maisie.' Then he was sweeping Anna into a bear hug again and she was crying against the rough serge of his coat. 'Don't go, Daddy. Please don't go.' But with one last, desperate kiss he turned from them both and was gone, lost amongst the throng climbing aboard the train.

When May and Anna returned home, the terraced house was strangely quiet without him. It took May days to stop automatically laying a place for her husband at the table and every night Anna went to stand by Ken's chair to say goodnight, only to stand staring down at the empty place.

Halfway through his training, he had a precious forty-eight-hour pass and then, later, a longer leave. The day before he had to return to his unit, Ken told May quietly, 'This has been what they call embarkation leave. I'm to be posted abroad when I get back.'

May buried her face against his shoulder and asked in a muffled voice, 'Do you know where?'

'No, love. I don't.' Ken said no more. Rumours had been rife around the camp before he had left, but no one knew for sure. And even if he had known, he would not have told May. Now he murmured, 'Don't tell Anna till I've gone. Please, Maisie.'

It was bad enough having to tell the wife he adored,

but to see his beloved daughter's stricken face was more than he could bear.

It was not how he wanted to remember Anna.

Ken Milton was amongst the first British troops to arrive in France in the middle of October. At the same time, a general call-up of men over twenty years of age started and May said mournfully, 'Your daddy would have had to go now anyway.' She scrunched up the newspaper and turned to Anna, plastering a bright smile on her face. 'Perhaps he was right to go. First to go, first to come home, eh?'

Ken had been wrong about one thing. Children were not evacuated from Lincoln but brought to the city from other places deemed to be at far greater risk.

'Your teacher's asked us to take an evacuee,' May told Anna. Biting her thumbnail, she said, 'There's thousands arriving on the train from Leeds. It's not that I don't want to help – of course I do – but I think we ought to go out to the farm. It's what Daddy would want us to do. We'll go to Grandpa. He'll look after us.' May shuddered. 'I hate us being here on our own.'

The protest from her daughter that May had expected – probably hoped to hear – was not forthcoming. Secretly Anna was delighted. She loved her grandpa Luke and she loved the farm.

The following day May locked up the house, glancing back as they turned the corner at the top of the road. Would they ever see their home again? she was thinking, but she kept these thoughts to herself, trying to make their evacuation to the country seem like a holiday. Dragging three heavy suitcases, they caught the bus from the city centre which passed through the village close to the farm. Then they walked the last few hundred yards down the lane.

Rosa came out into the yard, her arms held wide. ' "It's an ill wind that blows nobody any good",' she quoted and laughed loudly. 'See, if it wasn't for the war, we wouldn't be having you come to live with us for a while, would we?'

May glanced at Anna. Missing her husband and now having to leave her city home were causing May grief, but Anna pulled her hand from her mother's grasp and ran towards her grannie, arms outstretched.

'Can I feed the hens for you and c'lect the eggs?' she gabbled excitedly.

'Course you can, lovey.' Then, catching sight of May's doleful face, Rosa said kindly, 'Now, come along, May. This horrible war will soon be over and Ken will be safely back home. But in the meantime,' she said with a chuckle, 'I can't deny that it's lovely for Grandpa and me to have you here.'

Anna flung her arms around her grandmother's ample waist and pressed her cheek to the woman's comforting warmth. 'Oh, Grannie, I do love the farm and being here with you and Grandpa. And if only Daddy were here too, it would be perfect.'

Above the girl's head, mother and grandmother exchanged a solemn glance.

Thirty-Two

'Anna, this is Jed Rower.' Luke pointed with a gnarled finger towards the youth standing awkwardly near the cowhouse. 'He's Bill Tomalin's nephew.'

Bill Tomalin owned the farm adjacent to Luke's farm and Anna had heard the grown-ups talking about the family.

'Poor old Bill and his missis. Lost their only son in the twenties. Measles. You wouldn't think measles was a killer, now would you? But there you are . . .' Anna remembered her grandfather talking as he carved the Sunday roast.

'Poor little mite,' Rosa had put in, bustling between the scullery and the kitchen table. 'He was so poorly. And you caught it off him, our May. Do you remember?'

May had wrinkled her forehead. 'Was that the time I had to lie in a darkened room?'

'Yes, that's it. They reckoned the illness affected the eyesight and told everybody to keep their bairns in bed and in the dark. Eh dear, what a time it was. And poor little Jack didn't get better. I remember going to the funeral. What a terrible sight it is to see a child's coffin.' The tender-hearted Rosa wiped her eyes with the corner of her apron.

'So now,' Luke had gone on, 'there's only his sister's boy, Jed, for Bill to leave his farm to. Mind you, he's a real good lad. Comes at holiday times and at weekends if he can get here. And he'll help me out if I need it.'

Now, as the two youngsters stood in the yard staring at each other, Luke said, 'Jed's left school now, Anna, and he's come to live at his uncle's. Wants to be a farmer, don't you, lad?'

'That's right, Mester Clayton. Never wanted nowt else.'

Luke beamed at him. 'That's what I like to hear.' He wagged his finger at the young man. 'And no running off to the war when you gets old enough. You hear me?'

Jed grinned. 'Oh I reckon it'll be over long before then, mester.'

'Aye well, that's as mebbe. I 'ope so, lad. I do. But these wars have a terrible habit of going on a lot longer than them there politicians reckon. Any road – ' Luke turned and put his hand on Anna's shoulder – 'at least this war's brought Anna and her mam to live with us for a while.'

Jed, with merry hazel eyes, fair curling hair and a wide grin, glanced at her and nodded. Anna smiled shyly and then dropped her gaze.

'Well now, I can't stand here yakkerin' all day,' Luke said. 'There's work to do.'

'Can I help, sir?' Jed asked. 'Uncle Bill said you was a bit short-handed with a couple of your regular hands going off to the war.'

Luke beamed at him. 'Ya can, lad. We've two Land Army wenches due soon, but in the meantime I'm a bit stretched. So a bit of help'd be worth a lot of pity, as they say. Now, can you milk cows?'

Jed nodded.

'Right then, you set to in there – ' he jerked his

thumb over his shoulder towards the cowhouse – 'whilst I get the next lot from the field. Now where's that dratted dog of mine?' He gave a shrill whistle and a black and white collie came tearing round the corner of the building, sliding to a halt in front of his master.

'Come on, dog, let's get them cows in.'

Anna laughed. 'But he's a sheepdog, Grandpa.'

Luke winked at her. 'Aye, but Buster dun't know that, does he? He just thinks he's got to round up any kind of creature. Have you seen him with the geese?'

Anna shook her head.

'That's what I trained him with. They're every bit as cantankerous and awk'ard as sheep.'

'I don't like geese. They're nasty, hissy things.'

Luke laughed. 'An' you don't like the cows 'cos they kick. What do you like, lass?'

Anna beamed. 'I like sheep.'

Luke put his arm about her shoulders. 'Right, then lass. Whilst you'm here I'll teach you all I know about sheep. How's that?'

Anna glanced up at the wrinkled, weather-beaten face. Solemnly, she said, 'I'd like that very much, Grandpa.'

Soon the country became resigned to being at war. Like the conflict which had begun twenty-five years earlier, it was not over by Christmas. The beginning of 1940 was a bleak time and scarcely a minute of the day went by when May and Anna were not thinking about Ken. But despite the ever-present worry, Anna blossomed in the fresh air and country life. She didn't even mind the heavy snowfall that arrived in February. She revelled in tramping through the deep drifts to rescue 'her' sheep.

'Now, lass, I've got summat for you.' Grandpa Luke's blue eyes were twinkling mischievously beneath his shaggy eyebrows.

'A present?' Anna's voice was high with excitement. 'For me?'

From behind his back Luke produced a strangely shaped parcel – long and thin but wider at one end. Anna ripped away the wrapping paper to reveal a shepherd's crook fashioned in every detail to be a small replica of Luke's own.

The girl gasped with delight. 'Oh, Grandpa, it's lovely. Thank you.' She kissed the old man's cheek and was tickled by his moustache.

'There now, when you go out with Buster to fetch the sheep you'll be a real shepherdess.' Luke wagged his forefinger at her and drew his eyebrows together in mock severity. 'But there is a catch. You've got to earn the title. You'll have to learn to help with the lambing and the shearing and the dipping. Even how to count them the shepherd's way.'

Anna was nodding so hard she felt as if her head might fall off. Her violet eyes were bright. 'I will, oh, I will. I want to learn everything, Grandpa,' the young girl told him solemnly. 'I want to stay on the farm for ever. I don't ever want to go back to the city.'

Tears filled the old man's rheumy eyes as he touched her cheek. 'Aye, lass, I reckon you don't.'

Since his disappointment that his own daughter had turned her back on country life, this was more than he had dared to hope for from his granddaughter.

Her instruction began that day, though at first she wasn't sure whether it was she giving Buster instructions or the dog showing her what needed to be done.

But soon the two became firm friends. It was almost as if the dog now belonged more to Anna than to Luke.

'He's still a working dog, lass,' the old man would remind her. 'And you mustn't make pets of the animals.'

Anna nodded, understanding. 'We're farmers, aren't we, Grandpa?'

'That's right,' the old man said, his voice hoarse with emotion. 'That's right, me little lass.'

The only reminder of the war was the distant drone of aircraft.

'What's that noise, Grandpa?' Anna asked the first time she heard them.

'Planes, lass. Hampdens, so they tell me. There's an aerodrome a few miles north from here.'

'Oh.' Anna was silent for a moment and then, in a small voice, she asked, 'Are they – are they going to drop bombs on the enemy?'

'Aye, mebbe.'

'But – how can they be sure they don't drop them on our soldiers?'

Luke smiled at her, his leathery face creasing into a thousand wrinkles – or so it seemed. 'Oh, they'll mind not to do that, love. They'll be aiming for things like enemy shipping, and if they do go over enemy territory it'll be things like bridges and railways and maybe factories that make equipment for the war.'

'That's what Daddy said the Jerries'd do to us,' Anna said. 'They might bomb Lincoln because he was sure the factories there would be making things for the war.'

'Aye well, lass, I reckon he could be right. Anyway,'

he added, putting his arm about her shoulders, 'that's why you've come here. To be safe with us, eh?'

Every day Luke would give his own weather forecast and try to guess whether they would hear the planes that night. 'Just look at that lovely sunset, lass. Ain't no better sight anywhere than a Lincolnshire sunset, to my mind. Sign of good weather, that is. They'll be flying tonight.' And then, in contrast, he would say, 'Don't reckon we shall hear them planes going out tonight. Bad sky this morning. Reckon we're in for a bit of a blow.'

But sometimes he would be wrong and, distantly, they'd hear the planes going out.

Each night Grandpa insisted that everyone was silent whilst he listened to the nine o'clock news on the wireless. Anna, sitting quietly, was obliged to listen too and so picked up the war news. Some of it she understood, but in her young, logical mind she still questioned the truth of her grandfather's assurances. If both sides were dropping bombs on each other, she couldn't understand how the British, whose army was over there, could be sure not to drop them on their own men.

Every night Anna knelt on the cold floor of her bedroom and prayed fervently for her father's safe return. But when she climbed into bed at last and lay down, she felt no reassurance that her prayers would be answered.

And then, at the end of May, they all listened with horror to the news of the evacuation from Dunkirk. They glanced fearfully at one another, knowing that Ken was out there somewhere.

A week later May received the telegram, forwarded

from their home in Lincoln, reporting that Kenneth Milton was missing, presumed killed.

'It's not fair, Grandpa. It's not fair. Why did Daddy have to get killed?'

Weeks after the news had come, Anna still could not accept it. Helping her grandfather with the haymaking, she walked beside him into the meadow to rake and toss the swathes of grass that had been cut the previous day.

In his gravelly voice, Luke said, 'Life isn't fair, lass. But we all have to make the best of it, whatever comes our way. I was in the last war. I volunteered right at the start. Just like your dad did.' Luke cast a wry glance at his granddaughter. 'He wouldn't listen to me, would he? Had to go an' do the same.' Luke's bushy white eyebrows drew together in a frown. 'Can't blame him, though,' he murmured, his thoughts far away. 'But I was lucky. I came back.'

He stood leaning on his rake, gazing into the distance as if he were seeing a ghostly regiment of long-dead comrades marching past. 'A lot of good men didn't come back. The war to end wars, they called it then, yet just over twenty years after it ended here we are plunged into another. I don't reckon them politicians will ever learn,' he ended bitterly. Then Luke seemed to shake himself and said briskly, 'This won't get the work done, lass. Come on now, put ya back into it.'

Anna spent a lot of time with her grandfather. When she was not attending the local school, she was by his side.

'She's as good as any farmhand,' Luke told Rosa.

'You should see her with the sheep.' He chuckled. 'I reckon she's given 'em all names. All thirty of 'em.'

'How did she take it when the lambs went? And does she know they've gone for slaughter?'

'She understands. I explained it all to her. Aye.' Luke gave a deep sigh of contentment. 'The farm'll be in safe hands when I'm gone.'

Rosa said seriously. 'Let's not talk about anyone else going yet. That little lass has had enough sadness in her life to last her a good few years. And as for our May . . .' Rosa shook her head and sighed. 'I don't know if she'll ever get over losing Ken.'

Luke lit his pipe and puffed at it, getting it well alight before he answered. 'She's young. She'll not forget him. Course she won't. But time is a healer, love. Given time, she'll mebbe meet someone else. Our May needs a man to lean on and I won't be here for ever.' He chuckled. 'Even if I'd like to be.'

Rosa said wryly, 'But what sort of man is she likely to find, eh? We're going to lose a whole generation of fellers again, just like we did last time. And what'll we be left with? You tell me that. The dregs, that's what.'

Luke twinkled at her mischievously. 'Well, I came back last time. Is that what I am then? The dregs?'

Rosa laughed. 'You tek it how ya like, Luke Clayton. If you remember – ' she nodded at him teasingly – 'I was engaged to that butcher feller just afore the last war. And he didn't come back, now did he?'

'Yeah, but if I remember you'd thrown him over before he ever went to the Front.'

They laughed together, easy in the knowledge that it was all just banter between them.

Their laughter faded and Rosa said pensively, 'It'd be nice to think that – in time – May could meet someone nice, 'cos you're right, she does need someone and it'd be nice for that little lass to have a daddy again.'

'But in the meantime – ' Luke opened his newspaper and spread it wide, scanning the pages for yet more news – 'she's got us.'

Thirty-Three

It was a cruel Fate that was listening at that moment to Luke's confident statement. Only three weeks later Rosa began to feel ill.

'I can't understand why I feel so tired all the time,' she said, sitting down in the wooden rocking chair beside the range after a morning's work. 'I can usually go all day without stopping, but now—'

'You're not as young as you used to be, Mam.'

'I'm only fifty-seven,' Rosa responded indignantly.

May eyed her mother. 'You've lost weight, too.'

'I always do in summer. We eat more salads an' that in the hot weather, don't we?' Rosa heaved herself out of the chair in an effort to prove there was nothing wrong with her. ''Spect I've got a bit of anaemia. I've had it before at this time of year.'

'Anaemia doesn't give you a pain in your tummy. I've seen you holding yourself. Look, you're doing it now.'

'It's just a bit of indigestion. Something I've eaten.'

May cast her a wry look. 'I think you ought to see the doctor, Mam.'

'Aye, sometime. I'll go when I've time.'

A week later even Luke was persuading her to go. 'I'll take you into the village mesen and make sure you do see him,' he declared. 'You're not right, woman. Even I can see that. The weight's dropping off you.'

294

'All right, then. I'll go.'

Luke and his daughter exchanged a startled glance. The fact that Rosa was agreeing to see a doctor was enough for alarm bells to start ringing in both their minds.

They had good reason to be fearful. The doctor sent Rosa into Lincoln for further tests and two weeks later he called at the farm.

'Run along into the yard, missy,' he said in a kindly manner to Anna. 'I need to talk to your grandpa and grannie. May – ' he had known the Clayton family for years and had attended May's birth in this very farm-house – 'you stay, please.'

He sat down at the table, his face solemn as he explained gently that the consultant had found a growth in Rosa's stomach.

'We can operate, but—' His silence and the unspoken words hung in the air.

'Oh no,' May cried, her hand flying to her mouth. 'Oh Mam, no.'

Luke took his wife's hand and held on to it tightly. 'This operation? If she has it, there's a chance?'

The doctor glanced from Luke to Rosa and back again. He knew them so well, knew that they were strong enough to be told the truth. He wasn't so sure about May. She was crumbling before his eyes. But then, he reminded himself, this was the second lot of terrible news she'd had in a few short months. 'Fifty-fifty.'

Rosa seemed to be taking the news calmly. 'Well, I've had a good life. And May's home now to look after her dad . . .'

'Mam,' May cried, tears flooding down her cheeks, 'don't say such things. You'll get better. You'll have the operation and you'll get better. I know you will. Oh Mam, you have to. I – I can't bear to lose you too.'

Luke walked out of the house with the doctor.

'I'm so sorry, old friend. I wish there was more I could say, more I could do.'

'You've told us the truth and now we know what we have to face.' Luke glanced across to where Anna was playing with Buster. The girl was laughing at the dog's antics, their game driving away some of the sadness from her face. 'Though how I'm going to tell that little lass, I don't know.'

'Like me to do it for you?'

Luke shook his head. 'No. Thanks, but it'll come better from me. If she sees we're facing up to it, then—'

He said no more and the doctor nodded agreement, but he was thinking that May was not going to be of much use.

As if reading his thoughts, Luke said softly, 'She's stronger than her mam, I reckon. She'll be all right. She'll be all right with me.'

Wordlessly, the doctor patted Luke's shoulder and went towards his car.

Rosa was called in for the operation only a week later. It was a tense and anxious time for the family and visiting Rosa in the city hospital proved difficult with the war restrictions. There was no telephone at Clayton's Farm so it was the doctor who once again brought the news.

The moment he stepped out of his car and went towards Luke, who was standing near the cowshed, the old man knew the news was bad.

Dr Phillips shook his head sadly. 'I'm so sorry, Luke. She came through the operation itself well, but back on the ward she suffered a massive heart attack. There was nothing anyone could do.'

Luke nodded wordlessly.

'If it's any comfort, old friend, the end was quick. If she'd survived and the cancer had returned, she would have had a lingering and very painful death.'

'Aye, well.' Luke sniffed hard, but was unable to control the break in his voice. 'Aye well, that's summat to be thankful for.'

The family was devastated. It was almost worse than the loss of Ken, for that had been a possibility from the moment he volunteered. But that Rosa – laughing, good-hearted Rosa – should die so quickly was hard to take.

'If only we'd had more time,' May wept. 'I can't believe it.'

Luke, though suffering his loss inside, seemed on the surface to accept the blow more easily than May. He had seen a lot more of life – and of death – than his daughter.

'You couldn't have asked for her to go on suffering. She were nowt but skin and bone by the end. You wouldn't let an animal suffer like that, lass. Now would you?'

May shook her head and murmured the very same words her daughter had used only months earlier. 'But it's so unfair, Dad. It's so unfair.'

Anna's grief was silent. She shed her tears in private, anxious not to add to her grandfather's grief or to upset her mother even more. May did her best to take over the running of the farmhouse, but Rosa, born to be a farmer's wife, was a hard act to follow.

May wept through the days. 'I can't get the York-shire puddings to rise like Mam did,' she moaned on the first Sunday after the funeral. 'I've burnt the meat and the gravy's lumpy.'

'Ne'er mind, love,' Luke said placidly. 'That range oven's always been a bit temperamental. Even your mam used to grumble about it. You'll soon get the hang of it, though.'

'But that's just it. I don't want to get the hang of it,' May wailed. 'I want to go back to Lincoln. I want to go home.'

Luke said nothing, but Anna had seen the deep hurt in his eyes. That his daughter should consider the little terraced house in a back street of the city to be home, instead of the farm where she had been born and brought up, cut the old man to the quick.

Anna's confidant was Jed, who came to see her the morning after the funeral. 'I'm real sorry about your gran, Anna. She was a lovely lady. Always so friendly. And cook – by heck, I've never tasted apple pasties like hers. Even me auntie Sue can't make 'em like Mrs Clayton could.' He tried to lighten the gravity of their conversation by adding, 'But don't you tell 'er I said so, else she'll chase me with me uncle's shotgun.'

Anna smiled thinly. Then Jed, trying to draw her out, said soberly, 'It must be very hard for you. First your dad and now your gran. Difficult for all your family. Look – ' he hesitated, his face reddening – 'if there's ever owt I can do to help you, you've only got to say. I aren't very good with words, but – but I'm a good listener. Sometimes – well – sometimes it helps just to be able to talk about it. And maybe you can't talk about it at home because – well – they're upset an' all. I don't mean I'm not,' he went on swiftly, lest she should misunderstand him. 'She'll be badly missed round here. Everybody liked her.'

The number of mourners at the funeral had told Anna that. The line following the coffin had stretched a hundred yards or more.

'But, well—' Jed was still stumbling on, trying in his youthful way to bring comfort to the young girl, 'I weren't family.'

Anna smiled at him through her tears. 'Thanks, Jed,' she said huskily. 'You're – very kind.'

Jed became her constant companion. Luke had taught her about sheep, but it was Jed she watched hedging and ditching, he who helped her with a broody hen and watched as the eggs cracked and little yellow chicks emerged. It was Jed who showed her how to milk the cows and helped her overcome her fear of their restless hooves.

'I won't ever like them as much as the sheep.' She laughed. 'But I'm not quite so scared of them now. Thanks to you.'

'You've got gentle fingers. You'd make a good milkmaid.'

Anna pulled a face. 'I'd rather be a shepherdess. That's what I really want to be.'

He took her fishing in the stretch of the River Brant that ran through both her grandfather's farm and his uncle's. And it was Jed who stood with his arm about her shoulders, comforting her whenever any of their animals were loaded into the back of the lorry to be driven to market.

'How's ya mam?' he asked gently one day.

Anna shrugged. 'She's running the house better now.'

She even managed to smile. 'Her cooking's improved, but she still cries a lot.' Anna's voice broke a little as she added, 'She – wants to go back to the city.'

Jed looked down at her, his blue eyes sober. 'What about you?' he asked softly. 'Do you want to go back?'

Vehemently, Anna shook her head. 'No. I never want to go back. I want to stay here for ever and ever.'

It was the dream of an eleven-year-old child, but silently Jed prayed that her wish would still be the same when Anna was grown. 'I hope you do,' he said softly.

Thirty-Four

Clayton's Farm, handed down through the generations from Luke's great-grandfather, was situated a few miles to the south of Lincoln. It had passed from son to son, but now there were only May and Anna to take it on should anything happen to Luke. The old man couldn't hide the fact that his dearest wish was to see them both living back at the farm for good.

'It's silly to keep paying rent on an empty house in the city,' Luke told May bluntly.

'But we'll be going back,' May argued, trying to hold out.

'Look, love,' Luke said, trying to be more gentle, 'even if you do go back to town one day – ' the words were said reluctantly, but he had to accept the fact that it was a strong possibility. If his daughter had her way, she'd be back to city life in a trice – 'surely you'd be better to have a fresh start in a different house? Do you really want to take that little lass' – Luke almost choked on the words – 'back to a house full of memories of her daddy? Do *you* want to go back there?'

May sighed. 'I don't know, Dad. Sometimes my memories of Ken are so vivid it's almost as if he's going to walk into the room at any minute. At others, it seems as if all those years were just a dream and never really happened.'

'Well, they did and you've a lovely daughter to prove

it. We've all got our memories – that's what keeps us going,' Luke said, thinking back down the years to all the happy times he'd spent with his beloved Rosa. 'Hold on to them, May, don't ever lose them. But it doesn't mean we have to stop living. You've still got a lot of your life left and Ken wouldn't have wanted you to mourn him for ever. And that little lass has got all of hers to come yet. Let her choose the path she wants to take, May.' He put his head on one side and regarded her solemnly. 'I didn't stand in the way of you marrying Ken Milton and letting him take you to live in the city, even though I wanted you to stay here.'

Easy tears filled May's eyes. 'You didn't like him, Dad, did you?'

Luke sighed. 'Not at first, no, but I think it was only because I knew he'd take you away from us. Later I came to see that he was a fine young man. A good husband and father.'

'Just because he volunteered for the war – like you did years ago?' There was a bitter edge to her tone now.

Luke sighed, but was honest enough to admit, 'Well, I saw then that he had the qualities I admire in a feller. It was a pity it took a war to show me that, but that was my pig-headedness. I'll own up to that.'

So, May relinquished the tenancy of the terraced house in Lincoln and moved their belongings and bits of furniture into the rambling farmhouse.

For most of the time the war seemed very far away, with only the drone of aircraft overhead to remind them. And, of course, the rationing, as May, who had now taken over the running of the household, was ever quick to tell them. But, living on a farm, they were luckier than most. By 1942 the last of Luke's young farmhands had joined the army, leaving only Luke and an old man who had worked on Clayton's Farm all his life. And even he was able to work less and less.

'Tis the arthritis in me old bones,' he complained. 'I'm not as young as I used to be.'

Despite her sympathy for the old farmhand, Anna always wanted to giggle when she heard him say that. Not about the arthritis, but about his age. Was anyone ever as young as they once were? she thought.

Jed helped whenever he could, but his uncle's farm was short-handed too.

'I don't know why they all want to go rushing off,' Luke grumbled. 'They're in a reserved occupation. Just wanting to play the hero.'

'Well, you did,' May retorted and added bitterly, 'and so did Ken.'

'Aye, you're right, lass.' The old man's eyes softened. 'I suppose I should understand better than anyone. Anyway,' he went on briskly, 'we're to have a couple of Land Army girls. Can you do with 'em in the house?'

May smiled and Luke realized how hard May was trying to be more like her mother. Rosa had wanted nothing more from life than to be a good farmer's wife. To their disappointment, Luke and Rosa had only been blessed with one child, though they would have loved more. After a difficult birth with May, Dr Phillips had warned Rosa not to have any more children. So Rosa contented herself with her husband, her daughter and the extended family of their farmworkers and all the extra help that came at haymaking, harvest and shearing. Rosa was at her happiest when she had an army to feed.

May hadn't quite got to that level yet, but she said

now, 'It'll be lovely to have some young folks about the place. Company for Anna too.' *And me as well,* she thought privately.

The sight of the two Land Army girls climbing out of the back of the lorry a few days later was a welcome one for Luke; May, too, smiled a greeting, but their reasons were very different. Luke was glad to see more help arriving, even if he expected it to take a few weeks for the two girls to settle in and learn the ropes. May was just glad to see two young women nearer her own age, who looked as if they might bring a little fun and laughter to the back of beyond, which was how she thought of Clayton's Farm.

May hurried out to greet them. The girls were dressed identically in the Women's Land Army 'uniform': open-necked shirts, green pullovers, brown corduroy knee breeches, long thick fawn socks and brown brogues.

'Hello. I'm May Milton. Come along in. You must be hungry. How far have you come?'

The two girls were bouncy, bubbly and quite pretty in a brash sort of way. The shorter of the two, who had blue eyes, shoulder-length blonde hair and a round, merry face, held out her hand. 'Hello, I'm Betty Purves.'

'Better known as Purvey the Curvy, because she curves in all the right places,' the other girl said. 'And I'm Rita Mackinder.' Rita was tall with short, curly dark brown hair and brown eyes. 'The skinny one.'

May shook hands with them. 'You're both very welcome. Come along in, do.'

The girls heaved their luggage from the back of the lorry and waved a cheery goodbye to the driver.

'Don't forget the dance next Saturday, Harry,' Betty called after him.

'It's a date, love.' He waved as he started the engine.

'Oh you!' Rita pretended indignation. 'How many fellers do you need? What about Douglas?'

Betty patted her long golden hair. 'Safety in numbers, pet. Come on, where's that tea the nice lady was offering? I'm parched.'

Later, when Anna and Luke walked into the house together, the kitchen was alive with noisy laughter. May, her eyes more alight than they had been for months, said, 'Oh, come and meet these two. They're a scream. They ought to be on the stage.'

When the introductions were done, Luke said, 'Well now, where are you two lasses from then?'

'Me? I'm from up north,' Betty said. 'Near Newcastle, but Rita here, she's from Sheffield. We've never been to Lincolnshire before. Neither of us.' She pulled a comical face. 'I thought it was supposed to be flat, but we tried walking up Steep Hill in Lincoln last week. I don't call that flat!'

Anna stared at the two girls, fascinated by the way they talked. She'd heard a Yorkshire voice before, but never a Geordie accent. The way Betty's lilting voice rose at the end of each sentence, almost as if she was asking a question, delighted the young girl.

Luke was chuckling. 'It's flat in the south of the county, in the fens and also along the east coast. But we've got the Wolds and the Lincoln Heights to give us a few hills.' He nodded at them both. 'Not like where you come from, I admit, but it suits us.'

Rita nudged Betty. 'It'll be safe for you.' They both laughed and Betty's face was tinged with pink.

'We were on a farm in Derbyshire until last month and she was driving a tractor on a steep slope. Going down hill, like this – ' Rita sloped her hand to demonstrate – 'and ended up in the river at the bottom. The farmer weren't right pleased.'

'Remind me not to let you loose in the field that borders the Brant then,' Luke said, but his eyes were twinkling.

'You can talk, Rita Mackinder. What about you and cows then?' Betty leant across the table towards Luke and now it was Rita's turn to look embarrassed. 'I hope you've got hundreds of cows, Mister. Our Rita loves 'em. Can't *wait* to get her hands on them.' Laughing, she pretended she was milking a cow.

'We've only got seventeen now, but most of them are good milkers.'

Betty hooted with laughter and dug her friend in the ribs. 'There you are, Reet. You'll be all right.'

Mystified, Luke, May and Anna stared at the two girls. Anna was the first to realize the joke. 'She's teasing you, isn't she? You don't really like them, do you?'

Rita pulled a wry face. 'Sorry, no. I don't. I got kicked badly at the farm in Derbyshire and I've been frightened of them ever since.'

'Never mind,' Anna said kindly. 'You can help with the sheep, can't she, Grandpa?'

'Course she can, love. We don't want anyone being hurt here.'

'You'll like sheep. They're lovely and gentle.'

'You're very kind,' Rita said, serious for a moment, 'but I wouldn't want it to look as if I'm trying to get out of doing summat I'm supposed to.'

Luke laughed. 'Don't worry, lass, we won't think that of you. Besides – ' his eyes twinkled – 'there's plenty else you can do.'

They joined in his laughter. It was the happiest sound the farmhouse kitchen had heard in months.

'We're going to a dance next Saturday in Lincoln,' Betty told May. 'My feller's picking us up. Why don't you come with us?'

The two girls had settled in remarkably quickly and now everyone felt they were part of the family.

'Oh, I don't know. It – it wouldn't seem right. I – I lost my husband at Dunkirk and then my mother died soon after . . .'

Looking unusually serious, Betty said gently, 'You can't live in the past, pet.'

'Well, no, but . . . It just seems a little too soon. That's all.'

'How about letting Anna come with us, then?'

Now May shook her head firmly. 'Oh no. She's far too young.'

'Is she?' Betty sounded surprised. 'How old is she?'

'Thirteen.'

'Thirteen! I thought she was at least fifteen. She looks it.'

'She's tall for her age. She's grown even in this last year. I expect it's living on the farm. She's filled out.'

Betty laughed as she ran her hands down her own body. 'And in all the right places. I'll have a rival for Miss Curvy, nineteen forty-two, if I don't watch it.' They laughed and then Betty added, 'But, yeah, you're right. She is a bit young to be going to dances, specially in the city. We get a lot of the RAF lads there.' Betty's eyes sparkled at the thought. 'Tell you what, though. We'll take her to the pictures sometime. My feller's got something to do with one of the cinemas there. He'll tell us when there's a nice film on we can take her to. You'd let her go there with us, wouldn't you?'

May nodded. 'That'd be very kind of you.'

'Oh, go on.' Betty flapped her hand at May. 'We love it here. You're very good to us and as for Pops . . .' It was the name that Betty had christened Luke. 'He's a real poppet.'

May laughed. She'd never heard her father referred to as 'a poppet' before, but the endearment suited him. Her face sobered as she said pensively, 'I wish you could have met my mother. You'd have loved her.'

Betty couldn't bear anyone to be maudlin for more than a couple of minutes, so she patted May's hand and said, 'I'm sure we would. I bet you take after her, don't you?'

May sighed. 'I really wish I did. But I – I don't think I'm quite as strong a character as she was.' She bit her lip, reluctant to confide even to the friendly Betty that she hated the life on the farm. She was only biding her time until the war was over and she could go back home.

'Must be off,' Betty said, not one for analysing life too closely. 'Mustn't keep the cows waiting. I still can't remember all their names. And as for the sheep . . . I never knew anyone to give names to their sheep before.'

May laughed now. 'We don't. Cows have always had names, but naming the sheep was Anna. She loves them.'

'And that dog, Buster. He never leaves her side, does he? He was missing the other afternoon and I asked Pops where he was. "Oh he'll be down at the school," he said, "waiting for Anna to come out." And sure enough, there he was, loping alongside of her when she rode into the yard on her bike.'

At that moment, Anna and Buster were out in the fields with Luke's flock of thirty ewes and their twenty-four lambs.

Anna stood with her hand on Buster's head. 'The lambs'll have to go in a month or two,' she told the dog sadly. 'Most of them. But I think Grandpa is going to keep three female lambs to build up his flock. That's nice, isn't it?'

Beside her the dog looked up at her adoringly, his long pink tongue lolling. He gave a little bark, as if he understood her every word. 'Come on, boy, we'd better go home. We've got those two little lambs to feed that lost their mother.'

Minutes later, Betty stood watching as Anna prepared a bottle to feed the lambs. 'You really love the silly creatures, don't you, pet?' she teased the young girl, shaking her head and pretending to be mystified. 'Can't understand why. They never do what you want 'em to do. If you want 'em to go to the right, they'll go left, sure as eggs.'

Anna only grinned as she held a motherless lamb firmly under her arm to feed it with a bottle.

'Take no notice of her,' she pretended to whisper to the lamb, but making sure that Betty heard. 'She dun't know what she's talking about.'

Betty laughed. 'You could be right there, pet. But give me a tractor to drive any day. Least I can steer it where I want it to go.'

Anna looked up and grinned saucily. ''Cept when you nearly drove it into the river last week. When you first came here, Rita said you'd done the same thing in Derbyshire.'

Betty pulled a face. 'Well, yeah, I did that time, but I didn't with your grandpa's tractor. I only got a bit too close. And don't you go telling Pops, else he'll not let me drive it again.'

Anna giggled. 'As long as you are nice to my sheep.'

Betty laughed. 'Little minx!' she said fondly and then winked. 'It's a deal.'

They heard the noise of Betty's feller's car even before it turned into the yard gate. The roar of an engine being driven at full speed coming closer and closer down the lane, the skid of tyres as it swung in through the gate and the squeal of brakes as it came to a stop. Luke came out of the barn and stood frowning at the sleek, open-topped sports car standing in the middle of his yard.

The driver hoisted himself up and agilely swung his legs over the low door without opening it. He came towards Luke, his hand outstretched. He was dressed in a checked suit and a trilby and sported a neat moustache.

'Douglas Whittaker, sir. How do?'

Luke took the proffered hand, but glanced down at the man's brown and white shoes. 'Not the place for those, young feller. You'll get 'em messed up.'

Douglas laughed. Although he was young compared with Luke, he was in his late thirties. He gave off the appearance of being a man of the world. Luke's knowing eyes narrowed as he took in Douglas Whittaker's appearance. So this was Betty's feller. He hoped it wasn't serious. Luke was becoming fond of the two Land Army girls and this wasn't the sort of man he would like to see courting anyone belonging to him. He gave a grunt. It was nowt to do with him, he told himself sharply. 'Come along in while you wait for the lasses. 'Spect they're still titivating.'

Douglas guffawed. 'Making themselves beautiful for me, eh? That's what I like to hear.' He pulled a gold cigarette case from his pocket, snapped it open and held it out towards Luke. 'Do you smoke, sir?'

Luke eyed the long, slim cigarettes. American, by the look of them. 'Only a pipe,' he murmured. And then, remembering his manners, added, 'Thanks all the same.'

'What brand of baccy do you smoke? I can get you some.' Douglas tapped the side of his nose and winked. 'Know what I mean?'

Oh yes, Luke knew what he meant. He was a black marketeer by the sound of it. Luke had heard about the goings on, but he'd never been approached directly before.

He turned his back on Douglas as he replied shortly, 'I don't smoke a lot. I've plenty for what I need.'

This time he added no word of thanks.

As he ushered the visitor into the farmhouse kitchen, May hurried forward, wiping her floury hands on her apron. 'You must be Betty's young man. Do come in. I don't think they'll be long.'

In the corner by the range, Anna was feeding a lamb with a bottle.

'Hello, young lady.' Douglas knelt beside her and touched the animal's fine, woolly coat. Buster, sitting close by on the hearth, gave a deep-throated growl. Hearing it, Luke almost laughed aloud. *You and me both, boy*, he thought, but he said nothing.

Anna, however, spoke sternly to the dog. 'Stop it, Buster. This is Betty's friend. Naughty dog.'

Buster lay down, his nose on his paws, but he continued to eye the stranger with suspicion.

There was the sound of clattering high heels on the

311

stairs and Betty and Rita, dressed in pretty cotton dresses, swept into the kitchen.

Douglas held his arms wide. 'Well, well. Now if that isn't worth waiting for.' His gaze swept them up and down and then his grin widened. 'But if I'm not much mistaken, you're not quite dressed yet, are you?'

Betty and Rita exchanged a glance. 'Cheek of the devil,' Betty said, fluffing her hair.

Douglas laughed, holding out his hands in supplication. 'No offence, ladies.' He fished in his pocket and pulled out two packages. 'I just thought perhaps you could make use of these.'

Tearing open their gifts, the girls exclaimed over the nylon stockings, whilst May watched enviously and glanced down at her own thick lisle ones. Betty threw her arms round Douglas. 'Oh, you darling. I might have known. There's nothing you can't get, if you've a mind, is there?' She drew back and glanced at Luke and then at May. She prodded Douglas in the chest. 'So if there's anything you want, he's your man.'

'If I'd known there was another lovely young lady, I'd have brought another pair.' Douglas gave a little bow towards May and murmured, 'Maybe next time, eh?'

May smiled uncertainly but Luke's only response was to turn on his heel and leave the house.

Thirty-Five

Douglas became a regular visitor to the farm, along with other 'followers' of the two girls. One was a very good-looking RAF pilot with wavy black hair.

'He looks like a film star,' Anna breathed, watching him with wide eyes.

'Aye aye,' Betty said, winking mischievously. 'Our Anna might only be thirteen but she knows a good-looking feller when she sees one. I'll have to keep me eye on you, pet, else you'll be stealing them from under my nose with those lovely eyes of yours.'

'Oh I reckon you're safe, our Betty,' Rita chirped up. 'Anna's got a boyfriend.'

Anna turned wide eyes on the grinning girl. 'What do you mean? I haven't got a boyfriend.'

'Haven't you? You could have fooled me. Well, I know a very nice young feller who'd like to fill the part.'

'Who?'

'Jed, of course.'

'*Jed?* But he works here. And he's heaps older than me.'

'Yeah, course he is. All of five years, but it doesn't stop him making sheep's eyes at you. Oops, sorry for the pun.'

'He doesn't,' Anna denied, but could not help blushing.

*

'You know Charlie, the pilot officer,' Betty said one evening, only a week later.

'That handsome one with black hair?' Anna asked as May looked up enquiringly.

Betty nodded, biting her lip. 'His plane never came back. Went down somewhere over the Channel, they say. The whole crew are missing.'

'That's terrible,' May said, her hand to her mouth to still its trembling. 'Oh the poor boy. He was only nineteen, wasn't he?'

Anna bent her head over the rug she was learning to make from scraps of material so that the others would not see the tears in her eyes. To think that that lovely-looking young man was now dead brought back vividly all the sadness about her own daddy.

Betty nodded. 'Yeah.' She sat for a moment as if lost in thought, then she stood up quickly, 'Still, life has to go on, pet, hasn't it? At least there's no chance of that happening to good old Douglas.'

In his chair in the corner, Luke shook his newspaper and sniffed.

'What was that, Pops?' Betty said.

'Nothing,' came the short reply. 'Nothing at all.'

'Are you serious about this Douglas?' Luke asked after supper the following evening.

'Me?' Betty laughed. 'I'm not serious about any feller, Pops.' She beamed at him. 'Only you, mebbe.'

They all laughed, but no one had missed the under-lying message of Luke's question. Betty put her head on one side. 'You don't like him.' It was a statement rather than a question.

Luke shrugged but said nothing.

Betty laughed again. 'I'll take that as a "no" then, shall I?'

Now Luke muttered, 'Seems a bit of a flash type to me. What I'd call a spiv.'

'Dad!' May exclaimed, scandalized at her father's blunt remark, but Betty only grinned. 'You could say that, Pops, yes.' She winked at Luke, as if sharing a secret. 'But he's good for a pair of stockings now and again, chocolates and even a new dress when my clothing coupons run out, to say nothing of keeping me well supplied with knicker elastic.'

Luke grunted and bit hard on the end of his pipe. He tried to look disapproving, drawing his shaggy white eyebrows together, but even Anna could see that he was having difficulty hiding the amused twinkle in his eyes. He removed his pipe from his mouth and jabbed the end of it towards Betty. 'Just be careful, lass, that's all.'

'I will, Pops, don't you worry,' Betty said merrily in her lilting accent, yet there was an underlying seriousness to her tone. 'He'd have to get up early to get one over on us Geordie lasses.'

May pursed her lips and said primly, 'It sounds to me as if it's you that's taking advantage of Douglas's generosity.'

Betty's eyebrows rose and she glanced at Luke and then back to May. Betty opened her mouth to make some retort but evidently thought better of it and closed it again, but suddenly there was a pink tinge to her cheeks and her eyes sparkled with anger.

'How's he come to be in these parts?' Luke put in, trying to smooth over the awkwardness. 'He's a Londoner by the sound of him, ain't he?'

'Yes. He worked in the West End theatres, but when the war started the audience figures dropped off and then the government closed all the theatres throughout the country. Course they opened up again after a few months, but even then what with the evacuation of a lot of people, the blackout and a lot of restrictions the government imposed, Dougie said it was hardly worthwhile opening. Anyway,' she went on, 'he'd got this mate in the Midlands, so he came up this way and now he's got a cinema in Lincoln and reckons he's doing very nicely, thank you.'

'You mean he owns it?' Luke asked.

Betty stared at him and blinked. 'Well, I never really asked him outright. But – well – he acts as if he does.'

Luke only reply was a disbelieving grunt.

'I think he seems rather nice,' May ventured, though she cast a nervous glance at her father. 'He's taking us all to the pictures on Friday night. He's asked me to go too.' She glanced at Betty. 'I – I hope you don't mind.'

'Course I don't, pet,' Betty said, her good humour restored. 'The more the merrier.'

It was certainly a merry outing on the following Friday evening. Douglas arrived with his usual flurry.

'I'm so sorry I can't fit you all into my car,' Douglas said. 'Maybe Anna could squeeze in the back seat, but it won't take all three of you ladies.'

'That's all right,' May said. 'We'll take the bus into town and meet you and Betty somewhere.'

'Nonsense,' Douglas retorted. 'You're our guests. You and Anna must come with me.' He turned to Betty. 'Sweetheart, you and Rita won't mind catching the bus just this once, eh?'

Betty glared at him but then, seeing the disappointment on Anna's face as if she feared the whole outing was suddenly in jeopardy, she shrugged her plump

316

shoulders and smiled. Wagging her finger playfully at him, she said, 'Just this once then, mind.'

Douglas was a charming and attentive host. He took them for tea in a small cafe before the film. As they left, he crooked both his arms and offered one to Betty and the other to May. Rita and Anna fell into step behind them and, laughing, they walked towards the cinema.

As they stepped into the foyer a youth of seventeen or so was waiting for them.

'Here he is,' Douglas boomed, obviously expecting the boy to be there. 'Ladies, may I introduce my son, Bruce. Bruce, this is Betty, Rita and May. And this . . .' he gestured with a flourish, 'is May's daughter, Anna. Now I'll get the tickets. Front row circle and you two young ones can sit together.'

Bruce was thin, gangly some might have said. He had dark brown eyes and carrot-coloured hair. As often happened with his colouring, his face was covered with freckles. He grinned a welcome and nodded. 'Hello.'

Betty pulled her hand from Douglas's arm. 'I didn't know you had a son,' she said tartly. 'Got a wife hidden away somewhere an' all?'

For a moment Douglas's mask of jollity slipped. His mouth tightened and his eyes were resentful. 'For your information,' he snapped, 'I'm a widower. My wife died giving birth to our son.'

Betty, red in the face, was immediately contrite. 'I'm sorry.' She turned to the boy too. 'Oh pet, I am sorry.'

Anna's glance had gone at once to the boy. He had an odd expression on his face. He was looking at his father, Anna thought, as if he were surprised at what

317

Douglas had said. *But surely*, she thought, *he must know how his mother died?* Feeling for him, she moved to his side and, trying to change the subject, whispered, 'It looks like you're lumbered with me. I – I hope you don't mind.'

The boy dragged his gaze away from his father, who had gone to the box office and was now leaning forward to talk to the girl behind the glass. Bruce looked at her for a moment and then grinned suddenly. 'Course not. Pretty girl like you.' He leant closer. 'You've got lovely eyes. Almost violet, aren't they? Anybody ever told you that?'

Anna blushed and glanced down. Unused to compliments from strangers, she did not know how to handle it. *He's like his dad*, she thought, envying the boy his confident manner. *He's very different to Jed.* Jed was kind and always ready to help her but he was quiet and shy. This youth was outgoing, ready to take the lead and anything but shy.

'Come on,' he was saying. 'Let's go and find the best seats.'

'But – but we haven't got our tickets yet.'

'Ne'er mind about that. Dad's fixing it.' He took her hand and began to pull her towards the stairs leading up to the circle. 'Come on.'

'But won't the girl inside want to see our tickets?' Anna remembered her father taking them to the pictures. The usherette had inspected their tickets and torn them in half before guiding them down the steps to their seats with the narrow beam of light from her torch. Tears threatened at the memory, but Bruce was saying, 'Nah. Me dad runs this place. The girls all know me. I'm always here.'

Her eyes wide, Anna asked, 'Does he own it?'

The boy glanced at her, seemed to ponder for a moment and then said, 'Not exactly.' He seemed to be choosing his words carefully. 'But, like I say, he runs it.'

'I see.' Anna wasn't sure she did. But she surmised that Douglas must work for the people who did own it, that he was some kind of manager.

By the time they had chosen their seats, the adults had caught up. Their faces illuminated by the light from the screen, they sat in a line in the front row of the circle, Douglas between Betty and May, then Rita, Anna and, finally, Bruce on the end of the row.

Anna leant forward and glanced along the row. Douglas was laughing again. He was leaning towards her mother, whispering to her. May was smiling and nodding. Anna leant further forward to see Betty on Douglas's other side. She was staring straight ahead at the screen with, for her, a morose expression on her face.

In the intermission between the feature film and the supporting picture, the Pathé News boomed out the latest about the war, how the RAF had begun a round-the-clock bombing campaign. Sitting two seats away, Anna heard her mother's gulp and glanced to her left to see that May's head was bowed and that she had covered her face with her hands.

'There, there, May. Don't cry,' she heard Douglas say as he proffered a white handkerchief. Then Anna saw him put his arms along the back of the seat and around May's shoulders. He now sat half twisted towards May, his back towards Betty.

Throughout the whole of the second film, Betty stared stonily at the screen, looking neither to right nor left and speaking to no one.

Thirty-Six

They left Bruce on the steps of the cinema. 'You go straight home, boy,' Douglas instructed. 'I have to take these lovely ladies home and I might be late.' Anna caught him winking at his son.

Douglas had borrowed a bigger car so that he could take them all home together. As he drove, he sang at the top of his voice, but the three women and Anna were silent. When they arrived at the farm, May, sensing the atmosphere, hustled Anna upstairs to bed, with a hurried, 'Thank you for a lovely evening.'

Rita too yawned and said, 'Well, I'm for bed too. Nighty-night.'

'Don't I even get a cup of cocoa?' Douglas asked, pretending peevishness as the door closed behind the others, leaving him alone with Betty.

Betty flung her handbag on the table, sat down in Luke's chair by the range, kicked off her shoes and began to massage her feet. She glanced up at Douglas. 'You'll get a thick ear, m'lad, unless I get an explanation. And it'd better be good.'

Feigning innocence, Douglas said, 'Now what have I done?' Before Betty could answer, he grinned and wagged his forefinger at her. 'Oho, I do believe the lady's jealous. Just because I was kind to little May.'

'Jealous? Me? Huh, don't flatter yourself. It's nothing to do with May. It's your son I want to know

320

about. You never told me you was married.' She glared up at him. 'That you'd *been* married.' She corrected herself, but even so her look suggested that she doubted his story. She nodded at him. 'I saw how your son looked. Surprised, that's what. As if he'd never been told. Now, sorry, but I don't believe a lad of his age hadn't been told before now that his mother had died having him. And if he hadn't,' she went on pointedly, 'then it wasn't a very nice way to break the news to the lad, was it?'

Douglas sighed and sat down opposite her. Adopting a hangdog look, he said, 'Betty, you're a woman of the world.'

Betty grimaced comically. 'Aye, aye, there's something coming if the flattery starts.'

Douglas gave an exaggerated sigh. 'Like I say, you'd understand, but I wasn't sure that May and her family would.'

Betty raised an eyebrow. 'Oh aye. It matters what May thinks, does it?'

'Not just May. All of them. You're living here and I want to keep seeing you. I want to be able to come here. And I'm not sure the old man likes me much anyway.' He laughed. 'I didn't want anything else rocking the boat.'

'So?'

'Well, it's not something a chap likes to admit. Dents the old confidence a bit. My wife left me five years ago. Ran off with some wide boy . . .'

Betty laughed inwardly. She liked Douglas. He was all right for a laugh and a good touch for the odd pair of nylons and other scarcities that made a girl's life a little easier in wartime, but she had no illusions about him. A wide boy, indeed! Seemed the former Mrs

Whittaker went for the same type each time, then. For if ever there was a wide boy it was Douglas himself. Old Pops was no fool. Betty smiled inwardly. He'd sussed out Douglas Whittaker from the moment he'd clapped eyes on him.

She managed to keep her face straight but she couldn't keep the sarcasm from her tone. 'Oh, I'm sorry. Left her lad an' all, did she? Tut, tut. Some women. I don't know. Divorced, are you then?'

'Yes, yes, that's it. We're divorced.'

She eyed him shrewdly, wondering. Still, it didn't make any difference to her. She was only out for a bit of fun. She was never going to be serious about a man like Douglas Whittaker.

Now that handsome pilot officer, Charlie – the one whose plane had gone down – now she could have been serious about him, poor boy.

Betty banished the unhappy thought and smiled. 'Well, pet, I won't tell anyone. Your secret's safe with me.'

Douglas leant across the hearth and planted a kiss on her mouth. 'You're a smasher, Betty. Now, about that cocoa . . .'

On the following Sunday afternoon Douglas brought Bruce out to the farm. 'He's done nothing but talk about you since Friday,' Douglas whispered to Anna. 'Quite smitten, he is.'

Anna blushed. At school the girls teased each other about different boys and Anna had a crush on a boy who sat two desks in front of her. She would sit in class staring at the back of his head and daydreaming until she earned a sharp reprimand from the teacher. But now here was Bruce's father telling her that his son was 'smitten' with her.

'Don't you tell him I said so, though,' Douglas was saying. 'It'll embarrass him. You know what lads of his age are like.'

She didn't really. The older boys at school took no notice of the younger girls, though she had to admit one or two had winked at her as they passed her in the corridor. There was really only Jed and he didn't count.

'Take him and show him the animals. He'd like to have a look around,' Douglas urged. 'Now, where's Betty?'

'She and Rita have gone on a bike ride. She thought you weren't coming today.'

'Ah yes, that's right. I did say I might not be able to make it, but then I found I could.' His smile widened. 'Then I'll just go and talk to your pretty mother, shall I?'

Anna nodded as Douglas beckoned his son over. 'Now you two, off you go and enjoy yourselves. Don't do anything I wouldn't, eh?' He guffawed loudly.

He turned towards the back door of the farmhouse, where May had appeared in the doorway. Arms outstretched, he walked towards her. 'Ah, May, how lovely you look.'

Anna watched the tinge of pink in her mother's cheeks and heard her girlish, nervous laugh. 'Betty's not here . . .'

Douglas lowered his voice, but Anna's sharp ears still heard him say, 'I know. I was hoping she wouldn't be. It's you I came to see. And I had to bring the lad. I hope you don't mind . . .'

'Of course not. He's very welcome. You both are.'

Anna watched them disappear inside. Then she

turned to Bruce. 'What do you want to see? Cows? Pigs? The sheep?'

The boy shrugged and kicked a stone. 'Don't mind. Let's just go for a walk, eh?'

'Right. Well, we'll see the sheep as we go. We've some lovely lambs . . .' Her face sobered. 'But they've to go soon.'

'To the market, you mean?'

Anna took a deep breath as she nodded. 'For slaughter.'

Bruce laughed and drew his hand across his throat, making a gurgling sound. Anna smiled thinly, but deep down she didn't think it was funny at all.

As they walked through the pasture, she saw Bruce eyeing the lambs. 'You've got a lot. How much do you get for each one then?'

Anna stared at him. '*I* don't know. They're Grandpa's.'

'Yeah, but you live here, don't you? It'll all be yours one day, won't it, when the old man snuffs it?' He glanced at her. 'Or has he got other grandchildren?'

Anna shook her head. 'No – no. There's only me. They only had one daughter, me mam.'

'So the farm'll go to your mam and then to you, won't it?'

'I – suppose so.' Anna was hesitant. She didn't even like to think about Grandpa dying. She'd lost her father and then her grandmother so recently that the thought of another death terrified her.

Bruce interrupted her thoughts. 'You ought to be taking an interest in the place.'

'I do. I help out a lot when I'm not at school. You can watch us do the milking later, if you like.'

'Yeah, that'd be fun,' he said, but his tone sounded

insincere. Almost sarcastic. Then he brightened. 'Come on, you can show me all the fields your grandpa owns.'

'There's a lot,' Anna said. 'I don't think we've time to see them all.'

There was a glint in the boy's eye as he glanced about, surveying all the land around him. 'He owns all this?' He waved his hand.

'Yes. Right down to the river.'

'The river? Great! Can we go fishing?' Now he was really interested. 'I like fishing.'

'I – I don't know. I'd have to ask Grandpa.'

'I like seeing fish wriggle on the end of me line and then—' He brought his hand down in a chopping movement, demonstrating how he killed his catch.

As they walked on, he pushed his hands into his pockets and walked with a swagger. 'I'm going in the army as soon as I'm eighteen.'

'How old are you now?'

'I was seventeen last month. Roll on next year. I can't wait to get at 'em.'

Anna glanced at him. 'Who?'

'Jerry, of course.'

'Oh.'

They walked in silence until they came to the river bank and stood looking down at the flowing water.

'I bet there's plenty of fish in there,' he said.

Anna bit her lip. 'We'll have to be getting back. It'll be teatime soon and then there's the milking.'

Bruce turned towards her and put his hands on her shoulders. He looked down into her upturned face. Then without warning, he bent and pressed his mouth hard on hers. Shocked, Anna tried to pull away, but found that he was gripping her shoulders so firmly she could not move.

'There,' he said as he drew away. 'Bet that's the first time you've been kissed properly, ain't it?'

Her mind reeling, Anna could find no words. Bruce laughed softly and, still with his arm about her shoulders, began to lead her back towards the farm.

And that was how Luke saw them as they came into the yard.

Thirty-Seven

When Douglas and Bruce had departed in a cloud of fumes, the sound of the noisy sports car echoing long after they had roared up the lane, Luke said, 'She's too young to be having the likes of him putting his arm around her. Put a stop to it, May, or I will.'

'Oh, Dad, it's only a bit of harmless fun. He's the first boyfriend she's had.'

'Boyfriend?' Luke almost shouted. 'At thirteen? Have you taken leave of your senses, May?'

'She's just flattered by the attentions of a good-looking lad, that's all.'

Luke's shaggy eyebrows almost covered his eyes as he frowned. He bit down hard on his pipe. 'Not the only one, is she?' he muttered. Then he jabbed the end of his pipe towards his daughter. 'I mean it, May. I don't want her getting romantic notions at her age.'

May flushed and bit her thumbnail, but she argued with her father no further. Luke turned away, satisfied that he had made his point and that it would be obeyed. But if he could have read May's rebellious thoughts at that moment, he would not have been so content. As he walked away, May glared after him. *If you think I'm going to risk wrecking my chances of going back to live in the city by upsetting Douglas and his son, then you've got another think coming. I'm a grown woman and I'll bring my daughter up how I like, not how you say.*

Later, when Betty and Rita had returned and they were all seated round the supper table, Luke was still unable to get the two visitors out of his mind. 'I'd like to know where he gets his petrol from.'

Betty laughed. 'Oho, don't ask, Pops. Don't ask.' Then she winked. 'But if there's anything you want, you can be sure Douglas Whittaker will know where to get it. Only no questions asked, if you know what I mean.'

'Yes,' Luke said grimly, 'I think I do.' He glanced at May, who had lowered her head when the conversation had turned to Douglas. 'You're very quiet, lass.'

Her head shot up. 'Oh. I – er – no. I mean, I didn't mean to be.' She was flustered and red in the face.

'Know what I think,' Betty said, cradling her cup in her palms. 'I reckon Douglas is sweet on our May here.'

'Oh no,' May said quickly, but her blush deepened. 'He's your young man, Betty. I wouldn't want you to think . . .'

Betty flapped her hand. 'Don't worry about that, May. There's plenty more fish in the sea. And Douglas Whittaker's no great catch.' Then, realizing how that might sound, she added hastily, 'Not as far as I'm concerned anyway. I promise you, he's just a laugh. Besides, he's a bit old for me. No offence, love.'

'None taken,' May murmured. She was older than Betty by about ten years. She was much nearer Douglas's age than the young Land Army girl. Betty's eyes clouded as she added, 'I'm not getting serious about anyone. Not while this war's on.'

'Love 'em and leave 'em, that's Betty's motto,' Rita laughed.

Betty crashed her cup into its saucer and stood up suddenly. 'It's – it's them that leave us, isn't it?'

She turned and rushed from the room. They heard the back door bang. Rita looked after her thoughtfully. 'I think,' she said slowly, 'that despite what she says she was getting rather fond of Charlie.'

May gasped. 'The – the one who got shot down?'

Rita nodded.

'Oh,' May breathed. 'Poor Betty.'

'Aye,' Luke growled at his daughter. 'And it'll be poor you, if you take up with that – that spiv!'

May hung her head.

Despite Luke's warning, May couldn't help liking Douglas. She looked forward to his visits to the farm and she felt more comfortable now that she knew Betty did not regard him as her boyfriend. May liked the two girls who had come to live with them and help on the farm. She didn't want to offend either of them, especially the forthright Betty, whose tongue, Luke said, could mow a ten-acre field without a scythe.

Douglas began to take May out – just the two of them – roaring off up the lane in his car. He even took her away for a weekend, staying away Friday and Saturday nights, during which time Luke glowered morosely and then refused to speak to May for three days afterwards. Douglas tried his best to win the old man over, bringing him tobacco and even a can or two of precious petrol.

'No thanks,' Luke said tersely. 'I don't hold with black market stuff.'

Douglas laughed, but shrugged. 'Don't tell me you

don't get a bit of extra meat from under the counter now and again.'

'We have all we need. We live on a farm,' Luke reminded him.

'That's exactly it,' Douglas said and jabbed his finger towards Luke. For a brief moment, Douglas's grey eyes were as hard as flint. 'You're lucky, but some of us are really suffering because of the shortages. Can you blame us for wanting to make life a bit easier?'

Luke's glance travelled slowly up and down the smartly dressed man before him. He said nothing, just sniffed as if to say: *You look as if you're really suffering!* Then he shrugged. 'That's your business and no concern of mine. Just don't ask me to get involved, that's all. And don't' – now it was Luke who wagged his finger at Douglas – 'involve my daughter either.'

Douglas threw back his head and laughed loudly. 'She doesn't refuse the nylons and the chocolates I bring.'

Luke turned away frowning. He was pretty sure Douglas was into the black market. Oh, maybe not in a big way. But Luke felt sure that he was on the fringes of petty villainy. He didn't like May's involvement with him or the way her eyes sparkled when she heard that noisy contraption swing into the yard.

But there was not a lot Luke could do about it.

When Douglas visited the farm at the weekends, he usually brought Bruce with him.

'I've brought you some chocolates,' Bruce said.

'Oh, how lovely.' Anna smiled. 'How kind of you. It – it must have used up all your coupons.'

Bruce shrugged and grinned. 'You're worth it.'

Across the yard, Anna was aware of Jed glowering at them. Hastily she said, 'I'll just take these indoors and then we'll go for a walk.'

As they strolled together by the river, Bruce took hold of Anna's hand, whilst Buster ran ahead, exploring for rabbits. She felt her face glowing pink, but did not pull away. It was nice to have an older boyfriend; nice to be able to boast about him to her best friend, Jean. And walking hand in hand with him made her feel really grown up.

'Has he kissed you yet?' Jean asked eagerly every Monday morning when she knew Bruce had been to the farm.

'Oh yes,' Anna said airily, giving the impression that it happened all the time. 'And when we go for walks, we hold hands.'

Jean nudged her. 'Has he tried – well – you know?'

Anna put her nose in the air. 'Course not. He's not like that. He's nice.'

'Does he know you're only thirteen? 'Cos you look older. Mebbe he thinks you're as old as him.'

Anna shrugged. 'Dunno. But I'm not going to tell him.' They giggled together.

And now, here she was once more walking with him. Maybe there'd be even more to tell Jean on Monday morning . . .

'What have you been doing with yourself this week?' Bruce broke into her dreams.

'Oh, the usual. You know, school and helping Grandpa.'

'When are the lambs going then?' Bruce asked her as they walked through the meadow, watching the lambs playing.

'Next week,' Anna said dolefully. 'They're coming for them next Monday.'

'A week tomorrow, you mean?'

Anna nodded as she pulled her hand from his and crept towards one of the lambs suckling its mother. Neither the sheep nor the lamb moved, not even when Anna stroked the lamb. Buster trotted up and stood close by, watching. 'Come and feel their lovely coats,' Anna said to Bruce. 'Isn't it a shame they have to be – to be—?'

He moved carefully across the grass towards her, but when he was about three feet from her and the sheep, Anna heard Buster growl softly. She turned to look down at him. He was crouching, his eyes on Bruce, as if ready to spring.

'Don't be silly, Buster. It's only Bruce.'

Bruce gave a nervous laugh. 'I don't reckon that dog likes me.' He grinned. 'Reckon he's jealous.'

Anna's eyes widened as she looked at him, 'Jealous?' she began and then realized what he meant. She blushed. 'Don't be silly. You ought to make friends with him. You never pet him.'

Bruce laughed. 'I don't want me hand bitten off.'

'Take no notice of Buster. He won't hurt you. Not while I'm here anyway. But he's only doing his job.'

Bruce glanced at her. 'What do you mean?'

'It's his job to protect the sheep.'

Bruce eyed the dog thoughtfully.

'Come on,' Anna encouraged. 'Feel how soft their wool is.'

Bruce, keeping a wary eye on the dog, moved forward and bent to stroke the lamb. The lamb stopped suckling and allowed Bruce to pick it up. 'Cute little fellers, aren't they?'

Anna giggled. 'Yeah. Except that one's a girl.'

Suddenly, Buster growled again and began to bark. Frightened, the lamb bleated and struggled in Bruce's grasp. 'It's all right, boy,' he said to the dog. 'I'm not going to run off with it.' He laughed as he set the young animal down on its spindly legs. 'They're heavier than I thought they'd be,' he murmured as the lamb trotted away to join in a game with the others.

'They're like children, aren't they?' Anna smiled. 'Look at them, playing just like little children in a playground.'

'Yeah,' Bruce murmured, draping his arm across her shoulders. 'But they're worth a bit more than a load of screaming kids.'

Anna said nothing. She felt uncomfortable that Bruce kept referring to how much things were worth. The sheep, the crops they were growing – even the fish in the river. Everything seemed to have a price tag as far as Bruce was concerned.

'We ought to come fishing one day,' he'd remarked. 'Me dad could get a good price for fresh fish in the markets.'

Maybe it was because his father was a businessman, Anna told herself, finding excuses for him. It was just his way, that was all.

As they began to walk back towards the farmhouse, Bruce glanced back over his shoulder. 'Yeah, your old man's got a bob or two coming his way next week when he sends this little lot to market.'

Thirty-Eight

The following Sunday Bruce came again with his father.

'Come on,' he said, catching hold of Anna's hand. 'Me dad says I can take you for a drive in the car while he's talking to your mam.'

'Drive?' Anna gasped. 'Can you drive?'

'Course I can.' The youth swaggered. 'Come on. We'll have some fun. Get your mam to pack us a picnic hamper. We'll go off for the day.'

'I don't know,' Anna said doubtfully. 'I ought to stay and help Grandpa. The lambs are going tomorrow. I told you.'

Bruce blinked, as if he had forgotten. 'Oh. Oh yes, I remember. You said last week.' He frowned. 'Why do you have to help? What have you got to do?'

'Grandpa sometimes round them all up and brings them down to the barn. It saves time in the morning, if they're all together. Ready for when the lorries come.'

'Oh.'

'I'll ask him, though. He might not bother.'

'You're not going and that's final.'

'But Grandpa—'

'Don't argue, lass. I don't want you going in that car with him. He's not safe.'

'You can't say that. You don't know what sort of a driver he is.'

'I can make a pretty good guess. It's bad enough your mother going off in the thing wi' 'im.' He jerked his thumb towards the farmhouse. 'There's not a lot I can do about that—'

'Except not speak to her for days on end when she comes back,' Anna said rashly.

'Now, now, lass. That's not like you to be cheeky to me.'

Anna was ashamed. 'I'm sorry, Grandpa, but we only wanted to go for a picnic.'

'Well . . .' Luke was still reluctant. He didn't like Douglas or his son. But he could hardly stop the youngsters spending time together. Even though in his heart of hearts he would like to have done so. 'That's all right,' he said now. 'You can walk down to the river bank. There's some nice spots there for a picnic. Me and your grannie often used to take a picnic down there—'

He turned away abruptly and Anna gazed after him, sorry to have revived poignant memories. 'We won't be late, Grandpa. I'll be back in time to help with the milking.'

As he walked away, Luke raised his hand in acknowledgement but he did not look back.

It had been a lovely afternoon down by the river. They'd sat on a rug close together, their shoulders touching. It was peaceful and quiet.

'You wouldn't think there was a war on, would you?' Bruce said. Then he'd turned and kissed her, pressing her onto her back. 'You're lovely,' he'd murmured

335

against her mouth. His hand caressed her waist and then moved up to her breast.

'Don't!' Anna said sharply and sat up.

For a moment, Bruce's face was like thunder and Anna felt a tiny shiver of fear. But then he was smiling. 'Sorry. I keep forgetting you're only thirteen. You look older.' He sat up too, resting his arms on his knees.

Anna was relieved, yet there was a little tinge of regret. After all, he was her boyfriend. At least, that was what she told Jean and the other girls at school. He lit a cigarette and sat smoking it.

'Can I – can I have a puff?'

He turned and looked at her. 'You're not old enough to smoke – ' he paused deliberately and then added – 'either.'

Anna felt the colour suffuse her face and she hung her head.

She heard him laugh softly. Then he was holding out the cigarette to her. 'Here, have a go.'

She took it and drew on it. The smoke stung the back of her throat and she began to cough, feeling as if she were choking. He slapped her hard on the back.

'Don't take it down the first time, you daft thing.'

She was purple in the face and it took some moments for her to recover enough to speak. 'What on earth pleasure is there in that?' she wheezed. 'It's horrible.'

Bruce was grinning at her. 'You'd probably get to like it.' He glanced at her out of the corner of his eye. 'Given time.'

Anna had the distinct feeling that he was not talking just about smoking.

*

That night Anna was restless and sleep was fitful. She tossed and turned, thinking over what had happened between her and Bruce. She felt as if she had behaved like a silly little schoolgirl. He'd only wanted a harmless cuddle, she told herself. He would never ask her to go too far, she was sure. And now she'd probably lost him. He'd find another, more mature girl who would let him love her.

She sat up in bed suddenly. Her bedroom window faced out over the yard and she could hear Buster barking. Maybe there was an intruder. There'd been a lot of thefts from nearby farms recently. Chickens, ducks and geese, even a piglet or two, anything that would sell on the black market to give hard pressed housewives a little extra meat for their families.

Anna was about to get out of bed to wake her grandfather, when she realized Buster had stopped. She listened for a few moments longer and then lay down. It couldn't have been anything serious or the dog would still be trying to raise the alarm. Her anxieties over Bruce diverted by the brief disturbance, within minutes Anna was asleep.

As she stepped into the kitchen the following morning, Luke and May turned to greet her.

'What is it?' she asked at once. She could see by the look on their faces that something was wrong.

'It's Buster,' Luke began, putting his hand on her shoulder.

'Buster? Why? What's happened?' She made as if to rush outside, but Luke's hand restrained her.

'There's summat the matter with him. I don't know

what. He was spark out when I went out first thing this morning, just lying in the yard near his kennel. But not inside it. Looks as if he's been out there all night.'

'He's not—. You don't mean he's—?' She couldn't bring herself to voice her worst fear.

'No, he's not dead. In fact, he's woken up, but he's staggering around. If he were a man, I'd say he was drunk.' Luke shook his head. 'But he's not right. I'll have to take him into the vet as soon as they've been for the lambs.'

'Can't we go now?' Anna was frantic.

Luke shook his head. 'No, we'll have to round up the lambs ourselves. Buster's going to be no use this morning. Ya mam's agreed that you'll have to stay off school today to help.'

'I wouldn't have gone anyway,' Anna said firmly. 'Not until I know what's the matter with Buster.'

'Get your breakfast and then go with your grandpa—' May began, but Anna was already hurrying from the house. 'I've got to see Buster.'

The dog was staggering about near his kennel looking very sorry for himself. She ran her hands over his coat and he made a half-hearted attempt to lick her.

'What is it, boy? What's the matter, eh? I wish you could tell us.'

Luke appeared and came to stand beside her, scratching his head in puzzlement. 'I can't mek it out, love. We'll have to get him to the vet. Only thing is – I haven't much petrol.'

'There's a can in the barn that Douglas left for you.'

Luke's mouth tightened. 'I'm not using that—'

Anna sprang up and caught hold of his arm. 'Oh please, Grandpa. Just this once. For Buster. Please.'

'All right.' Luke gave in, but added sternly, 'But

don't you go telling that feller or his son, else he'll think he's got the better of me.'

Anna hugged him. 'I won't, Grandpa. I won't.'

'Now, go and get some breakfast and then join me and the girls in the fields. I need all the help I can get this morning to round up those lambs.'

'There's three missing. I know there is.' Betty was adamant. 'We've got nineteen and there should be twenty-two.'

'Are you sure you haven't miscounted, lass?' Luke said. 'The little blighters keep moving about.'

Betty shook her head. 'No. Rita helped me and we counted 'em out of this pen and into that one.' The lambs that were being sent for slaughter were all in the barn now.

'What about the three I'm keeping to rear? The ones I marked with red paint.'

Betty and Rita glanced at each other. 'There's only two in the field with red paint on their backs,' Betty said. 'But we left another female lamb there. We knew you wanted to keep three back. We started with twenty-five, didn't we?'

Luke nodded.

'So,' she went on, 'take away the three that we've left in the field for rearing and we should have twenty-two and we haven't. We've only got nineteen.'

They all looked at the lambs milling about in the makeshift pen inside the barn. There was no lamb with a red paint mark on its back.

Luke scratched his head. 'Well, I dunno. We'd better go and have a look round the fields.' Then he muttered, 'Just when we could have done with Buster.' He looked round. 'I don't suppose he's recovered enough to help us, has he, Anna?'

Anna shook her head. She had gone straight to look at the dog on returning to the yard. 'He's in his kennel. Sleeping.'

Luke glanced at her, then turned on his heel and left the barn. Anna, Betty and Rita exchanged a worried look and then went to peer out of the door. They saw Luke bend down and reach into the kennel. Then he straightened up and came back towards them. He was smiling. 'He's sleeping right enough. I can't understand it. There doesn't seem much wrong with him.'

'But you're still going to take him to the vet, aren't you?'

'Well—' Luke hesitated.

'Oh please, Grandpa.'

'All right then. As soon as they've been for the lambs.'

'We'd better get back to the fields and see if we can find the other three,' Betty said and laughed. 'Now I know how Bo Peep felt.'

'They'll be down a dyke side somewhere, I expect,' Anna said confidently as she and the two girls set off, leaving Luke to wait in the yard for the lorry.

But Anna was wrong. They scoured the fields and the dykes but there was no sign of the three missing lambs. Tired and dispirited, they went back to the farmyard. The lorry had just arrived and the lambs were being shepherded into the back of the vehicle. As soon as they were loaded and the lorry had trundled its way down the narrow lane from the farm, Anna turned to Luke. '*Now* can we take Buster to the vet?'

*

'Well, I can't find anything physically wrong with him, Luke,' the vet, who was an old friend, said. He was a portly man in his early sixties who had been the local vet for 'more years than he cared to remember', as he always said. He smiled at Anna, who was standing close by, a worried expression on her face.

'I knew it was a waste of time and petrol bringing him,' Luke grumbled.

'Hold on a minute.' The vet looked at Luke over the top of his spectacles. 'I hadn't quite finished. As I said, there's nothing physically wrong with him and without taking blood samples to prove it, I can't be sure, but I'd take an educated guess that this dog's been drugged.'

'Drugged! Who on earth—?' Luke began and then, as realization began to dawn, his mouth tightened and his eyes sparked anger. 'That explains it, then.'

'Explains what?' the vet asked.

'I sent my lambs to slaughter this morning and three were missing. Someone must have come in the night and stolen them.'

'And drugged the dog to stop him barking, you mean.'

Luke nodded. Anna pulled at his sleeve. 'Grandpa, I remember now. I should have said before, but with everything happening I forgot.'

They both turned to look at her. 'What, lass?'

'Last night. Before I fell asleep, I heard Buster barking. I was just going to get out of bed and come and fetch you but – but he stopped. Oh Grandpa, if only I'd come and woken you, then – then—'

Luke put his arm around her. 'It's not your fault, lass. You weren't to know. Mind you, I would have gone and had a look. Buster's a good guard dog. He only barks for a reason.' He nodded again. 'That'd be it. They'd

341

come and drug him first, stop him barking a warning when they went into the fields to pinch me sheep. We never tie him up, you see. If he'd heard a disturbance out in the fields, he'd have been off like a rocket.'

'Sounds to me as if it was someone who knew just what they were doing,' the vet said mildly.

'Yes,' Luke said grimly. 'It does, doesn't it?'

Thirty-Nine

'Dad, how can you possibly accuse Douglas of such a thing?' May was angry and tearful.

'I'm not.' The words were grudging.

'Yes, you are. You've never liked him. Just because he's smart and – and has a fancy car.'

'And dabbles in the black market,' Luke shot back. 'He admitted that himself.'

'Yes, and you weren't above using the petrol he brought you when you needed it.'

Luke said nothing but gave a low growl, sounding very like Buster when Douglas or Bruce were around. He glanced at Betty across the supper table. 'You're not saying much, lass. You know him better than any of us. What do you reckon? Am I being unfair?'

Betty regarded him with her clear, blue eyes. 'I honestly don't know. I know he wheels and deals, if you know what I mean. But I didn't think he'd stoop to theft. I know one thing, though.' She glanced across at May. 'I don't know if he's stolen your sheep, but I do know he's causing trouble between you and your family. And that alone makes me sorry I ever brought him here.'

'Well, I'm not,' May said boldly and glared at her father. 'And don't you go saying anything to him, Dad. You've no proof. I look forward to him coming. And his lad. We'd be buried alive out here, if it wasn't for

343

them coming at a weekend. I never wanted to stay on the farm. Why do you think I married Ken and moved to the city? And now, because of this blasted war, I've had to come back.' Tears of anger and frustration poured down May's face as she rushed from the room and ran up the stairs.

For the quiet, usually docile May to react in such a way shocked them all.

'Oh dear,' Betty said. 'I think she's got it bad.'

'Oh dear indeed,' Luke muttered as he got up from the table.

Nothing was said about the lambs when Douglas and Bruce arrived as usual for Sunday dinner, after which Douglas took May for a drive in his car and Bruce and Anna walked to the river bank.

'What sort of a price did your grandpa get for his lambs then?' Bruce asked as soon as they were alone. They walked side by side, he with his hands in his pockets, Anna with her arm through his.

'*I* don't know,' Anna said.

Bruce grinned. 'I thought you might be in for a bit of extra pocket money if he was feeling generous.'

It was on the tip of her tongue to confide in him, to tell him that three lambs had been lost and that the vet suspected their dog had been drugged. But the knowledge that her grandfather would be angry kept her silent.

'Don't you go saying anything to either of them when they come,' Luke had demanded of them all. 'You hear me, May? And you too, Anna.'

He didn't even need to press the point home to the two Land Army girls. To May and Anna's dismay, it seemed as if he trusted the two girls more than his own flesh and blood.

Over the next few weeks nothing more was stolen from Clayton's Farm, but Luke heard that several of the farms nearby were missing chickens and geese on a regular basis.

'They don't take many at a time,' Jed told Luke, 'but me uncle's lost four hens now. He reckons that whoever's doing it thinks that out of fifty hens or so we won't notice a couple have gone. But it's getting regular and it always happens at a weekend.'

Luke eyed him shrewdly. 'Aye, it's when these townies come out to the countryside. You've seen the two that come to our place?'

Jed nodded, his mouth tightening at the thought of Bruce.

'I don't mind telling you, Jed lad, I'm not keen on them. Too flash for my liking, but the girls like the company.'

'I'd noticed,' Jed said dryly and Luke cast him a shrewd look.

'Ah,' he said slowly, knowingly. 'Like that, is it, lad?'

'Aye, Mr Clayton. As you say, it's like that.'

Jed turned away, but Luke watched him go and chewed thoughtfully on his pipe. Now there was a lad he'd be happy to let Anna go to the ends of the earth with. Because he knew she'd be safe with Jed and, what's more, Jed would always bring her back home.

'Not long now before I join the army,' Bruce told Anna towards the end of the year.

The war was now three years old and yet there was no talk of it ending soon. There had been the heartening news of Monty's triumph at El Alamein and, for once, the sound of church bells was heard in celebration. But still the fighting continued.

'I – I'll miss you,' Anna said.

'I'll be home on leave in me smart uniform. All the girls like a man in uniform.'

'I – like you anyway,' Anna said quietly and Bruce squeezed her arm. There was a pause and then she asked, 'Will you have to go abroad? To – to where the fighting is?'

''Spect so.'

'You will be careful, won't you?'

Bruce stopped and turned to face her. He put his hands on her shoulders and kissed her gently on the lips. 'Course I will, as long as I know you're my girl.' He raised his head and looked about him, his sweeping glance taking in all the land around them. All the land that belonged to her grandfather. Then he murmured, so low that Anna only just caught his words. 'And there's all this for me to come back to.'

The following spring Bruce went into the army. Anna missed him and counted the days to his next leave. When he came home he was full of tales of service life.

'The training's hard, but I love it.' He flexed his arms. 'You should see my muscles. And look – I brought this to show you.' From a sheath attached to his belt, he pulled out a long, cruel-looking weapon. 'This is a bayonet. You fix it to the end of your gun and have to run at sacks of straw and thrust it in.' He demonstrated with vicious delight. 'You have to imagine it's the enemy.'

Anna gasped, scandalized. 'They teach you to do that to someone? You could kill them.'

'That's the general idea.' Bruce eyed her scathingly. 'What do you think war is? A picnic? Living out here in the back of beyond, you're sheltered from what's really going on. Oh, you hear the planes and read the papers, but you don't know what it's really like.' His eyes were shining as he added, 'I can't wait to get out there. I just hope it's not all over by the time I get overseas. I want to get at 'em.'

Anna shuddered. He was right, she knew he was. It was people like him, with that kind of attitude, who could win the war. It needed fearless people like him, but this didn't stop her being appalled by the brutality of it. To her it seemed that Bruce was actually relishing the idea of killing.

'Of course I know what war is,' Anna was stung to retort. 'I should do. I lost my dad, didn't I? But I didn't realize you had to – had to—' She gulped back the tears as the sudden, horrifying picture of her lovely father being trained in hand-to-hand fighting came into her mind.

'It's either us or them,' Bruce was saying harshly. 'You've got to get them first before they get you.'

'Yes,' Anna murmured, unable to take her eyes off the bayonet. Had her father been killed in such a way, too gentle to be the first to strike?

'I've got me own knife an' all, but it's not standard issue, so I have to be careful the Sarge doesn't see it.'

Now he showed her a short, dagger-like knife. 'This is better up close.' He made an upward, stabbing movement. 'Straight through the heart.'

347

'I don't want to talk about it any more,' she said, turning away.

'Hey, I'm sorry,' Bruce said at once, putting his arm around her. 'I was forgetting about your dad. I'm sorry, Anna, honestly.' He adopted a hangdog expression, like a little boy caught scrumping apples. 'Forgiven?'

Anna smiled and nodded. 'Yeah, you're forgiven.'

Even though Bruce was away, Douglas still came every weekend, bringing nylons, chocolates and flowers for May and for Betty and Rita too. He still brought Luke's favourite brand of tobacco, but the old man refused to touch it.

It was lambing time again, and after school and at weekends Anna was out in the fields or in the barn with her grandfather and the two Land Army girls.

'Do you know,' Betty said with a comical expression, 'if anyone'd've told me before the war that I'd be sitting in a barn in the middle of the night, dressed in these awful clothes, helping bring lambs into the world, I'd've said they'd gone off their rocker.' Luke, Rita and Anna laughed, but Betty added seriously, 'But I'll tell you something, I wouldn't have missed this for the world.'

There was a cosy intimacy in the warm darkness of the barn. Strangely, the feeling was still there even when they were out in the bitter cold when sheep gave birth in the fields. The four of them were united in helping the ewes and preserving the young, fragile lives. Three lambs had to be suckled by hand and Anna had charge of these in the big farmhouse kitchen. Luke taught her how to feed the lambs with a bottle and keep them warm near the huge range. One ewe, the mother of twin lambs, had died and another had rejected her offspring.

'Isn't it sad,' Betty remarked, tears in her eyes as she stroked the soft wool of the little creature's coat, 'when a mother rejects her own?'

Anna held the lamb close and laid her cheek against its woolly warmth. 'I'll look after you,' she whispered. 'I'll look after you all.'

Forty

Life on Clayton's Farm went on much the same through the seasons; lambing, shearing, haymaking, harvest and then the autumn threshing, ploughing and seeding. And then the whole routine began again. By this time, it was obvious to them all that it was May that Douglas now came to see, not Betty. Luke tolerated his visits, always hoping that something would happen to put a stop to them. He hoped that petrol would get even scarcer, but the 'wide boy' never seemed to go short of anything.

The happy atmosphere of the farmhouse was irrevocably torn asunder the Sunday evening just after the New Year of 1944 when May arrived home after a weekend with Douglas in the city, her eyes sparkling like the huge diamond on her fourth finger.

Luke took one look at the ring, glared at Douglas and then stormed out of the house, slamming the back door with such force that the whole house seemed to rattle.

Douglas laughed. 'Oh dear, I don't think my future father-in-law likes me.'

May tucked her arm through his and gazed up adoringly at him. 'Don't worry, he'll come round. Anyway, we won't be living here, will we?'

Her eyes still shining, May turned to Anna. 'Darling, we'll be going home. When Douglas and I are married, we'll be going back to live in Lincoln.'

For a moment Anna felt sick. It wasn't that she didn't like Douglas, she did, but not enough for him to take her father's place.

'You mean – we're going back to – to the house we had in Lincoln?'

'No, no, of course not. I gave up the tenancy on that. No, we'll be going to live in Douglas's house.'

Douglas came towards Anna and put his arm about her shoulder, squeezing her to his side. 'We'll get a new house for the four of us. And you can help us choose it. Now, that'd be nice, wouldn't it?'

Anna's gaze was on her mother's face. 'But what about Grandpa? We can't leave him all alone here.'

'He's got Betty and Rita.'

'Yes, but when the war's over, they'll be going home. They won't want to stay here.'

For a moment, May's face clouded. 'Oh, I hadn't thought of that.' She glanced at Betty and Rita, who, up until this moment had remained silent. 'I thought you liked it here. I thought you'd be staying.'

The two Land Army girls glanced at each other and then shook their heads. 'We do like it,' Betty said, 'more than we thought we would, I have to admit that. But no, once this lot's over, we'll be going home. I – I miss my family.'

'Me too,' Rita said quietly.

'Oh.' May was crestfallen.

Douglas hugged her. 'Don't worry, darling. The old man will be all right. He'll get a housekeeper and there'll be plenty of men coming back from the war looking for work. He'll be fine.'

Anna bit her lip, torn between concern for her grandfather and the delicious thought of seeing Bruce every day. And yet the farm was where she belonged.

She took a deep breath and before she really knew what she was doing, she said, 'I'll stay with Grandpa.'

The look of relief on Douglas's face was obvious, but May was still worried. 'But you're only a child—'

'I'm not. I'll be fifteen in a few weeks. I think I can leave school at Easter. Old enough to get a job. Well, this will be my job. I'll work for Grandpa and look after him.'

May bit her lip and murmured, 'I'll talk to Dad. I really wanted to go back to the city but I suppose we *could* all live here—' Her voice trailed away in disappointment.

After Douglas had left, Betty said sharply, 'I wouldn't bank on it, if I were you. I don't think Pops will ever come round to liking Douglas.'

Helplessly, May spread her hands. 'I can't see *why*. Douglas has been nothing but generous.'

'That's maybe it,' Betty said. 'He flashes his money about and your dad doesn't like the fact that Doug is probably dealing just outside the law.'

'Is he?' May asked ingenuously. Betty shrugged her plump shoulders and said, 'I wouldn't like to ask. Dougie's got a bit of a temper on him if he's crossed.'

May's eyes widened. 'Has he? I've never seen it.'

'Well, you wouldn't, would you?' Then she added ominously, 'Not yet.' She shook her head. 'I'm sorry to say it, May, but you know me. I've got to say what I think and I think you're making a big mistake. Dougie's all right for a bit of fun, like I've always said, but that's all. Marrying him might be the worst thing you've ever done.'

May gave a nervous laugh. 'You're only jealous.'

'No, I'm not, May,' Betty said seriously. 'Not a bit. Look, me an' Reet care about this family. We're very fond of all of you and I just don't think he's right for you. That's all.'

May's lips were tight as she said, 'Well, let me be the best judge of that.'

Betty stood up and shrugged. 'Have it your way then, but don't say I didn't warn you. Come on, Reet, let's give Pops a hand.'

The two girls left the room and May and Anna were left staring silently at each other. May's wonderful news had not been met with the delight she had hoped for.

Two days later at breakfast, Luke made a startling announcement. 'If you marry that feller, May, I'm changing me will.'

Betty got up from the table. 'If you want to discuss private family business, me an' Reet—'

'Sit down,' Luke said sharply. 'You might as well hear it. If this war goes on much longer, it might even concern you, in a way. As I was saying, I'll change me will and leave it all to Anna. But' – he turned towards his granddaughter, his shaggy white eyebrows meeting in a frown – 'there's a condition. You will have no more to do with that son of his. That Bruce. I won't have' – Luke glanced around the table now, prodding his knife in the air – 'either of them getting their hands on my farm. You hear me?'

May was sitting with her mouth wide open, stunned by the depth of her father's dislike for her fiancé. Betty and Rita glanced uncomfortably at each other, but said nothing. Only Anna cried out, 'Oh, Grandpa, don't you like Bruce?'

'No, I don't like either of them. And that's the truth. So' – he rose and rested his hands on the table, leaning forward – 'it's up to you now. I've said me piece and I'll say no more. If you want to marry that – that wide boy, May, go ahead. But you won't get my blessing – or the farm. And you, Anna, there'll be a condition in my will that you only get it if you don't marry Bruce Whittaker.'

As the door closed behind Luke, May whispered, 'Can he do that? Can he put that sort of thing in a will? About Anna, I mean?'

Betty shrugged. 'I don't know, but he's going to try. That's obvious. Come on, Reet, we'd better get working.'

Once again, May and Anna were left staring helplessly at each other across the table.

The happy atmosphere at Clayton's Farm was gone. Luke only spoke to May when it was absolutely necessary, and then in clipped tones. On the surface he treated Anna no differently, yet the girl could feel the tension, knew that he was waiting for her to discuss the matter further with him; waiting for her to give him her promise.

Bruce was due home on leave for the weekend and this time Anna had no compunction in pouring out the whole story to him. She knew May would have told Douglas by now.

'That's blackmail,' Bruce said. 'I hope you're not going to take notice of the silly old fool.'

Despite her anguish over her grandfather's ultimatum, Anna felt a thrill run through her to think that Bruce thought so much about her that he didn't care whether she inherited the farm or not. His next words took away some of that thrill. 'You could always contest the will when the time came. You're his only relative, aren't you?'

Anna nodded.

'Well, then you could always say he was going senile when he made it. I think you'd have a pretty strong case.'

Anna gasped. 'I couldn't say something like that about Grandpa. Specially when it's not true.'

Bruce shrugged and said callously, 'He wouldn't know, would he? He'd be dead by then.'

As they returned to the farmyard hand in hand, Douglas roared in through the gate, bringing his car to a squealing halt. May, breathless and laughing, allowed him to help her from the car.

'Anna, come and help me get the tea ready.'

'We'll stay out here and have a smoke. I know the old man doesn't like cigarette smoke.' Douglas laughed. 'I don't want to upset him any more.' He held out his cigarette case to Bruce, who took one and lit it.

As Anna and her mother moved into the house, May glanced back. 'Isn't it nice to see father and son getting on so well?' she said wistfully and Anna knew she was thinking of the growing rift between herself and her own father.

'Don't worry, Mam. Maybe Grandpa will come round once he sees how happy you are with Douglas.'

May sighed. 'Perhaps you're right. He didn't like your daddy when I first met him, but he came round in the end. But – but this seems different. I've never seen your grandfather so – so determined. No, Anna, I don't think he will ever come to like Douglas. If I marry him and you continue to see Bruce, we'll lose the farm.

Somehow, my father will see to that.' Then her glance went to the window as she watched Douglas talking to his son. 'But Douglas has told me I'm not to worry about it. He's not bothered. He can provide for all of us, he says.' Her cheeks were pink with pleasure as she added shyly, 'It's me he wants, he says, not the farm.'

Anna, too, glanced out of the window, watching Douglas lean nonchalantly against his car whilst his son was talking earnestly to him, his head bent towards him.

'What do you think they're talking about?'

May smiled. 'I don't know, but it looks pretty serious. Maybe they're planning to buy that house in Lincoln Douglas has promised.'

'Mmm,' Anna said thoughtfully. 'Maybe.'

Douglas and Bruce left just after ten. 'I'll have to get the lad back home. He has to be up early in the morning to get back to camp.' He guffawed. 'Can't have him going AWOL.'

By half past ten everyone was in bed in the farmhouse; the only being left awake was Buster on guard outside in the yard.

Anna was drifting into sleep when the sound of barking startled her into full wakefulness. This time, she did not hesitate but sprang from the bed and, barefoot, rushed along the landing to knock on her grandfather's bedroom door.

'Grandpa, Grandpa – Buster's barking.'

'Right, lass,' her grandfather's voice sounded through the door. 'I'm on me way.'

Anna rushed back to her bedroom to pull on trousers and a warm jumper over her pyjamas. By the time she emerged again from her room, her grandfather was halfway down the stairs and Betty, Rita and May had appeared at their bedroom doors.

'What is it?'

'What's the matter?'

'It's Buster barking. Maybe it's those poachers again.'

'Right,' said Betty. 'Let's get 'em.'

Downstairs they found Luke opening the back door, his twelve-bore shotgun in his hand.

'Oh, Dad, do be careful,' May cried.

Luke turned briefly. 'You stay here. All of you.'

'I'm coming with you,' Betty said firmly and Rita and Anna said in unison, 'So am I.'

'All right. But keep well back. I don't want to shoot you by mistake. But I mean to get these beggars. Whoever they are,' he added grimly.

They stood together in the yard for a few moments, listening, until their eyes became accustomed to the dark. Buster had now ceased barking and came to stand beside his master. Briefly, Luke fondled the dog's head and murmured, 'Good boy. Good dog. Quiet now.'

Now they could hear the squawking from the henhouse.

'It could be a fox,' Rita whispered.

'Aye,' Luke said grimly, 'but Mr Fox is still a poacher.'

Luke moved forward, the others following, but keeping their distance as he had instructed. The noise of the terrified hens got louder as they neared the henhouse. Luke raised his gun and pointed it to the sky. Then he fired it, the report echoing through the night.

The girls, standing near the corner of the barn, saw two shadowy figures moving near the henhouse. One

357

was running away, climbing over the fence and into the lane, but the other was crouching low and coming straight towards Luke.

'Stop or I'll shoot,' Luke said and lowered his gun.

The figure spoke, but the girls were too far away to hear what he said. They heard Luke say, 'You!' before the man reached him, knocked the gun aside and punched the old man viciously in the stomach. Luke groaned and slumped to the ground.

'Grandpa!' Anna cried and began to run forward, Betty and Rita close behind her.

The attacker stood over Luke for a second, his face masked by a balaclava. Then he turned and ran across the grass towards the fence, whilst Betty blundered after him, shouting obscenities.

'You bastard. Wait till I get me hands on you. Hit a poor old man, would you?'

But he was too fast for any of them. He vaulted the fence and when, panting, Betty reached it, she could only hear his feet pounding down the lane, receding into the distance. Moments later, she heard the sound of a vehicle's engine and knew that they had escaped.

Furious that she had not at least been able to catch up with one of them, Betty returned to where Anna and Rita were crouching beside Luke. Anna was crying, saying over and over, 'Grandpa. Oh, Grandpa.'

As Betty reached them, Rita stood up and began to run towards the barn. 'I'm going for the doctor, Bet. He's been stabbed. Get May—'

For a moment Betty could not move. She gazed down at the inert form. 'Stabbed?' she repeated stupidly. Anna's hands were moving over Luke's body. 'He's bleeding. There's blood everywhere. Oh, Betty, do something. Please, do something!'

Galvanized, Betty leapt forward and began to run towards the house. 'I'll get your mam and a torch. We need some light —'

May was waiting anxiously, hovering near the back door.

'Your dad's been hurt. Stabbed,' Betty said briefly. 'Bring a torch and a towel. I'll get some blankets off my bed —'

May, too, repeated incredulously, 'Stabbed?'

'Yes. Hurry. Reet's gone for the doc.'

Betty, with May hurrying after her, returned to Anna to find the girl still weeping over the still form of the old man.

'Now, now,' Betty said kindly. 'Crying won't help him. Come on, love, stop that noise.'

'Oh Betty, I – I think he's dead. I – I've tried to feel his pulse and – and I can't find one.'

'Course he isn't, love.' But when Betty shone the torch into Luke's face and saw his wide, staring eyes and his mouth gagging open she knew the girl was right. She went through the motions of feeling for a pulse, first in his wrist and then his neck. She even put her cheek to his chest, desperate to hear the merest flicker of a heartbeat. There was nothing.

Slowly Betty stood up and took hold of Anna's arm. 'Come on, love,' she said quietly. 'There's nothing more we can do.'

'What? What do you mean?' May's voice rose hysterically.

'I'm so sorry, May. He's dead.' Betty put her other arm around May and tried to lead them both away, but May fought her off and fell to her knees beside her father. She rocked backwards and forwards and then bent her head and kissed his cheek. Anna looked down once more and then buried her face against Betty's comforting shoulder.

At last May stood up. 'Can't we carry him into the house? We – we can't leave him here.'

'Better not move him, love,' Betty said. 'Not till the doctor and the police have seen him.'

'The police?'

'It's a police matter now, May. Your father's been murdered.'

May closed her eyes and groaned whilst Anna sobbed into Betty's shoulder.

There was no sleep to be had for anyone the rest of that night. May sat in the kitchen, dry-eyed now, a wooden figure at the table, her arms resting on its surface, just staring into the distance. Anna curled up in her grandfather's chair near the range, alternately crying and raging against whoever had done this dreadful thing.

'All for a few hens,' she kept saying angrily. 'His life for a few miserable hens.'

May said nothing, whilst Betty made endless cups of tea and Rita looked after the doctor and then the village bobby, who had come to the farm on his bicycle.

'Bad business, this,' he said, sitting at the table in front of May and opening his notebook. 'I'm sorry to put you through this, May, but I'll have to ask you some questions.' He glanced round the room, intimating that he would need to question them all.

'Can't it wait?' Betty asked tartly. 'You can see what a state they're both in.' Then she muttered, 'The state we're all in, if it comes to that. Me and Reet were very fond of old Pops.' Tears filled her eyes, but she dashed them away impatiently. It was no time for her to indulge in tears. She had to be strong for the others. Later, in the privacy of the room she shared with Rita, she would weep for the old man, but for now . . .

'I'm sorry, miss,' the policeman, Reg Hamlin, was saying, 'but statements are best taken as soon as possible after the event. I've had to send word to my superiors in Lincoln. It'll be out of my hands soon, but they'll expect me to have made a start. Besides' – he glanced sympathetically towards May and Anna – 'I'm a friend of the family, like, and I thought they'd rather talk to me than a stranger.'

'But they can't think properly.'

'Things can always be altered later, but it's best to make a start now,' Reg said with kindly firmness, 'while it's all still clear in their minds.'

One by one he listened to what they had to say, but the sum total of all their statements didn't amount to anything very helpful.

Reg left as a red dawn was breaking over the farmhouse.

Forty-One

Of course there had to be a post-mortem and an inquest, the outcome of which confirmed that Luke had been stabbed with a knife or similar weapon by 'a person or persons unknown'. Hearing it, Anna shuddered, remembering the bayonet that Bruce had shown her.

Douglas had arrived as usual the following Sunday and was appalled to hear the news. 'Darling May,' he said, taking her into his arms, 'you should have let me know. I would have come at once. You need a man at a time like this.'

May clung to him and Anna turned away, wishing that Bruce had come with his father. She could do with a strong shoulder to cry on too. But his brief leave was over and he had had to report back to camp.

Sensing her feelings, Betty hugged her. 'Chin up, love. Pops wouldn't have wanted you to grieve for too long. Once they've let us bury him—'

'Oh Betty, don't. I can't bear to think of him being put in the cold earth.'

'He'll be next to your gran though, won't he? He'll be with her now. And he'd want to know that you were carrying on the farm. For him. You will, won't you?'

'I – don't know what Mam wants to do. She's never liked the farm, so now . . .' Anna's voice trailed away sadly.

'You don't mean she'll sell it?' Betty was shocked.

Anna shook her head miserably. 'I don't know what she'll do.'

If, at that moment, they could have heard the conversation between May and Douglas, they would have been even more uneasy.

'Don't you worry about a thing, May. I'll see to everything. Just tell me what you want doing, darling, about the funeral, I mean, and I'll arrange it all.'

'Oh Douglas, you are good. I don't know what I'd do without you.'

'You won't have to do without me, May. I'll stay here with you, if you like.'

'Would you? But what about your work?'

'I'll have to go back into town tomorrow and sort out a few things, but if I can arrange it, I'll stay the rest of the week and help you. I – er – take it you'll have to see your father's solicitor?'

'I hadn't thought about that, but yes, I expect so—. Oh!'

'What? What is it?'

'I wonder if he changed his will like he threatened.'

Douglas forced a laugh. 'Surely not. I thought that was just an idle threat to make you throw me over.'

May shook her head and said soberly, 'My father never made idle threats.'

Douglas's face darkened and there was a glint of anger in his eyes. 'I didn't think he would move so fast—' Hastily, he altered his words, 'What I mean is, I didn't think he'd really carry out his threat. Not against his own daughter.' He thought for a moment and then said, 'But if he has, he'll have left it to Anna instead, won't he?'

'Maybe.' May was still doubtful.

363

Douglas's face cleared. 'There you are then. It's the same thing. She can't run it, though, can she? She's only fifteen. The best thing you could both do, May, is to sell the farm and come and live with me in Lincoln.'

'He – he might have put in some clause that it can't be sold. He threatened to leave it to Anna on the condition that she had no more to do with – with Bruce.'

Now Douglas could scarcely hide his anger. In a tight voice he said, 'Did he, indeed?' But he forced himself to smile and to say in a tender tone, 'Then the sooner you find out just how things stand the better. I'll take you into the city with me tomorrow and you can call and see the solicitor. How's that?'

'Oh, Douglas,' May breathed and said again, 'I don't know what I'd do without you.'

Bruce wangled compassionate leave to attend the funeral.

'I had to tell a little white lie to get here,' he told Anna. 'I said it was my stepmother's father.' He laughed. 'Mind you, by the look of them' – he nodded to where May was walking down the church path, clinging to Douglas's arm – 'it doesn't look as if it'll be long before she really is.'

Anna said nothing. The day, for her, was a tumult of emotions. She had lost her beloved grandfather and it seemed only yesterday that she had lost both her father and her grandmother. And whilst Anna could see that her mother needed Douglas's support, she was uncomfortable when she remembered that Luke had disliked the man so intensely that he had threatened to cut his own daughter out of his will.

Nor had he approved of the young man walking at her side, taking her cold hand in his and squeezing it sympathetically. Anna sighed as she and Bruce fell into step behind her mother and Douglas to follow the coffin into the church. After the funeral, she knew the solicitor would be coming to the farm to read the will in keeping with the old-fashioned custom. Maybe then they would learn just how deep Luke's resentment had gone.

Betty and Rita were walking behind her and Bruce, and behind them it seemed as if half the local population had come to Luke Clayton's funeral. Even Reg Hamlin, in plain clothes, was standing to one side watching all the mourners.

'I shall be there,' he had told May and Betty the day before when he had visited the farm, 'with my Inspector. I'd be attending old Luke's passing anyway, but I shall be in a semi-official capacity.'

'Why?' May had asked.

'It's just possible that the killers might be there.'

'Really?' Betty had put in. 'Then I'll keep me beady eye open an' all, pet.'

Several people returned to the farm for sandwiches and cups of tea, with something a little stronger for the men.

'You can't have a wake without a drop of the hard stuff,' Douglas had told May. 'Leave it to me.'

As the mourners began to drift away, Douglas said, 'Bruce and I should go too, May. That solicitor chappie looks to be getting a bit agitated. We'd better let him have his bit of the limelight.'

'Oh Douglas, don't go. You've every right to stay. You're – you're my fiancé.'

Douglas patted her hand. 'No, May. I don't want to

intrude. You can tell me later. I'll run Bruce to the station but I'll come back tonight. That's if you want me to?'

'Of course I do. And will you – will you stay?'

Douglas put his arms round her and held her close. 'Of course I will, darling.'

'And we'll make ourselves scarce, too,' Betty said. 'This is family business.'

The solicitor's clipped tones butted in. 'No, Miss Purves and Miss Mackinder too. I shall need you to be present.'

The two Land Army girls exchanged a puzzled glance, then shrugged and sat down at the table, where the solicitor, Mr Davey, had already seated himself at one end and was setting out his papers in front of him.

'We'll go, May,' Douglas whispered and kissed her cheek. 'Chin up, darling. It'll be all right. I know it will. 'Bye for now.'

As the solicitor's voice droned through all the legal jargon of the will, the nub of Luke's wishes became clear. Although no mention was made of either Douglas or Bruce Whittaker by name, Luke's suspicions had overshadowed his thinking and his decisions. The will had been made and signed only a month earlier.

The solicitor laid down the paper. 'To sum up briefly,' he said now in his own words, 'Mr Clayton has left two thousand pounds to his daughter, May Milton, together with bequests of two hundred pounds each to Miss Purves and Miss Mackinder. The remainder of his estate is to be held in trust for his granddaughter, Anna Milton, until she attains the age of twenty-five.'

'Twenty-five!' May cried, her voice high-pitched with indignation. 'Why twenty-five for Heaven's sake? Why not twenty-one?'

'Mr Clayton felt that twenty-five was a more mature age for such decisions.'

The three women and Anna glanced at one another. May turned towards Mr Davey. 'So what you mean is that he's turning me out and expecting Anna to live here on her own and run the farm until she's twenty-five?'

'No, no, my dear lady. The reason he has, er – ' the man cleared his throat in obvious embarrassment – 'bypassed you and left everything to his granddaughter is that he believed you intend to marry quite soon.'

'Ah, now we have the real reason.' May's eyes glittered with anger now.

'He also mentioned to me,' the man went on calmly, no doubt used to being in situations where the dear departed's will did not meet with unmitigated delight from the rest of the family, 'that you had never had much interest in the farm, but, he said, he believed that his granddaughter did.' He fixed May with a beady look. 'Is that so, Mrs Milton?'

May was flustered now. 'Well, yes, I suppose so. But I'm his daughter. I have a right—'

Mr Davey shook his head. 'I'm sorry, dear lady, but his wishes are crystal clear and the will is solid. I helped draft it myself.'

'And you mean we can't even sell the farm?'

Mr Davey shook his head. 'He appointed one of my partners and myself as his executors and trustees. When Miss Anna reaches twenty-five the farm will be hers to do what she likes with it. But until that time—' He spread his hands and his gesture said the rest.

There was nothing that could be done to challenge Luke's will.

Forty-Two

'A measly two thousand pounds!' Douglas almost shouted at May when she told him the news. 'But you're his daughter, for God's sake.' Then, realizing his error, he put his arms about her. 'I'm sorry. It's not my place to say a word. But I'm so angry on your behalf. I know how dreadfully hurt you must feel. And I feel so responsible too, darling. If it wasn't for me—'

May nestled against his chest. 'It doesn't matter. I'm not interested in the farm. He knew that.'

'But he's left it so that it can't be sold, hasn't he? Left it so – so tied up – ' Douglas's tone was bitter once more – 'that you can't do anything with it. Not a blasted thing.' He held her away from him and looked down into her upturned face. 'What exactly are you going to do?'

'Well, for the moment,' May began hesitantly, unsure how he would greet her plans, 'I thought we could live here at the farm.'

Douglas raised his eyebrows and said sarcastically, 'Oh – and will your daughter allow that?'

May stared at him, not knowing how to react. Then Douglas laughed loudly and drew her to him again. 'Darling, I'm only teasing. Of course, you must stay here, at least for the time being. But once the war is over, well, then we'll see.'

'Why? What do you mean?'

'You don't want to go on living here for ever, do you? I thought you wanted to get back to the city.'

'You know I do,' May said slowly, 'but I can hardly leave a fifteen-year-old girl living here on her own, now can I?'

'What you ought to do is to put a manager in here until such time as she can sell the blasted place.'

May gasped. 'Douglas!'

'Well, you said yourself that you don't want to stay here.'

'I know, but Anna does.'

'She's said so?'

'Yes.'

Douglas's mouth was suddenly a thin, hard line. 'Then your daughter will have to do as she's told. As you have said, darling, she's only fifteen and you, May, are her mother.'

'I'm not going back to the city. I love it here. It belongs to me. Grandfather wanted me to have the farm and I want to live here.'

'And you think you know all about farming do you? You think you'll be able to run this place single-handed?' Douglas sneered.

Anna faced him. 'No, of course I don't. But Betty and Rita are here for a while and—'

'A couple of Land Army girls?'

'And,' Anna continued, 'there's Mr Tomalin – Jed's uncle – at the next farm. He'll help me. He's said so. And, and—' she added in a low tone, 'there's Jed.' She wasn't so sure that she could rely on Jed's help any more. His attitude had been decidedly frosty towards her ever since Bruce and she had become close.

'But you're only fifteen, Anna,' May said. 'I can't go and live in Lincoln and leave you here.' She glanced helplessly towards Douglas. 'I can't.'

'What's wrong with you and Douglas living here?' Betty asked. 'Seems to me that's the simple answer.'

Douglas shot her a vitriolic glance. 'I'm a city dweller. My work's in the city. I couldn't drive back and forth every day. It's difficult enough getting hold of the petrol to get here at weekends as it is. Tell you what, though.' His face suddenly brightened. 'Why don't we buy a place in the city? It's quite a good time to be buying. There's your two thousand pounds, May.' He took her hand and kissed it, smiling into her face. 'We could get a very nice house in Lincoln for that.'

Before May could answer, Betty put in, 'And you'd be selling your place, too, would you?' Her stare was fixed on Douglas's face. He laughed with feigned embarrassment. 'I'm afraid I've nothing to sell. Bruce and I live in rented accommodation.' He pulled an apologetic expression.

May smiled and patted his hand. 'Don't worry. At least my father didn't leave me penniless. Or homeless. We've always a home here, haven't we?'

Above her head, Douglas looked up to meet Anna's troubled gaze. 'Of course we have.' He smiled.

But the smile did not reach his eyes.

Without her grandfather, the farm was not the same place to Anna. Even though the work continued as before with the guidance of Luke's friend and neighbour, Bill Tomalin, she missed the old man dreadfully. Her mother, too, was unhappy. Douglas's visits were fewer. Some weekends, as he was leaving, he would say, 'May, I'm sorry, darling, but I just can't get the petrol to come all the way out here next weekend.'

When he did not come, May moped and cast resentful eyes at Anna, as if it were all her fault.

Only Betty and Rita carried on much as before, though even they missed 'Pops'.

Anna left school and began to work full-time on the farm.

'Ya'll wear a path between your farm and mine, lass,' Bill Tomalin remarked.

Anna smiled. 'I'm sorry to keep bothering you—'

'No bother, lass. Luke'd be proud of the way you're handling things. A slip of a lass like you and you're more or less running that place, aren't ya?'

Though he didn't say so outright, Anna knew he was hinting that he understood May had no interest in the farm. It had been the talk of the district since Luke's death.

Loyally not mentioning her mother, Anna said, 'I couldn't do it without Betty and Rita.'

Bill eyed her soberly. 'Aye, but they'll soon be gone, lass, won't they, when the war's over. Still,' he brightened, 'When the fellers get demobbed, there'll be plenty looking for work.'

Anna nodded. 'But how much longer is the war going on?'

Bill sighed. 'I can't tell you that, lass. I only wish I could. But I'll let you have Jed whenever I can spare him.'

If he'll come, Anna thought, but she smiled and thanked him.

*

'I've got what they call embarkation leave. When I get back, I'll be going overseas.'

Bruce had arrived that Friday evening with his father. When he told her the news, Anna's eyes were wide with fear. 'Where are you going?'

Bruce shrugged. 'Dunno.' Then he grinned, 'And if I did, I couldn't tell you.'

'But I'll be able to write to you?'

'Yeah, course you will. I've got the address written on a bit of paper somewhere. You write to BFPO, I think it is.'

'Whatever's that?'

'British Forces Post Office. And then it gets sent to wherever we are.'

'Oh.' Anna was silent and then asked in a small, doubtful voice. 'Do you think you'll ever get it?'

'Course I will.' He put his arm around her shoulders. 'You write every week and I'll do the same. If I can, that is.' He grinned. 'But I'll be so busy sticking it to Jerry' – he made a stabbing movement as if thrusting his bayonet into the enemy – 'that I might not get much time. Anyway, let's not think about that. Let's go for a walk around *your* farm.'

He laughed and, for a brief moment, Anna felt a twinge of uneasiness at his attitude, but she brushed it aside when he added, 'Come on, let's make the most of my last day.'

Despite her inner sadness, Anna was to look back on that day as one of the happiest she had spent with Bruce. He was kind and attentive, kissing her gently and holding her hand. They talked and laughed and when she shed a few tears over her grandfather, he held her close, stroked her hair and murmured words of comfort.

When Douglas and his son left late on the Sunday night, Anna clung to Bruce. 'You will take care?'

He laughed. 'Don't worry about me. Them Jerries won't get me. It's them that'll have to watch out when I get over there.' He tapped her chin gently. 'Just you remember that you're my girl. I want to know that you're here waiting for me to come home to.'

'Of course I am,' she breathed, feeling a thrill of pleasure run through her.

Douglas revved the car engine and Bruce hopped into the passenger seat. The car roared out of the gate as May and Anna stood waving goodbye. They stood there in the empty yard, listening to the sound grow fainter and fainter.

May put her arm around Anna's shoulder and drew her back into the farmhouse. 'Anna,' she began, biting her lip, 'there's something I have to tell you. Douglas wants me to go back into town with him sometimes. Not every week,' she added hastily, 'but just now and again. You don't mind, do you? Betty and Rita will be here to look after you.'

'That's fine, Mam,' Anna said brightly. But she guessed that May's visits would get longer and longer until she was hardly at the farm at all.

Forty-Three

The tide of the war seemed to be turning in favour of the Allies. At the beginning of June they had entered Rome and only days later the newsreels of the D-Day landing had given everyone new hope. The pictures of the troops landing on the beaches were cheered loudly in every cinema. And as the soldiers pressed inland, Anna wondered if Bruce was there with them. Desperately she scanned the screen for a glimpse of him, but amongst the thousands of servicemen she could not really hope to see him.

But then Hitler launched a new and terrible weapon upon the south of England, the V-1 flying bomb, and a mass evacuation of children from the target area of the pilotless weapons began again.

'Will they get here, do you think?' Anna asked fearfully.

'Don't think so,' Betty said practically. 'They haven't got the range. It's just the south that'll get it. Them poor devils in London have had more than their fair share, I reckon. Fancy having to cope with doodlebugs after all they went through in the Blitz.' She cast a wry glance at Douglas. 'Bet you're glad you moved up here, aren't you?'

Douglas put his arm around May and smiled down at her. 'It was the best thing I've ever done in my life.'

Watching them together, Anna thought: *He really*

does love Mam, I'm sure he does. He's so generous. Maybe Grandpa was wrong about him after all. He never stops buying things for Mam and spoiling her.

May was always dressed in the latest fashion – thanks to Douglas. He bought material and employed a dressmaker to make dresses and costumes for her.

'My future wife's not going to be dressed in utility clothes. Mind you,' he added, winking saucily, 'I must say I like the idea of the shorter skirt to save on material.'

And he brought gifts to the farm too. The day he came with a box of oranges, the Land Army girls and Anna fell on them with squeals of glee. 'I'm not going to ask how you got 'em,' Betty declared, peeling one and biting into the segments. She closed her eyes in ecstasy. 'I'm just glad you did.'

In August Paris was liberated and everyone began to hope that soon the war would be over. Plans for a better Britain were already being talked about. New homes were to be built and a National Health Service that would bring equal health care for all was promised.

And soon, Anna prayed, Bruce would be home. She longed to see him again. She wrote to him every week, just as she had said she would. His letters were not so frequent, but she understood why and forgave him.

I reckon I'll sign on as a regular after the war, he wrote. *I love the army life.*

Anna wrote back to him in a panic. *But what about us?*

His reply was a long time coming and Anna was in a torment of uncertainty. He didn't love her any more. He'd found someone else. A sophisticated, chic French girl perhaps, like the pictures she'd seen in the magazines Betty and Rita brought home.

What do you mean 'What about us?' he wrote at last. *You're my girl, aren't you? We'll get married and you can come with me. It'd be a great life, travelling all over the world. You'd love it. You don't want to live on the farm for ever. And even if you did – which I hope you won't – you won't need me around. You'll always have the faithful Jed.*

Jed had been classed as being in a reserved occupation, much to Bruce's scathing disgust.

He's yeller, he had scoffed in a letter home to Anna. *He ought to be out here getting a taste of what being a real man is like.*

As Anna had expected, May spent more and more time in Lincoln with Douglas, but they still came at the weekend sometimes and then May would stay the rest of the week with Anna, whilst Douglas went back to the city alone.

'We'll have a lovely Christmas this year,' May promised. 'The war might be over by then and Bruce could be home. We'll make it really special.'

But the war was not over by Christmas, though towards the end of November Bruce did get leave and came home for a blissful weekend with Anna.

As they said their goodbyes on the Sunday evening, Anna clung to him. 'Do take care.'

'Course I will. It'll soon be over.'

'But – but you said you might stay in the army. Did you really mean it?'

Bruce shrugged. 'Dunno yet. I might. Look, sorry, I've got to go. Dad's waiting in the car.'

He kissed her hard on the mouth and then he was gone.

*

The following morning Betty came bursting into the kitchen.

'There's three hens gone missing. That beggar – whoever he is – must be back again,' Betty said angrily. 'I thought we'd got rid of him. Nothing much has happened lately.'

'How do you know? Have you counted them?' Rita asked.

'I have now,' Betty said. 'I got suspicious when I couldn't find Speckly.' Betty's favourite was a black and white speckled hen.

'They could have wandered off somewhere,' May suggested. 'Laying their eggs under a hedge, I shouldn't wonder.'

Betty pressed her lips together as she shook her head. 'No. Speckly comes to me to be fed every morning.' The girl was adamant. 'She's gone, I tell you.' And she glared belligerently at May as if it were her fault. 'She'll be plucked and roasted and lying on somebody's plate now.' She glowered as she muttered, 'Somewhere in the city, I shouldn't wonder.'

'What? What do you mean by that, Betty?' May asked sharply, but the girl turned away and left the house, slamming the back door behind her.

'What did she mean?' May asked, glancing between Rita and Anna.

Rita got up. 'I'd best get on.' As she too left the house, May stared after her.

'What did Betty mean? Do you know, Anna?'

Slowly Anna said, 'I think she's hinting that poor Speckly – and probably everything else that's gone missing over the months from the farms around here – has ended up on the black market in the city.'

'Well, yes, I expect it has. We all know that, but –

but she seemed to be hinting at something else. Something more—'

Mother and daughter stared at each other.

'Douglas! She thinks it's Douglas, doesn't she?' May's fingers fluttered to cover her mouth. 'Oh, how could she?' Then suddenly May's eyes sparkled with anger. 'It's more likely she's got some feller in tow who's wheeling and dealing and she's supplying him with our stock. Huh! The cheek. Accusing my Douglas. She's still jealous, that's what. Just because it's me he comes to see now and not her.'

Now it was Anna who did not know how to answer.

May refused to speak to either Betty or Rita for the rest of the week, and by the time Douglas arrived again on the Saturday afternoon she had packed her suitcase and was waiting for him, wearing her hat and coat in readiness.

'We're going straight back to town,' she informed him before he had scarcely got out of the car.

'Why? What's the matter? Trouble?'

'I'll tell you later. Come on, we're going.'

Anna had never seen her mother so forceful. May turned briefly towards her daughter. 'I don't know when I'll be back. You'll – you'll be all right?' There was a moment's brief hesitation in her resolve.

Anna nodded as Douglas lifted his shoulders and spread his arms in a helpless gesture. But he was laughing again as he climbed back into the car. 'Your wish is my command, ma'am.'

As they disappeared down the lane in a cloud of exhaust fumes, Betty came to stand beside Anna. Putting her arm around the young girl, she said, 'I'm sorry

I've upset your mam, but I'm not apologizing for suspecting him. Have you noticed that stuff seems to disappear only after a weekend and only when him and his lad have been?'

Anna gasped and turned to face Betty. 'You mean you think Bruce was involved too?'

Betty watched her with serious eyes. Then she nodded. 'I'm sorry, pet, but—'

Anna pulled away from Betty. 'How could you? Mam was right. It's not them. It's *you*, but you want everyone to *think* it's them.'

'Me?' Betty's face was red, not with guilt but with anger. 'How dare you think that of me? Why, if Pops was still here—'

Tears glistened in Anna's eyes. 'Don't you dare even mention his name.'

'What's going on?' Rita said, coming across the yard.

Betty swung round. 'This little madam is accusing me of stealing.'

Rita's mouth dropped open. Then she laughed. 'Don't be daft, Anna. Betty wouldn't take a ha'penny that didn't belong to her. You should know better than that.'

Now it was Anna's turn to flush with embarrassment. 'All right then, but she's no need to go accusing others.'

Puzzled, Rita glanced from Anna to Betty and back again. 'Others? What others?'

'Douglas and – and Bruce.'

'Ah, well now, there you have me because I'm afraid I have to agree with her.'

Now it was Anna's turn to glance from one to the other as she said falteringly, 'You – you do?'

Rita nodded. 'Sorry, love, but yes, I do.'

379

Betty was gentle now as she could see that Anna was genuinely distressed and confused. 'Actually, it's more Bruce than Douglas, but I reckon his dad was in on it and all. He was the only one with the transport. Think about it, pet. We had a spate of livestock going from all the farms around here, didn't we? And then, for a while, nothing. All the time Bruce was away doing his basic training. And then when he comes home on leave – three hens go missing.'

'Bill told me yesterday that he lost a piglet last weekend an' all. Same time as our hens went. The weekend Bruce was home on leave.'

Anna closed her eyes and groaned. 'It's not true. It's not. I won't believe it.'

'I'm sorry, love,' Betty said again, 'but I think it's more that you don't want to believe it. Don't you?'

Anna was quiet for the rest of the week. She didn't ignore Betty and Rita, who did their best to act normally, but she was unhappy. She liked Betty and Rita. Her grandpa had too – he'd thought the world of them and trusted them completely. But, she remembered uncomfortably, he had not liked Douglas or his son. Anna sighed. But she loved Bruce and wanted to believe in him. He had gone away again, back abroad, and she didn't want to write this sort of thing in a letter. If only he would come home on leave again, she could sort it all out with him and prove his innocence. And Douglas's too.

The week dragged by. She missed Bruce and now she missed her mother. But for the two Land Army girls' insinuations, it could have been a happy week. Betty and Rita were good workers and despite the atmosphere between them and Anna they still carried out the work as they always had done.

Privately, Betty said to Rita, 'For two pins I'd walk out, but I'm doing it for Pops.'

'Anna's all right. I know she likes Bruce, but I reckon she's wavering.'

Betty's tough line softened. 'Poor kid. She's only young. She doesn't know what to believe.' Her tone hardened again. 'But May's old enough to know better.'

Rita laughed. 'Come on, Bet. You fell for him once.'

Betty grinned. 'Nearly, I admit it. But,' she tapped the side of her nose knowingly, 'I never let myself get so carried away that I can't suss out what they're like. And I soon started to see that Mr Douglas Whittaker wasn't quite all he was cracked up to be.' She sighed and added, 'But May—' She needed to say no more. They both knew that May was so besotted with Douglas that she could see no wrong in him.

'We ought to work on Anna,' Rita said seriously.

Betty shrugged. 'I don't expect she'll believe us. When her own mother is so taken up with the father you can hardly expect her to turn against the son, can you?'

'It's worth a try, even if only for poor old Pops,' Rita said solemnly. 'It's what he would have wanted us to do.'

The girls' plans to get Anna to see what they believed was the truth were dashed when May returned home three weeks later, flashing a wedding ring.

'We were married by special licence, Anna,' May said, her face glowing with happiness. 'I'm sorry you couldn't be there, but Douglas says we'll make it up to you. You and Bruce, next time he's home.'

'Well, that's it, then,' Betty said, folding her arms with a gesture of finality. 'You'll not be wanting us around any longer.'

'As you wish, Betty,' May said stiffly.

'Oh now, come on, Betty.' Douglas put his arm around her shoulders. She stiffened beneath his touch. 'May's told me of your suspicions and yes, you're quite right to suspect me—'

'Douglas!' May's eyes were wide, but he was laughing.

'Oh, I'm not perfect, May darling, I'll be the first to admit it and yes, I do a bit of dealing on the black market, but I wouldn't stoop to stealing. Specially not from May. I'd be a fool wouldn't I?'

'What about that lad of yours then?' Betty persisted. 'Is he pure and lily white an' all?' she added sarcastically.

Douglas was still standing with his arm draped around her. His face was close to hers. As she looked up, she was sure she saw a fleeting malicious glint in his eyes, but it was gone in an instant and she wondered if she had imagined it.

Douglas forced himself to laugh again. 'No young feller of his age is pure and lily white, as you put it, but he's not a bad lad.'

Betty moved away from him as she glanced at May. 'I still think it would be better if we left. Now you've got a husband to help you with the farm work, you won't need us.' There was the merest hint of sarcasm in her tone and everyone noticed it. Only Douglas guffawed. 'Me? Milk cows and muck out the henhouse? I think not. Besides, May and I will be spending most of our time in Lincoln. Won't we, darling? We've got a nice house in view – a semi-detached in a nice part of the city.' He turned towards Anna, as if suddenly realizing he had not included her in their plans. 'You'll love it, Anna. And we'll have your room decorated just as you'd like it.'

Anna smiled weakly and murmured, 'That's very kind of you, but I must stay here.' She turned to Betty and Rita. 'Please don't leave me. I couldn't manage on my own.' But before either of them could answer, Douglas said, 'It'd be far better if you could sell the lot. This place is a millstone round your neck. A young girl like you should be out having fun, not slaving away out here in the back of beyond. If it hadn't been for that vindictive old man, you could be well off and having the time of your life.'

Anna gasped. 'I love the farm. I'll never sell it. Never.'

Now Douglas couldn't hide his anger. 'Well, you'll be on your own then because your mother and I have no intention of living here.'

May bit her lip and glanced anxiously between her new husband and her daughter. But she said nothing. She made no attempt to deny Douglas's words.

Anna's dark violet eyes filled with tears as she murmured again, 'Betty, please don't go.'

The two older girls glanced at each other and, as if reaching mutual agreement, Betty sighed and said, 'All right, pet. We'll stay a bit longer.'

As it turned out they only stayed a few more months, for in the following May the war ended and when demobilization began, as Betty had predicted, there were plenty of men looking for work.

Anna's heart sang. Bruce would be coming home and then everything would be all right.

Forty-Four

'I 'spect we'll be going home soon, then,' Betty said.

They had all been to the street party in the village to celebrate VE Day and had returned home to the farm tired, but elated that the war was finally over.

'I don't expect they'll let us go just yet. Not till demob starts and there's fellers back home to take our places,' Rita said.

Betty nodded. ''Spect you're right. They'll tell us when, I suppose.'

'You'll stay till after shearing, won't you? Even if we get new fellers, they won't be as good as you.'

'Could I have that in writing please, ma'am?' Betty quipped. 'I might need a good reference when I go back home and start looking for work.'

It was Jed who took charge at shearing time.

'He's a born natural with them shears,' his uncle said proudly. 'He's won prizes for it, y'know.'

Anna was fascinated to watch Jed at work. He was firm but gentle with the sheep. There was no panic or rough handling, but his strength kept them under control as he rolled them over and began to shear, the fleece falling off.

'Like a knife through butter,' Betty, standing beside Anna, murmured. 'He's good, isn't he?'

Anna nodded. For a brief moment there was a lump

in her throat. Things had not been the same between her and Jed over the last months and she missed his easy friendship.

'Yes, he is good,' she said and meant it about more than just sheep shearing. He had taught her so much, she realized. It had been Jed who had shown her how to fold the fleeces, Jed who had helped her at dipping time when she had not wanted to plunge the poor creatures right into the dip.

'You've got to do it, Anna, for their own sake,' he'd explained gently. 'You don't want to see 'em with ticks or lice or, worse still, sheep scab, do you?'

And despite the rift between them over Bruce, he was still here, still helping her, even though she had the uncomfortable feeling that he was now doing it more for her grandfather's memory than for her.

'I don't like leaving you, Anna,' Betty said worriedly when the day came in the autumn for both her and Rita to leave. Their former, easy relationship had never been fully restored since Betty's accusations, yet both Land Army girls were genuinely fond of Anna – and May, too, though they were exasperated by the older woman's blind worship of Douglas.

'Can't she see him for what he is? A wide boy. A spiv. If only she'd listened to Pops. He knew, bless him. Oh, how I wish I'd never brought Douglas Whittaker here. I could kick myself. If I'd thought for one minute—' Betty said more than once, but never now in front of Anna. 'And what'll happen when Bruce gets home I shudder to think.'

'It's not our worry,' Rita tried to tell her.

'No, I know. But when I think about Pops—' It was

385

all Betty needed to say for them to lapse into a sorrow-
ful silence, until Rita said practically, 'There's nothing
more we can do, Bet. Time to go home and pick up our
own lives.'

And now the day had come. Their belongings were
all packed and they were in the yard waiting for the
lorry that was coming to pick them up. Anna hugged
them both in turn, all discord forgotten. Tears were
running down her face. 'I wish you weren't going.
You've been wonderful.'

'I just hope these two new fellers you've got are
going to be all right.'

Anna smiled through her tears. 'Well, it isn't as if I
don't know them. Jed is still here – ' she pulled a face –
'well, now and again. And I went to school with Phil –
one of the new hands – though he is a bit older than
me. Grandpa knew his family, so I know he would have
approved.'

There was an awkward silence as if all of them were
thinking the same thing. Luke would not have approved
of May's marriage or of the fact that Anna was longing
for the day when Bruce returned.

Betty nodded, comforted by Anna's words. 'They do
seem nice lads,' she said, 'and at least if you say Pops
would have approved of *them*—' She didn't finish the
sentence and what she didn't say seemed to hang in the
air between them.

'Here's the lorry,' Rita said and there was a further
flurry of hugs and goodbyes and promises to write. As
the lorry drew out of the yard, Anna followed it into
the lane and stood waving until it turned a corner and
disappeared from her sight. Slowly she walked back
into the silent farmhouse and wandered from room to

room. She would be sleeping here alone now and, though the fact didn't frighten her, she knew she would be very lonely.

Oh, if only, she thought, *Bruce would come home*.

The months dragged on and another Christmas came and went. Whilst May and Douglas spent Christmas Day and Boxing Day with her, there was nothing festive about the atmosphere in the farmhouse.

Anna did her best, cooking a goose with all the other Christmas fare that rationing would allow, but Douglas seemed ill at ease and fidgeting to get back to town. And May too no longer belonged at Clayton's Farm – if she ever had, Anna thought wryly.

There was no word of Bruce being home on leave or even of a date for his demob.

'Do you think he's signed on? He said he was going to.'

Douglas frowned. 'He'd better not have done, else I'll have something to say about that.'

Near the time of May's birthday in May, she and Douglas arrived at the farmhouse unexpectedly one weekend.

'Come on,' Douglas said, 'pack your case. We're taking you back to town.'

'But, I can't leave—'

'Of course you can. Phil and Maurice will manage for a few days.' He smiled as he leant towards her. 'And we've got a surprise for you.'

'What?'

'Aha, you'll have to wait and see. Wouldn't be a surprise if we told you, would it?'

Anna was still doubtful, but when May said persuasively, 'Oh please come, Anna, you haven't seen our house yet,' she gave in.

'I can't stay long though. There's sheep dipping to do soon and I don't think the lads'll manage on their own.'

'We'll see, we'll see,' Douglas said and Anna saw him wink at May. As she packed an overnight bag, Anna began to feel excited. It would be nice to go to Lincoln, to go shopping. Perhaps they'd even go to Douglas's cinema together and see a film. She'd like that. Perhaps that was the surprise.

May showed her all over the semi-detached house she and Douglas had bought. Their new home was set on a road leading up the hill on the northern side of the city. Anna buried the thought that her mother's money had paid for it.

'They're lovely houses, aren't they?' May enthused, flinging open the door of one of the three bedrooms. 'And this is your room. We've had decorators in specially. Do you like it?' she asked eagerly.

Anna glanced around at the pink-flowered wallpaper, the pink bedspread and matching curtains fluttering at the window. 'It's – it's lovely, Mam, but—' She turned her gaze towards her mother. 'But I won't be living here. I'll have to stay at the farm.'

May flapped her hands. 'But that's only for a few years. Until you can sell it and come and live in the city with us. You might even be able to come before, if you put a manager in. Then you can get a nice job in an office and—'

Anna shook her head. 'Mam, I don't want to work in an office. I want to work on the farm. I love it there. Besides, I couldn't sell Grandpa's farm.'

'Oh, Anna, surely you're not serious? You can't really mean that you want to live out there? All on your own?'

'I won't be on my own.'

'You will be at night when the workers have gone home. And we can't keep driving out to the farm. Petrol's still in short supply, you know.'

'Bruce will be with me.'

May laughed. 'You can forget that, you silly goose. Bruce won't want to live in the back of beyond any more than his father does.' May shook her head and added bitterly, 'If that stupid old man hadn't tied everything up so tightly that we can't sell the place for years, we'd be living in clover now.'

Anna glanced around her. The words were out before she could stop them. 'You don't look to be doing so badly, Mam.'

'Anna!' May was appalled. 'How dare you speak to me like that?'

'You shouldn't speak about Grandpa like that.' Tears filled the girl's eyes. 'He loved us. Both of us.'

May sniffed. 'You, maybe, but I'm not so sure about me.'

Appalled, Anna stared at her. 'Of course he loved you, Mam. Look how they took us in at the start of the war and – and looked after us when Daddy—'

'I know, I know, but –' May bit her lip – 'I always felt that was more your grannie's doing than *his*.'

Anna was adamant. She shook her head. 'No, no, you're wrong. I know you are. He wanted the best for you. I know he did. And as for him not liking Douglas, well, maybe then it was only because he was concerned about you getting involved with someone else so soon after Daddy—'

May said bitterly, 'Oh, you don't know the half of it, Anna. How could you? I've told you before that he didn't like your father when I first met him.'

'I know, but he came round, didn't he?'

'He was against me marrying him because Ken didn't want to live on the farm. It was always because of the farm.'

'But – but he was always nice to Daddy.'

May laughed wryly. 'Oh yes, after we had you. He came round very quickly when we gave him a grand-child. He even wanted me to christen you Anna Clayton Milton, but I drew the line at that. Such a mouthful. But he was quite happy then to think that there was someone else to pass his precious farm on to.' She paused and then added pointedly, 'He was right, wasn't he?'

Anna nodded slowly and said huskily, but with a firmness that her mother could not fail to notice, 'Yes, he was.' Then she added, 'I'm sorry, Mam, I didn't mean to cheek you.'

'I should think so too. Douglas was right. He said you had a stubborn streak in you. Well, my girl' – May put her hand on Anna's shoulder and propelled her from the room – 'there's someone downstairs waiting to see you who might change your mind for you.'

As they stepped into the sitting room Anna gasped aloud, for standing in front of the fireplace, resplendent in his army uniform, was Bruce.

Anna flew across the room, her arms outstretched. Bruce caught her and swung her round.

'How's my best girl?' he laughed and, though both

Douglas and May were watching, he kissed Anna firmly on the mouth, ignoring her blushing protest.

They had a wonderful weekend. Anna and May went round the city shops on the Saturday and in the evening they went to the cinema, Douglas having procured the best seats in the front of the circle.

On the Sunday May packed a picnic and they went to the Arboretum, sitting on the grass in the warm September sunshine.

'When do you have to go back?' Anna asked Bruce for the first time. Until this moment she hadn't wanted to broach the subject.

Bruce lay back and put his hands behind his head. 'Wednesday morning. Four whole days of leave.'

'You won't be going abroad again, will you?'

'Dunno,' Bruce said, squinting up at her. 'I told you, I thought I might sign on after the war. Well, I've made up my mind. I'm going to become a regular. I like the army life.'

'Oh, but what about—?' she began and then bit her lip.'

Bruce grinned. 'What about what?'

'Oh nothing.' She glanced away from him and pulled at the grass.

Bruce sat up. Softly, he said, 'You were going to say, "What about us?" weren't you?'

'Well,' she said hesitantly then added hastily, 'but maybe you don't want – I mean—'

'Of course I want. You're my girl, aren't you?'

Anna blushed and nodded.

'We can write to each other and when I come home on leave—'

'Never mind about that.' Douglas raised his voice and both Anna and Bruce realized that, though he had been lying back with his eyes closed, he had been listening to every word of their conversation. 'Never mind about that,' he said again, sitting up. 'What you want to do is to get married. The pair of you—'

Now May sat up. 'Oh no, Douglas. Anna's far too young. She's only seventeen. There's plenty of time—'

'No, there isn't,' Douglas almost snapped. 'This war should have shown you that, May. Youngsters have to grab their happiness. Just think about it. They haven't even got to save up for a home of their own.' He spread his hands. 'Anna's already got one. The farm. They can live on the farm. And you' – he jabbed his finger towards his son – 'can forget about signing on for years. What more could you want than a life in the country? You'll be set up for life, the pair of you.'

'But you said—' May began, but Anna saw Douglas glare at his wife. 'Never mind what I said. If it's what they both want, then why make them wait, eh?'

Still May hesitated as she looked across at Anna. 'Is it what you want, love?'

'Well—' she glanced at Bruce. He was staring at his father as if he thought Douglas had taken leave of his senses.

Ignoring him, Douglas boomed, 'Of course it is,' as if the matter had been decided. 'Come on,' he said, getting up. 'It's getting chilly. Let's go home. Bruce, you help me pack up the picnic things. You two go and sit in the car. We'll manage.'

As Anna and her mother walked down the slope to where the car was parked on the road, she glanced back. Douglas was wagging his finger in Bruce's face, whilst his son stared wordlessly at his father. It looked as if Douglas was telling his son exactly what he must do and that Bruce was not daring to argue.

Later, after their evening meal, Anna managed to whisper to Bruce. 'Will you take me back to the farm tomorrow morning? I have to get back and we need to talk.'

Bruce nodded.

Forty-Five

'You don't have to marry me, you know. Never mind what your dad says,' Anna said as they drove back to the farm.

'Who said I didn't want to marry you?'

'No one, but—'

'Well, then, what are you going on about?' Bruce snapped and Anna glanced at him and then fell silent.

They did not speak for the rest of the journey and when they drew to a stop in the yard, Bruce leapt out saying, 'I'll bring your things in. You'd better go and make sure those lads you left in charge haven't killed off half your stock.'

As Anna climbed out and began to walk towards the house, Bruce flung up the lid of the boot and reached inside. For no particular reason, she glanced into the boot as Bruce was lifting out her bag.

Beneath it, lying in the well of the boot, Anna was sure she saw two or three chicken feathers. Bruce slammed the lid. Anna stopped and stared at him.

'How've they got in there?'

'Eh? Come again?'

'Those feathers? In the boot? How've they got in there?'

For a moment, Bruce glared at her, 'I don't know what you're talking about.'

She pointed. 'In there. There's some chicken feathers.'

'Don't be daft. You're seeing things.'

'Open the boot then. See for yourself. There's definitely feathers in the boot.'

Frowning, Bruce opened the lid once more and glanced inside.

'There! Look!'

Bruce slammed the lid once more. 'So what? Them hen feathers get everywhere. So does their flipping muck. Last time I came here I got a right rollocking from my Sergeant when I got back to camp 'cos there was chicken muck on my boots.'

Somehow he had turned the accusation against her, but for the rest of the day Anna could not put the memory out of her mind. The thought that perhaps Betty had been right after all crept insidiously into her brain.

Bruce, however, seemed to have put the incident out of his mind. As dusk fell, he said, 'I'd better be getting back to town then.' He slipped his arm around her waist. 'Unless you want me to stay the night. It must get lonely for you—'

Anna shook her head. 'No, you'd better go. It wouldn't be right, you staying here. People would talk and I don't think Mam'd like it.'

'Dad'd talk her round. Oh, go on, Anna, let me stay.'

'Well, you could sleep in the spare room.'

'The spare room? I'm not sleeping in any spare room.'

Anna gasped as his meaning became clear. 'Oh no,' she said firmly now, 'in that case, you're not staying.'

Bruce let his arm fall away. 'Please yourself. There's plenty wouldn't turn down an offer like that.'

Anna gasped. 'What – what do you mean?'

Bruce grinned. 'What do you think I mean?'

'That you – you've been with other girls?'

Bruce opened his mouth to retort and then suddenly he closed it again, then frowned slightly, almost as if he realized just what he had been going to say and had caught himself just in time. 'I didn't say that, did I?'

'No, but—'

'Don't jump to conclusions. All I said was, there's plenty wouldn't turn down the offer. Right?'

'All right,' Anna said in a small voice. Once again he had gained the upper hand in an argument.

'So? Do I stay or do I go?'

This time he could not argue when Anna turned away from him. 'You'd better go.'

From the kitchen she heard the car roar off up the lane until she could hear its sound no more.

Suddenly, she felt incredibly lonely and regretted her prim refusal of Bruce's company.

The following morning, her eyes still heavy with sleep after a restless night, Anna went out into the yard. Clanging noises were coming from the cowshed. The morning milking was already under way.

She peeked round the door to see Jed sitting with his head pressed against a cow's side, the milk spurting into the bucket. He was whistling softly.

'Morning, Jed,' Anna said quietly, so as not to startle the cow.

Jed twisted his head sideways. 'Morning, Anna. Had a nice weekend?' The question was not quite the polite enquiry it might have been. There was a hint of sarcasm in his tone and no friendly smile to accompany it.

She gave a swift nod, but lowered her eyes. 'Everything been all right here?'

'Fine. Phil's away up the fields to check the sheep.' His reply was terse and to the point.

'I'll have breakfast ready for you all. How long will you be finishing milking?'

''Bout half an hour.'

She was sitting in the kitchen, cupping a mug of tea in her hands and watching Jed devour a plateful of bacon, eggs and fried bread, when Phil burst in through the back door.

'You know those lambs you kept back from going to market? To increase the stock?' he began at once. Anna turned to look up at him and Jed stopped eating, his fork suspended halfway between the plate and his mouth.

Anna rose slowly, guessing what he was going to say. 'Yes?'

'One's missing.'

Anna closed her eyes and groaned. 'Oh no!'

Jed's face was grim. Hurriedly he finished his meal and rose to his feet. 'We'd best have a good look round, but if we can't find it, I reckon you ought to report it to the police this time, Anna.'

Anna shuddered. He was right, of course, but the memory of the chicken feathers in the back of Douglas's car was all too vivid.

Forty-Six

Over the next few weeks no letters came from Bruce and Anna could not bring herself to write to him either. Perhaps their romance was over, she thought dully, almost before it had really begun.

Douglas and May came out to the farm most weekends and never left without trying to persuade her to move to the city to live with them.

'Why won't you agree to put a manager in here? That young fellow, Jed, he'd be ideal. I know he's only young but he's got his uncle close by,' Douglas said more than once, always angling his suggestions to appear as if he only had Anna's best interests at heart. 'It's no life for a young girl like you stuck out here. Living all alone. Your mother's worried sick about you. Think of your mother, Anna. You're being very selfish, you know.'

Anna said nothing but sighed inwardly. It was amazing, she thought, how both Douglas and Bruce seemed to turn everything around to being someone else's fault.

But Anna didn't want to go. Oh yes, some nights she felt very lonely, but usually she was so tired that she went to bed early and slept the sound sleep of someone who had worked hard all day in the open air. Winter had been the worst with the long dark nights, but always the memory of Luke made her determined to stay. Her grandfather had left Clayton's Farm to her.

He knew she loved it and he had trusted her to carry on the family tradition. And now it was summer again, a year on from the end of the war. Things were getting better and there was plenty of work to keep her busy.

'I'll not let you down, Grandpa,' she whispered into the darkness as she lay in bed. 'I'll never sell your farm. Never.'

'Bruce is coming home on leave next week,' Douglas told Anna toward the end of June. Has he told you?'

'No. He – he hasn't written lately.'

Douglas frowned. 'Not written? Well, I'll have something to say about that when I see him.' He patted Anna's shoulder. 'Don't worry, love. You know what young fellers are. I expect he's not much of a letter writer.' He gave a bellowing guffaw. 'Takes after his dad.'

Anna smiled weakly.

'Tell you what,' Douglas said, 'instead of you coming into town, we'll all come out here. Make a nice change, wouldn't it, May, to have a weekend in the country?'

'Whatever you say, dear.'

Anna glanced at her mother, but May avoided meeting her daughter's eyes. Anna made up her mind to try to speak to her mother alone. There was something different about May. She looked on edge, nervous and agitated, and every time Douglas spoke to her she seemed to jump. She was wearing more make-up than usual, Anna noticed, the powder plastered thickly onto her cheeks. May had always spurned artificial aids, Anna thought, remembering how proud her mother had been of her smooth, flawless skin. A good face cream and a touch of pale pink lipstick was all she'd ever needed had been her proud boast. But now the make-up was thick and poorly applied. And, Anna noticed, May's thumbnail was bitten down to the quick.

But during the day Douglas never left May's side and Anna had no chance to speak to her mother alone. As the car sped away that evening, Anna had the irrational feeling that Douglas had stayed close to May deliberately. He had been his usual charming and attentive self, but there was something more. Something that Anna could not quite put her finger on . . .

On the following Friday Anna threw open the windows in the room that had once been her grandparent's bedroom and also in the tiny spare room.

'He can sleep here,' she muttered. 'He's not getting into my bed, whatever he thinks.'

She put fresh linen on the beds and a posy of flowers in the main room to greet her mother.

'Is *he* coming?' Jed asked morosely as he ate his ploughman's lunch sitting at the scrubbed table in Anna's kitchen. His eyes followed her busy movements between table and range as she prepared a special evening meal.

'Who?' She looked up, startled.

'Him? Bruce whatever-his-name-is?'

Anna tried to hide her smile, but unsuccessfully. It sounded for all the world as if Jed was jealous. 'He's on leave, but they're all coming.' She giggled. 'My reputation will be quite safe.'

Jed glowered at her and bit deeply into his bread and cheese.

A few moments' uncomfortable silence went by before Jed blurted out, 'Are you serious about him?'

It was on the tip of her tongue to say, 'What's it to do with you?' but something in his tone stopped her. They'd been friends ever since the day her grandfather had introduced him to her when she had come to live on the farm with her mother at the beginning of the war. Lately their easy friendship had been strained, but now he sounded like the old Jed.

She sighed and sat down opposite him. 'To tell you the truth, Jed, I don't know. Not now. A while back, I would have said "yes" straight away, but now—'

Jed's tone became gentle as if he sensed her dilemma and really wanted to help. 'I'm always here if you want to talk about it.'

Anna felt a lump in her throat. 'Thanks,' she said huskily. There was silence between them once more, but now it was a companionable one. 'Have you got a girlfriend, Jed?'

'Oh, dozens of 'em,' he said airily. 'They're queuing up, y'know.'

Anna laughed. 'I can believe that.'

Jed's smile faded as he regarded her seriously. 'I was only joking. No, Anna, there's no one.' As she met his steady gaze across the table, Anna felt a shiver run through her. She was not so naive now that she didn't recognize the look in his dark eyes.

She had not been mistaken earlier. It had most definitely been jealousy in Jed's tone when he had spoken of Bruce.

'Here we are then,' Douglas boomed as he offered his hand to May to help her from the car. Anna hurried forward. She glanced briefly at Bruce as he sprang from the back seat, but it was to her mother she went with

401

her arms outstretched. She kissed May's cheek and then stood back to look at her. May's smile was tremulous and there was a wary look in her eyes. She met Anna's gaze and glanced towards her husband, then swiftly back to Anna. The girl had the strangest feeling that her mother was trying to tell her something. Trying to warn her, almost.

Anna linked her arm through May's and drew her towards the house, promising herself that during this weekend she would definitely get her mother on her own and find out what was troubling her. Because she was sure now that something was bothering May.

'Hey, don't I even get a kiss after all this time?' Bruce spread his arms wide.

'Later,' she teased, forcing a gaiety that she wasn't feeling, 'when there's not so many people about.'

She was uncomfortably aware that not only were her mother and Douglas there to see, but that Jed was watching from the cowhouse door.

'I'll look forward to it.' Bruce pretended to leer.

'Come along in,' Anna chattered brightly, trying to hide her disquiet. 'I've cooked you a meal and we'll have it in the front room as a special treat. I've even lit a fire. It's still cold in the evenings, isn't it, even though it's June?'

The two men were not following them into the house but had remained standing by the car. Douglas was gesticulating and almost shaking his fist in Bruce's face. A few fractured words and partial sentences drifted across the yard to her, but made no sense.

'. . . all this . . . make her . . . just do it . . . think of . . . I'll take care . . . as I say . . .'

But Anna's mind was on her mother so she paid no

heed to whatever the argument was between father and son. As she drew her mother into the kitchen, she asked quickly, 'Are you all right, Mam? You don't look – well.'

May glanced nervously through the kitchen window, but already Douglas was moving towards the back door. 'I'll tell you sometime. Not now.' Suddenly she gripped Anna's hands and whispered urgently, 'Be careful, Anna, oh, do be careful . . .' May's voice faded away as Douglas came into the kitchen, rubbing his hands together and moving towards the table laden with roast leg of lamb, fresh mint sauce and steaming vegetables.

'Now, isn't that a welcome sight? Beats life in barracks any day, doesn't it, boy? The sooner you get yourself demobbed and back here the better.' He turned and winked at Anna. 'You've got everything very nice, love, and this dinner looks a treat.'

There was a tense atmosphere around the dining table with only Douglas keeping up a hearty attempt at conversation.

Bruce kept his head down, almost shovelling the food into his mouth.

'Where's your manners, boy?' Douglas berated him. 'You've not been brought up to eat like a pig. Is that what they teach you in the army?'

May picked at her main course and refused the pudding. As she rose at the end of the meal to help Anna clear away, Douglas's hand shot out. 'Let the youngsters do that. Let's you and me go for a little walk in the moonlight, eh?'

May bit her lip, glanced anxiously towards Anna, but said meekly, 'I'll get my coat.'

'And you, m'lad' – Douglas jabbed his finger towards

Bruce – 'can stay and help Anna with all this washing up.' Then he bent towards his son and mumbled something close to his ear that Anna couldn't catch.

As they worked together side by side in the scullery, Bruce said, 'I'm sorry I haven't written.' He sounded so genuinely contrite that Anna glanced over her shoulder as she stood at the sink, her hands deep in the washing-up water. He looked like a naughty little boy who had been caught scrumping apples. She smiled. 'Me too. I – I didn't know what to say after – last time.'

Bruce flung down the tea towel and, standing behind her, he put his arms about her and nuzzled her neck. 'I know. I'm sorry. Am I forgiven?'

She felt the familiar thrill of excitement surge through her as she turned and put her hands about his neck, oblivious to the fact that she was dripping soap-suds onto the back of his uniform.

'Of course,' she said huskily.

His mouth came down hard upon hers, so hard that it bruised her lips. 'I want you, Anna. Oh, how I want you.'

Forty-Seven

When her mother and Douglas returned from their walk, Anna and Bruce were sitting before the dying embers of the front-room fire, with Buster lying on the hearth rug between them. As May and Douglas came in, the dog raised his head and gave a low growl. Sitting beside him, Anna stroked his silky head soothingly and shushed him.

'Look at this pair of lovebirds,' Douglas laughed. 'Sitting here in the dark. They've been too busy to light the lamp.' He chuckled suggestively.

'I'll do it,' May said and reached up to lift down the lamp that hung from a hook in the ceiling.

'Leave it, love,' Douglas said, giving an exaggerated yawn. 'I don't know about you, but I'm for bed anyway. Must be the country air. Night, you two. Come along, May.' As if confident of her immediate obedience, he turned and left the room. May hesitated, glancing meaningfully at her daughter. Anna scrambled up from the hearthrug.

'Do you want some cocoa, Mam? I'll make some.'

'No—' May began and then changed her mind. 'Yes. That would be nice, dear. 'I'll – er – come and help you.'

As they passed through the narrow hallway towards the kitchen, they heard Douglas shouting from the top of the stairs. 'May? Are you coming, May?'

'We're just going to make some cocoa. I'll – I'll bring you some up.'

'Never mind about cocoa, May. Come on up to bed.' There was a slight pause. 'Now!'

Anna gasped and opened her mouth, but her mother put her fingers to her lips and whispered, 'Don't say anything, Anna. Please. I must go. We'll talk tomorrow.' Hurriedly, she kissed her daughter's cheek and turned towards the stairs, calling, 'Just coming, dear.'

Anna returned to the front room, concerned for her mother.

'I thought you'd gone to make cocoa,' Bruce said.

'What? Oh, sorry. Mam changed her mind. She's gone up. Do you want some?'

'No.' Bruce grinned and got up, moving towards a cupboard in the sideboard. 'I'd like something a bit stronger. Now – ' he was bending down opening the door of the sideboard – 'if I remember rightly, the old man kept a bottle of whisky somewhere in here. Ah yes.' He lifted out a bottle triumphantly. 'Here it is.' Then he reached for two of her grandmother's best cut-glass tumblers from the shelf above the sideboard. 'Want some?'

'No, thanks.' Anna gave a shudder. 'I don't like the stuff.'

'How do you know? I bet you've never tried it.'

'I have,' she said, with a wry smile. 'When I was quite little I drank some from that very cupboard and made myself terribly sick. I can't even bear the smell of it.'

Bruce laughed as he poured himself a generous measure. 'Come on, try a bit. You might like it now you're grown up.'

'No, thanks.'

She sat close to Bruce on the sofa, resting her head against his shoulder whilst he drank. 'Mind you, I'd have preferred a beer. Have you got any?'

'No. I never thought. Sorry.'

'Well, just mind you get some for next time I'm home on leave.' He tweaked her nose playfully and she laughed.

There was silence between them as Bruce seemed to concentrate more and more on drinking. He had refilled his glass three times when Anna said, 'I'm going to bed.'

Eyes half closed, Bruce took another swallow and nodded.

'Night, then,' she said. 'Come on, Buster. Let's put you out and lock up.'

The dog rose obediently, but followed her with his tail between his legs. At the back door, he refused to go outside. Anna laughed. 'I've spoiled you, haven't I? Letting you sleep on my bedroom floor when no one else is here.'

The dog gave a knowing bark, as if he knew exactly what she was saying and then, to prove it, he turned and scampered towards the stairs, bounding up them and into her bedroom. Anna gave in, hoping that her mother wouldn't find out. Besides, it would create far more commotion to try to drag the dog down the stairs again than to let him stay.

Anna was just drifting off to sleep when she heard Buster's low growl. She sat up in bed and heard the familiar squeak of the doorknob. The door opened slowly and Buster's growl grew louder. The door stopped moving, as if whoever it was coming in, had heard the dog and had hesitated.

Anna's heart was thumping. 'Who is it?'

She heard the door click shut and soft footsteps going

along the landing towards the tiny spare bedroom. She knew it had been Bruce coming to say goodnight.

She snuggled down, smiling to herself. Tomorrow night she would make sure that Buster slept in her room again.

'Good boy,' she whispered into the darkness and heard his soft, answering whine.

The morning milking had been done and the breakfast laid by the time that any of her bleary-eyed guests appeared.

'Oh, pour us a strong cuppa, Anna love,' Bruce said, sitting down at the kitchen table and dropping his aching head into his hands.

Jed, sitting on the opposite side of the table eating his breakfast, eyed him disgustedly.

'And you can take that look off your face, mate. Ain't you ever had a skinful?'

'Oh aye, more 'n once,' Jed said airily, 'but I can hold me liquor. Thought you army wallahs could an' all.'

'I could drink you under the table any day,' Bruce sneered.

'Betcha,' Jed muttered, through a mouthful of egg and bacon.

'Right, you're on. Tonight, down the pub.'

Jed's eyes sparkled as he nodded. 'Betcha ten bob I'm the one carrying you home.'

'You're on.'

Anna banged the cup and saucer down on the table in front of Bruce. 'Haven't you both got summat better to do with your money than drink yourself senseless and then lose ten bob into the bargain?'

408

Bruce grinned up at her. 'I shan't lose ten bob. I'll be winning it.'

'Huh!' Anna gave a snort, exasperated with them both. She turned on Jed. 'I'm surprised at you, Jed. And don't think you can be late for morning milking tomorrow.'

'I won't be.' He grinned at her and added saucily, 'Boss.'

'Oh, you!' Anna flounced out of the kitchen, leaving each young man to savour the thought of beating his rival.

Anna was busy all the morning and had no chance to speak to her mother alone. She paused only once when passing through the yard, amused to see that Bruce was trying to make friends with Buster.

'Here, boy. Here, look what I've got for you. A nice piece of meat.'

She chuckled softly to herself. *Bruce is trying to befriend my guard dog*, she thought, *in the hope that he'll let him into my room tonight.*

And in the afternoon, when Bruce said, 'Let's go for a walk,' she agreed readily. 'We'll take Buster. He could do with a long run.' She whistled, but there was no answering bark, no sound of paws scampering towards her.

'Where is he?' Anna murmured, glancing round the yard.

Bruce laughed. 'Looks like he's gone for his own long run. Come on. Let's not waste time looking for him. He'll be somewhere chasing rabbits.'

It was a beautiful, peaceful afternoon as they walked along, their arms around each other. Beneath the shade of two tall trees, they stopped and Bruce turned to take her into his arms.

'I reckon you're even prettier than I remembered,' he said and kissed the tip of her nose. 'I'm going to give that Jed a run for his money tonight. Let him know you're my girl. He can keep his eyes off you.'

Anna laughed aloud. 'What, Jed? Don't be daft.' But she couldn't help a faint tinge of pink coming into her cheeks.

'Well, just you remember if he starts anything, you're my girl. And you can tell him that. Mind you, I reckon he'll get the message tonight, after I've finished with him.'

She laughed again. 'You're as daft as each other. The pair of you. Besides, Buster will look after me. He's my guard dog.' It was an oblique reference to the previous night and for a moment Bruce drew back and looked straight into her eyes. 'Yes, he is, isn't he?'

'Where the devil is he? Where's Bruce?' Douglas ranted after tea.

'He's gone down to the pub,' Anna said.

'The pub? When he's got a lovely girl like you here sitting on her own.' Douglas's mouth was a grim line. 'I'll have a word or two to say to him when he gets back.' He frowned. 'That lad's getting out of hand since he's been in the army. Thinks he can disobey me.'

'Why?' Anna asked innocently. 'Did you ask him to stay in tonight?'

'What? Oh – er – no. Not exactly, but it would only have been polite when he's your guest and he has only one more day here.'

Anna shrugged. 'I don't mind.'

'Well, you should,' Douglas snapped. Then he forced a smile. 'What I mean, love, is don't you want to see as much of your young man as you can?'

'Of course I do, but I know how young men like their pint.' She forbore to tell Douglas about the wager between Bruce and Jed. It would only cause more trouble. 'I'm sure he won't be late,' she added, placatingly. *Now I'm doing it*, Anna thought. *I'm doing just what Mum does. Trying to keep the peace. Trying to keep Douglas happy.*

'He'd better not be,' she heard Douglas mutter beneath his breath. Then he seemed to recover his good humour as he said, 'How about a game of rummy? May, find the cards.'

'Yes, dear,' May said and got up obediently.

Forty-Eight

Anna awoke with a start to find a hand covering her mouth. She tried to call out, to scream, but the hand stifled any sound other than a noise in her throat. She flailed wildly, clutching at her assailant, trying to wrestle him off her.

'Shut up, you idiot. It's only me.' Bruce's voice came out of the blackness. 'If you don't make a noise I'll take my hand away.'

Alcohol fumes were wafting in her face, making her feel sick. She stopped struggling and lay quiescent. Slowly Bruce removed his hand and she breathed more easily. 'What do you think you're doing?' she hissed angrily, but kept her voice low. She had no more wish to wake her mother and Douglas than he had.

Bruce was pulling at the bedclothes, trying to climb in beside her. 'No!' she cried. 'Don't! Go away. Go back to your own bed – you're not getting in here.' Her voice rose in fear.

At once his hand was clamped back on her mouth. And then, suddenly, she felt something cold and sharp against her neck. 'Shut up,' he slurred. 'Just lie back and enjoy it. You know you want it.'

No, no, her mind screamed, but she was unable to utter more than a guttural noise.

'Lie still and stop struggling, or you'll get what that blasted dog of yours got.'

Now her eyes were becoming accustomed to the gloom. In the moonlight she could see his shape above her, but not his features. Buster? What had he done to Buster? She thrashed her head from side to side, tried to hit him, but now he was pinning her down, his whole body weight on top of her.

Anna tried to resist him, tried to throw him off, but he was too heavy, too strong. She couldn't breathe, couldn't summon up an ounce of strength now. Then she managed to get her left hand free and she tried to claw away his hand, but her fingers touched the cold thin thing that he was still holding against her neck. She winced as pain shot through two of her fingers. And then, in her mind's eye, she saw the bayonet he had shown her that day down by the river. Bruce was holding the long, sharp blade close to her throat and threatening to do to her what he had done to her dog. *Oh Buster, Buster! Where are you? What has he done to you?*

Bruce was flinging the bedclothes off her now and pulling up her nightgown. Then he was lying on top of her once more and she could feel his nakedness next to her trembling skin. Then, with his knees, he spread her legs wide and thrust himself into her. She felt a searing pain and tried to cry out. His fingers, still pressing on her mouth, slipped between her teeth and she bit down hard. He gave a yelp and reared up above her. He raised his hand and dealt her a blow across the side of her face that almost knocked her senseless.

But she was still aware of the pain in her groin that went on and on as he rutted like a ram at a ewe.

She must have blacked out completely for when she became aware of the pain once more he was gone. She was lying uncovered on her bed, shivering and weeping uncontrollably. Stiffly, feeling as if she had been battered, Anna crawled off the bed and lurched to the dressing table. With shaking fingers she managed to light a candle. She held it up and looked down at herself in horror. There was blood everywhere, on her nightie and on the bed. Most of it seemed to be coming from the deep cuts on her fingers. Sobbing, she pulled open a drawer and found a handkerchief to bind round her hand.

Aching in every part of her body and bent almost double, she shuffled to the door. She was about to open it and call for her mother when she realized that Bruce could be still out there – waiting for her. Instead, she dragged a chair across to the door and wedged it under the door handle. Then she staggered to the washstand and, setting the candle down, poured cold water into the bowl. She washed herself between her legs, trying to cleanse away the stickiness and the smell of him. She scrubbed herself until she was sore, but however hard she tried she could never wash away what Bruce had done to her.

Anna lay huddled in her bed for the rest of the night, alternately sobbing and falling into nightmarish sleep, only to wake with a start, imagining his weight on top of her and breaking into a cold sweat of fear and loathing. As dawn filtered into her room, she hauled herself off the bed and staggered towards the full-length mirror in the door of her wardrobe. A pathetic sight met her eyes. The left side of her face was swollen, her eye almost closed. Blood spattered her nightdress and drenched the handkerchief around her fingers. Bruises on her arms and legs pained her, but the worst pain was the dreadful soreness between her legs and in her groin.

Once more she tried to wash herself, whimpering like a whipped animal. It was time to get up, to start the day. She should be downstairs by now in the kitchen, stoking up the fire in the range, getting the breakfast . . . But Anna could not bring herself to leave her room. She lay on the bed again, her knees drawn up to her chin, arms wrapped around herself, shivering and cowering in fear as she heard footsteps hurrying along the landing and stopping outside her door . . .

When May opened the kitchen door, she looked round in surprise. No cheerful fire burned in the range's grate. There were no breakfast dishes on the table, no smell of frying bacon. The room was cold and empty. She crossed to the back door and opened it. She stood listening. From across the yard she could hear clattering in the cowhouse. Morning milking was under way. She turned back, pulled on a pair of wellingtons that stood in the scullery and crossed the yard.

Resting her arms on the lower half of the stable door, she called, 'Morning, Jed. Is Anna here?'

Jed glanced up from his place beside a cow. May was startled by the look on his face. The young man was unusually pale and there was distress in his eyes and a tightness round his usually laughing mouth. He rose, put the bucket of milk at a safe distance from the cow's restless feet and came towards her. As he came closer, she could see that his left eye was half-closed and an ugly bruise was swelling around it. His lower lip was cut.

'Whatever—?' she began but Jed interrupted, 'I haven't seen her, but I need to as soon as I can. I knocked on the back door earlier, but there didn't seem to be anyone about. I thought she – she'd maybe slept late.' His mouth seemed to tighten even more. 'I thought mebbe she – she's with him.'

He made no effort to hide the resentment in his tone.

May stared at him. Trembling, she asked, 'What – what do you mean, Jed? With him?'

He sighed and then said, 'We had a stupid bet on last night. Him and me – that we could drink each other under the table. Well, it got a bit nasty. He was saying things about Anna – things I didn't like and then we got into a fight.'

'Over Anna?'

Jed lowered his head and mumbled, 'Well, yes.'

'Is that why you wanted to see her?'

Jed shook his head, his eyes sad. 'It wasn't to do with that. I've found Buster.'

May smiled. 'Oh, she will be pleased. She was worried last night. He'd run off and . . .' Her voice faded as she realized that Jed's expression was grim. Her hand fluttered to her throat. 'What? What is it?'

'He's been killed. Someone's – knifed him.'

'Killed?' May's voice was a squeak.

Jed nodded. 'Yes. It looks like he's been stabbed,' he said slowly, his dark gaze fastened on May's face.

May gave a little cry of alarm. 'Oh no!' she breathed.

No words were needed. They were both remembering the result of the post-mortem on Luke Clayton.

Killed by person or persons unknown, stabbed with a knife or similar weapon.

'I must go and find her,' May whispered. She stumbled away, back across the yard and into the house.

416

Wrenching off her boots, she ran through the kitchen, up the stairs and along the landing. Outside Anna's room, she paused a moment to catch her breath, leaning against the door jamb. Then she tried the doorknob. It turned, but the door would not open.

'Anna,' she cried, hammering on the wood. 'Anna, open the door.'

Anna heard her name being called as if from a distance. Then she became aware of a banging on her bedroom door. For a moment she cowered lower beneath the bedcovers, but then, as the voice penetrated her distraught mind, she realized.

'Mam! Oh, Mam.' She struggled off the bed and stumbled across the room, pulling away the chair so that the door opened at once and May almost fell into the room.

'Anna, what—?' May began, but as she saw the state of her daughter, she staggered and would have fallen had not Anna reached out and caught hold of her. They clung together until May led her gently to the bed and made her sit down.

'The door,' Anna whispered hoarsely. 'Shut the door.'

May did so, once more inserting the chair under the knob as Anna had done. Only then did Anna breathe more easily. May came and sat beside her and enfolded her in her embrace, rocking her to and fro like a small child. 'Oh, my darling, what have I done? What *have* I done?'

Anna lifted her tear-streaked face to look into her mother's. 'It's not your fault.'

Tears were running down May's face too now. 'It is.

417

It is. If I had only listened to your grandfather. He knew, didn't he? He could see what they were like.'

'What – what do you mean?' Anna asked huskily. 'They?'

'Bruce did this to you, didn't he?'

Anna nodded.

'Did he – I mean—?'

Anna squeezed her eyes tightly shut, trying to blot out the nightmare. She nodded. 'He held a knife to my throat.' She held out her hand, still with its rough, blood-soaked wrapping. 'I – I tried to fight him off, but I cut my fingers on the – the blade.'

Her mother gave a deep-throated groan of despair. 'Oh, my darling, my baby.' They clung to each other, seeking solace, but there was none they could give each other.

Forty-Nine

'What did you mean when you said Grandpa knew what "they" were like?' A little later, when they had hugged each other and tried to reassure each other, Anna was calmer.

Silently, May drew back from her and pulled up the sleeves of her blouse. Anna gasped as she saw the bruises on her mother's forearms, one purple, a recent injury, and two now yellow and fading.

Anna gasped. 'He – he hits you? Douglas?'

May nodded. 'When something doesn't suit him.'

'I knew there was something wrong. I knew it. But I could never seem to get you alone to talk to you. He always seemed to be in the way.'

May nodded, tears in her eyes. 'I know. He made me promise not to tell you. Told me that it would be the worse for me – and for you – if I did. But I was going to tell you, if only we could have had a few moments alone.'

'How long has it been going on?'

'It started just after I'd bought the house. He was fine before we got married and afterwards, until – until . . . Oh, Anna, I gave him all of the two thousand pounds your grandfather left me. After that, once he'd got it all, he – he started being nasty. Oh, what a fool I've been.'

'What are we going to do?' Anna whispered.

419

May sighed, shrugged helplessly and said, 'I don't know.'

'Leave him. Come and live here with me. Oh Mam, come home.'

'He'd never let me alone, Anna. He swore he'd never let me go. I married him, didn't I?' she added bitterly.

They sat together until they heard footsteps pass by the bedroom door and go downstairs. They held their breath.

'That's Douglas going down for his breakfast,' May whispered. 'He'll get a shock, won't he? No fire, no dutiful wife waiting to serve him.'

'You'd better go down. I don't want him going for you again because – because of me.'

At that moment a bellow came from the bottom of the stairs. 'May? Where are you?'

May jumped at the sound, but did not get up at once. 'What are you going to do? Do you want me to stay here with you? I'll see if I can get them to go back to town without me.'

'I want to get in the bath, then I'll come down. Where's – where's Bruce?'

May shook her head. 'I don't know.' Now she did stand up and held out her hand. 'Come on, I'll help you into the bathroom and make sure you've locked the door before I go down.'

'Where on earth have you been, May? And where's my breakfast? Where's Anna?'

Her anger emboldened May to say, 'You might well ask where Anna is.'

Douglas frowned. 'What do you mean by that?'

'Your precious son forced himself on her last night.

420

He raped her, Douglas, there's no other way to put it. Your Bruce raped my little girl.'

Douglas stared at her for a moment and then threw back his head and laughed. 'That's my boy. I never thought he had it in him to go through with it. So that's why he went to the pub – to get a bit of Dutch courage.'

Now it was May's turn to stare at him, aghast. Her voice trembled as she said, 'What do you mean "go through with it"?' You can't mean – oh you can't – that he – that you *planned* it?'

'Well, not rape exactly, only that he should seduce her.'

'Why? In God's name – why? She liked him. She really liked him. But now—'

'Mmm.' Douglas's eyes were calculating. 'Yes, I see that. Maybe he's gone a bit too far.'

'A bit too far?' May's voice rose hysterically. 'Do you have any idea what it means for a woman to be violated like that? Especially a young girl. A *virgin*!'

'Oh, come now, May. Don't be so melodramatic. She's led him on. You can't deny that. And when a young feller's blood is up—'

'How dare you? How dare you suggest that it's Anna's fault?' she screamed.

Now Douglas's eyes were glittering. 'Oh, I dare because that is what happened.' He grabbed her by the shoulders, his strong grip bruising her. 'Do you hear me? *That is what happened.*'

May gasped and stared up at him with wide, frightened eyes.

'And now,' he said ominously, 'they'll have to get married, won't they?'

'Married?' May's voice was a squeak. 'Oh no. Not now. She'll not marry him now.'

421

'Oh, but she will, May,' Douglas said calmly. His quiet tone was far more menacing than if he had been shouting. 'Anna will marry Bruce and then, one day, this farm will be his.'

May felt as if the breath had been knocked from her body. 'No,' she managed to gasp at last. 'Never! Over my dead body.'

Douglas laughed, but without humour. 'And even that, my dear May, can be arranged.'

At once the vision of Buster's still form came into May's imagination and then a more horrifying picture pushed its way to the forefront of her mind.

The memory of her father, Luke, lying on the ground, stabbed and bleeding to death.

May closed her eyes and groaned. 'Oh no! No,' she moaned more to herself than to the man who still held her in his grasp. 'Don't let it be true. Not that. Oh please, not that.'

Douglas let go of her suddenly so that she staggered and almost fell. She put out her hand and steadied herself against the kitchen table.

'Now, how about getting me some breakfast and when Bruce and Anna show themselves, we'll begin to make arrangements. Maybe we can get a special licence. If not, then it will have to be the next time he comes home on leave.'

May moved woodenly towards the range and took up the frying pan, wishing she had the temerity to hit him over the head with it. But she didn't. She was weak. She despised herself now. It had been her weakness – her need to have a man to love and protect and care for her – that had led her beloved daughter and herself into this mess.

She cooked breakfast for Douglas, wishing she had

422

rat poison handy. Douglas sat at the table and opened his newspaper as if nothing untoward had happened.

'Thank you,' he said sarcastically, as she banged the plate of eggs, bacon and fried bread in front of him. He glanced round the table. 'Where's the tomato sauce?'

Obediently, May fetched it from the pantry. She poured a cup of tea for him and one for herself, but couldn't bring herself to eat anything. Revulsion against this man and his son choked her.

The kitchen door opened and a tousle-headed, yawning Bruce appeared. 'Morning,' he muttered and dropped into a chair at the table.

May stared at him in astonishment, then crashed her cup into the saucer. Bruce winced at the sudden noise and, frowning, glanced up.

'Do you have to make such a noise?' he grumbled. 'My head's fit to burst.'

May gaped at him. 'I don't believe this,' she murmured. Was she dreaming? Was this all some terrible nightmare that no one else but herself was experiencing? But no, it was true. At this moment Anna was in the bath trying to scrub away all traces of her attacker – the young man, who sat so calmly before her now, waiting for his breakfast . . .

May sprang to her feet. 'How can you sit there,' she shrieked, 'as if nothing's happened?' She shook her head in bewilderment as Bruce gaped up at her, uncomprehending. 'Don't tell me you can't remember? That you were so drunk—?'

'Can't remember what?' Bruce glanced at his father. 'Do you know what she's on about?'

'It seems,' Douglas drawled, 'that Anna is accusing you of raping her last night.'

Bruce stared at him. He opened his mouth to say

something, but at that moment the door opened and all eyes turned to see Anna standing there.

For a moment, they all seemed turned to stone. The bruise on the side of Anna's face was swollen and darkening and the two fingers on her left hand were wrapped in a clean white handkerchief.

May moved suddenly and rushed to put her arms around Anna and draw her into the room. 'Come and sit down, darling.'

Stiffly, her gaze fastened on Bruce's face, Anna moved across the room and stood on the hearth rug. Facing the two men defiantly, she said, 'Leave this house. Both of you. My mother's staying here with me and—'

As if catapulted, both men sprang up and faced them.

'Oh no, she's not,' Douglas said.

'Mam,' Anna said quietly, 'go and fetch Buster.'

'Oh darling,' May said tearfully, 'I can't. He – Jed found him. Someone killed Buster.'

Briefly, Anna's gaze swivelled to look at her mother. 'Killed him? How?'

'With – with a knife.'

Anna stared at her and then slowly her gaze came back to Bruce's face. 'You! You killed him. Didn't you? Didn't you?' Suddenly Anna launched herself at him, her arms flailing, but Bruce caught her easily and held her wrists. She kicked out at him, catching him on the shin, but he wound his leg around her and brought her down in a crude tackle. He pinioned her arms to the floor and straddled her body. 'Want some more of what you had last night, do you?'

'No, no,' May shouted, trying to pull him away from Anna, but now Douglas grasped May from behind, pinning her arms to her sides and holding her fast. Tears coursed down May's face. 'Anna, Anna—' she cried, watching with horrified eyes whilst her daughter struggled to throw Bruce off her, but he held her easily, laughing cruelly. 'Yeah, go on, struggle all you like. You won't get the better of me.' He glanced round to look triumphantly at May and his father. 'We've got you both just where we want you now, haven't we?'

Whether it was because Bruce relaxed his concentration for a brief moment or because Anna made one last superhuman effort, but somehow she freed her leg from beneath him, bent her knee and, pressing her foot and elbow against the floor managed to roll him over. Without waiting for him to recover from her surprise move, she brought her knee up viciously into his groin, so that Bruce gave a cry of pain and doubled over, writhing on the floor.

Anna scrambled to her feet and turned towards her mother.

'Leave me,' May gasped. 'Don't worry about me, darling. I mean it. Just go. Go on. Run, Anna. Get away from here. Run, Anna, just *run* . . .'

1963

Fifty

'Who on earth were those two lunatics? They knocked me off my bike,' Tony asked his mother indignantly.

Bertha smiled. 'Oh, we had a very nice chat.'

Tony looked at her in surprise. '*You* did? You've been chatting to complete strangers?'

Bertha nodded, looking very pleased with herself.

'Who were they?'

'A father and son called Whittaker.' Her smile widened maliciously. 'They came looking for someone. I'll give you three guesses who. Did you see the younger feller?'

'Not really. It was all too quick. I just saw two men in the car. I got their number plate, though. Reckon I'll have a word with PC Jenkins—'

'I wouldn't, because they might be doing us a big favour.'

Tony eyed her. It was a long time since he had seen his mother with a gleam in her eye. She was excited about something.

Tony frowned. 'What's going on, Mam? And what do you mean "they came looking for someone"?'

'Exactly what I say. The younger feller – well, the older one too mebbe, though his hair's grey now – but the younger feller had bright red hair. Copper coloured. *Just like the girl's.*'

Tony stared at her. 'You mean – Maisie?'

'Course I mean Maisie. What other little trollop around here has red hair?'

'They came looking for Maisie?'

'Well, I suppose it was more *her*, Anna. They didn't even know about Maisie. Didn't even know Anna had been pregnant. Thrilled, the young feller was, to think he was a dad. And the old one kept saying, "I've got a granddaughter. Just think, I'm a granddad." Of course, they wanted to see them straight away . . .'

'And you told them?' Now Tony was incredulous.

'Course I did . . .'

Tony's face was thunderous. 'Why, Mam? When you know that's who she must have run away from? That's who she must be so frightened of.'

Suddenly, Bertha's expression was ugly. 'Why should I care? Why should I protect her? Your dad's fancy piece . . .'

The truth was filtering through Tony's mind now. He pointed accusingly at his mother. 'You've lied to me. All these years you've tried to make me believe that – that Maisie was *his* child and my *half-sister*. But she wasn't, was she, Mam? 'Cos now you're saying that this red-haired feller that turned up today was her dad.' He paused a moment and then added again incredulously, 'Why, Mam? Why?'

Now Bertha was truculent, trying to justify herself. 'Well, I thought she was. Men are all the same. Why else would he have brought the little trollop home with him that night if he wasn't getting his oats there? Or at least hoping to. All right, mebbe Maisie isn't his, but I bet they've been at it all these years since.'

Tony's last glance at his mother, before he turned and left the house, was a mixture of contempt and pity.

As he began to walk up the track, he saw Maisie

running pell-mell towards him, her hair flying, her skirt above her knees.

'Tony, Tony, hurry—' Even before she reached him he could see that she was crying hysterically. He caught her and held her. 'What is it? Is it your mam? Did those two men frighten her?'

'No – yes – it's worse. Your dad. He – he tried to defend her and one of them had got a knife—' Maisie could say no more as sobs racked her.

'Oh my God,' Tony breathed. 'Is he hurt?'

Maisie could only nod. Releasing her, Tony began to run up the track, pausing only to say, 'Go to the house. Use the phone. Get help.'

Maisie rushed into the house, ignoring Bertha, and grabbed the phone.

''Ere, 'ere, what do you think you're doing, miss?' Bertha protested, but the girl, still crying, ignored her. With shaking fingers, she dialled Pat's number. The district nurse was the only person she could think of to ring. She was certainly the nearest. The ringing tone seemed to sound in her ears for ages, until Pat's breathless voice said, 'Hello. You just caught me. I was on my way out. Who is it?'

'It's Mr Eddie . . . I mean, this is Maisie. Mr Eddie's been hurt. Stabbed—' Dimly the girl heard the listening Bertha cry out.

'I'll come at once,' was all Pat said.

Maisie replaced the receiver in its cradle and turned to face Bertha who was staring disbelievingly at her.

'What do you mean stabbed?'

Now that Pat was on her way, Maisie was managing to control her hysteria. Pat would help Mr Eddie. She was a nurse. If anyone could save him, it would be Pat.

'Those two men. They grabbed me mam and me and

Mr Eddie tried to help us. The younger one had a knife. He went for Mr Eddie and – and stabbed him in the stomach.'

Bertha felt for the edge of the table and sat down heavily, staring unseeingly ahead. Maisie turned and left the house, running back up the hill.

Left alone, Bertha sat motionless. What had she done? she asked herself silently. She had sought to wreak revenge on Anna and her daughter. She had waited years for the right moment and when the two strangers had turned up on her doorstep, looking for Anna, Bertha had believed they had been heaven-sent. And now her husband was lying injured, possibly fatally.

Reluctantly, the bitter, twisted woman was forced to face the truth. All those years ago Anna had obviously had good reason to run away. Bertha could make a good guess at why. So, when he brought her home, Eddie hadn't known her. It was the truth he had told her. It was just him being kind. She thought back down all the years. He had always been kind. It was his nature. Look how he'd rushed to help all those folks at the time of the floods. He'd had no need. They were nothing to him. But that was Eddie.

He'd never said an unkind thing about her father, not even when Bert Tinker had been sent to prison. Throughout their marriage, he had never raised his hand to her, not once, yet she had given him cause. Oh yes, she had given him cause all right. He'd done his best to be a good husband, but she'd not let him. And now . . .

Bertha dragged herself up.

For the first time in many years she would have to climb the track and go over the hill.

*

Pat arrived, breathless and anxious in the yard. Flinging her bicycle against the wall, she dragged her medical bag from its strap on the back of the bicycle and ran up the hill.

Arriving at the top, she saw the sorry scene below her and, though her heart would not let her believe it, she knew already that Eddie was gone. She could see Anna cradling him in her arms, her head bent over him, whilst Tony, who was standing close by, held Maisie, trying to comfort her. A few steps away from the group stood the lonely figure of Bertha, isolated and cut off from the others.

Pat's fears were justified. When she knelt beside Eddie, she knew before she even touched him, that he was dead. Sadly, she looked up to meet Anna's tear-filled eyes and shook her head.

She was aware that Bertha turned and walked away.

They had to leave Eddie lying there until the police came and, even then, they were allowed no more to do with the body. It was too big an incident for the local bobby to handle. An Inspector came from Ludthorpe and, later, a Detective Chief Inspector from Lincoln. There seemed to be policemen everywhere, searching the ground minutely, taking statements from Anna, Maisie and Tony. And from Bertha.

Anna told them briefly all the events that had led to her flight from home. 'I was a coward,' she said flatly. 'She told me to go, to run – and I did, but I left my poor mother to take the brunt of their fury. God knows what happened to her. I expect they killed her too.'

The Sergeant taking her statement said, 'What do you mean, love, "killed her too"?'

'Someone killed my dog, Buster, that night. I suspect it was Bruce and – and then I realized that he – probably helped by his father – had been the poacher and that they – ' she swallowed painfully – 'had probably killed my grandfather.'

The officer's face was grim. 'Well, if it's any consolation – and I don't suppose it is – we'll get 'em. Oh, we'll get 'em, sure as eggs is eggs. And we'll investigate everything you've told us. Specially the bit about your granddad.'

Anna regarded him with such pleading in her dark, violet eyes that even the tough Sergeant was moved. 'Could you find out about my mother? Please?'

'I'll do what I can, love. Now, give me any addresses you know.'

'There's the farm.' She gave the address. 'And there was a house in Lincoln.' She paused frowning, but little by little she remembered the road and then the number.

'We'll check that too,' the Sergeant promised. He was about to put away his notebook when Anna added, 'And then there's the cinema, of course.'

Maisie, who was hovering nearby, and the Sergeant spoke at the same time. 'The cinema?'

Anna nodded. 'Yes, Douglas had something to do with running one of the cinemas in the city.' She wrinkled her forehead. 'I can't remember what they called it.'

Maisie gave a little cry and clapped her hand over her mouth, her eyes wide as she stared at her mother. 'It must be the man who saw us at the ABC cinema. That's where we went in Lincoln to see Billy Fury. Oh, Mam, it's all my fault.'

Fifty-One

Maisie was inconsolable at the thought that her disobedience had brought about such tragic consequences.

Anna tried to comfort her. 'It's not your fault, darling. I should have told you everything, then you would have understood. You're old enough now. I shouldn't have kept you locked away for years. Or myself, for that matter.' She sighed. 'I should have faced things a long time ago.'

Even Tony, who was distraught and grieving too, tried to reassure Maisie. 'I'm as much to blame. I knew your mam didn't want you going out, specially not to Lincoln, yet I took you there.' He paused and scratched his head in a gesture so like Eddie's that Anna felt a lump in her throat. 'But the only people who are really to blame,' Tony went on, his tone hardening, 'are Douglas Whittaker and his son.'

'My father.' Maisie wept. 'Fancy having *him* for a father.'

Tony tried to smile, though the sadness never left his eyes. 'That's not your fault either. And you've got Anna for your mother. You couldn't have a better mother than her. Now, come on.' He shook her gently by the shoulders. 'You've got to be strong. And the best thing you can do for your mam now is to help us find *her* mam.'

*

'They've caught them,' Tony told Anna and Maisie two weeks later, 'trying to leave the country.'

Anna nodded. It was a hollow victory; it couldn't bring Eddie back, or her grandfather, or compensate for the lost seventeen years of her life. 'I've been such a coward, hiding myself away all these years. Not even caring enough to find my own mother.'

'You were only seventeen or so when you came here, weren't you? You shouldn't blame yourself.'

She smiled tremulously at him. 'You're just like your father, Tony,' she told him huskily. 'So kind. You're still trying to comfort us even when you must be hurting so dreadfully.'

Tony's voice was unsteady. 'I'll take that as a compliment, shall I?'

Anna nodded. 'Oh yes. Most definitely. I – I've never met a nicer man than Eddie. Only my own father and grandfather came close.' There was a pause before Anna asked tentatively, afraid to hear the answer, 'Have the police said any more to you about my – my mother?'

Tony shook his head. 'They wouldn't tell me, would they? They'd come to you.'

Anna sighed deeply. 'I suppose so. I did so hope that . . .' Her voice trailed away. Then more firmly she asked, 'Would you do something for me?'

'Of course.'

'Would you ask PC Jenkins what's happening? Actually, he might tell you more readily than me. You're not so closely involved. He might just tell you something that he wouldn't want to tell me.'

Tony nodded. 'I'll try.' He was about to turn away when he paused and said quietly, 'Poor Pat's taken my dad's death badly, hasn't she?'

Anna nodded. 'I – I think she loved your father. I

think part of her always had done from the time they were young.'

Tony's mouth hardened as he said, 'I wish me mam was half as upset. I don't think she cared about him at all. Her only worry is whether she's been left the farm.'

Anna gasped, shocked that Bertha could be quite so heartless. Even after all she knew about her, she hadn't expected that. 'Has he left a will?'

Tony nodded. 'We've an appointment at the solicitors in Ludthorpe tomorrow. Wish me luck because if it's all in her name, I don't reckon I'll be staying.'

'Oh Tony, don't say that.'

'I mean it. For years, Anna, I've tried to understand her, to stand by her, even side with her against me dad sometimes, although I never liked doing that. But do you know, she's misled me all these years.' His gaze met Anna's steadily. He hesitated, wondering whether now was the time to speak out. Anna looked puzzled, so he took a deep breath and plunged on. 'She always said she believed that Maisie was my father's child and that Maisie was my half-sister. Anna – I hope you won't be angry – but my feelings for Maisie aren't a brother's. It made me feel – ' he paused again searching for the right word – 'dirty. Unnatural. Wicked.'

'Oh, Tony.' There was no anger in Anna's tone, only sadness. Now she understood his strange, erratic behaviour. He had been suffering a turmoil of emotions caused, so unnecessarily, by his mother's lies.

'I promise you,' she said softly, 'on Maisie's life that she is not your half-sister.'

He nodded. 'Oh, I know that now.' He smiled ruefully. 'And if I'd been sensible about it, I'd have asked you before. And believed you. But when your own mother drills it into you from the age of ten or so

that you were – you were – that you and my father . . .'
He faltered.

Anna smiled sadly. 'I know,' she said. 'I know.'

Tony pulled off the cap he was wearing, ran his
fingers through his hair and then pulled the cap on
again. 'Of course, I don't know how Maisie feels about
me,' he said. 'It might all be hopeless anyway.'

'She's very fond of you.'

'I know, but I have to remember that she's not mixed
with other fellers much. Only the lads at school.'

Anna grimaced. 'That's my fault.'

'Oh, I didn't mean—' he began, but she held up her
hand. 'It's all right, Tony,' she said. 'It's the truth. And
as for Maisie, just give her a little more time, eh?'

He smiled. 'I seem to have been waiting for ever for
her to grow up.'

They smiled understandingly at each other.

'Well,' he said briskly. 'This won't get the work
done. I'd better go.'

'Good luck for tomorrow,' she called as he turned
away.

Over his shoulder he grinned. 'I might need it
because I could be gone by tomorrow night.'

As he walked away, Anna murmured, 'Me too.'

Eddie's will contained a shock for Bertha, a pleasant
surprise for Tony and a different kind of shock for
Anna.

'He's left the farm to me,' Tony told her happily as
he held out an envelope to her. 'And the solicitor's sent
you a letter.'

Anna eyed the long legal envelope suspiciously. 'Me?
Why me?'

438

'Go on, open it. You'll see.' The young man could hardly contain his excitement, his obvious pleasure.

Anna rubbed her palms down the sides of her skirt, feeling suddenly nervous. Yet, by the look on Tony's face, the letter didn't contain bad news. Surely Tony wouldn't be throwing them out of the cottage? Not after what he had said about his feelings for Maisie. And yet . . .

Tony could contain himself no longer, couldn't wait for her to open the letter and read the news for herself. 'He's left you this cottage and a bit of land round it.'

Anna stared at him. 'Me? Oh no, he can't do that.'

'Well, he has,' Tony was grinning from ear to ear. 'And it's all legal and there's not a thing anyone can do about it.'

'Do you mind?' she asked swiftly.

He laughed. 'Course not. I'm delighted. It means you'll stay here.' He paused, realizing that the capture of the two men Anna had feared for years meant that she was now free to go wherever she chose. She might want to leave. 'You will stay, won't you?'

Anna smiled and reached out to take the envelope. 'Of course, only—' She stopped, afraid that what she had to say would hurt him. 'I must let Maisie have more freedom. It's time she spread her wings. You do see that, don't you?'

A fleeting look of pain crossed his face, but he nodded. 'I've always thought,' he said carefully, 'that if you let birds fly free, they'll come home all the more readily. I think it applies to people too, don't you?'

How sensible Tony was, Anna thought. She nodded. 'We'll have to let her decide.'

'I know,' he whispered. 'I know.'

She touched his arm. 'It'll come right. I know it will.'

439

He smiled, but the doubt was still deep in his eyes.

Changing the subject Anna asked, 'What about your mother?'

Tony shrugged. 'She's hopping mad, of course, but I think deep down she half expected it. He's left her some money and I've to pay her a monthly allowance – which I would have done anyway,' he added hastily.

Anna nodded. 'So she's staying on the farm?'

Now Tony laughed. 'Oh no. She's packing her belongings this very minute. She can't wait to get away. She's moving into Ludthorpe. Going to live with her sister for a start.'

The smile began slowly on Anna's mouth, spreading until it lit up the whole of her face. Now she could open the envelope. Reading the words of Eddie's generous and, yes, loving gesture, Anna felt a happiness and contentment flooding through her that she had never expected to feel ever again. Although her feelings were tinged with sadness that her current fortune had come about because of Eddie's death, she knew he would want her to be happy. It was all Eddie Appleyard had ever wanted for her.

There was only one cloud in her otherwise clear blue sky.

What had become of her mother?

Fifty-Two

PC Jenkins wheeled his bicycle down the track towards the little cottage. He leant it against the wall and knocked on the door. While he waited for an answer, he looked about him. Sheep grazed on the slope of the field in the sunshine. It was an idyllic scene and he wished he had better news for the young woman who was now opening the door to him.

Anna smiled a welcome. 'Come in, Mr Jenkins. You must have known I've got the kettle on.'

The constable stepped into the kitchen, laid his helmet on the table and sat down whilst Anna mashed the tea and set out home-made biscuits on a plate.

'I'll come straight to the point, Anna. We've been making enquiries about your mam, but we can't – at the moment – trace her.'

Anna sighed and sat down. She busied herself pouring the tea, but could not hide her disappointment. 'Well, I'm sure you've done your best. I can't ask more than that.'

'Oh we're not giving up. Be assured of that. Besides, we're still building a case against the two we've got in custody.' His eyes narrowed. 'From the bit you were able to tell us, it seems there's a lot more wants looking into.' He nodded knowingly. 'A lot more.'

Anna looked him straight in the eyes. 'Tell me honestly – do you think she's dead?'

441

He sighed. 'I don't know, love, and that's the truth, but we want to find out anyway. If she's alive, she could help us with our enquiries.' He smiled at the use of the official-sounding term. Then his expression sobered. 'If she's not, then we shall be making enquiries into the nature of her death.'

Anna nodded, unable to speak for the lump in her throat. It was defeatist, she knew, but knowing the Whittakers as she did, she could hold out no hope that her mother was still alive.

'There's one thing we did find out that might interest you. That cinema you thought he owned or at least managed—'

Anna looked up. 'Yes?'

'Seems he had nowt to do with it at all. I've talked to the chap who runs it and he remembers him well. "Oh him," he said. "That fly-by-night! He's nothing to do with this place and never has been. He fancied himself as something of an entrepreneur or whatever they call it. Reckoned he knew all the stars and used to stand outside the front there when there was a big name appearing here, making out he knew them and that it was all down to him that they'd come here. And he used to chat up the girls in the box office to get the best seats in the house. Lots of folks thought he owned the place. Oh yes, I remember Douglas Whittaker all right," he said, "I'd like to get me hands on him myself."'

Anna tried to smile, but her thoughts were still on her mother.

PC Jenkins must have read her mind for he touched her hand and said softly, 'Don't give up hope yet, love. We'll keep searching, I promise you.'

*

Eddie's death had hit Pat Jessop hard. She had stood close to the graveside during his interment, weeping openly, not caring who saw her. Beside her stood a grim-faced Maisie.

Anna stood alone beneath the shadow of a tree some distance from the other mourners around the grave. She had slipped into the back of the church at the last moment, quietly and unobserved. But Maisie had had no such compunction. Boldly, she had marched into the church to sit beside Pat. She had walked out with Pat and followed the coffin to watch it being lowered into the earth. Her eyes were dry, but bright with anger, her mouth tight. Though her arm was linked through Pat's, it was Tony's face that Maisie's glance sought constantly.

Tony was standing, white-faced, beside his mother, his mouth set in a hard line. Only his brown eyes showed any sign of the tumult of emotion raging inside him. Deliberately he avoided meeting Maisie's eyes, even though he could feel her glance upon him.

His overriding emotion was anger. Anger that his father should have been killed. Why should a kind, considerate man like Eddie Appleyard have his life snatched away so violently by a vicious thug?

But there were so many other emotions struggling within him. He felt sorry for Maisie – her natural father had been the one to take the life of the man who had been more than a father to her. And for Anna now there was understanding. Her fear had been justified. Yet he couldn't help wishing that she had had the courage to confide in his father and him too. Perhaps if they had known all about it, they could have prevented the tragedy.

And his mother. Oh, what about his mother? His

loyalty and, yes, his love for his mother was being sorely tested now that he knew her part in the terrible events. Her vindictiveness towards Anna had led to his father's death.

And he felt guilt too. Guilt because, even in the midst of his grief, his heart was leaping with joy at the knowledge that Maisie was not his half-sister.

It had been difficult to assess Bertha's feelings that day. She had stood at the side of the grave, her face expressionless, and afterwards she had got into the funeral car with her sister, Lucy, and been driven back to Ludthorpe, offering no refreshment back at the farm. It had been left to Anna to invite Tony and Pat back to the little cottage, the cottage that was now rightfully hers.

Pat had sat outside the front door, an untouched cup of tea in her hands, just staring across the fields towards the sun as it began to sink in the sky.

Anna sat down beside her. 'He loved this view.'

'He loved a lot of things. He loved this farm, his land, his son and, once, I suppose – ', there was a strange reluctance in her tone as she went on – 'he must have loved Bertha.' She paused and then said quietly, 'And he loved you, Anna.' As Anna opened her mouth to protest, Pat hurried on, 'Oh, I don't mean in the way Bertha accused him of. No, as a dear friend, or even a daughter perhaps. The same way he loved Maisie. Do you know what I mean?'

Anna, tears choking her throat, nodded.

Then, quite simply and without any shame, Pat said, 'And I loved him and in *exactly* the way Bertha thought.' She sighed. 'Such a pity he never knew.'

Huskily, Anna said, 'I think he did, Pat. I'm sure he did.'

Pat smiled through her tears as she whispered, 'I hope so.'

Life settled into a new routine. Bertha was gone and Tony now lived alone in the farmhouse, though he seemed to spend far more time with Anna and Maisie in the little cottage than he did in his own home.

'We need more help on the farm and – ' he smiled ruefully – 'I need some sort of a housekeeper, or at least someone to come in to cook and clean for me. And to wash and iron my clothes. I'm beginning to smell.'

Maisie pretended to sniff the air. 'No worse than usual,' she quipped.

'Well, I could do that,' Anna said, but Tony shook his head. 'No, you've enough to do about the farm and when you get back here. Specially looking after madam here. That's a full-time job.'

'Ta very much,' Maisie tossed her curls and pretended indignation. 'You know what you need?'

'What's that?'

'A wife.'

'You could be right. You applying for the job then?'

The banter was spoken light-heartedly, yet Anna was aware of an undercurrent between them.

'Who me?' Maisie feigned astonishment, her eyes wide. 'What makes you think I want to bury myself here? My teachers say I've already got enough qualifications to get into teacher-training college.'

'Is that what you want to do?' Anna asked.

Questioned directly, Maisie faltered. 'I'm thinking about it? I want to get my A levels first, though.'

Anna glanced at Tony. His eyes were lowered and she could not read their expression, but by the slump in

445

his shoulders she knew that Maisie's words had dashed his hopes even further. But, strangely, Maisie did not look exactly ecstatic about her own tentative plans either.

I wonder, Anna thought.

Anna was sitting outside the front door of her cottage, watching a glorious sunset. The sun slipped down slowly, streaking the sky with burnished gold. Maisie had taken her homework – reading two chapters of *Pride and Prejudice* – to sit beside the stream. Anna could just see her, on the bank, head bent, engrossed in her book.

Something, she wasn't sure what, perhaps a movement or a slight sound, made her look to her left, up the hill. Tony was walking towards her. He waved and she lifted her hand in response.

He reached her and sat beside her. For a few moments they watched the sunset together in silence. Then he said gently, 'Anna, there's someone to see you.'

She turned, a moment's fear leaping into her eyes before she remembered. There was no longer any need to be afraid. All the years of hiding were over.

'Who?'

Tony glanced up the track and Anna followed his line of vision. Coming down the hill was the slight figure of a woman. Anna's heart seemed to stop and then began to thud erratically. She rose slowly, her gaze still on the figure coming closer and closer.

Then she gave a cry, held out her arms and began to run up the hill.

'Mam! Oh, Mam!'

Fifty-Three

There was so much to say and yet, for the moment, they could say nothing.

'I'll go and tell Maisie,' Tony said tactfully. 'We'll give you a few moments.'

As he turned away, Anna cried, 'Oh, Mam, can you ever forgive me?'

'It's you who need to forgive me, Anna.' Easy tears welled in May's eyes and, in spite of her obvious joy at seeing her daughter again, she still seemed anxious and unsure.

'But I left you with – with them. I ran away,' Anna insisted.

'When I told you to run, I didn't mean you to go right away,' May said. 'Why didn't you go to Jed? He would have helped you. He was frantic when he found you had gone. And then, when we couldn't find you—'

Anna lifted her head slightly and whispered his name softly for the first time in years. 'Jed. Oh, Jed.' Her voice broke as she added, 'Mam – I couldn't. I was so – so ashamed.'

May's face was still haunted by the memories. 'If it was anyone's fault, it was mine. I should have known better. I should have listened to your grandfather. And to Betty and Rita.'

They sat down together outside the cottage, mother and daughter watching the golden sunset with their arms around one another, as if, never again, would they allow themselves to be parted.

'But you,' May went on, stroking Anna's hair tenderly, 'you were just an innocent young girl, full of romantic dreams that were smashed in a violent and terrible way. No wonder you wanted to run and hide from everything and – and everyone. Oh, Anna – ' May's voice cracked – 'did you hate me? Did you blame me?'

'Blame you? Oh, Mam! Never. Not for one moment. But I thought you would be ashamed of me, that it had been somehow my fault.'

'No,' May whispered. 'Oh no, it wasn't you. It was them. Both of them.'

'I felt so guilty though, and so – so cowardly, running away like that. Just leaving you. What – ' she stumbled again over his name – 'what did Jed do when he found out what had happened?'

May stared straight ahead, watching the glorious colours, the blue and gold and pink, realizing that over the years since Anna had gone, she had never even noticed a sunset. Her life had been dark and gloomy and so very sad. She gave a deep sigh and said, 'Jed didn't know. I – I couldn't tell him, Anna. If he'd known and he'd caught up with Bruce – or even Douglas for that matter – there would have been murder done and an innocent boy would have gone to the gallows, or at best served life imprisonment, just because he loved you. I couldn't risk Jed knowing. So – no one knew.'

For once, Anna thought, *her mother had shown surprising strength in her decision.*

'And he – he still doesn't know?'

May turned and looked deeply into the lovely eyes

of her daughter, eyes that were so like her own. 'Not all of it. Not – not why you ran away. You should tell him that yourself. But Jed knows I've found you, Anna, and he wants to see you.' She smiled. 'He would have come today if I'd let him.'

Anna closed her eyes. 'Soon,' she whispered, her heart lifting at the thought of seeing him again. 'I'll see him soon, I promise. But just now—' Her voice faded away.

'So, tell me – what happened to you, my darling? Where did you go?' May asked unsteadily. Her new-found happiness was hard to believe after all the years of anguish.

'Oh Mam.' Anna closed her eyes, trying to blot out the memories, yet they had to be relived. For her mother's sake. May had a right to know, so haltingly, she began to tell her sorry tale.

'I just ran – like you told me to. I thought about going to the city, but then, big though it is, I thought they might find me. Douglas had his cronies there and all I could think of was getting as far away as I could. So I struck across country, living rough, sleeping in barns, stealing food.' She smiled grimly. 'I had no identity card, no ration book. But I thought if I could get to the coast, maybe to Grimsby, I could stow away on a ship. It was a stupid idea, but I didn't care where I went or even what happened to me.' Anna paused, remembering vividly her feeling of hopelessness, not caring then if she lived or died. If it hadn't been for Eddie . . .

She took a deep breath and went on.

'I got as far as Horncastle and it was market day. I set about stealing some food. How I never got caught, I don't know, but I didn't. And then – then there was a

449

young woman who left her handbag on the edge of one of the stalls whilst she moved away to look at something. Before I realized what I was doing, I'd snatched it up and walked away with it in the opposite direction. My heart was thudding. I expected any minute that someone would shout, would come running after me, but nothing happened. Perhaps part of me even wanted to get caught. I don't know. I walked and walked, never looking back, just taking the first road that took me out of the town. I didn't even know where I was heading.' Anna licked her lips and paused in telling what to her was another shameful episode in her story. 'I know it was wrong, Mam. I'm not a thief, yet after what had happened to me stealing seemed nothing.'

'No,' May said huskily, 'it wasn't wrong.' There was a pause and then May prompted. 'And what did you find in the handbag?'

Anna shook her head in wonderment. 'You'll not believe this, Mam. I could hardly believe my luck. I still felt so guilty and yet – yet it seemed – meant to happen.'

'What did? What do you mean?'

'The girl's identity card and her ration book were in the handbag. And do you know – ' even now after all the intervening years there was incredulity in Anna's voice – 'do you know, her name was Annabel Woods.'

May gasped. 'So – so you called yourself Anna Woods?'

Anna nodded. 'I just hope the real Annabel Woods didn't get into too much trouble. I hoped she'd be able to replace the lost items.'

Now there was a long silence between them until, haltingly now, Anna came to the part where she had been standing in Ludthorpe marketplace on a cold, wet evening just before Christmas . . .

When she had finished, Anna said, 'Now you must tell me what happened to you.'

May's voice was unsteady. 'I had to take the beatings for a while. I tried several times to get away, but he always found me and dragged me back, and then, suddenly, about two years after you'd gone, he stopped hitting me and became much nicer. Just like he had been in the early days.' She glanced at Anna as she added, bitterly, 'But there was a reason. He'd found out that if you were declared dead, then – then I was your next of kin and could inherit the farm. That's what they were after all the time. The farm. They'd planned it all.'

'So what happened?'

'At first, because we couldn't sell it, we put a manager in. The farm did well and earned quite a good living for us. But Douglas wanted the lump sum. He wanted to buy the cinema he was involved in.'

At this point, Anna interrupted her mother's tale to tell her what PC Jenkins had said.

'It doesn't surprise me.' May's mouth was grim. 'Believe me, Douglas Whittaker owned very little that had been legitimately bought, unless,' she added bitterly, 'it was something I'd paid for.'

Anna said nothing.

'When you'd been missing a few years he consulted a solicitor. But he must have been advised to wait a little longer. I think he was told that we ought to make more effort to find you first. So the farm had to stay in your name and we couldn't sell it, only continue to work it.' She sighed. 'Douglas was furious, so the beatings began again for a while. And then he stopped again, though the cruelty still continued, but it was only verbal now.'

'Only!' Anna cried.

'It – it wasn't so bad.' May tried to sound brave, but her mouth trembled. All she had ever wanted was to be taken care of, but instead she had lived with a brutal, greedy man.

'Poor Mam,' Anna murmured. Then, taking a deep breath, she asked, 'What about Bruce?'

'He stayed in the army and only came home on leave. And when he did, the conversation was always about finding you. Of course, part of me wanted you found – desperately – but on the other hand, I wanted you to stay hidden. I was so afraid that if they did find you—' She needed to say no more. Anna shuddered.

'Did Douglas go back to the solicitor again?'

'Yes, and the second time – oh, Anna – ' tears filled May's eyes – 'I didn't really understand it all. I still don't. Douglas handled everything, but I had to swear an oath in front of an independent solicitor that I believed you to be dead and that I was your next of kin. Eventually probate was granted and – and the farm came to me.' May covered her face with her hands and wept. 'Douglas made me sell it. I lost Clayton's Farm, Anna.' She shuddered. 'Your grandfather must be turning in his grave.'

'Oh, Mam, don't. Grandpa would have understood. He loved you. He wouldn't blame you.'

'But I blame myself,' May whispered hoarsely. 'And the worst of it is it needn't have happened. Douglas didn't have the power to make me do anything, if only I'd known it.'

'What do you mean?'

May was shamefaced. 'I was never properly married to him. It – it seems he never got a divorce from his first wife. Oh, Anna, how could I have been so stupid?'

Anna did not answer her directly but asked instead, 'Who – who has the farm now?'

Through her tears, May was able to smile. 'Jed.'

'Jed!' Anna was startled. But then, as the realization seeped in, she said again, but softly now, 'Jed.'

Again there was a long silence before May asked, 'How did Douglas and Bruce find you after all this time? No one has told me.'

Anna explained that her rebellious teenage daughter had persuaded Tony to take her to Lincoln to see one of her idols.

'It wasn't their fault. I'd kept her hidden away so long without any explanation. She was bound to break out sooner or later. I see that now. I'm not really sure what happened exactly. All Maisie knows is that they were outside the cinema and a photographer took pictures of the queue. Tony thinks perhaps the picture appeared in the *Echo* complete with Maisie's name and where she lived and they came looking.' Her voice hardened. 'Of course, when they got to the farm, Bertha couldn't wait to tell them where I was. I expect she saw for herself then, the likeness of Maisie to – to Bruce.'

'Is she like him?' May asked, sounding as if she hated the idea.

Anna smiled. 'She has his red hair and his brown eyes, but, thankfully, that's the only way she resembles him.' Anna squeezed her mother's hand. 'You'll love her, Mam. I know you will.'

They glanced across the grass to see Maisie and Tony walking towards them. Anna caught her breath. Tony's arm was around Maisie's shoulder and Maisie's was around his waist. As they drew closer, Anna felt tears fill her eyes, but now, after all these years, they were tears of joy.

Tony's face was shining with happiness and Maisie was blushing as she laughed up at him.

It's all right, she thought. *Everything's going to be all right.* As they drew near, Anna, with one arm still around her mother, held out her hand towards Maisie.

'Darling,' she said, 'come and meet your grand-mother.'